Dark Secrets

Michael Hjorth
et Hans Rosenfeldt

Dark secrets

Traduit du suédois
par Max Stadler

EDITIONS ▌PRISMA

Titre de l'édition originale :
DET FÖRDOLDA
© Michael Hjorth & Hans Rosenfeldt
First published by Norstedts, Sweden, in 2010.
Published by agreement with Norsteds Agency.

Coordination éditoriale : Ambre Rouvière
Édition et correction : Nord Compo Multimédia
Mise en page : Nord Compo Multimédia
Maquette de couverture : Éric Doxat
Couverture : © Thinkstock / © Pär Wickholm

ISBN : 978-2-8104-0464-3

1

Je ne suis pas un meurtrier.

C'était ce que l'homme se répétait en traînant le corps du garçon vers l'étang : il n'était pas un meurtrier.

Les meurtriers sont des criminels. Des gens mauvais. Les ténèbres ont englouti leur âme et ils ont tourné le dos à la lumière.

Lui n'était pas méchant. Loin de là.

N'avait-il pas prouvé le contraire ces derniers temps ? N'avait-il pas mis de côté ses propres sentiments, sa propre volonté, pour les autres ? Tendre l'autre joue, voilà ce qu'il avait fait. Sa présence ici même, devant cette mare au milieu de nulle part avec ce garçon mort, n'était-elle pas encore une preuve de sa volonté de faire ce qui était juste ? Une preuve qu'il se *devait* de le faire ? Qu'il ne voulait plus jamais décevoir ?

L'homme s'arrêta pour reprendre son souffle. Malgré son jeune âge, le garçon était lourd. Un corps athlétique. Des heures passées en salle de sport.

Il y était presque. L'homme le saisit fermement par le pantalon qui avait été blanc, mais qui, maintenant, dans la nuit, paraissait presque noir. Le garçon avait beaucoup saigné.

Non, il ne fallait pas tuer. Le cinquième commandement. Tu ne tueras point. Mais il y avait des exceptions. La Bible encourageait même à tuer, lorsque l'intention était juste. Certains le méritaient. Ce qui était mauvais pouvait être bon. Rien n'était absolu.

Surtout quand le mobile n'était pas égoïste. Quand la perte d'une vie humaine en sauvait d'autres.

L'homme atteignit le bord de l'eau noire. Normalement, la mare était très peu profonde, mais la pluie de ces derniers jours avait abreuvé la terre, si bien qu'un petit étang s'étalait maintenant dans cette dépression de terrain glaiseux.

L'homme se baissa et saisit le garçon par les épaules. Il peina à redresser le corps. Pendant un court instant, il le regarda dans les yeux. Quelles avaient été ses dernières pensées ? Avait-il eu le temps d'en avoir ? Avait-il compris qu'il allait mourir ? S'était-il demandé pourquoi ? Avait-il pensé à tout ce qu'il n'avait pas pu faire pendant sa courte vie ou, au contraire, à ce qu'il avait accompli ?

Peu importait.

Pourquoi se tourmenter ?

Il n'avait pas le choix.

Il ne devait pas décevoir.

Pas encore une fois.

Pourtant, il hésita. Mais non, ils ne comprendraient pas. Ne pardonneraient pas. Ne tendraient pas l'autre joue comme lui.

Il poussa le garçon, et le corps heurta la surface de l'eau dans un clapotement sourd. L'homme sursauta, surpris par le bruit dans la nuit silencieuse.

Le corps du garçon disparut lentement dans l'eau.

L'homme qui n'était pas un meurtrier retourna à sa voiture, garée au bord du petit sentier dans la forêt, et rentra chez lui.

– Police de Västerås, Klara Lidman à l'appareil.

– J'appelle pour signaler la disparition de mon fils.

La femme paraissait presque gênée, comme si elle n'était pas tout à fait sûre d'être à la bonne adresse, ou comme si elle ne s'attendait pas vraiment à ce qu'on la croie. Klara Lidman prit son bloc-notes, bien que la conversation soit automatiquement enregistrée.

– Pourriez-vous me donner votre nom, s'il vous plaît ?

– Lena. Lena Eriksson. Mon fils s'appelle Roger. Roger Eriksson.

– Quel âge a-t-il ?

– Seize ans. Je ne l'ai pas vu depuis hier après-midi.

Klara nota l'âge et comprit qu'il allait falloir lancer un avis de recherche au plus vite. Si le garçon avait vraiment disparu.

– Quand exactement hier après-midi ?

– Il est parti de la maison vers cinq heures.

Vingt-deux heures. En vingt-deux heures, il peut se passer beaucoup de choses lors d'une disparition.

– Savez-vous où il est allé ?

– Oui, chez Lisa.

– Qui est Lisa ?

– Sa petite amie. Je l'ai appelée aujourd'hui, mais selon elle, il est parti de chez elle hier soir vers vingt-deux heures.

Klara barra le dix-sept sur sa feuille et le remplaça par un vingt-deux.

– Pour aller où ?

– Elle ne le savait pas. Elle pensait qu'il allait rentrer à la maison. Mais il n'est pas revenu. Pas de toute la nuit. Et maintenant, presque toute la journée est passée.

Et tu n'appelles que maintenant, pensa Klara. La femme à l'autre bout du fil ne paraissait pas particulièrement inquiète, remarqua-t-elle tout à coup. Plutôt abasourdie. Résignée.

– Sa copine s'appelle Lisa comment ?

– Hansson.

Klara nota le nom.

– Est-ce que Roger a un portable ? Avez-vous essayé de le joindre ?

– Oui, mais il ne répond pas.

– Et vous n'avez aucune idée de l'endroit où il pourrait se trouver ? Il n'aurait pas passé la nuit chez des copains ?

– Non, dans ce cas, il m'aurait prévenue.

La femme marqua une brève pause. Klara supposa qu'elle avait craqué, mais lorsqu'elle entendit l'inspiration à l'autre bout du fil, elle comprit que son interlocutrice avait seulement tiré sur sa cigarette. Celle-ci exhala la fumée puis dit :

– Il a tout simplement décampé.

*

Le rêve revenait chaque nuit.

Le hantait.

Toujours le même rêve, qui exprimait toujours la même angoisse. Il n'en pouvait plus. Il avait l'impression de devenir fou. Sebastian Bergman valait mieux que cela. Si quelqu'un s'y connaissait en rêves, c'était bien lui ; si quelqu'un devait être capable de maîtriser la torture des souvenirs, c'était bien lui. Mais peu importait à quel point il s'y était préparé, à quel point il connaissait la signification réelle du rêve, il n'arrivait pas à s'y soustraire. Les mêmes images chaque nuit, depuis cinq ans. Son inconscient tendu à l'extrême pour lutter contre ce qu'il n'arrivait pas à affronter le jour : son sentiment de culpabilité.

Quatre heures quarante-trois.

Le jour se levait. Sebastian avait la bouche sèche. Avait-il crié ? Apparemment non, la femme allongée à côté de lui ne s'était pas réveillée. Elle respirait tranquillement, et ses longs cheveux tombaient sur sa poitrine nue, la recouvrant à moitié. Sebastian ouvrait et refermait lentement ses poings pour évacuer les crampes dans ses doigts. Il le faisait désormais presque automatiquement, tant il avait l'habitude de se réveiller le poing droit serré. Il tenta de se rappeler le nom de la créature qui dormait à ses côtés.

Katarina ? Karin ?

Elle avait dû le mentionner au cours de la soirée.

Kristina ? Karolin ?

Non que cela fût important, il ne la reverrait pas, mais fouiller dans sa mémoire l'aidait à chasser les restes nébuleux du rêve.

Sebastian se leva doucement, réprima un bâillement et ramassa ses vêtements. Pendant qu'il s'habillait, il promena un regard désintéressé dans la pièce où il avait passé la nuit. Un lit, deux placards coulissants, un miroir, une table de chevet Ikea blanche où se trouvaient un réveil et un magazine, une petite table avec une photo de l'enfant dont elle avait la garde une semaine sur deux, et un peu de bazar à côté de la chaise où il venait de prendre ses vêtements. Des reproductions sans intérêt étaient accrochées aux murs, dont la couleur aurait sans doute été qualifiée par un agent immobilier rusé de « crème fouettée », alors qu'en réalité, c'était un simple beige. La pièce était comme le sexe qu'il y avait eu : peu inspiré et un poil ennuyeux, mais qui faisait l'affaire. Comme toujours. Malheureusement, la satisfaction ne durait jamais longtemps.

Sebastian ferma les yeux. C'était le moment le plus douloureux. Le retour à la réalité. La redescente. Il la connaissait si bien. Il se concentra sur la femme dans le lit, particulièrement sur son téton visible. Comment s'appelait-elle déjà ?

Il savait qu'il s'était présenté quand il était arrivé avec les boissons, il le faisait toujours. Pas lorsqu'il demandait si la place à ses côtés était encore libre, ou s'il pouvait l'inviter à boire un verre. Seulement au moment où il posait le verre devant elle.

– Au fait, je m'appelle Sebastian.

Qu'avait-elle répondu ? Un nom qui commençait par K, il en était absolument sûr. Il ferma la ceinture de son pantalon. La boucle émit un léger cliquetis.

– Tu pars ?

La voix pâteuse et ensommeillée, son regard cherchant le réveil sur la table de nuit.

– Oui.

– Je pensais qu'on prendrait le petit-déjeuner ensemble. Il est quelle heure ?

– Presque cinq heures.

La femme se redressa sur un coude. Quel âge avait-elle ? Bientôt quarante ? Elle écarta une mèche de son visage. L'idée que la matinée ne se passerait pas comme elle l'avait prévu se frayait un chemin dans son esprit encore embrumé. Il s'était levé et habillé en douce, sans intention de la réveiller. Ils ne mangeraient pas ensemble en lisant le journal et en bavardant gentiment, ils ne feraient pas de promenade dominicale. Il n'avait pas l'intention d'apprendre à mieux la connaître ni de la rappeler, malgré ce qu'il avait dit.

11

Elle le savait. C'est pourquoi elle dit simplement :

– Salut.

Sebastian ne chercha même plus à deviner son nom. Il n'était finalement plus très sûr qu'il commençât par un K.

Dehors, dans le jour naissant, la banlieue dormait encore. Sebastian s'arrêta au croisement devant le panneau. Rue Varpaväg. Quelque part à Gubbängen. Pas la porte à côté. Est-ce que le métro roulait à cette heure-ci ? Ils étaient rentrés en taxi et s'étaient arrêtés en chemin devant un 7-Eleven pour acheter du pain pour le petit-déjeuner, car elle s'était rappelé qu'elle n'avait plus rien à manger chez elle. Puisqu'il resterait pour le petit-déjeuner, n'est-ce pas ? Du pain et du jus de fruits, voilà ce qu'ils avaient acheté, lui et... Machine. Ah ! c'en était désespérant ! Comment s'appelait cette bonne femme ? Sebastian longea la rue déserte.

Quel que soit son nom, il l'avait blessée.

Dans quatorze heures, il irait à Västerås et accomplirait sa mission. Et là, il ne penserait plus du tout à cette femme.

Il commença à pleuvoir.

Quelle matinée de merde !

À Gubbängen.

2

Putain de merde ! Les chaussures de l'inspecteur Thomas Haraldsson étaient trempées, son talkie-walkie ne marchait pas, et en plus, il avait perdu les autres. Les rayons du soleil l'aveuglaient, il était obligé de cligner des yeux pour ne pas trébucher sur les racines qui parsemaient le sol boueux. Haraldsson ne cessait de jurer et de regarder sa montre. La pause-déjeuner de Jenny à l'hôpital commençait dans moins de deux heures. Elle rentrerait à la maison en espérant qu'il la rejoindrait. Mais il n'y arriverait pas. Il serait toujours en train de tourner en rond dans cette maudite forêt. Haraldsson s'enfonça dans la boue avec son pied gauche et sentit la chaussette absorber l'eau dans la chaussure. L'air portait déjà la douceur nouvelle et volatile du printemps, alors que l'eau avait gardé le froid de l'hiver. Il frissonna, mais parvint à sortir son pied du bourbier pour retourner sur la terre ferme. Haraldsson promena son regard sur les environs. L'est devait se trouver par là. Est-ce que c'était dans cette zone que les scouts cherchaient ?

Il était tout à fait possible qu'il ait tourné en rond et complètement perdu le sens de l'orientation. Un peu plus loin, il aperçut une colline, une promesse de terre ferme, une petite oasis dans cet enfer. Il se dirigea dans cette direction. Encore une fois, son pied s'enfonça. Le pied droit, cette fois. Quel bordel de merde ! Tout était de la faute de Hanser. Il n'aurait pas été obligé de se trimbaler ici, trempé jusqu'aux os, si Hanser n'avait pas voulu faire une démonstration de force. C'est sûr qu'elle en avait besoin, elle qui n'avait jamais été un véritable flic. En bonne juriste, elle avait grimpé tout en haut de l'échelle, sans jamais se salir les mains ni se mouiller les pieds. Non, si Haraldsson avait eu à décider, ils auraient abordé l'affaire d'une manière tout à fait différente. Certes, le gamin avait disparu depuis vendredi, et selon le règlement, il fallait bien élargir la zone de recherches, surtout parce qu'un témoin croyait avoir observé « des activités nocturnes » et « de la lumière dans la forêt », le week-end en question, près de Listakärr. Mais Haraldsson savait par expérience que cela ne servait à rien. Le gamin était à Stockholm et se fichait de sa mère inquiète. Il avait seize ans. Et c'était ce que faisaient les gamins de seize ans : ils se foutaient de leur mère. Hanser. Plus Haraldsson pataugeait, plus il la détestait. Elle était la pire chose qui lui soit jamais arrivée. Jeune, séduisante, ambitieuse, avec des opinions politiques bien campées, et parfaitement représentative de la police moderne. Hanser ne lui revenait pas. Dès leur première rencontre au commissariat de Västerås, Haraldsson avait su que sa carrière venait d'en prendre un coup. Il avait posé sa candidature pour le poste. Elle l'avait obtenu. Pendant cinq ans au moins, elle serait sa supérieure. Ses cinq ans à lui. On lui avait scié l'échelle. Sa carrière à lui stagnerait, et ce n'était qu'une question de temps avant qu'elle n'amorçât sa chute. Quelle ironie qu'il se trouvât à quelques kilomètres de Västerås, dans une forêt, enfoncé jusqu'aux genoux dans la gadoue nauséabonde ! « AUJOURD'HUI, CÂLIN À LA PAUSE-DÉJEUNER », c'était le message qu'il avait reçu dans la matinée. Ce qui signifiait que Jenny rentrerait à la maison à midi pour coucher avec lui, et le soir, ils feraient l'amour encore une ou deux fois. Voilà à quoi ressemblait leur vie en ce moment. Jenny était en traitement pour infertilité et, avec son médecin, elle avait élaboré un emploi du temps pour optimiser les chances de conception. Aujourd'hui était une date optimale. D'où le message. Haraldsson était tiraillé. Il appréciait le fait que leur vie sexuelle ait connu une augmentation de plusieurs centaines de pour cent dernièrement, puisque Jenny avait toujours envie de lui. Mais en même temps, il n'arrivait pas à se défaire de l'idée que ce n'était pas lui qu'elle voulait, mais son sperme. Sans ce désir d'enfant, il ne lui serait jamais venu à l'idée de rentrer à la maison pour baiser pendant la pause-déjeuner. Il avait l'impression qu'ils se conduisaient comme les animaux. Dès qu'un ovule se mettait à flotter vers l'utérus, ils copulaient comme des lapins. Et entre-temps aussi, juste pour être sûrs. Mais il ne s'agissait plus de plaisir ni de tendresse. Qu'était devenue la passion ? Où était passée l'envie ? Elle trouverait la maison vide. Peut-être qu'il aurait dû l'appeler pour lui demander s'il devait éjaculer dans un verre et le mettre au frigo avant de partir ! Et le pire dans tout ça , c'est qu'il n'était même pas sûr que Jenny aurait considéré cette proposition comme une mauvaise idée.

Tout avait débuté samedi. Vers quinze heures, le service des urgences avait transféré un appel à la police de Västerås. Une mère avait signalé la disparition de son fils de seize ans. Étant donné qu'il s'agissait d'un mineur, on avait lancé un avis de recherche de la plus haute priorité. En exacte conformité avec le règlement. Malheureusement, l'avis était resté sur son bureau jusqu'au dimanche avant qu'une patrouille ne s'occupât de l'affaire – avec pour seul résultat que deux policiers étaient allés voir la mère vers seize heures. Ceux-ci avaient pris sa déposition une nouvelle fois et avaient établi un rapport au commissariat avant la fin de leur service. À cette heure-là, aucune mesure concrète n'avait encore été prise, hormis le fait qu'il existait maintenant deux signalements soigneusement consignés et quasiment identiques de la même personne disparue. Tous deux affublés de l'étiquette « hautement prioritaire ». Ce ne fut que lundi matin, alors que Roger Eriksson avait disparu depuis cinquante-huit heures, que le policier de service remarqua que l'avis de recherche n'avait pas été lancé. Une réunion sur les nouveaux uniformes avait malheureusement duré si longtemps que Haraldsson n'avait reçu le dossier qu'à midi. En voyant la date de réception, Haraldsson remercia son ange gardien que cette patrouille soit passée chez Lena Eriksson dimanche soir. Inutile que la mère apprenne que les policiers n'avaient fait que remplir un deuxième avis de recherche. Non, l'enquête avait déjà sérieusement commencé dimanche, mais sans résultat pour l'instant. Ce serait cette version que Haraldsson défendrait. Il savait qu'il serait obligé de glaner quelques renseignements supplémentaires avant de parler à Lena Eriksson. Voilà pourquoi il essaya de joindre Lisa Hansson, mais la jeune fille était encore à l'école. Haraldsson vérifia d'abord si Lena Eriksson ou son fils étaient fichés. Roger avait commis plusieurs vols à l'étalage. Le dernier datait de plus d'un an auparavant et ne pouvait guère avoir de lien avec sa disparition. Rien sur la mère. Ensuite, il appela la mairie et apprit que Roger était un élève du lycée Palmlövska. Pas bon, pensa Haraldsson. C'était un lycée privé avec internat, figurant parmi les meilleures écoles du pays. Seuls les enfants doués et très motivés, avec des parents aisés, allaient à Palmlövska. Des parents qui avaient des relations. On chercherait sûrement un bouc émissaire qui porterait le chapeau pour le retard pris dans l'enquête et, dans ce contexte, cela ferait mauvaise impression de ne pas avoir glané la moindre information au troisième jour. Haraldsson décida de rattraper le coup. Sa carrière était au point mort, il ne fallait pas prendre trop de risques. C'est pourquoi il avait travaillé dur cet après-midi-là et était passé à l'école. Le directeur de l'établissement, Ragnar Groth, ainsi que la professeure principale de Roger Eriksson, Beatrice Strand, se montrèrent très inquiets et horrifiés d'apprendre que Roger était porté disparu. Ils se sentaient impuissants et n'avaient rien remarqué de particulier. Roger s'était comporté comme d'habitude, il était venu à l'école, avait eu une interro de suédois le vendredi après-midi et, selon ses camarades de classe, il était apparu de bonne humeur après. Puis Haraldsson eut l'occasion de parler avec Lisa Hansson, la dernière personne à avoir vu Roger le vendredi soir. Elle avait le même âge que lui, et on la lui présenta à la cafétéria du lycée. C'était une jolie fille, mais assez quelconque. Des cheveux lisses et blonds, relevés devant avec une simple barrette. Des yeux bleus non maquillés. Un chemisier blanc fermé jusqu'à l'avant-dernier bouton, assorti d'un gilet. Haraldsson pensa immédiatement à l'église quand il prit place en face d'elle. Ou à la fille dans la série télé « La pierre blanche », diffusée durant son enfance. Il lui demanda si elle voulait boire quelque chose. Elle secoua la tête.

– Raconte-moi ce qui s'est passé vendredi dernier, quand Roger était chez toi.

Lisa haussa les épaules.

– Il est venu vers cinq heures et demie, on a regardé la télé dans ma chambre, et puis il est rentré chez lui vers dix heures. En tout cas, il a dit qu'il rentrait chez lui...

Haraldsson hocha la tête. Quatre heures et demie dans sa chambre. Deux ados de seize ans. Regarder la télé, mon œil. Ou bien est-ce qu'il jugeait trop les autres d'après ses propres expériences ? À quand remontait la dernière fois que Jenny et lui avaient regardé la télé pendant toute une soirée ? Sans baiser pendant la pub ? Des mois.

– Et c'est tout ? Vous ne vous êtes pas disputés, rien ?

Lisa secoua la tête. Elle ne cessait de ronger l'ongle presque inexistant de son pouce. Haraldsson remarqua que la peau autour de l'ongle était déchiquetée.

3

– Est-ce qu'il a déjà disparu comme ça ?

Lisa secoua de nouveau la tête.

– Non, pas que je sache, mais on n'est pas ensemble depuis très longtemps. Vous n'avez pas encore parlé avec sa mère ?

Pendant un court instant, Haraldsson pensa que c'était un reproche, avant de comprendre que ce n'était bien évidemment nullement le cas. La faute de Hanser. Elle le rendait tellement dingue qu'il doutait de lui-même.

– D'autres policiers sont allés la voir, mais nous devons parler avec tout le monde. Pour nous faire une idée.

Haraldsson se racla la gorge.

– Comment Roger s'entend-il avec sa mère ? Est-ce qu'il y a des problèmes ?

Lisa haussa une nouvelle fois les épaules. Haraldsson trouva son répertoire assez limité. Secouer la tête et hausser les épaules.

– Ils ne se sont pas disputés de temps à autre ?

– Si, c'est arrivé. Elle n'aime pas l'école.

– Cette école en particulier ?

Lisa acquiesça.

– Elle la trouve snob.

Ce qui est absolument vrai, pensa Haraldsson.

– Est-ce que le père de Roger habite en ville également ?

– Non, je n'ai aucune idée de l'endroit où il habite. Je ne suis même pas sûre que Roger le sache. Il ne parle jamais de lui.

Haraldsson nota cette information dans son carnet. Intéressant. Peut-être que le fils était parti à la recherche de ses origines. Pour retrouver son père absent. Sans rien dire à sa mère. Il n'aurait pas été le premier.

– Qu'est-ce qui s'est passé selon vous ?

Haraldsson fut arraché à ses réflexions. Il leva les yeux vers Lisa et vit qu'elle était au bord des larmes.

– Je ne sais pas. Mais il reviendra sûrement. Peut-être qu'il est seulement parti à Stockholm pour quelques jours. Une petite aventure, tu sais.

– Pourquoi est-ce qu'il ferait ça ?

Haraldsson observa sa mine déconfite. Le pouce rongé entre ses lèvres nues. Non, cette petite demoiselle catholique ne voyait pas de raison, bien sûr. Par contre, Haraldsson était de plus en plus convaincu que le disparu avait fait une fugue.

– Parfois, on a des idées un peu bizarres. Il reviendra sûrement, tu verras.

Haraldsson afficha un sourire censé inspirer la confiance, mais à la réaction de Lisa, il vit qu'il n'avait pas obtenu l'effet escompté.

– Je te le promets, ajouta-t-il.

Avant de partir, il demanda à la jeune fille de lui faire la liste des amis de Roger et de toutes les personnes avec qui celui-ci était en contact. Lisa réfléchit longtemps, puis elle nota quelque chose sur un bout de papier qu'elle lui tendit : deux noms. Johan Strand et Sven Heverin. Un garçon solitaire, pensa Haraldsson, les garçons solitaires fuguent.

Lorsqu'il s'installa au volant de sa voiture le lundi après-midi, Haraldsson était plutôt satisfait de sa journée de travail. Certes, sa conversation avec Johan Strand ne l'avait pas beaucoup avancé : ce dernier avait seulement déclaré l'avoir vu pour la dernière fois le vendredi après-midi, en sortant de l'école. D'après lui, Roger avait l'intention de passer voir Lisa. Il ignorait où il était allé ensuite. Quant à Sven Heverin, il avait apparemment des vacances à rallonge. Six mois en Floride, et il était déjà parti depuis sept semaines. La mère du garçon avait accepté une mission de consulting aux États-Unis, et avait emmené toute sa famille. Certaines personnes sont vraiment vernies, se dit Haraldsson en se demandant quels endroits exotiques il avait bien pu visiter grâce à son travail. La seule chose qui lui venait à l'esprit était un séminaire à Riga, durant lequel il avait passé tout son temps cloué au lit par une gastro-entérite. Il se souvenait juste que ses collègues s'étaient bien amusés pendant qu'il avait la tête dans un seau en plastique bleu.

Mais aujourd'hui, Haraldsson était plutôt satisfait de lui. Il avait suivi plusieurs pistes, mais surtout, il avait découvert un conflit potentiel mère/fils qui laissait supposer que l'affaire ne relèverait bientôt plus de leur compétence. La mère n'avait-elle pas dit elle-même, lorsqu'elle avait signalé sa disparition, que son fils « avait décampé » ? Si, c'était bien ce qu'elle avait dit. Haraldsson se souvenait que ses paroles l'avaient interpellé lorsqu'il avait écouté l'enregistrement. Elle n'avait pas utilisé le mot « parti » ou « disparu », mais « décampé ». Cela ne signifiait-il pas qu'il était parti sur un coup de tête ? Une porte claquée au nez d'une mère résignée. Haraldsson en était de plus en plus convaincu. Ce jeune homme était parti pour élargir son horizon à Stockholm.

Par simple précaution, Haraldsson avait tout de même prévu de passer voir plusieurs personnes qui le reconnaîtraient si jamais quelqu'un demandait où en était l'enquête. Peut-être l'une d'entre elles avait-elle bel et bien vu Roger au centre-ville, près de la gare. Puis il rendrait visite à la mère pour la mettre un peu sous pression et lui faire admettre qu'elle se disputait souvent avec son fils. Très bon plan, se dit-il en mettant le contact.

Au même moment, son téléphone portable sonna. Un simple coup d'œil sur l'écran lui donna des frissons. Hanser.

– Qu'est-ce qu'elle me veut encore ? grommela Haraldsson en coupant le moteur.

Devait-il ignorer l'appel ? Une pensée alléchante, mais peut-être voulait-elle lui annoncer le retour du gamin. Peut-être était-ce justement ce qu'elle avait à lui dire. Qu'il avait raison depuis le début. Il décrocha.

La conversation ne dura que dix-huit secondes au cours desquelles Hanser ne prononça que cinq mots.

– Où es-tu ? furent les trois premiers.

– Dans la voiture, répondit Haraldsson, ce qui était la vérité. Je viens de passer à l'école du gamin, j'ai parlé à ses profs et à sa petite amie.

À son grand désarroi, Haraldsson remarqua qu'il s'était immédiatement mis sur la défensive. Sa voix trahissait un brin de soumission et se fit soudain plus aiguë. Bon sang, il avait pourtant fait son boulot correctement.

– Viens immédiatement !

Haraldsson s'apprêtait à expliquer qu'il était déjà en route pour une autre destination, et à demander ce qu'il y avait de si important, mais Hanser avait déjà raccroché. Connasse. Il remit le contact et se rendit au commissariat.

Hanser l'y attendait de pied ferme. Le regard glacé. La chevelure blonde trop parfaite. Le tailleur sur mesure et assurément cher. Elle lui annonça avoir reçu un coup de fil paniqué de Lena Eriksson lui demandant ce qui avait été fait pour son fils, et elle avait dû se poser la même question : qu'avait-on fait ?

Haraldsson lui résuma brièvement ses activités de l'après-midi en s'efforçant de souligner à quatre reprises que l'affaire n'était arrivée sur son bureau qu'à midi. Si elle avait des reproches à formuler, elle n'avait qu'à s'adresser aux préposés du week-end.

– C'est bien ce que je compte faire, répondit calmement Hanser. Mais pourquoi ne m'as-tu pas prévenue qu'on avait perdu autant de temps dans cette enquête ? Il faut absolument me tenir au courant de ce genre de choses.

Haraldsson sentit leur conversation prendre un tour inattendu. Il essaya tant bien que mal de se justifier :

– Ça arrive. Je ne vais tout de même pas courir te voir à chaque fois qu'on est un peu à la bourre. Tu as sûrement mieux à faire.

– Mieux à faire que de se lancer immédiatement à la recherche d'un enfant disparu ?

Elle le fixa d'un air interrogateur. Haraldsson resta coi. Leur conversation ne se passait pas comme prévu. Pas du tout.

Ça, c'était lundi. À présent, il se trouvait quelque part dans les environs de Listakärr, à patauger dans la boue. Hanser avait sorti le grand jeu : interrogatoire du voisinage et battues dont on élargissait chaque jour le périmètre. Sans résultat jusqu'ici. Hier, Haraldsson s'était jeté sur le commissaire divisionnaire en déclarant sur un ton sarcastique que toute cette affaire allait leur coûter la peau des fesses. Beaucoup d'hommes mobilisés pour rechercher un jeune qui était probablement en train de prendre du bon temps dans la capitale. Haraldsson eut du mal à interpréter la réaction de son supérieur, mais ce dernier se souviendrait sûrement de ses paroles quand Roger serait revenu de sa petite excursion. Il comprendrait alors quelles sommes inconsidérées Hanser avait gaspillées. Cette pensée fit sourire Haraldsson. Les procédures étaient une chose, l'intuition d'un policier en était une autre. On ne s'arrête jamais d'apprendre.

Haraldsson s'immobilisa. En plein milieu de la colline. Il s'était encore embourbé. Et cette fois, pour de bon. Il dégagea son pied. Sans chaussure. Il eut encore le temps de voir la boue se répandre généreusement dans le soulier noir pointure quarante-trois pendant que sa chaussette gauche absorbait encore quelques millilitres d'eau froide.

Il en avait assez à présent.

Ras le bol.

C'était la goutte d'eau qui faisait déborder le vase.

À genoux, il plongea sa main dans la boue pour récupérer sa chaussure. Ensuite, il rentrerait à la maison. Les autres n'avaient qu'à venir sillonner le coin avec leurs putains d'équipes de sauvetage. Il avait une femme à féconder.

*

Un trajet en taxi plus tard et trois cent quatre-vingts couronnes en moins dans son portefeuille, Sebastian se trouvait devant l'entrée de son appartement de la rue Grev Magnigatan, dans le quartier huppé d'Östermalm. En fait, cela faisait longtemps qu'il voulait s'en séparer : il était cher et luxueux. Fait sur mesure pour un professeur et écrivain à succès au parcours universitaire exemplaire et au réseau bien développé. Tout ce qu'il n'était ou n'avait plus. Rien qu'à l'idée de faire le tri dans ce qu'il avait accumulé au fil des années et de faire ses cartons, la tâche lui paraissait insurmontable. C'était pour cette raison qu'il avait simplement condamné certaines pièces de l'appartement et ne se servait plus que de la cuisine, de la chambre d'amis et d'une petite salle de bains. Il ne touchait plus au reste. En attendant... il ne savait pas quoi au juste.

Sebastian jeta un bref coup d'œil à son lit défait, mais décida de prendre une douche. Longue et chaude. Il avait déjà oublié ses exploits de la nuit. Était-ce une erreur d'être parti si vite ? Aurait-elle pu lui donner autre chose dans les heures suivantes ? Sûrement encore plus de sexe. Et un petit-déjeuner avec jus de fruits et petits pains. Et après ? Les adieux auraient été inévitables. Cela n'aurait jamais pu finir autrement. Autant couper court. Et pourtant, ça lui manquait, ce moment de communion avec un autre être humain qui, pendant un bref instant, lui faisait oublier tout le reste. Il se sentait à nouveau engourdi et vide. Combien d'heures avait-il dormi la nuit dernière ? Deux ? Deux et demie ? Il n'avait pas la gueule de bois, c'était déjà ça. Il se regarda dans le miroir. Ses yeux paraissaient plus fatigués que d'habitude, et il remarqua qu'il devenait urgent de prendre rendez-vous chez le coiffeur. Peut-être une coupe en brosse ? Non, cela lui rappellerait trop le passé. Et le passé était révolu. Mais il pourrait tailler sa barbe, donner forme à ses cheveux et peut-être même se faire faire quelques mèches. Il se sourit, de son sourire le plus charmant. Incroyable qu'il pût encore avoir du succès, pensa-t-il. Le vide était réapparu. Tout à coup, il sentit la fatigue l'envahir. La redescente était achevée. Il regarda sa montre. Il fallait absolument qu'il s'allonge au moins un peu. Il savait que le rêve allait revenir, mais il était trop fatigué pour s'en soucier. Il connaissait maintenant si bien son fidèle compagnon que celui-ci lui manquait parfois, lorsqu'il lui arrivait de dormir sans qu'il le réveillât en plein milieu de la nuit.

Au début, c'était différent. Quand le rêve l'avait torturé pendant des mois et des mois, Sebastian avait été las de se réveiller sans cesse et de subir cet état oscillant perpétuellement entre l'angoisse et l'asphyxie, l'espoir et le désespoir. Pour mieux dormir, il avait commencé à avoir la main lourde sur la bouteille, solution plébiscitée par les universitaires d'âge moyen à la vie sentimentale compliquée. Pendant quelque temps, il avait réussi à ne plus rêver du tout, mais son subconscient avait trouvé un moyen de contourner le barrage alcoolique, si bien qu'il fut obligé de boire de plus en plus tôt et en quantités de plus en plus grandes pour en sentir les effets. À la fin, Sebastian finit par s'avouer vaincu. Il arrêta de boire du jour au lendemain. Tenta de faire face à la douleur. De laisser le temps aux blessures de cicatriser. Ce fut un échec cinglant. Au bout d'une nouvelle période sans parvenir à dormir une seule nuit complète, il commença à prendre des médicaments. Ce qu'il s'était juré de ne jamais faire. Mais on ne pouvait pas tenir toutes ses promesses, il le savait plus que tout autre. Surtout quand on était confronté aux vraies grandes questions de l'existence. Il fallait être plus flexible. Il appela quelques-uns de ses anciens patients les moins scrupuleux et dépoussiéra son bloc d'ordonnances. Le deal était simple : ils faisaient moitié-moitié.

Évidemment, la Sécurité sociale manifesta son étonnement de le voir soudain prescrire autant de psychotropes. Mais Sebastian parvint à l'apaiser avec quelques mensonges tout à fait crédibles sur la « reprise de son activité » précédée d'une « période d'introduction intensive pour des patients au stade d'autoexploration ». De plus, il augmenta le nombre de ses patients pour ne pas éveiller les soupçons.

Au début, il prenait principalement du Propavan, du Prozac et du Di-Gesic, mais leur effet était ridiculement court. Ce fut pourquoi il adopta ensuite la Dolcotine et d'autres substances à base de morphine.

La Sécurité sociale s'avéra finalement le moindre de ses soucis. Les effets secondaires de ses expérimentations étaient bien plus gênants. Le rêve disparut, certes, mais avec lui son appétit et sa libido – une expérience totalement inédite et angoissante pour Sebastian. Le plus dur à supporter cependant était la fatigue chronique. Il avait l'impression de ne plus pouvoir aller au bout de ses pensées, comme si elles étaient coupées au beau milieu. Il pouvait, en faisant quelques efforts, mener une conversation de la vie quotidienne, mais une vraie discussion ou de longues explications étaient devenues totalement impensables.

Comme Sebastian avait fondé toute son existence sur son image intellectuelle et sur l'illusion d'avoir un esprit vif et acéré, il ne supporta pas de se retrouver dans cet état. Il ne pouvait concevoir de mener une vie anesthésiée. Certes, ses douleurs étaient apaisées, mais à quel prix : tout percevoir de la même manière atténuée, jusqu'à la vie elle-même, et ne plus pouvoir ressentir sa propre subtilité. Pour lui, la limite était désormais atteinte. Il se vit obligé de choisir entre vivre dans l'angoisse ou avec une perception tronquée. Quand il réalisa qu'il détesterait sa vie quoi qu'il fît, il opta pour l'angoisse et arrêta les médicaments du jour au lendemain.

Depuis, il ne touchait plus ni à l'alcool ni aux médicaments. Même pas un cachet d'aspirine. Mais il rêvait. Toutes les nuits.

Pourquoi fallait-il qu'il pensât justement à ça en se regardant dans le miroir de la salle de bains ? Pourquoi maintenant ? Ce rêve l'accompagnait depuis des années. Il l'avait étudié et analysé. En avait parlé avec son psy. Avait appris à vivre avec.

Pourquoi maintenant ?

C'était sûrement à cause de Västerås, pensa-t-il en accrochant sa serviette et en sortant nu de la salle de bains. C'était la faute de Västerås.

Västerås – et de sa mère. Mais aujourd'hui, il allait refermer ce chapitre de sa vie. À jamais.

Aujourd'hui serait peut-être une bonne journée.

4

Pour Joakim, cette journée était la meilleure qu'il avait passée depuis longtemps, là-bas, dans la forêt de Listakärr, et elle était d'autant meilleure qu'il allait parler aux policiers. Le rassemblement scout plutôt maussade s'était transformé en une vraie aventure. Johan avait jeté un regard à la dérobée au policier qui se tenait devant lui, surtout à son arme, et il avait décidé qu'il deviendrait lui-même policier. Avec uniforme et revolver : comme les scouts, mais en mieux équipé. Ce serait super. Car pour être honnête, la vie de scout n'était pas l'activité la plus intéressante qui fût, trouvait Joakim. Plus maintenant. Il venait d'avoir quatorze ans, et ce loisir qu'il pratiquait depuis l'âge de six ans perdait peu à peu de son attrait. La fascination pour la vie au grand air, la survie, les animaux et la nature s'était envolée. Pourtant, il ne trouvait pas cela ridicule, comme la plupart des garçons de sa classe ; non, il avait tout simplement fait le tour de la question. Merci, c'était sympa, mais maintenant, il était temps de découvrir du nouveau. Du vrai.

Peut-être que Tommy, leur chef, le sentait. C'était probablement pour cette raison qu'il avait abordé les policiers et les militaires en vue de savoir ce qui se passait, à leur arrivée à Listakärr.

Le policier, un dénommé Haraldsson, avait pesé le pour et le contre, et décidé que cela ne pouvait pas faire de mal d'avoir neuf autres paires d'yeux à disposition dans la forêt. Un périmètre de recherches leur avait alors été attribué. Haraldsson avait demandé à Tommy de diviser le groupe en trois, de choisir pour chaque équipe un capitaine et de les lui envoyer pour qu'il leur donne ses instructions. Joakim avait tiré le gros lot : il faisait équipe avec Alice et Emma, les plus belles filles de l'unité. Et pour couronner le tout, il avait été nommé capitaine.

Joakim retournait à présent auprès des filles qui l'attendaient. Ce Haraldsson était aussi monosyllabique et décidé que les policiers des films du commissaire Beck, et Joakim se sentait incroyablement important. Il imaginait déjà le déroulement de la journée : il retrouverait ce garçon grièvement blessé, et ce dernier le regarderait comme seuls le font les mourants. Il serait trop faible pour parler, mais ses yeux parleraient pour lui. Joakim le porterait jusqu'au point de rendez-vous, dans un scénario des plus dramatiques. Les autres, le voyant arriver, pousseraient des cris de joie, et tout serait parfait.

De retour auprès de son groupe, Joakim plaça Emma à sa gauche et Alice à sa droite. Haraldsson lui avait fermement ordonné de ne pas rompre la chaîne, et Joakim déclara aux filles d'un air grave qu'ils devaient absolument rester ensemble. C'était sérieux ! Au bout de ce qui lui parut une éternité, Haraldsson leur fit signe, et l'équipe d'éclaireurs put enfin se mettre en route.

Joakim constata très vite qu'il était extrêmement difficile de maintenir une chaîne de battue même si elle ne se composait que de trois groupes de trois personnes. Surtout lorsqu'ils commencèrent à s'enfoncer dans la forêt et furent obligés de dévier du parcours prévu à cause du sol marécageux. L'un des groupes avait du mal à suivre, l'autre ne faisait aucun effort pour réduire son rythme et avait déjà disparu derrière la colline. Exactement comme Haraldsson l'avait prévu. Joakim était de plus en plus impressionné par cet homme. Il paraissait tout savoir. Joakim sourit aux filles et reprit encore une fois les derniers mots de Haraldsson :

– Si vous trouvez quelque chose, criez : « Trouvé ! »

Emma hocha la tête, agacée.

– Tu l'as déjà dit au moins cent fois.

Joakim ne se laissa pas décourager. Les yeux plissés par le soleil, il continua d'avancer en s'efforçant de maintenir le cap et les distances, bien que ce soit de plus en plus difficile. Et le groupe de Lasse qui était encore sur leur gauche quelques instants auparavant avait déjà disparu.

Au bout d'une demi-heure, Emma demanda à faire une pause. Joakim tenta de lui expliquer qu'ils ne pouvaient pas faire ça. On courait le risque de perdre complètement les autres.

– Quels autres ?

Alice eut un rire éloquent, et Joakim dut admettre que cela faisait déjà un moment qu'ils n'avaient plus vu les autres.

– On dirait qu'ils sont derrière nous.

Ils se turent et prêtèrent l'oreille. Ils entendirent de légers bruits au loin. Quelqu'un cria quelque chose.

– On continue, ordonna Joakim, bien qu'il craignît fortement qu'Alice eût probablement raison. Ils étaient peut-être allés trop vite. Ou dans la mauvaise direction.

– Alors, vas-y tout seul ! rétorqua Emma en le fusillant du regard.

L'espace d'un instant, Joakim eut la sensation d'avoir perdu le contrôle sur son groupe, surtout sur Emma. Comme par hasard, elle qui lui avait pourtant lancé quelques douces œillades au cours de la dernière demi-heure. Joakim commença à transpirer, et ce n'était pas seulement à cause du caleçon long bien trop chaud qu'il portait. Il l'avait pourtant poussée à continuer uniquement pour l'impressionner, ne comprenait-elle donc pas ? Et maintenant, voilà que tout était de sa faute.

– Tu as faim ? demanda Alice en interrompant Joakim dans ses pensées. Elle venait de sortir des sandwichs de son sac.

– Non, répondit-il un peu trop vite, avant de remarquer qu'il avait réellement faim.

Joakim fit encore quelques pas et se posta sur un monticule de terre pour donner l'impression de savoir ce qu'il faisait. Emma accepta avec plaisir un sandwich et n'accorda aucune attention à la tentative de Joakim de se rendre important. Il comprit qu'il devait changer de tactique. Il prit une profonde inspiration et laissa l'air frais de la forêt s'infiltrer dans ses poumons. Le ciel s'était couvert, le soleil avait disparu, et avec lui la promesse d'une journée parfaite. Il retourna auprès des filles et décida d'adoucir le ton.

– Finalement, j'aimerais bien un sandwich, si tu en as encore un pour moi, dit-il aussi aimablement que possible.

– Bien sûr, répondit Alice en lui tendant un petit pain emballé dans du film alimentaire. Elle lui sourit, et Joakim remarqua que sa nouvelle tactique semblait efficace.

– Je me demande où on est, dit Emma en sortant une carte de son sac.

Tous trois se penchèrent et tentèrent de localiser leur position. Ce qui était relativement compliqué, le terrain ne possédant aucun point d'orientation fixe. C'était un enchevêtrement de collines, de forêts et de marécages. Mais ils savaient d'où ils étaient partis et dans quelle direction.

– Nous sommes allés presque tout le temps vers le nord, on devrait être là, suggéra Emma.

Joakim hocha la tête, impressionné. Emma était futée.

– Vous croyez qu'on doit continuer ou attendre les autres ? demanda Alice.

– Je pense qu'on devrait avancer, répondit Joakim du tac au tac avant de se dépêcher d'ajouter : À moins que vous ne préfériez attendre ?

Il regarda les deux filles, Emma avec ses yeux bleu clair et Alice avec ses traits un peu plus anguleux. Elles étaient toutes les deux d'une beauté époustouflante, pensa-t-il, en se surprenant à espérer qu'elles proposent d'attendre. Et que les autres mettent beaucoup, beaucoup de temps à venir.

– On n'a qu'à avancer. Si on est là, on n'est sûrement pas loin de l'endroit où on est censé se retrouver, non ? dit Emma en désignant la carte.

– Oui, vous avez sûrement raison, mais les autres sont derrière nous, ils vont arriver, se risqua Joakim.

– Je croyais que tu voulais arriver le premier. Tu es parti comme une fusée, répondit Alice.

Les deux amies s'esclaffèrent, et Joakim savoura le plaisir de rire en compagnie de si jolies filles. Il donna une bourrade à Alice.

– Mais tu as bien suivi !

Ils commencèrent à se pourchasser. Les filles coururent entre les flaques d'eau, d'abord sans but, mais quand Emma trébucha dans une flaque, ils se mirent à s'éclabousser. C'était beaucoup plus amusant que cette battue ennuyeuse, trouvait Joakim. Il poursuivit Emma et toucha son bras pendant une seconde. Elle se débattit et essaya de lui échapper. Mais son pied gauche resta coincé sous une racine, et elle perdit l'équilibre. Pendant un instant, elle parut réussir à se relever, mais le sol autour d'elle n'était qu'un énorme trou de vase dans lequel elle s'enfonça jusqu'à la taille. Joakim rit, et Emma hurla. Quand Joakim se fut calmé, il se dirigea vers elle. Mais Emma cria encore plus fort. Ce n'était pourtant pas si dangereux. Juste un peu d'eau. Puis il vit le corps livide qui émergeait de l'eau juste devant Emma. Comme s'il était resté sous la surface en guettant sa proie. La légèreté de leur jeu s'était subitement évaporée, la panique et la nausée leur vinrent aux lèvres. Emma vomit, et Alice éclata en sanglots. Joakim resta pétrifié, fixant la scène qui allait le poursuivre jusqu'à la fin de ses jours.

*

Haraldsson somnolait dans son lit. Jenny était à côté de lui, les pieds enfoncés dans le matelas, un coussin sous les fesses. Elle n'avait pas voulu laisser les choses traîner en longueur.

– Il vaut mieux expédier l'affaire tout de suite, avait-elle dit, comme ça, on pourra s'y remettre une deuxième fois avant que je ne doive y aller.

Expédier. Existait-il un mot moins romantique ? Haraldsson en doutait. Mais à présent, c'était expédié, et il sommeillait. Quelque part, il entendit Abba. Un téléphone sonna.

– C'est ton portable.

Jenny lui donna un coup dans les côtes. Haraldsson sursauta en prenant conscience qu'il n'était pas censé être dans son lit à côté de sa femme. Il s'empara de son pantalon par terre et tira le portable de la poche avant. Bingo. Hanser. Il prit une profonde inspiration et décrocha. Cette fois, elle prononça six mots.

– Putain, où es-tu encore passé ? !

Hanser raccrocha, furieuse. « Foulé la cheville ». Mon œil. Elle n'avait pas la moindre envie d'aller à l'hôpital ni même d'y envoyer une voiture de patrouille pour démasquer cet imbécile. Elle n'avait pas le temps pour ça. Elle était maintenant chargée d'enquêter sur un meurtre. Et le responsable des recherches sur le secteur de Listakärr ne lui avait pas facilité la tâche en enrôlant des scouts pour les battues. Des enfants, pour lesquels elle devait maintenant prévoir une aide psychologique car l'un d'entre eux était tombé dans une mare, faisant ainsi remonter le cadavre à la surface.

Hanser secoua la tête. Tout était allé de travers dans cette affaire de disparition. Absolument tout. Il fallait mettre fin à cette série d'erreurs. Être professionnel. Elle fixa le téléphone. Une pensée lui avait traversé l'esprit. C'était une grande décision. Trop tôt, penseraient sûrement la plupart des gens. Cela porterait peut-être atteinte à son autorité. Mais le moment était venu de travailler avec les meilleurs.

*

Le bureau de Torkel lui ressemblait : simple et sobre. Pas de fioritures, presque rien de personnel. Avec les meubles que Torkel avait commandés dans un grand magasin, la pièce donnait l'impression d'appartenir à un directeur de collège de province victime de coupes budgétaires plutôt qu'à l'un des plus éminents fonctionnaires de police de Suède. Certains collègues trouvaient étrange que l'homme qui dirigeait la brigade criminelle nationale suédoise ne veuille pas montrer sa réussite. D'autres en concluaient tout simplement que son succès ne lui était pas monté à la tête. La vérité était bien plus simple et moins glorieuse : Torkel n'en avait tout bonnement pas le temps. Son métier était très exigeant, et il était sans cesse en déplacement. De plus, il n'avait aucune envie de gaspiller son peu de temps libre à décorer un bureau dans lequel il se trouvait rarement.

– De Västerås, ajouta Vanja en prenant place en face de lui. Un jeune de seize ans a été assassiné.

Torkel observa Vanja prendre ses aises sur la chaise. Il n'était manifestement pas prévu qu'il menât cette conversation téléphonique seul. Torkel hocha la tête et prit le combiné. Depuis son deuxième divorce, il avait l'impression que toutes ses conversations téléphoniques traitaient de meurtres horribles. La dernière fois qu'on l'avait appelé pour lui demander à quelle heure il serait là pour dîner ou d'autres banalités de ce genre remontait déjà à plus de trois ans.

Il connaissait ce nom, Kerstin Hanser, chef de la brigade criminelle de Västerås. Il l'avait rencontrée au cours d'une formation un paquet d'années auparavant. Elle lui avait paru sympathique et très compétente. Il se souvenait s'être réjoui pour elle quand il avait lu qu'elle avait été promue. Sa voix était haletante et étranglée :

– J'ai besoin d'aide, et j'ai décidé de faire appel à la Crim'. Ce que j'aimerais, en fait, c'est que tu viennes ici, l'entendit-il dire. Tu crois que ce serait possible ? continua-t-elle sur un ton presque suppliant.

Pendant un court instant, Torkel se demanda s'il devait se trouver une excuse. Il revenait juste d'une affaire pour le moins éprouvante. Mais il comprit que Kerstin Hanser avait réellement et urgemment besoin d'aide.

– On s'est planté depuis le début, et il est possible qu'on aille droit dans le mur. J'ai vraiment besoin de ton soutien ! ajouta-t-elle comme si elle avait entendu ses doutes.

– De quoi s'agit-il ?

– Un jeune de seize ans. Porté disparu depuis plusieurs jours. Mort. Assassiné. Horrible.

– Envoie-moi le dossier par mail, je vais l'étudier, répondit Torkel en observant Vanja qui, entre-temps, s'était levée pour prendre le combiné de l'autre téléphone.

– Billy, amène-toi dans le bureau de Torkel. On a du boulot, dit-elle avant de raccrocher. Comme si elle connaissait déjà la réponse de Torkel. C'était souvent le cas, mais d'un autre côté, cela le chiffonnait un peu. Bien qu'âgée de trente ans à peine, Vanja s'était transformée en véritable policière au bout des deux ans passés à ses côtés. Torkel était presque troublé de voir à quel point elle était douée. Il aurait bien aimé pouvoir dire qu'il était lui-même aussi bon à seulement trente ans. Après avoir mis fin à sa conversation avec Hanser, il lui sourit.

– C'est encore moi le chef, ici, clarifia-t-il.

– Je sais. J'ai seulement pris les devants, et j'ai convoqué l'équipe pour que tu aies notre feedback sur le dossier. À la fin, c'est toi qui décideras, comme toujours, répondit-elle avec un clin d'œil.

– Comme si j'avais le choix une fois que tu as commencé à te mêler de quelque chose, répondit-il en se levant. Bon, préparons nos affaires, direction Västerås.

Comme à son habitude, Billy Rosén roulait trop vite sur la E18. Torkel avait abandonné depuis longtemps déjà l'idée de dire quoi que ce soit. Au lieu de protester, il se concentra sur le dossier Eriksson qu'ils venaient de recevoir. Le rapport était relativement court : le responsable de l'enquête, Thomas Haraldsson, ne paraissait pas être le policier le plus zélé. Peut-être allaient-ils devoir tout reprendre depuis le début. Torkel savait que c'était le genre d'affaire qui faisait les choux gras de la presse à scandales. D'autant plus que la cause de la mort identifiée par l'examen préliminaire du légiste sur le lieu de la découverte avait conclu à un déchaînement de violence extrême, avec de nombreux coups de couteau dans le cœur et les poumons. Ce n'était pourtant pas ce qui préoccupait le plus Torkel. Plutôt la dernière phrase qu'avait notée le médecin sur le rapport rédigé sur place :

« Les résultats de l'examen préliminaire indiquent qu'il manque une grande partie du cœur de la victime. »

Torkel regarda par la fenêtre les arbres qui bruissaient. Quelqu'un avait pris le cœur. Torkel espérait que le jeune avait été un fan de Heavy Metal ou de « World of Warcraft », sinon la presse échafauderait les spéculations les plus farfelues.

Encore plus farfelues que d'habitude, se corrigea-t-il.

Vanja leva les yeux du dossier : elle venait sûrement de parcourir les mêmes lignes que lui.

– Il serait peut-être judicieux de faire tout de suite appel à Ursula, dit-elle.

Comme d'habitude, elle avait lu dans ses pensées. Torkel acquiesça. Billy jeta un bref regard en arrière.

– On a une adresse ?

Torkel la lui tendit, et Billy programma le GPS. Torkel ne voyait pas d'un bon œil que Billy s'en serve en roulant, mais au moins, il avait fait l'effort de ralentir.

– Encore une demi-heure.

Billy appuya sur l'accélérateur, et le monospace réagit aussitôt.

– Peut-être même qu'on y arrivera en vingt minutes, si ça roule.

– Une demi-heure, c'est tout à fait acceptable. Je trouve ça toujours désagréable de passer le mur du son.

Billy savait parfaitement ce que Torkel pensait de son style de conduite, mais il se moqua de son chef dans le rétroviseur. Bonne route, bonne voiture, bon conducteur : pourquoi ne pas en tirer le maximum ?

Billy appuya encore sur le champignon.

Torkel sortit son téléphone et composa le numéro d'Ursula.

5

Le train quitta la gare de Stockholm à seize heures sept. Sebastian s'installa en première classe. Il se laissa aller dans son siège et ferma les yeux lorsque les wagons se mirent en marche.

Autrefois, il ne parvenait jamais à rester éveillé pendant les trajets en train. Mais il ne réussit pas à trouver le sommeil malgré le besoin urgent que manifestait son corps d'avoir une petite heure de repos.

Il sortit donc la lettre des pompes funèbres, l'ouvrit et commença à lire. Il savait déjà ce qu'elle contenait. Une ancienne collègue de sa mère l'avait appelé pour l'informer de son décès. Dans la paix et la dignité, avait-elle ajouté. La paix et la dignité, le parfait résumé de la vie de sa mère. Cette description n'avait rien de positif, en tout cas pas quand on s'appelait Sebastian Bergman. Non, pour lui, la vie était un combat de la première à la dernière heure. Il n'y avait aucune place pour les paisibles et les dignes. Les ennuyeux à mourir, comme il les appelait. Ceux qui avaient toujours un pied dans la tombe. Comment aurait-il vécu s'il avait mené une vie paisible et digne ?

Certainement mieux. Moins dans la souffrance.

C'était du moins ce que Stefan Hammarström, le thérapeute de Sebastian, tentait de lui faire comprendre. Lors de la dernière consultation, c'était exactement ce dont ils avaient discuté, après que Stefan eut évoqué la mort de sa mère.

– Quel danger y a-t-il à être comme les autres ? avait demandé Stefan quand Sebastian lui avait expliqué ce qu'il pensait de la « paix et la dignité ».

– Un danger de mort ! avait répondu Sebastian. Tu vois bien qu'on en meurt, apparemment.

Ensuite, ils avaient passé presque une heure à discuter de l'homme et de sa prédisposition génétique au danger. L'un des sujets préférés de Sebastian.

Il avait appris l'effet moteur du danger, en partie par sa propre expérience, en partie par ses recherches sur les tueurs en série. Il avait expliqué à son thérapeute qu'un tueur en série n'était réellement motivé que par deux choses : les fantasmes et le danger. Le fantasme était un moteur ronronnant, toujours actif, même s'il tournait à vide.

La plupart des gens ont des fantasmes. Sexuels, sombres ou brutaux, dans lesquels l'ego est sans cesse flatté, et les choses ou les gens qui font barrage sont anéantis. On est toujours surpuissant dans ses fantasmes, mais peu de personnes osent vraiment les réaliser. Ceux qui le font ont trouvé la clé : le danger.

Le danger d'être découvert.

Le danger de commettre l'irréparable.

L'adrénaline et les endorphines sécrétées à ce moment-là étaient la turbopropulsion, le carburant qui amenait le moteur à tourner à plein régime. Certaines personnes recherchaient sans cesse ce frisson bien particulier, et cela expliquait pourquoi les meurtriers devenaient des tueurs en série. Il était difficile de retomber au point mort une fois que l'on avait fait tourner le moteur. Senti la puissance et découvert ce qui faisait vibrer. Le danger.

– Tu crois vraiment que c'est le danger ? Pas plutôt la recherche de sensations fortes ? dit Stefan en se penchant vers Sebastian, une fois que ce dernier se fut tu.

– On est en cours de vocabulaire ou quoi ?

– Tu viens pourtant de donner un cours magistral. Stefan prit la carafe posée sur la table à côté de lui, remplit un verre d'eau et le tendit à Sebastian. Tu n'es pas censé être payé pour donner des cours, au lieu de payer pour en donner ?

– Je te paye pour que tu m'écoutes. Peu importe ce que je dis.

Stefan rit en secouant la tête.

– Non, tu sais exactement ce pour quoi tu me paies. Tu as besoin d'aide, et ces petites digressions nous empêchent de parler de ce qui nous préoccupe vraiment.

Sebastian se garda de répondre et resta impassible. Il aimait bien Stefan, c'était un gars réglo.

– Pour en revenir à ta mère, quand aura lieu l'enterrement ?

– Il a déjà eu lieu.

– Et tu y es allé ?

– Non.

– Pourquoi ?

– Parce que je pense que c'était une cérémonie pour les gens qui l'appréciaient vraiment.

Stefan l'observa pendant un moment en silence.

– Comme tu le vois, on a encore du pain sur la planche.

Le wagon s'inclina dans le virage. Le train tonnait à travers le beau paysage de prés verts et de forêts du nord-ouest de Stockholm. Le Mälar dans toute sa splendeur étincelait à travers les arbres. N'importe quel autre passager du train aurait sûrement pensé à la beauté de la nature en admirant ces paysages. Pour Sebastian, c'était le contraire. Il ne voyait aucune beauté dans la nature qui l'entourait. Il leva les yeux au plafond. Toute sa vie, il avait fui ses parents. Fui son père contre lequel il s'était battu toute sa jeunesse, et fui sa mère qui avait été paisible et digne mais jamais de son côté. Jamais de son côté, c'était comme ça qu'il l'avait ressenti.

Pendant un instant, les larmes lui montèrent aux yeux. Il n'avait appris à pleurer que ces dernières années. Bizarre, pensa-t-il, qu'on puisse découvrir une chose aussi simple que les larmes à mon âge. C'était émotionnel, irrationnel, exactement ce qu'il avait toujours fui. Ses pensées revinrent à la seule chose qu'il savait capable d'anesthésier ses sentiments : les femmes. Encore une promesse que Sebastian n'avait pas tenue. Quand il avait rencontré Lily, il avait décidé de lui être fidèle, et n'avait commis aucun faux pas. Mais à cause de ce rêve qui ne cessait de le poursuivre et de ses journées vides et désœuvrées, il n'avait pas trouvé d'autre issue. La chasse aux nouvelles conquêtes et les quelques heures passées en compagnie de différentes femmes remplissaient sa vie et, pendant un court moment, ses pensées sortaient victorieuses du combat contre l'impuissance. Seul l'état d'homme, d'amant, de prédateur à l'affût de nouvelles proies, l'apaisait. Au moins, il avait pu préserver cette capacité, ce qui le réjouissait autant que cela l'angoissait. Il en avait fait son identité : un célibataire qui tuait le temps avec des jeunes, des vieilles, des étudiantes, des collègues, des femmes mariées et des célibataires. Il ne discriminait personne. Seule une règle comptait : la femme devait lui appartenir complètement. Elle devait lui faire sentir qu'il n'était pas inutile, qu'il était vivant. Il savait à quel point son comportement était destructeur, mais il ne parvenait pas à s'arrêter et préférait éluder le constat qu'il lui faudrait un jour trouver une autre solution.

Il commença à regarder autour de lui dans le wagon. Son regard s'arrêta sur une petite brune assise à quelques mètres. Environ quarante ans, chemisier bleu-gris, des boucles d'oreilles en or de grande valeur. Pas mal, pensa-t-il. Elle lisait un livre. Parfait. Selon son expérience, les lectrices quadragénaires se situaient à dix sur l'échelle de la difficulté. Même si cela dépendait également un peu de ce qu'elles lisaient.

Il se leva et s'avança jusqu'à elle.

– Je vais au wagon-restaurant, je peux vous rapporter quelque chose ?

La femme leva les yeux de son livre d'un air interrogateur, se demandant s'il s'adressait vraiment à elle. Elle comprit que c'était manifestement le cas en croisant son regard.

– Non merci.

Elle reposa les yeux sur son livre de manière assez démonstrative.

– Vous êtes sûre ? Même pas une tasse de café ?

– Non merci.

Cette fois, elle n'avait même pas fait l'effort de lever la tête.

– Un thé ? Un chocolat chaud ?

Elle posa son livre sur ses genoux et considéra Sebastian d'un air agacé. Ce dernier arbora son sourire désormais quasiment légendaire.

– On pourrait aussi déguster du vin, mais c'est peut-être encore un peu tôt ?

La femme ne répondit pas.

– Vous vous demandez sûrement pourquoi je vous propose ça, poursuivit Sebastian. C'est que je me sens revêtu d'une mission : vous sauver de ce livre. Je l'ai lu, vous m'en serez reconnaissante.

La femme releva les yeux, et leurs regards se rencontrèrent de nouveau. Sebastian sourit. La femme lui rendit son sourire.

– Une tasse de café, ce serait parfait. Noir et sans sucre.

– Tout de suite.

Un sourire éclaira le visage de Sebastian tandis qu'il se frayait un passage à travers le wagon. Le voyage vers Västerås allait sans doute être très sympathique.

6

Au commissariat de Västerås, tout le monde s'activait comme dans une fourmilière. Kerstin Hanser jeta un regard stressé sur sa montre. Elle devait partir. Mais Dieu sait qu'elle n'en avait pas envie. Elle aurait facilement pu énumérer cent mille choses qu'elle aurait préféré faire plutôt que d'aller au laboratoire de médecine légale pour rencontrer Lena Eriksson. Bien qu'ils soient à cent pour cent sûrs que le jeune homme retrouvé mort était bien Roger Eriksson, sa mère avait tenu à le voir. Hanser avait tenté de l'en dissuader, mais Lena Eriksson avait insisté. Elle voulait voir son fils. Elle avait malgré tout repoussé le rendez-vous à deux reprises. Hanser ignorait pourquoi, mais elle aurait préféré qu'elle annulât carrément. Voire qu'elle se passât de sa présence. Cet aspect de son travail était celui qu'elle aimait le moins, et pour être honnête, elle n'était pas douée pour ça. Elle essayait tant bien que mal d'éviter de le faire, mais c'était comme si ses collègues s'attendaient à ce que, en tant que femme, elle gère mieux la situation. Qu'elle sache trouver les bons mots. Que les proches et les parents supportent mieux la nouvelle d'un décès quand elle était annoncée par une femme. Hanser trouvait ça stupide. Elle ne savait jamais quoi dire. Elle pouvait exprimer sa profonde compassion, peut-être proposer des bras ou une épaule sur laquelle pleurer, ou le numéro de téléphone d'un psychologue, et assurer que la police faisait tout ce qui était en son pouvoir pour arrêter le meurtrier. Bien sûr, elle pouvait faire tout ça, mais la plupart du temps, il s'agissait simplement d'être là. Et ça, tout le monde en était capable.

Elle ne se souvenait même plus du policier qui était là quand elle était allée avec son mari identifier Niklas. Un homme. Un homme qui était simplement resté à côté d'eux.

Elle aurait pu envoyer un de ses collègues à sa place. Elle aurait sûrement procédé ainsi si l'enquête avait été plus avancée. Mais elle ne devait prendre aucun risque. Les médias étaient partout. Ils étaient visiblement déjà au courant de la disparition du cœur de la victime. Ce n'était qu'une question de temps avant qu'ils ne découvrent que le garçon avait déjà disparu depuis trois jours quand la police avait commencé les recherches. Sans oublier l'incident des ados scouts traumatisés dans la forêt, et Haraldsson qui s'était « gravement foulé la cheville ». Ils ne pouvaient plus se permettre d'essuyer d'autres critiques. Et elle y veillerait personnellement. Elle voulait travailler avec les meilleurs et résoudre cette affaire le plus rapidement possible. Tel était son plan.

Le téléphone sonna. C'était sa collègue de l'accueil : la Crim' était arrivée. Hanser jeta un œil à l'horloge. Ils étaient en avance.

Elle voulait au moins les saluer, Lena Eriksson l'attendrait bien quelques minutes. Hanser lissa son chemisier, se leva et descendit les escaliers. Arrivée devant la porte qui la séparait du hall d'entrée du commissariat, elle s'immobilisa. À travers la porte vitrée à petits carreaux, elle vit Torkel Höglund faire les cent pas les mains dans le dos. Dans le coin des canapés verts, elle aperçut un homme et une femme, tous deux plus jeunes qu'elle. Sûrement les collègues de Torkel, supposa-t-elle en poussant la porte. Torkel se retourna quand il entendit la porte cliqueter, et sourit en la voyant.

Hanser hésita tout à coup. Que devait-elle faire ? Lui donner une accolade ou une simple poignée de main ? Ils avaient suivi des formations et déjeuné plusieurs fois ensemble, s'étaient croisés dans les couloirs. Mais les tergiversations de Hanser se révélèrent inutiles. Torkel vint à sa rencontre et lui donna une belle accolade chaleureuse. Puis il se tourna vers ses deux compagnons qui s'étaient levés et les lui présenta. Hanser les salua.

– Je suis vraiment désolée, mais je suis un peu pressée là, il faut que j'aille à la morgue.

– Le jeune ?

– Oui.

Hanser se tourna vers la réceptionniste.

– Haraldsson ?

– Il devrait être en route. Je l'ai appelé tout de suite après vous avoir prévenue.

Hanser fit un signe de tête approbateur et jeta à nouveau un coup d'œil à sa montre. Elle ne devait pas prendre trop de retard. Elle lança un regard à Billy et Vanja avant de s'adresser à Torkel.

– C'était Haraldsson qui était chargé de l'enquête jusqu'à présent.

– Oui, j'ai vu son nom dans le dossier.

Hanser tressaillit. Avait-elle entendu une pointe de mépris dans la voix de Torkel ? Si oui, son visage ne trahissait rien.

Que fabriquait encore Haraldsson ? Hanser s'apprêtait à sortir son téléphone quand la porte derrière elle laissa apparaître un Haraldsson sévèrement boiteux, se donnant beaucoup de peine pour prendre le plus de temps possible.

– Qu'est-ce qui vous est arrivé ? demanda Torkel en désignant son pied droit.

– Je me suis tordu la cheville dans la forêt, au cours des battues pour retrouver l'ado. C'est pour ça que je n'étais pas sur place quand on l'a découvert.

Il avait prononcé cette dernière phrase en jetant un regard à Hanser.

Elle ne le croyait pas, il le savait. Il devait donc ne pas oublier de boiter. Elle n'irait quand même pas jusqu'à appeler l'hôpital ! Et si elle le faisait, on ne lui fournirait sûrement aucune information : n'y avait-il pas une sorte de secret professionnel ou de protection des patients dans ces cas-là ? Les employeurs n'avaient quand même pas le droit de regarder les dossiers de leurs patients, si ? Il faudrait qu'il s'informe sur ses droits auprès du syndicat. Haraldsson était plongé si profondément dans ses pensées que, pendant un instant, il n'avait pas écouté sa chef. Il remarqua qu'elle le regardait d'un air grave.

– Torkel et son équipe vont prendre les rênes de l'enquête.

– À ta place ?

Haraldsson paraissait sincèrement surpris. Il ne s'était pas attendu à une chose pareille. Tout à coup, il s'illumina. C'étaient de vrais policiers, comme lui. Nul doute qu'ils sauraient apprécier son travail à sa juste valeur, mieux que sa scribouillarde de chef.

– Je suis encore la principale responsable de l'enquête, mais la Crim' va immédiatement prendre la direction des opérations.

– Avec moi ?

Hanser soupira intérieurement et formula une prière silencieuse pour que Västerås ne soit jamais frappé par une série de crimes. Ils n'auraient aucune chance.

Vanja jeta un regard amusé à Billy. Torkel assista à la conversation sans sourciller. Critiquer ou se moquer de la police locale était le plus mauvais point de départ pour une collaboration. Torkel n'avait jamais été partisan de venir marquer son territoire chez les autres.

– Non, ils vont diriger l'enquête. Cette mission t'est retirée.

– Mais nous serions bien évidemment très heureux de travailler en étroite collaboration avec vous, intervint Torkel en regardant Haraldsson d'un air grave. Vous avez une connaissance approfondie du dossier, ce qui est déterminant pour la suite de l'enquête.

Vanja dévisagea Torkel d'un air étonné. Elle-même avait déjà classé Haraldsson dans la catégorie « CD ». Un cas désespéré, qui pouvait certes donner son avis sur l'affaire, mais que l'on devait absolument tenir à l'écart de l'enquête.

– Alors, je dois travailler avec vous ?

– Oui.

– Comment ?

– On verra. On pourrait déjà commencer par un résumé détaillé de tout ce qui s'est passé jusqu'ici, et on avisera.

Torkel posa sa main sur l'épaule de Haraldsson et le dirigea doucement vers la porte.

– À tout à l'heure, lança-t-il à Hanser par-dessus son épaule.

Billy retourna vers le coin canapés pour récupérer ses valises. Vanja resta immobile, déconcertée. Elle aurait juré que l'ex-responsable de l'enquête avait marché à côté de Torkel sans boiter.

7

Lena Eriksson était assise dans la petite salle d'attente et se fourra une énième pastille Läkerol dans la bouche. Elle avait embarqué la boîte sur son lieu de travail. À l'eucalyptus. Pas vraiment son goût préféré, mais elle avait pris la première boîte qui lui était tombée sous la main avant la fermeture et l'avait fourrée dans son sac, sans regarder.

C'était hier.

Quand elle était encore persuadée que son fils était vivant. Quand elle avait aveuglément cru ce policier qui lui avait dit que tout indiquait que Roger était parti pour quelques jours. Peut-être à Stockholm. Ou ailleurs. Une escapade d'adolescent.

Hier.

Un monde séparait ces deux journées. L'une encore remplie d'espoir. Et l'autre, celle où son fils avait disparu à jamais. Assassiné, retrouvé dans une mare, le cœur arraché.

Après qu'on lui eut appris son décès, elle n'avait pas quitté son appartement de toute la journée. Elle aurait dû rencontrer la police plus tôt, mais elle avait appelé pour décaler. Deux fois. Elle n'arrivait tout simplement pas à se lever. Pendant un moment, elle avait cru ne jamais avoir la force de se mettre debout. Alors elle était restée assise. Dans son fauteuil, dans le salon dans lequel ils avaient passé de moins en moins de temps ensemble, son fils et elle. Elle avait essayé de se remémorer la dernière fois qu'ils avaient regardé un film tous les deux, parlé, ou tout simplement partagé un moment. Sûrement juste après son entrée dans cette maudite école. Après seulement quelques semaines passées en compagnie de ces fils de bourges, il avait déjà commencé à changer. L'an dernier, leurs chemins s'étaient séparés tout doucement, chacun vivant sa vie de son côté.

Les journalistes de la presse à sensations ne cessaient de lui téléphoner, mais elle ne voulait parler à personne. Pas encore. Au bout d'un moment, elle laissa le combiné de son fixe décroché et éteignit son portable. Puis ils vinrent jusqu'à sa porte, l'appelant à travers la fente du courrier et lui laissant des mots sur le paillasson. Mais elle n'ouvrit à personne et ne se leva pas de son fauteuil.

Elle avait une terrible nausée. Le café du distributeur automatique, qu'elle avait bu peu après son arrivée, commençait à remonter le long de son œsophage. Avait-elle mangé depuis hier ? Sûrement pas, mais elle avait bu. De l'alcool. Elle ne le faisait jamais, du moins pas en grande quantité. Elle était très réservée, ce qui n'était pas forcément évident à deviner quand on ne la connaissait pas. Lena, sa teinture blonde artisanale aux racines noires et son embonpoint. Son vernis à ongles qui s'écaillait au bout de ses doigts cerclés de bagues et son piercing. Sa passion pour les joggings flottants et les T-shirts amples : la plupart des gens avaient des préjugés en la voyant. Et beaucoup étaient justifiés. Lena avait arrêté l'école en troisième, était tombée enceinte à dix-sept ans, était toujours à court d'argent, élevait seule son enfant et avait un job mal payé. Des problèmes de drogue ou d'addiction ? Non, elle n'en avait jamais eu.

Aujourd'hui, pourtant, elle avait bu. Pour faire taire la petite voix qui avait commencé à parler juste après l'annonce du décès et qui s'était amplifiée tout au long de la journée. La petite voix qui refusait de se taire.

Lena sentait la migraine l'envahir. Elle avait besoin d'air frais et d'une cigarette. Elle se leva, prit son sac et se dirigea vers la sortie. Ses talons usés résonnèrent sur les dalles de pierres. Alors que Lena avait presque atteint son but, une femme d'environ quarante-cinq ans entra par la porte tournante. D'un pas décidé, elle s'avança vers Lena.

– Lena Eriksson ? Je suis Kerstin Hanser, police de Västerås. Je vous prie de m'excuser pour mon retard.

Dans l'ascenseur, elles n'échangèrent pas un seul mot et quand elles furent arrivées au sous-sol, Hanser ouvrit la porte pour laisser passer Lena. Elles longèrent le corridor jusqu'à ce qu'un homme chauve à lunettes et blouse blanche vienne les accueillir. Il les conduisit dans une petite pièce où se trouvait une seule civière éclairée par un néon. Sous le drap blanc se dessinaient les contours d'un corps. Hanser et Lena s'approchèrent lentement. Le chauve se plaça au niveau de la tête, puis regarda Hanser qui opina du chef. Il descendit alors lentement le drap et découvrit le visage de Roger puis son cou, jusqu'à la clavicule. Lena baissa les yeux sur la civière, en silence, tandis que Hanser faisait un pas en arrière en signe de respect. La femme à côté d'elle n'avait ni mis la main sur sa bouche pour étouffer un cri, ni commencé à suffoquer. Pas de sanglots, rien.

Hanser l'avait déjà remarqué quand elles s'étaient rencontrées juste devant la sortie : elle ne paraissait pas avoir pleuré. Ne semblait pas non plus choquée ou perturbée. Elle donnait même une impression de calme. Dans l'ascenseur, Hanser avait malgré tout noté des effluves d'alcool masqués par une odeur de bonbon pour la gorge, et avait supposé que cela expliquait l'absence de manifestation de sentiments. Ça et le choc.

Lena resta immobile, le regard fixé sur son fils. À quoi s'était-elle attendue ? À rien de particulier, en fait. Elle n'avait pas osé penser à quoi il ressemblerait. Elle n'avait pas pu s'imaginer comment ce serait de se retrouver ici. Et à quel point le temps passé dans l'eau l'aurait transformé. Il était vraiment gonflé, comme s'il avait fait une crise d'allergie. Mais à part ça, il était comme d'habitude, trouva-t-elle. Les cheveux bruns, la peau claire, les sourcils noirs et marqués, le début de moustache sur la lèvre supérieure. Les yeux fermés. Forcément.

– Je pensais qu'il aurait l'air de dormir.

Hanser ne répondit pas. Lena se tourna vers elle comme pour lui demander de confirmer son impression.

– On ne dirait pas qu'il dort.

– Non.

– Je l'ai regardé dormir tellement de fois. Surtout quand il était petit. Je veux dire, il ne dit rien. Il a les yeux fermés, mais…

Lena ne termina pas sa phrase. Au lieu de cela, elle tendit la main et toucha Roger. Il était froid. Mort. Elle posa sa main contre sa joue.

– Mon fils avait quatorze ans quand je l'ai perdu, lâcha Hanser.

Lena touchait toujours la joue du garçon, mais se tourna un peu dans sa direction.

– C'est vrai ?

– Oui...

Nouveau silence. Pourquoi avait-elle dit cela ? Hanser ne l'avait jamais mentionné en pareille situation. Mais cette femme devant la civière avait quelque chose de particulier. Hanser avait l'impression qu'elle ne s'autorisait pas à faire son deuil. Elle ne le pouvait pas. Peut-être même ne le voulait-elle pas. Hanser avait voulu dire des mots compatissants, comme une main tendue pour montrer qu'elle comprenait ce que Lena éprouvait.

– Il a aussi été assassiné ?

– Non.

Brusquement, Hanser se sentit bête. Comme si son commentaire était censé comparer leurs souffrances : « Moi aussi, j'ai perdu quelqu'un, juste histoire que vous le sachiez. » Mais les pensées de Lena étaient déjà ailleurs. Elle s'était retournée et observait son fils.

Tant d'années où il avait été la seule chose dont elle pouvait être fière.

Tant d'années où il avait été la seule chose qu'elle avait.

Point final.

Est-ce de ta faute ? recommença la petite voix. Lena retira sa main et fit un pas en arrière. Sa migraine ne lui laissait aucun répit.

– Je crois que j'aimerais y aller maintenant.

Hanser hocha la tête. Tandis que les deux femmes s'avançaient vers la porte, le chauve remonta le drap sur le cadavre.

Lena tira un paquet de cigarettes de son sac.

– Y a-t-il quelqu'un à qui vous puissiez téléphoner ? Vous feriez peut-être mieux de ne pas rester seule en ce moment.

– Mais c'est ce que je suis pourtant. Je suis seule maintenant.

Lena quitta la pièce. Hanser resta plantée là. Exactement comme prévu.

8

La salle de conférences du commissariat de Västerås était la plus moderne du bâtiment. Les meubles clairs en bouleau n'avaient que quelques semaines. Huit chaises étaient disposées autour d'une table ovale. Trois des murs étaient recouverts d'un papier peint discret dans les tons vert pâle, et sur le quatrième étaient juxtaposés un écran et un tableau blanc. Dans le coin, à côté de la porte, se trouvait un équipement technique dernier cri relié à un projecteur fixé au plafond. Au centre de la table trônait un tableau de commandes qui permettait de faire fonctionner tous les appareils. Torkel avait à peine foulé la moquette grise de cette salle qu'il avait décidé qu'elle servirait de QG à son équipe.

Il rassemblait à présent tous les papiers disposés sur la table, tout en vidant sa bouteille d'eau. L'entretien avec Haraldsson sur le déroulement de l'enquête s'était à peu de choses près déroulé comme il l'avait prévu. Il y avait eu malgré tout deux surprises. La première quand ils avaient repris la chronologie des événements et que Vanja avait relevé les yeux de son dossier pour demander :

– Et qu'avez-vous fait dimanche ?

– Le travail de police a sérieusement commencé, mais n'a donné aucun résultat.

La réponse était venue vite. Trop vite. Comme s'il avait répété. Torkel l'avait remarqué et savait que Vanja également. Vanja était un vrai détecteur de mensonges ambulant. Il l'observait à présent qui jetait un long regard à Haraldsson avant de se replonger dans ses papiers.

Haraldsson soupira. Bien sûr, ils étaient dans le même camp, mais il n'y avait aucune raison de s'enfoncer en leur laissant entrevoir des erreurs dans le déroulement de l'enquête. Ils devaient aller de l'avant. C'est pourquoi il fut un peu troublé et un peu anxieux quand Vanja se remit à jouer avec son stylo. Billy sourit. Il ne lui avait pas non plus échappé que Vanja avait détecté un timbre suspect qu'elle avait l'intention de creuser. Comme elle le faisait toujours. Billy s'adossa tranquillement à sa chaise et croisa les bras. Tout ça pourrait se révéler amusant.

– Justement, en parlant du commencement du travail de la police, demanda Vanja sur un ton de plus en plus incisif, qu'avez-vous fait exactement ? Je ne trouve aucun rapport d'interrogatoire de la mère ni de personne d'autre, aucun résultat d'enquête de voisinage, pas de reconstitution de la chronologie des événements de vendredi. Elle releva les yeux de son dossier et fixa Haraldsson : Qu'avez-vous donc fait exactement ?

Haraldsson se redressa. C'était vraiment trop bête d'être planté là à justifier les fautes des autres.

– J'étais en congé ce week-end-là, et je n'ai eu connaissance de l'affaire que lundi.

– Que s'est-il donc passé dimanche ?

Haraldsson regarda les deux hommes comme s'il cherchait du soutien, une confirmation de son point de vue selon lequel il était inutile de décortiquer tous les événements passés. En vain. Torkel et Billy l'observaient dans l'expectative. Haraldsson s'éclaircit la voix.

– D'après ce que je sais, une patrouille de deux policiers est allée voir la mère.

– Pour faire quoi exactement ?

– Pour prendre des informations sur la disparition du jeune.

– Quelles informations, et où est le rapport ?

Vanja fixa Haraldsson. Ce dernier comprit qu'il ne se sortirait pas de ce sac de nœuds. Il raconta donc la vérité.

Quand il eut fini, le silence emplit la salle. Le genre de silence qui naissait quand un groupe de personnes venait d'entendre la chose la plus stupide jamais entendue, pensa Haraldsson. Finalement, Billy se décida à prendre la parole.

– Ceci veut donc dire que la seule chose qui a été faite dimanche fut de prendre une deuxième fois la même déposition.

– Euh, oui, c'est ça.

– OK. Le jeune disparaît vendredi à vingt-deux heures. Quand les recherches commencent-elles réellement ?

– Lundi. Après la pause de midi. Après qu'on m'a transmis le dossier. Enfin, je veux dire, les recherches n'ont pas vraiment commencé, mais on est allé interroger sa petite amie, ses professeurs et d'autres témoins…

Nouveau silence dans la salle. Les enquêteurs savaient d'expérience que le jeune devait sûrement être déjà mort à ce moment-là, ou séquestré quelque part. Mon Dieu ! Torkel se pencha et considéra Haraldsson avec une curiosité non feinte.

– Pourquoi ne nous avez-vous pas raconté dès le début ce qui s'était passé dimanche ?

– Il n'est jamais agréable d'admettre ses erreurs.

– Mais ce n'est pas vous qui avez commis cette erreur. Vous n'avez reçu le dossier que lundi. La seule erreur que vous ayez commise, c'est de ne pas avoir été honnête avec nous quand vous nous avez déroulé le fil des événements. Nous sommes une équipe, nous ne pouvons pas nous permettre de ne pas être honnêtes les uns envers les autres.

Haraldsson hocha la tête. Soudain, il se sentit comme un gamin de sept ans convoqué chez le directeur pour avoir fait une bêtise dans la cour de l'école.

Au bout du compte, il déballa vraiment tout (sauf la sieste crapuleuse avec Jenny et sa prétendue visite aux urgences). Il était vingt et une heures passées quand ils arrivèrent au bout de la chronologie.

Torkel remercia Haraldsson. Billy s'étirait dans sa chaise en bâillant, et Vanja était déjà en train de ranger ses affaires quand vint la deuxième surprise.

– Il y a encore une chose. Haraldsson marqua une pause qui fit son petit effet. Nous n'avons retrouvé ni la veste ni la montre du garçon.

Torkel, Vanja et Billy se redressèrent. C'était une information intéressante. Haraldsson vit Vanja piocher dans son sac pour en ressortir le dossier.

– Je n'en ai pas fait mention dans mon rapport : on ne sait jamais qui le lira et où peut atterrir une telle info.

Vanja hocha la tête. Bien vu, c'était le genre de détail qui ne devait absolument pas filtrer à la presse. Et pouvait se révéler très précieux lors d'un interrogatoire. Peut-être que Haraldsson n'était finalement pas un cas si désespéré, bien que tout portât à le croire.

– Il a donc été victime d'un vol ? demanda Billy.

– Je ne pense pas que ce soit le vrai mobile. Il avait encore son porte-monnaie sur lui avec presque trois cents couronnes à l'intérieur. Et son téléphone était dans la poche de son pantalon.

Tous convinrent que si quelqu'un avait pris certaines choses à la victime, c'était sûrement le meurtrier. Cela avait sans doute une signification. Ça, et la disparition du cœur.

– C'était une veste Diesel, continua Haraldsson. Verte. J'ai des photos du modèle sur mon bureau. Et la montre était une… Haraldsson parcourut ses notes : Une Tonino Lamborghini Pilot. J'en ai des photos aussi.

Après leur conversation, Torkel resta seul dans la pièce sans fenêtres et tenta de trouver une excuse pour ne pas retourner à l'hôtel. Devait-il recopier le déroulement des faits au tableau ? Accrocher une carte ? Des photos ? Passer en revue les infos données par Haraldsson ? Non, Billy ferait tout ça beaucoup plus vite et mieux demain matin, peut-être même avant qu'il soit arrivé au commissariat.

Il pouvait aller dîner. Mais il n'avait pas particulièrement faim, en tout cas pas assez pour s'asseoir seul dans un restaurant. Il pouvait bien sûr proposer à Vanja de lui tenir compagnie, mais elle préférerait sûrement passer la soirée dans sa chambre d'hôtel à relire le dossier. Il le savait, Vanja était très ambitieuse et méticuleuse. Elle ne dirait sûrement pas non s'il lui proposait de dîner avec lui. Mais ce ne serait pas ce qu'elle avait prévu, et elle passerait la soirée à réprimer son stress. Torkel abandonna donc l'idée.

Et Billy ? Pour Torkel, Billy avait beaucoup de qualités et était un membre indispensable à l'équipe avec ses connaissances informatiques, mais ils n'avaient jamais partagé de repas en tête à tête. Il n'était pas aisé d'avoir une conversation simple et légère avec Billy. Celui-ci aimait passer la nuit à l'hôtel. Il ne ratait jamais aucune émission de télé diffusée entre vingt-deux heures et deux heures du matin et aimait bien en discuter. Tout comme il aimait parler de films, de musique, d'ordinateurs, de nouveaux téléphones ou de magazines étrangers qu'il lisait sur Internet. Torkel avait l'impression d'être un dinosaure à côté de Billy.

Il soupira. La soirée finirait par une promenade, un sandwich et une bière dans sa chambre, avec la télé pour seule compagnie. Il se consola en pensant qu'Ursula arriverait le lendemain. Il aurait de la compagnie pour dîner.

Torkel éteignit l'éclairage au néon et quitta la salle de réunion. En passant devant les bureaux vides, il constata qu'il était le dernier à partir, comme toujours. Pas étonnant que toutes ses femmes en aient eu marre au bout d'un moment.

9

Il était déjà tard quand Sebastian paya le taxi et descendit. Le chauffeur sortit également, ouvrit le coffre, sortit la valise de Sebastian et lui souhaita une bonne soirée. Une bonne soirée dans la maison parentale ? Il y avait une première fois à tout, et le fait que ses parents soient maintenant décédés tous les deux augmentait énormément les chances.

Sebastian s'arrêta devant la petite clôture blanche qui avait grand besoin d'être repeinte et vit que la boîte aux lettres débordait. N'existait-il pas une centrale chargée de l'annonce des décès et censée tout arrêter quand on était mort ? Apparemment pas.

Quand Sebastian était arrivé à Västerås quelques heures plus tôt, il s'était immédiatement rendu aux pompes funèbres pour y chercher la clé de la maison. Apparemment, Berit Holmberg, une vieille amie de sa mère, s'était occupée de l'enterrement après qu'il eut lui-même refusé de le faire. Sebastian ne se souvenait pas d'avoir déjà entendu ce nom. L'institut lui avait proposé de feuilleter un album de la cérémonie qui, selon eux, avait été très belle, et à laquelle beaucoup de monde avait assisté. Sebastian avait décliné.

Puis il était allé dîner. Il avait pris un repas riche et copieux, et était resté un moment pour lire en buvant un café. Il avait tourné et retourné la carte de visite de la femme du train, mais avait finalement décidé d'attendre encore un peu. Demain ou après-demain, il l'appellerait. Intéressé, mais pas désespéré, c'était toujours la meilleure combinaison. Après le repas, il était sorti faire un tour. Il avait envisagé d'aller au cinéma, mais aucun film n'avait éveillé son intérêt. Au bout d'un moment, ne pouvant plus ignorer la vraie raison de sa venue à Västerås, il avait appelé un taxi.

Et le voilà qui se tenait devant la maison qu'il avait quittée au lendemain de son dix-neuvième anniversaire. L'allée de dalles était bordée de plates-bandes bien entretenues. Elles étaient essentiellement constituées de buis méticuleusement taillés, mais bientôt, les vivaces allaient fleurir. Sa mère aimait beaucoup son jardin et adorait s'en occuper. Derrière la maison poussaient des arbres fruitiers et des plants de légumes. Le chemin de dalles menait à une bâtisse individuelle à deux étages. Sebastian avait dix ans quand ils s'y étaient installés. La maison venait d'être construite. Même dans la faible lumière du lampadaire, Sebastian put voir qu'elle avait besoin d'être rénovée. Le crépi craquelait sur la façade et en deux endroits, le toit était marqué d'ombres, sûrement des tuiles qui manquaient. Sebastian surmonta son aversion physique pour ce lieu et effectua les derniers pas qui le séparaient de la porte d'entrée.

Il ouvrit la porte. L'air était moite. Pesant. Sebastian posa sa valise et resta dans le vestibule qui menait aux pièces à vivre. Juste derrière lui se trouvait une table, et un peu plus à droite commençait le salon. Sebastian remarqua qu'un mur avait été abattu et que le rez-de-chaussée avait été transformé en cuisine américaine. Il continua sa progression. Il ne reconnaissait qu'une infime partie des meubles. Une commode de son grand-père et quelques-uns des tableaux accrochés au mur lui paraissaient familiers, mais les papiers peints derrière, absolument pas. Tout comme le parquet. Depuis combien de temps avait-il cessé de venir ici ? Pas loin de trente ans ? Pas étonnant qu'il ne reconnaisse rien.

Sur le mur le plus étroit du salon se trouvait une porte fermée. Quand Sebastian habitait encore là, c'était la chambre d'amis. Rarement utilisée. Ses parents avaient certes beaucoup d'amis, mais la plupart étaient du coin. Il l'ouvrit : un mur recouvert d'étagères et là où se trouvait autrefois le lit trônait à présent un bureau, sur lequel étaient posées une machine à écrire et une vieille calculatrice.

Sebastian referma la porte. La maison était sûrement remplie de toute cette camelote. Que devait-il faire de ce fourbi ?

Il alla dans la cuisine. Les placards et la table étaient neufs, mais le lino n'avait pas changé. Il ouvrit le réfrigérateur : bien rempli, mais tout était pourri. Il sortit une brique de lait : elle était entamée, et la date limite était le 8 mars, journée de la femme. Bien qu'il sût ce qui l'attendait, Sebastian fourra son nez dans l'ouverture. Il reposa le lait en grimaçant et prit une cannette de bière légère qui se trouvait à côté de quelque chose qui avait dû un jour contenir du fromage, mais qui ressemblait maintenant à un élevage de champignons microscopiques.

Il ouvrit sa bière et retourna dans le salon. En route, il alluma le plafonnier. Les lampes étaient dirigées vers le plafond et fixées à un rail qui parcourait toute la pièce, si bien que le salon était plongé dans une lumière très agréable. Un détail de goût, qui paraissait presque moderne. À sa grande surprise, Sebastian fut impressionné malgré lui.

Il s'installa confortablement dans le fauteuil et posa les pieds sur la table sans enlever ses chaussures. Puis il but une gorgée de bière. Il se laissa pénétrer par le silence. Le silence absolu. On n'entendait même pas le bruit des voitures. La maison était située au bout d'une impasse, et la route la plus proche était à plusieurs centaines de mètres. Le regard de Sebastian se posa sur le piano. Il but encore une gorgée, abandonna la cannette sur la table et s'approcha de l'instrument d'un noir étincelant.

L'esprit complètement ailleurs, il appuya sur une touche blanche. Un *do* sourd, un peu éraillé, rompit le silence.

Sebastian avait commencé le piano à l'âge de six ans. Et arrêté à neuf. Un soir, après la leçon, son professeur avait pris son père à part, car Sebastian avait refusé de toucher à l'instrument. Elle lui avait expliqué qu'elle perdait son temps, et lui son argent, en venant toutes les semaines voir un élève qui, à l'évidence, souffrait d'un manque de motivation certain et qui de plus n'avait aucun sens de la musique. C'était faux. Sebastian n'était pas du tout hermétique à la musique. Il n'avait pas non plus refusé de jouer pour se rebeller contre son père, comme il le ferait quelques années plus tard. Il trouvait ça nul, c'était tout. Il ne voyait aucune raison de se motiver pour une chose aussi peu intéressante.

Ni à l'époque. Ni plus tard. Ni aujourd'hui. Il pouvait investir du temps et une énergie infinie dans des choses qui l'intéressaient et le fascinaient, mais si ce n'était pas le cas...

Les mots « endurance » et « persévérance » n'appartenaient pas au vocabulaire de Sebastian Bergman.

Lentement, il se pencha pour étudier les photos alignées sur le piano. Au milieu, la photo de mariage de ses parents ; à gauche et à droite, deux photos des grands-parents paternels et maternels de Sebastian. Puis une photo de Sebastian en bachelier, et une autre sur laquelle il avait peut-être huit ou neuf ans et posait en maillot de foot, avec le regard sérieux de celui qui est sûr de gagner. À côté, une photo de ses parents devant un car de tourisme, en voyage quelque part en Europe. Sa mère paraissait avoir soixante-cinq ans sur le cliché. C'était donc il y avait vingt ans. Bien qu'il l'ait choisi, il fut quand même surpris du peu de choses qu'il savait sur la vie de ses parents après son départ. Il ne savait même pas de quoi sa mère était morte.

Puis le regard de Sebastian s'arrêta sur une photo placée tout au fond. Il s'en saisit. La troisième photo de lui. On le voyait assis sur sa nouvelle mobylette devant l'entrée du garage. Sa mère aimait particulièrement cette photo. Peut-être parce que c'était l'une des seules photos de sa jeunesse, voire probablement la seule sur laquelle il avait l'air vraiment heureux. En fait, ce n'était pas ce cliché de lui sur sa Puch Dakota qui avait attiré son attention, mais un petit bout de journal qui dépassait du cadre. La coupure de presse montrait Lily sur son lit d'hôpital tenant un bébé endormi dans ses bras et, en dessous, le titre « Une fille » et une date, 11 août 2000, ainsi que son nom et celui de Lily. Sebastian retira le bout de papier du cadre et l'examina attentivement.

Il se souvenait du moment où il avait pris cette photo et pouvait presque sentir l'odeur de l'hôpital et de ses deux femmes. Lily lui avait souri. Sabine dormait.

– Nom de Dieu, comment as-tu récupéré ça ?

Sebastian resta figé, la coupure à la main. Il n'était pas du tout préparé à ça. Il n'aurait rien dû y avoir dans cette maison qui fût susceptible de le lui rappeler. Mais le voilà qui se retrouvait avec une photo d'elles. Elles n'avaient rien à faire ici. Elles appartenaient à un autre monde. Ses deux mondes, ses deux enfers. Chacun en soi était assez difficile à supporter – ils ne devaient pas se télescoper. Il serrait et resserrait son poing droit, sans même le remarquer. Qu'elle aille au diable ! Même après sa mort, sa mère ne lui foutait pas la paix ! Sebastian suffoquait. Que cette maison aille au diable ! Qu'en avait-il à faire de toute cette MERDE ? !

Sebastian replia la coupure, la plaça avec précaution dans sa poche intérieure et marcha à pas rapides en direction de la cuisine. Il ouvrit la porte du placard à balais et, comme prévu, l'annuaire était bien là, sur l'étagère. Sebastian l'emporta dans le salon et chercha le numéro d'agences immobilières. Il commença par la lettre A. Évidemment, personne ne décrocha. Les trois premiers répondeurs annonçaient les horaires d'ouverture et enjoignaient de rappeler ultérieurement ; le quatrième finit tout de même sur les mots : « Si vous souhaitez nous laisser un message, nous vous rappellerons. »

Sebastian attendit le bip.

« Ici, Sebastian Bergman. J'aimerais vendre une maison avec tout son contenu. Je n'ai aucune idée de la façon dont ça se passe, mais je veux que ce soit rapide pour pouvoir quitter ce trou pourri au plus vite. Je me fous du fric, gardez un bon pourcentage de la vente, comme vous voulez, pourvu que ça aille vite. Si ça vous intéresse, vous, rappelez-moi. »

Sebastian dicta son numéro de portable et raccrocha. Puis il se laissa retomber dans le fauteuil. Il était soudain très fatigué. Il ferma les yeux et entendit son cœur battre dans le silence. Du moins, il en avait l'impression.

C'était trop calme.

Il se sentit seul.

Lentement, il laissa sa main déambuler sur sa poche de poitrine où il retrouva la carte de visite de la femme du train. Quelle heure était-il au juste ? Trop tard. S'il appelait maintenant, il pouvait carrément lui proposer directement une partie de jambes en l'air. Mais ça ne marcherait pas avec elle, il le savait. Il ne ferait que perdre le terrain durement acquis et serait obligé de recommencer à zéro, voire d'encore plus loin. Son intérêt pour elle n'était pas non plus si prononcé. Il inspira et expira profondément. Encore une fois. À chaque respiration, il ressentait le poids de la fatigue. Il n'appellerait personne, et resterait là à ne rien faire. Il allait dormir. Il avait besoin de dormir. Jusqu'à ce que son rêve le réveille.

10

Torkel prenait le petit-déjeuner dans la salle de restaurant de l'hôtel. Billy était déjà au commissariat pour préparer la réunion, et Vanja n'avait pas encore fait son apparition. Dehors, les habitants de Västerås se dépêchaient de rejoindre leur bureau en ce jour de printemps gris et nuageux. Torkel survola les quotidiens régionaux et nationaux : ils parlaient tous du meurtre. Les nationaux ne lui réservaient qu'un bref article, se contentant d'actualiser les faits. Ils rapportaient que la brigade criminelle nationale était désormais chargée de l'affaire et que des sources proches de l'enquête évoquaient l'hypothèse d'un meurtre rituel du fait de l'ablation du cœur. Torkel soupira. Si les grands quotidiens se mettaient à spéculer sur un meurtre rituel, qu'allait inventer la presse à scandales ? Du satanisme ? Du trafic d'organes ? Du cannibalisme ? Ils dénicheraient sans doute un « expert » qui déclarerait qu'on ne pouvait pas exclure qu'il s'agît d'une personne dérangée souhaitant dévorer un être humain pour absorber sa force. On penserait immédiatement aux Incas, ou à un autre peuple exterminé depuis longtemps, et les lecteurs assimileraient l'acte à de l'anthropophagie.

Et le sondage juste en dessous :

« Pourriez-vous imaginer manger un autre être humain ?

– Oui, nous ne sommes que des animaux.

– Oui, mais seulement si ma propre survie en dépend.

– Non, plutôt mourir. »

Torkel secoua la tête. Il devenait un « M&M's » comme disait Billy, un mammouth méprisant et sénile. Bien que constamment entouré de jeunes, il se surprenait souvent à penser que tout était mieux avant. Sauf dans sa vie privée, mais cela n'influençait pas le reste du monde. Il fallait accepter le présent. Torkel n'avait absolument pas l'intention de devenir l'un de ces flics fatigués qui se plaignaient sans cesse avec cynisme de leur époque, en s'enfonçant dans leur fauteuil, un verre de whisky à la main et Puccini sur la chaîne stéréo. Il devait se ressaisir. Son portable vibra : un message d'Ursula. Elle était déjà arrivée et s'était directement rendue sur les lieux de la découverte du corps. Pouvaient-ils s'y retrouver ? Torkel vida sa tasse de café et se mit en route.

Ursula Andersson se tenait au bord de la petite mare. Elle avait enfoncé son pull en laine dans son pantalon ciré vert foncé qui lui montait jusqu'à la poitrine. Elle ressemblait plus à une écolo nettoyant une plage qu'à l'un des policiers les plus doués du pays.

– Bienvenue à Västerås.

Ursula se retourna et vit Torkel adresser un signe à Haraldsson avant de passer sous le ruban rouge et blanc qui bloquait l'accès à une grande partie de la butte.

– Jolie tenue.

Ursula lui sourit.

– Merci !

– Ne me dis pas que tu es allée là-dedans ! dit Torkel en désignant la mare.

– J'ai mesuré la profondeur et prélevé quelques échantillons d'eau. Et toi ? Où sont les autres ?

– Billy est au commissariat en train de tout préparer, et Vanja est partie voir la petite amie de la victime. D'après ce qu'on sait, elle est la dernière à l'avoir vu vivant. Torkel s'approcha, mais s'arrêta au bord du trou d'eau. Et toi ? Comment tu t'en sors ?

– Aucune chance de trouver des traces de pas. Une foule de gens sont passés par là : les gosses qui ont trouvé le cadavre, la police, les secours, les promeneurs…

Ursula s'accroupit et désigna un trou informe dans le sol boueux. Torkel s'agenouilla à côté d'elle.

– En plus, les traces ont été largement effacées depuis. Il y a trop de vase ici. Ursula ponctuait ses paroles de gestes. Apparemment, le sol était encore plus mou il y a une semaine. Une grande partie de la butte était sous l'eau.

Elle se leva, jeta un regard à Haraldsson par-dessus son épaule, puis se pencha vers Torkel.

– Au fait, comment s'appelle le type là-bas ? demanda-t-elle.

Torkel se retourna également bien qu'il sût pertinemment de qui Ursula parlait.

– Haraldsson. C'est lui qui était chargé de l'enquête avant notre arrivée.

– Je sais. Il me l'a dit au moins trois fois depuis tout à l'heure. Il est comment ?

– Il devrait revoir son comportement, mais il est… enfin, ça va.

Ursula s'adressa à Haraldsson.

– Pouvez-vous venir un instant ?

Haraldsson se glissa sous le ruban, et s'approcha d'Ursula et Torkel d'un pas boiteux.

– Avez-vous déjà dragué le fond ?

Haraldsson fit un signe de tête affirmatif.

– Deux fois. Rien.

Ursula hocha la tête. Elle ne s'attendait pas à ce qu'on ait retrouvé l'arme du crime. Pas ici. Ursula se détourna de Haraldsson et balaya une nouvelle fois du regard les environs.

– À quoi penses-tu ? demanda Torkel, qui savait par expérience qu'Ursula voyait sûrement beaucoup plus que la butte humide.

– Ce n'est pas ici qu'il est mort. D'après le rapport d'autopsie, les coups de couteau étaient si profonds que le manche a laissé des traces sur sa peau. Cela signifie que le corps se trouvait sur un sol dur. Si tu poignardes quelqu'un dans l'eau, le corps coule.

Torkel lui jeta un regard admiratif. Même s'ils travaillaient ensemble depuis de nombreuses années, son savoir et son sens de la déduction l'impressionnaient toujours autant. Torkel remercia son ange gardien qu'Ursula soit venue le trouver quelques jours après sa nomination en tant que chef de la Crim'. Un matin, il y avait dix-sept ans, elle était tout simplement apparue. Elle l'avait attendu devant son bureau. Elle n'avait pas pris rendez-vous, mais lui avait assuré que ça ne prendrait pas plus de cinq minutes. Il l'avait priée d'entrer.

À l'époque, elle travaillait au SKL, le laboratoire de technique criminelle, où elle avait commencé sa carrière. Elle s'était déjà spécialisée dans l'analyse des scènes de crimes et, plus tard, dans la recherche de preuves et la médecine légale. Ce n'était pas que son travail ne lui plaisait pas, avait-elle dit au cours de ces cinq minutes, mais la traque lui manquait. Elle l'avait dit comme ça. La traque. C'était sympa de passer ses journées en blouse blanche dans un labo pour rechercher des traces d'ADN, ou de faire des tirs d'essai avec différentes armes. Mais c'était tout autre chose de se rendre sur place pour recueillir les indices et d'encercler sa proie petit à petit. Cela lui donnait des frissons et une satisfaction qu'une correspondance d'ADN seule ne pouvait lui procurer. Torkel la comprenait-il ? Oui. Ursula avait hoché la tête. Bien. Elle avait regardé sa montre. Quatre minutes et quarante-huit secondes. Elle employa les douze restantes à laisser son numéro de téléphone et à quitter la pièce.

Torkel s'était renseigné et n'avait entendu dire que du bien d'elle. Le déclic avait eu lieu quand le chef du SKL en personne l'avait presque menacé physiquement afin qu'il prenne en considération le cas d'Ursula. Torkel avait fait encore mieux : il l'avait engagée sur-le-champ.

– Ici, il s'est simplement débarrassé du corps alors ?

– Sûrement, oui. Si l'on part du principe que le meurtrier a choisi cette mare délibérément, ça veut dire qu'il connaît bien les environs et qu'il a garé sa voiture le plus près possible. Là-haut.

Elle désigna une corniche située en surplomb, qui faisait peut-être deux mètres de haut et qui tombait à pic. Ils s'y dirigèrent ensemble. Haraldsson boitait derrière eux.

– Comment va Mikael ?

Ursula tressaillit.

– Bien. Pourquoi me demandes-tu ça ?

– Tu es rentrée il y a à peine quelques jours. Il n'a pas pu profiter de toi bien longtemps.

– C'est mon travail. Il le comprend. Il est habitué.

– Bien.

– Et puis, de toute façon, il devait aller à un salon à Malmö.

Ils atteignirent la corniche. Ursula jeta un coup d'œil en arrière vers la mare. Le tueur devait être descendu quelque part par là. Ils commencèrent tous trois à inspecter la pente. Au bout de quelques minutes, Ursula s'arrêta. Recula d'un pas, se mit à genoux pour inspecter le sol. Elle en était sûre : l'herbe avait été foulée à cet endroit. Une bonne partie s'était redressée, mais les traces montraient que le corps avait été traîné jusqu'ici. Elle s'accroupit de nouveau. Un buisson efflanqué portait quelques branches cassées, et les endroits blanchâtres où elles s'étaient brisées étaient éclaboussés d'une substance qui faisait penser à du sang. Ursula alla chercher une pochette plastique dans son sac, et coupa avec précaution une branche qu'elle introduisit à l'intérieur.

– Je crois que j'ai trouvé par où il est arrivé. Vous pouvez remonter là-haut ?

Arrivé tout en haut, au bout du sentier, Torkel se retourna. Les voitures de police étaient garées en contrebas.

– Où mène ce chemin ?

– En ville, c'est le chemin qu'on a pris pour venir.

– Et dans l'autre sens ?

– Il traverse un bout de forêt, puis débouche sur la nationale.

Torkel baissa les yeux sur la pente où Ursula s'affairait à quatre pattes à retourner la moindre feuille. Si le cadavre avait été transporté par ici, on l'avait sûrement sorti du coffre d'une voiture ou d'une banquette arrière pour le traîner jusqu'en bas. Le tueur n'avait aucune raison de ne pas choisir le chemin le plus court. La surface du sentier était dure : aucune chance d'y trouver des traces de pneus. Torkel jeta encore un regard vers leurs propres voitures. Ils s'étaient garés au bord pour ne pas bloquer l'accès à l'étroit chemin. Serait-il possible que… ? Torkel se posta directement au-dessus de la parcelle du périmètre qu'Ursula était en train de fouiller. Il tenta de s'imaginer comment une voiture aurait pu se garer ici. Avec le coffre dans cette direction ? Cela signifiait que, s'il y avait des traces de pneus, elles ne devaient pas être à plus de quelques mètres. Torkel longea lentement la fosse. À sa grande satisfaction, il remarqua qu'à cet endroit, le sol était beaucoup plus meuble que sur le chemin, sans être aussi boueux que dans la cuvette.

Il écarta doucement les buissons et le feuillage, et trouva presque immédiatement ce qu'il cherchait.

De profondes traces de pneus. Torkel sourit.

Ça commençait bien.

*

– Vous êtes sûre que vous n'en voulez pas ?

La femme posa une tasse de thé fumante sur la table et approcha sa chaise de Vanja qui secouait la tête.

– Non, merci.

La femme s'assit et se mit à remuer sa cuillère. Dans la cuisine, le petit-déjeuner était servi. Du lait et du kéfir étaient posés à côté d'un paquet de muesli et d'un autre de corn flakes. Dans une corbeille d'osier, quelques tranches de pain paysan et deux sortes de pain azyme. Du beurre, du fromage, du jambon et du pâté de foie complétaient le buffet. La table bien dressée contrastait avec le reste de la cuisine qui paraissait aussi peu utilisé qu'un modèle d'exposition. Plus très neuve, mais remarquablement propre. Pas de vaisselle dans l'évier, pas de miettes sur les chaises, tout était net et rangé. Les plaques de cuisson noires ne portaient aucune tache, et les portes des placards non plus. Vanja était sûre qu'elle n'aurait pas non plus trouvé la moindre couche de gras sur l'étagère à épices ni sur les placards si elle avait vérifié. Du peu qu'elle avait vu du reste des pièces, il régnait ici une tolérance zéro face à la poussière. Un seul objet se distinguait toutefois du reste et captait l'attention de Vanja : c'était un tableau de perles. Pas de la taille habituelle d'un dessous-de-plat ; non, cet exemplaire mesurait au moins quarante centimètres sur quatre-vingts, et représentait Jésus les bras écartés dans un vêtement blanc, ondulant au vent. Une auréole dorée étincelait autour de sa tête, et le visage à la barbe foncée était légèrement incliné vers le haut. Au-dessus de sa tête, il était écrit en perles rouges : « Je suis le chemin, la vérité et la vie. »

– Lisa a fabriqué ça quand elle avait la varicelle. Avec un peu d'aide, bien sûr. Elle avait onze ans à l'époque.

– C'est très beau, dit Vanja.

Et un peu effrayant, ajouta-t-elle intérieurement.

La femme qui lui faisait face, et qui s'était présentée sous le nom d'Ann-Charlotte en ouvrant la porte, hocha la tête à ce compliment et but une gorgée de thé. Puis elle reposa sa tasse.

– Oui, Lisa est très douée. Cette image est composée de plus de cinq mille perles. N'est-ce pas fantastique ?

Ann-Charlotte tendit la main pour saisir une tranche de pain azyme et la tartina. Vanja se demanda comment elle pouvait savoir combien de perles il y avait. Les avait-elle comptées ? Elle était sur le point de poser la question quand Ann-Charlotte posa son couteau à beurre et fixa son regard sur elle, une ride de préoccupation en travers du front.

– C'est terrible, ce qui est arrivé à Roger. Nous avons prié chaque jour pour qu'on le retrouve.

Et maintenant, regarde le résultat, pensa Vanja, qui marmonna quelque chose d'un air compatissant et approbateur tout en regardant un peu trop ouvertement sa montre. Geste pour lequel Ann-Charlotte avait manifestement de la compréhension.

– Lisa aura sûrement bientôt fini. Si nous avions su que vous veniez… Ann-Charlotte fit un geste d'excuse.

– Ne vous inquiétez pas. Je vous suis très reconnaissante de me laisser lui parler.

– Mais bien sûr. Si vous avez besoin de quoi que ce soit… Comment va sa mère ? Lena, c'est ça ? Elle doit être anéantie.

– Je ne l'ai pas encore rencontrée, répondit Vanja. Mais je suppose que c'est le cas. Roger était fils unique ?

Ann-Charlotte opina du chef et parut tout d'un coup encore plus préoccupée. Comme si elle venait de recevoir tous les problèmes du monde sur ses épaules.

– Ils n'avaient pas une vie facile. D'après ce que je sais, ils ont longtemps eu des problèmes financiers, et puis ces soucis dans l'ancienne école de Roger. Ces derniers temps, ils paraissaient s'en être sortis. Et puis, il arrive ça…

– Il avait des problèmes dans son ancienne école ? demanda Vanja.

– Il était un souffre-douleur, dit une voix dans l'encadrement de la porte.

Vanja et Ann-Charlotte se retournèrent. Lisa se tenait sur le seuil. Ses longs cheveux bien peignés retombaient sur ses épaules. Sa frange était retenue sur le côté par des barrettes. Elle portait un chemisier blanc boutonné presque jusqu'en haut sous un gilet sobre. Une croix dorée dont la chaîne s'était prise dans le col de son chemisier pendait à son cou. Avec ça, elle portait une jupe s'arrêtant juste au-dessus des genoux et d'épais collants. Vanja pensa immédiatement à l'héroïne d'une série télé des années 1970 rediffusée durant son enfance. Lisa avait un visage sérieux, blessé, presque outré. Vanja se leva et tendit la main à la jeune fille, puis elle sortit une chaise du côté le plus étroit de la table.

– Bonjour Lisa, je m'appelle Vanja Lithner. Je suis de la police.

– J'ai déjà parlé à la police, répondit Lisa en saisissant la main tendue de Vanja, et elle s'inclina en la serrant.

Puis elle s'assit. Ann-Charlotte sortit une tasse de l'un des placards de la cuisine.

– Je sais, poursuivit Vanja. Je travaille dans un autre service, c'est pourquoi je te serais infiniment reconnaissante de parler également avec moi, même si je te poserai sûrement les mêmes questions.

Lisa haussa les épaules et versa une bonne quantité de muesli dans son assiette.

– Tu dis que Roger a été persécuté par ses camarades dans son ancienne école. Tu sais par qui ?

Lisa haussa à nouveau les épaules.

– Tout le monde, je crois. En tout cas, il n'avait pas d'amis là-bas. Il n'aimait pas trop en parler. Il était seulement content d'en être sorti et d'être inscrit à notre école.

Lisa saisit le kéfir et en inonda son muesli. Ann-Charlotte posa une tasse devant sa fille.

– Roger était un bon garçon. Calme. Sensible. Mûr pour son âge. Ce qui lui est arrivé est…

Ann-Charlotte ne termina pas sa phrase. Elle se rassit à sa place. Vanja ouvrit son bloc-notes et nota : « Harcèlement – ancienne école ». Puis elle se tourna vers Lisa qui enfournait une grande cuillerée de muesli dans sa bouche.

– Revenons à cette journée de vendredi où il a disparu. Peux-tu me dire ce que vous avez fait, s'il s'est passé quelque chose de spécial quand Roger était là ? Raconte-moi tout ce dont tu te souviens, peu importe si ça te paraît important ou non.

Lisa se laissa du temps, mâcha et avala avant de dévisager Vanja d'un air grave.

– J'ai déjà fait tout ça. Quand l'autre policier est venu me voir.

– Oui, mais comme je te l'ai déjà dit, il me faut l'entendre par moi-même. Quand Roger est-il venu ici ?

– Peu après cinq heures, peut-être cinq heures et demie.

Lisa jeta un regard suppliant à sa mère.

– Plutôt cinq heures et demie, dit Ann-Charlotte. Ulf et moi devions partir à cette heure-là, et nous étions en train de sortir quand Roger est arrivé.

Vanja hocha la tête et nota.

– Qu'avez-vous fait pendant la soirée ?

– On était dans ma chambre. On a fait nos devoirs pour lundi, et puis on a bu du thé en regardant « Let's dance ». Il est parti peu après dix heures.

– Il a dit où il allait ?

Lisa haussa à nouveau les épaules.

– Il a dit qu'il rentrait chez lui. Il voulait savoir qui allait être éliminé ce soir-là, mais ils ne l'annoncent qu'après les infos et la pub.

– Et qui a été éliminé ?

Vanja observa la cuillère pleine à craquer interrompre son trajet vers la bouche de Lisa. Pas longtemps. De manière à peine perceptible. Mais tout de même. L'hésitation était bien là. Vanja n'avait posé cette question que pour détendre l'atmosphère. Une bonne tactique pour faire passer un interrogatoire pour une simple conversation amicale. Mais Lisa était prise de court, Vanja en était certaine. La jeune fille continua de manger.

– Chspch…

– Ne parle pas la bouche pleine, la coupa Ann-Charlotte.

Lisa se tut. Elle mâcha longuement, le regard fixé sur Vanja. Voulait-elle gagner du temps ? Pourquoi n'avait-elle pas répondu avant de mettre la cuillère dans sa bouche ? Vanja attendit. Lisa mâcha. Et avala.

– Je ne sais pas. Je n'ai pas continué à regarder après les infos.

– Et quelles sortes de danses ont-ils dansées ? Tu t'en souviens ?

Le regard de Lisa s'assombrit. Vanja en était sûre maintenant. Ces questions la dérangeaient.

– Aucune idée de leurs noms. On n'a pas vraiment regardé, on parlait et on écoutait de la musique. Et on a zappé.

– Je ne comprends pas ce que le contenu d'une émission de télé a à voir avec la recherche des meurtriers de Roger, intervint Ann-Charlotte. Elle posa bruyamment sa tasse sur la table en lui jetant un regard quelque peu irrité.

Vanja se tourna vers elle et lui adressa un sourire.

– Rien, en effet. Juste histoire de bavarder un peu.

Elle se tourna de nouveau vers Lisa, toujours le sourire aux lèvres. Lisa ne le lui rendit pas. Elle regardait Vanja d'un air buté.

– Roger t'a-t-il parlé de quelque chose qui le tracassait ce soir-là ?

– Non.

– Et personne ne l'a appelé ? Pas de SMS dont il ne voulait pas parler ou qui l'inquiétait ?

– Non.

– Il ne s'est donc pas comporté bizarrement, il n'était pas distrait, par exemple ?

– Non.

– Et il n'a pas dit qu'il comptait voir quelqu'un d'autre quand il est parti vers… dix heures, c'est ça ?

Lisa observa Vanja d'un œil critique. Qui voulait-elle rouler dans la farine ? Cette flic savait parfaitement qu'elle lui avait dit qu'il était parti à dix heures. Elle voulait la tester. Pour voir si elle allait se contredire. Mais elle ne lui donnerait pas satisfaction. Lisa s'était bien préparée.

– Oui, il est parti à dix heures, et non, il a dit qu'il allait rentrer chez lui pour voir qui serait éliminé.

Lisa s'étira et prit une tranche de pain dans la corbeille. Ann-Charlotte revint s'en mêler.

– Elle vous l'a déjà dit. Je ne comprends pas. Pourquoi doit-elle tout le temps répondre aux mêmes questions ? Vous ne la croyez pas ?

La voix d'Ann-Charlotte trahissait une pointe d'agacement. Comme si le fait que quelqu'un pût penser que sa fille mentait la choquait profondément. Vanja regarda Lisa. Sa mère avait beau être choquée, Lisa ne disait pas tout. Il s'était passé quelque chose ce soir-là. Quelque chose que Lisa ne voulait pas raconter. En tout cas, pas en présence de sa mère. Lisa coupa une tranche de fromage et la déposa lentement sur le pain. Tout en jetant des regards furtifs à Vanja. Elle devait faire attention. Cette femme était beaucoup plus intelligente que le policier avec lequel elle avait parlé à la cafétéria de l'école. Il fallait impérativement qu'elle s'en tienne au scénario qu'elle avait appris. Qu'elle se remémore les heures. Il n'y avait pas de détails particuliers, il ne s'était rien passé de spécial.

Roger était venu. Devoirs. Thé. Télé. Roger était parti. On ne pouvait pas lui demander de se rappeler tous les détails d'un vendredi soir plutôt ennuyeux. Et puis, elle était sous le choc. Si elle avait été plus crédible en pleureuse, elle aurait bien versé quelques larmes pour pousser sa mère à interrompre la conversation.

– Bien sûr que je la crois, dit calmement Vanja, mais Lisa est la dernière personne à avoir vu Roger vivant. Il est important de connaître tous les détails.

Vanja recula sa chaise.

– Je m'en vais maintenant. Je ne voudrais pas vous mettre en retard pour votre travail.

– Je ne travaille pas. À part quelques heures à la commune. Mais c'est du bénévolat.

Une femme au foyer ! Cela expliquait donc pourquoi cette maison frisait la perfection. Du moins en ce qui concernait la propreté.

Vanja sortit une carte de visite et la tint sous le nez de Lisa jusqu'à ce que celle-ci soit obligée de relever la tête et de la regarder dans les yeux.

– Appelle-moi si tu te souviens d'un détail que tu aurais oublié de me raconter. Puis elle s'adressa à Ann-Charlotte : Ne vous dérangez pas pour moi, je trouverai la sortie. Continuez votre petit-déjeuner.

Vanja quitta la cuisine et la maison, et retourna au commissariat. Pendant le trajet, elle songea à Roger mort et se surprit à avoir une pensée qui la rendit à la fois triste et en colère : elle n'avait encore rencontré personne qui parût spécialement choqué ou attristé par la mort du garçon.

11

Fredrik pensait que cela ne durerait pas plus de dix minutes. Entrer, dire ce qu'il savait à la police et repartir. Bien sûr, il était au courant de la disparition de Roger. Toute l'école en avait parlé. L'école Runeberg n'avait sans doute jamais autant parlé de Roger et ne lui avait encore jamais accordé autant d'attention que la semaine passée. Et encore moins hier, quand on l'avait retrouvé ! L'établissement avait immédiatement mis en place un soutien psychologique, et des élèves qui n'en avaient rien eu à secouer de Roger pendant le peu de temps où ils l'avaient côtoyé se mirent à sortir des salles de classes en pleurs, et restaient assis en rond en se tenant les mains et en se remémorant d'une voix étouffée les bons moments passés avec lui.

Fredrik ne connaissait pas Roger et n'était pas directement triste pour lui. Ils s'étaient à peine croisés quelquefois dans le couloir, ils se connaissaient de vue, sans plus. Pour être honnête, Fredrik n'avait pas gaspillé une seule de ses pensées pour Roger depuis qu'il avait changé d'école à l'automne. Mais à présent, la télé locale était arrivée, des filles du lycée qui n'auraient jamais parlé à Roger, même s'il avait été le seul garçon sur terre, avaient déposé des bougies allumées devant la cage du gardien de foot sur le terrain, et des fleurs devant le portail de l'école.

Peut-être que c'était bien comme ça ? Peut-être était-ce le signe que l'empathie et la solidarité existaient encore ? Peut-être que Fredrik était trop cynique quand il interprétait le comportement des gens uniquement comme de l'hypocrisie, comme un moyen d'utiliser les circonstances tragiques pour se mettre soi-même sur le devant de la scène et pour combler en soi un vide indéfinissable. Peut-être voulaient-ils expérimenter le sentiment de communauté, pour se sentir exister.

Cela lui rappelait les images du grand magasin NK à Stockholm, qu'ils avaient vues en éducation civique, après le meurtre d'Anna Lindh. D'où venait ce besoin des gens d'exprimer leur deuil pour des individus qu'ils ne connaissaient même pas personnellement ? Apparemment, cela existait, tout simplement. Peut-être était-ce Fredrik qui avait un problème, car il ne participait pas à cette tristesse collective.

Mais il lisait les journaux. On avait tout de même arraché le cœur à un garçon qui avait le même âge que lui. La police recherchait des témoins qui avaient vu Roger le vendredi, le jour de sa disparition. Quand Roger n'était que porté disparu, Fredrik n'avait pas vu l'utilité de se rendre au commissariat, puisqu'il avait vu Roger *avant* sa disparition. Mais depuis, la police avait déclaré que tous les témoignages, ceux qui dataient de vendredi ou même d'avant, pouvaient être utiles. Fredrik fit donc un détour par le commissariat avant d'aller à l'école, pensant que ça irait très vite.

Il dit à la femme en uniforme à la réception qu'il voulait parler de Roger Eriksson, mais avant même qu'elle ait soulevé le combiné, un policier en civil arriva en boitant, une tasse de café à la main, lui disant de le suivre.

Depuis, constata Fredrik en jetant un coup d'œil à sa montre, déjà vingt minutes s'étaient écoulées. Il avait tout dit au policier boiteux, certaines choses deux fois. Il avait carrément été obligé de répéter le lieu à trois reprises et à la dernière, il avait même dû le marquer d'une croix sur une carte. Le policier paraissait satisfait. Il referma son bloc-notes et observa Fredrik.

– Je te remercie d'être passé nous voir. Tu peux attendre encore un instant ?

Fredrik s'assit et admira le grand open-space où une dizaine de policiers travaillaient à leurs bureaux, séparés par des cloisons. Les panneaux amovibles étaient recouverts de dessins d'enfants, de photos de familles et de menus à côté de piles de papiers. Le fond sonore était un mélange sourd de pianotage de clavier, de conversations, de sonneries de téléphone et de ronronnement de photocopieuse. Alors qu'il faisait toujours ses devoirs avec un iPod sur les oreilles, Fredrik se demanda comment il était possible d'obtenir des résultats dans un tel environnement. Comment travailler en face de quelqu'un qui téléphonait sans prêter attention à ce qu'il disait ?

Le policier boita en direction d'une porte, mais avant qu'il l'eût atteinte, une femme vint dans sa direction. Une blonde en tailleur. Fredrik crut voir l'homme courber l'échine à l'entrée de la femme.

– Qui est-ce ? demanda Hanser en désignant le garçon qui la dévisageait. Haraldsson suivit son regard bien qu'il sût pertinemment de qui elle parlait. Si c'est au sujet de Roger Eriksson, pourquoi la Crim' n'est-elle pas en train de l'interroger ?

– J'étais par hasard dans le coin quand il est arrivé, et je voulais d'abord entendre ce qu'il avait à dire. Pour voir si c'était digne d'intérêt. Inutile que Torkel Höglund perde son temps avec des choses qui ne feraient pas avancer l'enquête.

Hanser prit une profonde inspiration. Elle se rendait compte à quel point il était difficile de perdre la responsabilité d'une enquête. Peu importait dans quel sens on retournait la situation, cela trahissait évidemment une crise de confiance. Et le fait que, pour couronner le tout, ce soit elle qui ait pris cette décision, n'arrangeait rien. Haraldsson avait candidaté pour son poste, elle le savait. Il ne fallait pas être fin psychologue pour deviner ce que Haraldsson pensait d'elle. Tous ses actes trahissaient constamment son mépris et son ressentiment. En fait, elle aurait dû se réjouir qu'un homme aussi têtu que Haraldsson se cramponnât à cette affaire comme un forcené. Louer son dévouement, son engagement sans bornes. Ou tout simplement n'avait-il pas encore compris qu'il n'était plus un membre actif du groupe d'investigations. Hanser penchait plutôt pour la deuxième option.

– Ce n'est pas à toi de décider de ce qui est important ou non dans cette affaire.

Haraldsson fit un signe de tête signifiant qu'il attendait qu'elle ait fini sa phrase pour la corriger. Et effectivement, Hanser ne parvint pas à poursuivre, car il l'interrompait déjà :

– Je sais, c'est eux, les responsables, mais ils m'ont bien faire comprendre qu'ils voulaient travailler en étroite collaboration avec moi.

Hanser maudit la diplomatie de Torkel. Elle devait maintenant jouer le rôle du méchant flic. Non que cela changeât quoi que ce soit dans ses rapports avec Haraldsson, mais c'était tout de même désagréable.

– Thomas, la Crim' dirige l'enquête, ce qui signifie que tu ne dois absolument plus t'en mêler. À moins qu'ils ne te le demandent expressément.

Voilà. C'était dit. Pour la deuxième fois.

Haraldsson la dévisagea froidement. Il comprenait parfaitement ce qu'elle avait l'intention de faire. Puisque son manque d'expérience et de qualités managériales l'obligeait à faire appel à la Crim', elle ne voulait pas que l'un de ses sous-fifres travaillât avec les sauveurs. Ils devaient résoudre l'affaire seuls et prouver aux supérieurs de Hanser qu'elle avait pris la bonne décision, car la police de Västerås était totalement incompétente.

– Nous pourrions en parler avec Torkel. Il a dit que je devais travailler en étroite collaboration avec eux. De plus, ce garçon possède des informations très intéressantes que je m'apprêtais à transmettre. Je préférerais consacrer mon temps à résoudre l'enquête, mais si tu tiens à rester là à discuter de qui fait quoi, vas-y.

Il voulait donc jouer à ce jeu. La faire passer pour un gratte-papier tandis qu'il était le bon policier qui ne pensait qu'à résoudre l'affaire. Soudain, Hanser réalisa que Haraldsson était peut-être un adversaire plus dangereux qu'elle ne le pensait.

Elle fit un pas de côté. Haraldsson lui adressa un sourire triomphant et s'éloigna en boitant. Hanser l'entendit crier le plus incidemment possible dans le bureau de la Crim' :

– Billy, tu as une minute ?

*

Vanja ouvrit son bloc-notes. Elle venait de s'excuser auprès de Fredrik de lui demander de répéter toute son histoire, et ça l'agaçait. Vanja voulait interroger la première tous les témoins et les personnes impliqués dans l'affaire. On courait le risque qu'ils soient moins précis la deuxième fois, sans en être conscients. Qu'ils commencent à trier les informations et à en considérer certaines comme superflues. Fredrik était la deuxième personne qu'elle rencontrait à n'être pas très concentrée puisqu'il avait déjà raconté son histoire à Haraldsson. Deux sur deux. Vanja se jura que ça n'arriverait plus. Elle prit un stylo.

– Donc, tu as vu Roger Eriksson ?

– Oui, vendredi.

– Et tu es vraiment certain que c'était lui ?

– Oui, on était ensemble au collège Vikinga, et ensuite au lycée Runeberg avant qu'il aille à Palmlövska.

– Vous étiez dans la même classe ?

– Non, j'ai un an de plus que lui.

– Où as-tu vu Roger ?

– Dans la rue Gustavborgsgatan, à côté du parking de l'université. Vous savez où c'est ?

– On va trouver.

Billy en prit note. Quand Vanja disait « on » dans ce genre de situation, cela voulait dire lui. Il devait marquer l'endroit sur une carte.

– Et où allait-il ?

– Vers la ville. Enfin, vous voulez dire quel point cardinal ? Ça, j'en sais rien.

– On va trouver ça aussi.

Billy nota de nouveau.

– À quelle heure l'as-tu vu ?

– Vers neuf heures.

Pour la première fois de leur conversation, Vanja tressaillit. Elle regarda Fredrik, un brin sceptique. Avait-elle mal compris ? Elle jeta un nouveau coup d'œil à ses notes.

– À neuf heures ? Vingt et une heures ?

– Oui, à peu après.

– Le vendredi en question ?

– Oui.

– Tu en es absolument sûr ? Pour l'heure aussi ?

– Oui, mon entraînement s'est terminé à huit heures et demie, et j'étais en route pour aller en ville. On voulait aller au cinéma, et je me rappelle bien avoir regardé ma montre : il me restait encore vingt-cinq minutes. Le film commençait à neuf heures et demie.

Vanja se tut. Billy savait pourquoi. Il venait de transcrire le déroulement des faits sur le tableau blanc de la salle de réunion. Roger était censé être parti de chez sa petite amie à vingt-deux heures. Et au dire de cette même petite amie, il n'était pas sorti de sa chambre et encore moins de la maison. Alors que faisait-il une heure avant dans la rue Gustavborgsgatan ? Vanja pensait exactement la même chose. Lisa avait donc bel et bien menti. Le jeune homme qui faisait face à Vanja paraissait crédible. Mûr malgré son jeune âge. Rien dans son comportement n'indiquait qu'il était venu pour faire son intéressant, avoir des frissons, ou parce qu'il était un mythomane notoire.

– OK. Donc, tu as vu Roger. Et pourquoi a-t-il attiré ton attention ? Il doit y avoir beaucoup de monde dans la rue le vendredi soir à neuf heures.

– Je l'ai remarqué parce qu'il était seul et qu'une mobylette n'arrêtait pas de lui tourner autour pour lui faire peur.

Vanja et Billy se penchèrent en avant. C'était un moment important car jusqu'ici, ils n'avaient rassemblé que des renseignements sur les déplacements de la victime *avant* sa disparition. À présent, quelqu'un d'autre entrait en scène. Quelqu'un qui avait terrorisé Roger. Ça commençait bien. Vanja regretta une fois de plus d'être la deuxième à l'apprendre.

– Une mobylette ?

Billy avait maintenant pris la parole, ce à quoi Vanja ne voyait aucun inconvénient.

– Oui.

– Te souviens-tu d'autres détails ? La couleur ou autre chose ?

– Oui, enfin, je ne sais plus…

– De quelle couleur était-elle ? l'interrompit Billy.

C'était son domaine de prédilection.

– Rouge, mais je ne sais…

– Tu connais les marques de mobylettes ? le coupa de nouveau Billy. Tu connaissais la marque de celle-ci ? Tu t'en souviens ?

– Oui, enfin, non, je ne m'en souviens pas. Fredrik se tourna vers Vanja : Mais je sais à qui elle appartient. Enfin, je sais qui la conduisait. C'était Leo Lundin.

Vanja et Billy échangèrent un regard. Vanja se leva d'un bond.

– Attends ici, je vais appeler mon chef !

12

L'homme qui n'était pas un meurtrier était fier de lui. Bien qu'il n'eût pas dû. Mais il avait vu un reportage émouvant sur l'école en deuil et les conférences de presse avec des policiers grognons. Tragique, sombre, triste. Mais irrésistible. Même quand il essayait de le réprimer, il ne pouvait pas s'empêcher d'éprouver ce sentiment d'autosatisfaction. Il serait seul. Personne ne le comprendrait.

Sa fierté était euphorisante et libératrice. Avec ce crime, il avait montré sa force. Il était un homme, un vrai. Il avait protégé ce qui devait l'être. Il n'avait pas reculé, n'avait laissé tomber personne dans les moments critiques. L'odeur âcre et sucrée du sang et des entrailles s'était implantée dans ses narines, et il avait dû lutter de toutes ses forces contre la nausée. Mais il avait continué. Dans sa main, le couteau n'avait pas tremblé. Ses jambes n'avaient pas failli quand il s'était débarrassé du corps. Il avait réagi au mieux dans une situation dans laquelle la plupart des gens auraient perdu leur sang-froid. Et il en était fier.

La veille, il était si excité qu'il avait eu du mal à rester en place. Il avait fait une promenade de plusieurs heures. À travers la ville qui ne parlait que d'une chose : son secret. Il était passé devant l'hôtel de police. À la vue de ce bâtiment familier, il avait eu envie de tourner les talons. Il était tellement plongé dans ses pensées qu'il n'avait pas regardé où il allait. Mais quelle importance, au fond ? Il n'était qu'un passant parmi d'autres. Les hommes et les femmes à l'intérieur ne se doutaient de rien. Ne pouvaient pas deviner que celui qu'ils recherchaient était tout près. Il poursuivit son chemin, mais n'eut pourtant pas le courage de jeter un œil à travers les fenêtres. Devant la sortie du garage, une voiture de police s'arrêta pour le laisser passer. Il fit un signe de tête au policier en uniforme comme s'ils se connaissaient. Au fond, c'était le cas. Ils étaient ses adversaires. Il était l'homme qu'ils cherchaient sans le savoir. Détenir la vérité qu'ils mettaient tant d'énergie à trouver lui procurait une jouissance incomparable.

Il savait qui lui avait donné cette force. Pas Dieu. Dieu l'accompagnait et lui apportait du réconfort. Non, c'était son père qui l'avait rendu si fort. Son père qui l'avait défié, endurci, et lui avait inculqué des valeurs. Cela n'avait pas toujours été facile. D'une certaine manière, son secret lui rappelait son enfance. Ce qu'il avait vécu et que personne n'avait compris.

Une fois, dans un moment de faiblesse, il l'avait raconté à la sœur blonde qui sentait la rose. Cela avait suscité un grand tumulte. Le chaos. L'école et les services sociaux s'en étaient mêlés. Avaient discuté, appelé, étaient venus le voir. Des psychologues scolaires et des travailleurs sociaux. Sa mère avait pleuré et lui, le petit garçon, avait soudain compris ce qu'il risquait de perdre. Tout. Parce qu'il avait été faible. Parce qu'il n'avait pas eu la force de tenir sa langue. Il savait que son papa l'aimait. Mais celui-ci appartenait à cette catégorie de gens qui montraient leur amour avec l'ordre et la discipline. Un homme qui préférait faire passer le message avec les poings plutôt qu'avec les mots. Un homme qui préparait son fils à la dure réalité de la vie en lui apprenant à être fort et obéissant.

Il avait conjuré le sort en retirant ce qu'il avait dit. S'était rétracté. Avait affirmé qu'on l'avait mal compris. Il avait rétabli l'ordre, car il n'avait pas voulu perdre son père. Il pouvait supporter les coups, mais pas de perdre son père, sa famille. Ils avaient déménagé dans une autre ville. Son père avait apprécié ses mensonges et ses dénégations à leur juste valeur. Ils s'étaient rapprochés, il le sentait. Les coups ne s'étaient pas arrêtés, au contraire, mais le garçon les supportait mieux.

Et il se taisait. Devenait plus fort. Personne ne pouvait comprendre ce que son père lui avait transmis. Même pas lui-même. Mais maintenant, il le voyait. La chance de pouvoir agir et surmonter le chaos. L'homme qui n'était pas un meurtrier sourit. Il se sentait plus proche que jamais de son père.

13

Sebastian s'était réveillé peu avant quatre heures du matin dans l'un des lits étroits et durs de l'étage. D'après l'aménagement du reste des pièces, il devait s'agir du lit de sa mère. Quand Sebastian était parti, ses parents ne faisaient pas encore chambre à part, mais cette nouvelle organisation ne l'étonnait pas le moins du monde. Un être humain normalement constitué ne pouvait pas se glisser soir après soir dans un lit à côté de son père. Sa mère avait apparemment fini par le comprendre.

Quand il était réveillé par le rêve, quelle que soit l'heure, Sebastian se levait généralement immédiatement. Mais pas toujours. Parfois, il restait couché. Fermait les yeux. Sentait une crampe dans la main droite quand le rêve revenait.

Parfois, revivre cette matinée grâce au rêve lui manquait. Et l'effrayait tout à la fois. Car cela lui permettait de se laisser submerger par l'amour, et le retour à la réalité était beaucoup plus difficile et plus angoissant que lorsqu'il abandonnait le combat, se levait et s'occupait. C'était souvent la meilleure option. Car à l'amour succédait la douleur. Le manque, inéluctable et toujours présent. Il savait qu'il allait se sentir mal à en mourir. Il arriverait à peine à respirer, à vivre.

Il avait besoin de le retrouver de temps en temps. Ce sentiment fort et véritable que ses souvenirs seuls ne parvenaient plus à lui procurer. Ses souvenirs, en comparaison de ses sentiments, paraissaient si ternes, presque inanimés. La plupart d'entre eux ne correspondaient pas à la réalité. Il avait fait l'impasse sur certaines choses et brodé sur d'autres, parfois consciemment, parfois inconsciemment. Les souvenirs étaient subjectifs. Son rêve était objectif, rigoureux, dénué de sentimentalisme, et lui causait une douleur insupportable. Mais il était vrai.

Ce matin-là, dans la maison de ses parents, il resta au lit et laissa le rêve le rattraper. Il le voulait, il en avait besoin. C'était facile : le rêve était ancré en lui comme un être invisible à qui il n'avait qu'à insuffler un peu de vie, et quand il le faisait...

Alors, il la sentait. Elle était plus qu'un souvenir. Il sentait sa petite main dans la sienne, il entendait sa voix. Il entendait aussi d'autres voix et d'autres bruits, mais la sienne surtout. Il pouvait sentir son odeur. Le savon pour enfants et la crème solaire. Dans un demi-sommeil, elle était là de nouveau, avec lui. Réelle. Revenue. Il passait son pouce sur la petite bague en plastique qu'elle portait à l'index. Un papillon. Elle l'avait immédiatement adoptée. N'avait plus jamais voulu l'enlever.

La journée avait commencé lentement. Ils s'étaient levés tard et avaient projeté de passer la journée au bord de la piscine de l'hôtel. Lily était partie jogger, mais comme il était déjà tard, elle avait décidé de faire une boucle plus courte que d'habitude. Quand il était sorti avec Sabine, elle n'avait eu aucune envie de se prélasser au bord du bassin. Non, elle avait tellement la bougeotte qu'il avait eu l'idée d'aller à la plage. Sabine aimait la mer. Elle adorait qu'il la prenne sous les aisselles et qu'il joue avec elle dans les vagues. Elle poussait des cris de joie quand il jetait son petit corps en l'air et qu'il la récupérait dans l'eau. Sur le chemin de la plage, ils rencontrèrent plusieurs autres enfants.

C'était le lendemain de Noël, et les enfants essayaient leurs nouveaux jouets. Une petite fille s'amusait avec un joli dauphin gonflable bleu clair, Sabine tendit les mains en le voyant et dit :

– Papa, j'en veux un aussi !

Ce fut la dernière phrase qu'elle lui adressa. La plage était à quelques pas de là, derrière une grande dune, et il se dépêcha d'y aller pour qu'elle oublie le dauphin. Sabine rit en avançant dans le sable chaud.

Ses petites mains douces sur sa joue piquante. Son rire, quand il faillit trébucher.

C'était Lily qui avait eu l'idée de partir en vacances à Noël. Et il n'avait rien eu contre. L'esprit de fêtes familiales n'était pas vraiment le fort de Sebastian, et il avait du mal à supporter la famille de Lily ; il avait donc immédiatement accepté la proposition. Il n'était pas un grand fan des voyages sous les tropiques, mais il avait compris que Lily voulait, comme toujours, lui faciliter la vie. De plus, Sabine adorait la mer et le soleil, et ce qui faisait plaisir à Sabine le rendait heureux. Pour Sebastian, faire quelque chose pour les autres était une expérience relativement nouvelle. Il l'avait découverte grâce à Sabine. Une belle expérience, avait-il pensé, debout face à l'océan Indien. Il avait posé Sabine, qui avait immédiatement couru à l'eau. La marée paraissait plus basse que d'habitude et la plage plus large. L'eau était un peu trouble et grise, mais d'une température parfaite. Insouciant, il avait embrassé Sabine une dernière fois avant de la déposer dans l'eau jusqu'au ventre. Elle riait, la mer lui inspirait du respect et de l'admiration, et Sebastian avait tenté un instant de trouver la définition psychologique de leur jeu. Exercice de prise de confiance. Son papa ne le lâche pas, l'enfant a de plus en plus de courage. Un mot simple qu'il n'avait jamais pratiqué auparavant. La confiance. Sabine poussait des cris où la joie se mêlait à la peur, et Sebastian n'avait pas entendu immédiatement le tonnerre. Il était trop fasciné par l'harmonie qui régnait entre eux. Quand il avait entendu le bruit, il était trop tard.

Ce jour-là, il avait appris un autre mot. Un mot que lui, pourtant si cultivé, n'avait jamais entendu. Tsunami. Dans ces matinées-là, lorsqu'il laissait venir le rêve, il la perdait encore une fois.

Et la tristesse l'écrasait à un point tel qu'il pensait ne plus jamais pouvoir se relever.

Pourtant, il y arrivait.

Peu à peu.

Et ce qui était maintenant sa vie continuait.

14

Leonard ! Clara Lundin sut immédiatement que le jeune couple qui se trouvait sur le perron était venu pour son fils. Bien avant qu'ils ne se présentent et ne montrent leur insigne, elle savait que ces deux-là n'étaient ni des témoins de Jéhovah ni des représentants. Elle le savait, et son estomac se noua. Peut-être était-elle seulement devenue plus sensible. Clara sentait ces douleurs dans l'estomac depuis si longtemps qu'elle n'y faisait même plus attention. Quand le téléphone sonnait le soir. Quand elle entendait des sirènes le week-end. En se réveillant, quand Leonard ramenait ses copains à la maison. Quand elle découvrait un message de l'école dans sa boîte mail.

– Est-ce que Leo est là ? demanda Vanja en remettant son insigne dans la poche de sa veste.

– Leonard, corrigea Clara comme par réflexe. Oui, il est là. Que lui voulez-vous ?

– Est-ce qu'il est malade ? demanda Vanja pour éviter de répondre.

– Non, je ne crois pas. Pourquoi cette question ?

– Parce qu'il n'est pas à l'école.

Clara se rendit compte qu'elle n'y avait même pas pensé. Elle faisait les trois-huit à l'hôpital et se préoccupait de moins en moins de l'assiduité de son fils à l'école. Ce dernier allait et venait comme bon lui semblait. Et la plupart du temps, il faisait ce qu'il voulait.

Pour ainsi dire tout le temps.

Elle avait perdu le contrôle. C'était comme ça. Elle n'osait juste pas se l'avouer. Complètement perdu le contrôle en moins d'un an. La plupart des livres et des magazines qu'elle avait empruntés disaient que c'était normal. À cet âge-là, les ados se détachent de leurs parents et commencent doucement à explorer le monde des adultes. Il faut leur laisser plus de liberté, relâcher la bride, sans pour autant la lâcher complètement, tout en leur donnant l'assurance que l'on sera toujours là pour eux en cas de besoin. Leo n'avait pas commencé en douceur. Il avait sauté du jour au lendemain dans une sorte de trou noir, et aucune bride ne pouvait se relâcher autant. Clara existait, mais il n'avait plus besoin d'elle. Absolument plus.

– Il s'est levé un peu trop tard ce matin. Que lui voulez-vous ?

– Pouvons-nous lui parler, s'il vous plaît ? insista Billy. Vanja et Billy entrèrent dans le couloir.

On entendait désormais plus distinctement le vrombissement des basses qu'ils avaient déjà perçu en arrivant près du pavillon en forme de L. Du hip-hop. Billy connaissait cette chanson. DMX. *X Gon' Give it to Ya*. 2002. *Old school*.

– Je suis tout de même sa mère, et j'aimerais bien savoir ce qu'il a fait.

Vanja remarqua que la mère ne cherchait absolument pas à savoir pourquoi la police voulait parler à son fils. Non, elle partait du principe que l'adolescent avait fait quelque chose.

– Nous aimerions parler de Roger Eriksson avec lui.

Le garçon assassiné. Pourquoi la police voulait-elle parler de lui avec Leonard ? Son estomac se noua définitivement. Clara hocha la tête en silence, et s'écarta pour les laisser passer. Elle disparut dans le salon et s'arrêta devant une porte fermée. Une porte qu'elle n'avait pas le droit d'ouvrir sans frapper, ce qu'elle fit.

– Leonard. La police est là et aimerait te parler.

Billy et Vanja attendirent dans le couloir étroit et bien rangé. Sur le mur de droite, des crochets auxquels étaient suspendues trois vestes sur des cintres, dont deux appartenaient manifestement à Leonard. Un sac à main était accroché à un quatrième cintre. En dessous, une petite étagère avec quatre paires de chaussures. Dont deux paires de baskets. Reebok et Eckö, nota Billy. Sur le mur d'en face, une petite commode surmontée d'un miroir. Rien dessus à part un napperon et un vase. Juste derrière, le couloir se terminait et débouchait sur le salon. Clara toqua de nouveau.

– Leonard. Ils veulent te parler de Roger. Allez, sors de là, s'il te plaît.

Elle frappa encore une fois. Dans le couloir, Billy et Vanja échangèrent un regard et prirent une décision en silence. Ils essuyèrent leurs chaussures sur le paillasson et traversèrent le salon. Devant la porte de la cuisine se trouvait une table sur un tapis, des carrés marron sur fond jaune, et juste devant, dos à la table, un canapé. Il y avait un deuxième canapé juste en face et, entre les deux, une table basse en bois clair. Du bouleau, supposa Vanja sans vraiment s'y connaître. Au mur, une télévision à écran plat et sur un meuble juste en dessous, un lecteur DVD. Mais aucun DVD ni jeu vidéo, pas de console de jeu. Personne ne semblait avoir récemment pris place sur un de ces canapés. Des coussins parfaitement alignés, une couverture soigneusement pliée, deux télécommandes disposées bien parallèlement. Derrière le deuxième canapé courait une bibliothèque, des ouvrages à la couverture cartonnée et des livres de poche impeccablement rangés en ligne, seulement interrompus çà et là par un bibelot méticuleusement épousseté. Billy et Vanja rejoignirent Clara qui commençait à perdre patience.

– Allez, Leonard, ouvre !

Aucune réaction. La musique continuait de résonner. Encore plus fort qu'avant, se dit Vanja. Ou bien était-ce seulement une impression, du fait qu'ils se tenaient maintenant juste devant la porte ? Billy frappa d'un geste énergique.

– Leo, pouvons-nous te parler un instant ?

Vanja et Billy lancèrent un regard à Clara. Billy abaissa la poignée. En effet. Fermée à clé.

Vanja jeta un coup d'œil à travers la fenêtre du salon. Soudain, elle vit un garçon assez costaud atterrir doucement sur l'herbe devant la maison et disparaître en courant, avec de simples chaussettes aux pieds. Tout alla très vite. Vanja courut vers la porte de la terrasse fermée et cria :

– Leo ! Arrête-toi !

Ce que Leo n'avait pas la moindre intention de faire. Au contraire, il prit ses jambes à son cou. Vanja se tourna vers Billy, qui se tenait derrière, décontenancé.

– Va devant la maison, cria-t-elle en essayant d'ouvrir la porte de la terrasse.

Au loin, elle aperçut le fuyard. Elle parvint à ouvrir la porte et sauta par-dessus les plates-bandes. Puis elle détala pour rattraper le garçon en lui hurlant de s'arrêter.

*

Sebastian s'était levé vers huit heures, avait pris une douche et entrepris une excursion à la station-service Statoil, située à quelques centaines de mètres. Il y commanda un grand crème et un petit-déjeuner en observant les banlieusards s'approvisionner en cigarettes, en café et en super sans plomb. Une fois de retour à son domicile provisoire, il vida la boîte aux lettres des journaux, lettres, factures et prospectus publicitaires. Il jeta tout dans un carton qu'il avait trouvé soigneusement plié dans le placard à balais, à part le journal du jour. Il espérait que l'agent immobilier rappellerait bientôt pour éviter d'avoir à se nourrir trop longtemps des repas de la station-service. Las, il sortit et s'installa sur la terrasse en bois toute neuve à l'arrière de la maison. Les premiers rayons du soleil réchauffaient les planches. Quand Sebastian était petit, il y avait des dalles composées d'innombrables petits cailloux qui dépassaient, ce qui, dans son souvenir, était le cas de tout le monde. Aujourd'hui, tout le monde avait des terrasses en bois.

Il prit le journal et s'apprêtait à lire les pages culture quand il entendit une puissante voix féminine crier :

– Leo, arrête-toi !

Quelques secondes plus tard, un grand ado aux cheveux roux surgit de la haie de thuyas des voisins, courut le long du sentier qui séparait les deux propriétés et sauta par-dessus le grillage haut d'un mètre qui délimitait le terrain de Sebastian. Derrière lui, une femme d'environ trente ans arriva en courant. Elle était souple. Rapide. Elle le talonnait de peu et apparut à son tour devant la haie de thuyas, sprintant en direction du jeune homme. Sebastian observa la course-poursuite et paria que le jeune n'atteindrait pas la clôture de la propriété suivante. Et il eut raison. Arrivée à quelques mètres de lui, la femme accéléra la cadence et plaqua l'adolescent au sol. Il fallait tout de même admettre que ses chaussures lui procuraient un avantage certain sur le sol meuble, pensa Sebastian tout en observant les deux silhouettes rouler dans l'herbe, emportés par leur élan, avant de s'immobiliser. D'un geste rapide, la femme lui bloqua les mains dans le dos. Une prise de policier. Sebastian se leva et fit quelques pas dans l'herbe. Loin de lui l'idée de lui venir en aide, non, il voulait seulement mieux apprécier le spectacle. La femme paraissait avoir la situation sous contrôle. De plus, un homme d'à peu près son âge accourut pour l'aider. Il avait l'air d'un policier lui aussi, car il sortit immédiatement une paire de menottes pour attacher les mains du jeune dans son dos.

– Lâchez-moi, putain ! J'ai rien fait !

Le rouquin se débattait de toutes ses forces dans l'herbe pour échapper à l'emprise de la femme.

– Pourquoi t'es-tu enfui ? demanda la femme en remettant le jeune debout avec l'aide de son collègue. Ils retournèrent à l'avant de la maison où une voiture les attendait probablement. En chemin, la femme remarqua qu'ils n'étaient pas seuls dans le jardin. Elle jeta un regard à Sebastian, sortit sa carte de sa poche et l'ouvrit. À cette distance, elle aurait aussi bien pu lui montrer une carte de bibliothèque : Sebastian n'aurait jamais pu lire ce qui y était écrit.

– Vanja Lithner, brigade criminelle. Nous contrôlons la situation, vous pouvez rentrer chez vous.

– Mais je n'étais pas à l'intérieur. Je peux quand même rester dehors ?

La femme l'ignora. Elle rempocha son insigne et reprit le jeune rouquin par le bras. Il semblait appartenir à cette catégorie de jeunes que la vie envoie rouler tôt sur la mauvaise pente. Ce n'était sûrement pas la première ni la dernière fois qu'on l'emmenait au poste. Une autre femme arriva en courant sur le sentier. Elle s'arrêta, et mit ses mains devant sa bouche pour réprimer un cri en voyant ce qui se passait derrière la maison de Sebastian. Ce dernier la regarda. La mère, sans aucun doute. Des cheveux très roux, un peu bouclés. Environ quarante-cinq ans. Pas spécialement grande, peut-être un mètre soixante-cinq. Une allure sportive, peut-être sculptée par des séances de fitness. Apparemment, elle habitait de l'autre côté de la haie. Quand il était enfant, leurs voisins étaient un couple d'Allemands qui possédaient deux griffons irlandais. Déjà vieux à l'époque. Sûrement morts depuis.

– Leonard, qu'est-ce que tu as fait ? Et vous ? Pourquoi l'arrêtez-vous ?

Cela lui semblait complètement égal que personne ne lui répondît. Les questions sortaient d'elle en rafales. Rapidement et d'une voix pressée, d'une voix de plus en plus aiguë. Comme la soupape d'une cocotte-minute. Si elle s'était tue, elle aurait sans doute explosé sous la pression. La femme continua de courir sur la pelouse.

– Qu'est-ce qu'il a fait ? S'il vous plaît, dites-le-moi, Leonard ! Pourquoi tu t'attires toujours des ennuis ? Qu'est-ce qu'il a fait ? Où est-ce que vous l'emmenez ?

La femme lâcha le bras de Leonard et fit quelques pas en direction de la mère complètement affolée. L'homme prit le relais et guida le jeune.

– Nous voulons seulement lui parler. Son nom apparaît dans le cadre de l'enquête, dit-elle, et Sebastian la vit poser une main rassurante sur son épaule. Contact physique. C'était bien. Professionnel.

– Qu'est-ce que ça veut dire qu'il « apparaît » ? Dans quel contexte ?

– Nous allons le conduire au poste. Si vous passez tout à l'heure, nous en discuterons plus calmement.

Vanja s'arrêta un instant en veillant à regarder la femme dans les yeux avant de parler.

– Nous ne savons encore rien pour l'instant, madame Lundin. Ne vous faites pas de souci inutilement. Passez plus tard, demandez à me voir moi ou Billy Rosén. Je m'appelle Vanja Lithner.

Bien sûr, Vanja s'était présentée quand elle avait sonné chez les Lundin, mais rien ne garantissait que la mère ait retenu son nom ni qu'elle ait bien compris. Par précaution, Vanja lui tendit sa carte de visite. Clara la prit en hochant la tête, trop choquée pour protester. Vanja se retourna et quitta la propriété. Clara la regarda s'éloigner au coin de la haie de cassis. Elle resta un moment plantée là, ne sachant que faire. Puis elle se tourna vers la première personne venue, qui se trouvait malheureusement être Sebastian.

– Ils ont le droit de faire ça ? De l'emmener sans moi ? Il n'est même pas majeur.

– Quel âge a-t-il ?

– Seize ans.

– Alors, ils ont le droit.

Sebastian retourna en direction de sa terrasse en bois, de son soleil matinal et de ses pages culture. Clara était toujours immobile, le regard braqué dans la direction dans laquelle Vanja avait disparu, comme si elle s'attendait à ce qu'ils bondissent hors de la haie en criant que c'était une plaisanterie. Une farce bien organisée. Elle fit volte-face vers Sebastian, qui était confortablement installé dans son fauteuil en rotin.

– Vous ne pouvez rien faire ? le supplia-t-elle.

Sebastian lui jeta un regard interrogateur.

– Moi ? Que devrais-je faire ?

– Vous êtes le fils Bergman, non ? Sebastian ? Vous travaillez dans la police.

– Je travaillais. Imparfait. C'est fini maintenant. Et quand j'y travaillais, je n'étais pas chargé de vérifier la légalité des arrestations. J'étais psychologue, pas avocat.

Dehors dans la rue, la voiture démarra, emmenant son fils unique. Sebastian regarda la femme qui se tenait sur sa pelouse, l'air désemparé et abandonné.

– Qu'est-ce qu'il a fait, votre fils, pour que la Crim' s'intéresse à lui ?
Clara s'avança vers lui.

– Ça a quelque chose à voir avec le garçon qui a été assassiné. Je ne sais pas. Leonard ne ferait jamais ça. Jamais.

– Ah, vraiment ? Et que fait-il alors ?

Clara jeta un regard décontenancé à Sebastian, qui désignait la clôture du menton.

– Quand vous avez enjambé ce grillage tout à l'heure, vous lui avez pourtant reproché de s'attirer tout le temps des ennuis.

Clara resta perplexe et réfléchit. Avait-elle vraiment dit ça ? Elle ne s'en souvenait pas. C'était un tel chaos dans ses pensées, peut-être avait-elle bel et bien dit ça. Leonard avait effectivement le don de s'attirer des problèmes, surtout ces derniers temps, mais ça, c'était autre chose.

– Mais ce n'est pas un meurtrier !

– Personne n'est un meurtrier – avant de tuer quelqu'un.

Clara regarda Sebastian qui, tout à coup, paraissait totalement indifférent à tous les événements qui s'étaient déroulés dans son jardin. Il tapotait des doigts sur un journal comme si rien de spécial ne s'était passé.

– Vous n'avez donc pas l'intention de m'aider ?

– J'ai les Pages jaunes chez moi, je pourrais regarder à A pour avocat.

Clara sentit le nœud d'angoisse dans son estomac se teinter de colère. Pendant toutes les années qu'elle avait passées à habiter à côté d'Esther et de Ture, elle avait entendu pas mal de choses sur le fils des Bergman. Mais rien de positif. Absolument rien.

– J'ai toujours cru qu'Esther exagérait quand elle parlait de vous.

– Ça m'étonnerait. Ma mère n'a jamais fait dans la grandiloquence.

Clara jeta un bref regard à Sebastian avant de tourner les talons et de s'en aller sans mot dire. Sebastian ramassa le premier cahier du journal par terre. Il avait déjà vu l'article, mais n'y avait pas accordé grand intérêt jusqu'à présent. Il l'ouvrit :

« La police criminelle enquête sur la mort de l'adolescent. »

*

91

– Pourquoi t'es-tu enfui ?

Vanja et Billy étaient assis en face de Leonard Lundin dans une salle impersonnelle, meublée d'une table et de trois chaises relativement confortables. Des papiers peints dans des tons pastel, ici et là des posters encadrés, un halogène derrière un petit fauteuil. La lumière du jour pénétrait à travers une fenêtre dont la vitre était certes givrée, mais qui au moins laissait passer la lumière. Si on s'imaginait un lit superposé et que l'on supprimait les caméras de surveillance qui filmaient tout et diffusaient le contenu dans la pièce voisine, on aurait pu croire qu'il s'agissait d'une petite chambre dans une auberge de jeunesse plutôt que d'une salle d'interrogatoire.

Leonard était affalé sur sa chaise, les fesses sur le bord, les bras croisés et les pieds en chaussettes écartés sous la table. Il ne regardait pas les policiers, mais fixait un point imaginaire sous la table. Tout son corps exprimait l'indifférence, voire un certain mépris.

– Je sais pas. Par réflexe.

– Ah bon, tu as donc le réflexe de prendre tes jambes à ton cou quand la police souhaite te parler ? Pourquoi ?

Leonard haussa les épaules.

– Tu as quelque chose à te reprocher ?

– C'est ce que vous avez l'air de croire.

L'ironie du sort était qu'ils étaient effectivement venus pour lui parler, sans arrière-pensée particulière, mais sa fuite en chaussettes avait bien sûr éveillé leurs soupçons. Vanja avait déjà ordonné la fouille de la chambre de Leonard. Choisir de sortir par la fenêtre était tout de même assez osé. Il y avait peut-être dans cette chambre des choses qu'ils ne devaient pas voir. Des choses qui le reliaient au meurtre. Jusqu'ici, on le soupçonnait seulement d'avoir tourné autour de la victime avec sa mobylette. Vanja orienta la conversation dans cette direction.

– Tu as rencontré Roger vendredi dernier.

– Ah bon ?

– Un témoin vous a vus ensemble, dans la rue Gustavborgsgatan.

– Alors, c'est que ça doit être vrai. Autre chose ?

– « Alors, c'est que ça doit être vrai », c'est un aveu ?

Billy leva les yeux de son bloc-notes et fixa le jeune homme. Leonard soutint son regard une seconde avant de hocher la tête. Billy traduisit le signe de tête pour le magnétophone posé sur la table :

– Leonard répond par l'affirmative.

Vanja continua.

– Roger fréquentait la même école que toi avant, mais il a changé d'établissement. Tu sais pourquoi ?

– Demandez-lui.

Quel culot ! Billy brûlait d'envie de le coller au mur. Vanja le sentit et posa discrètement sa main sur l'avant-bras de son collègue. Sans se laisser atteindre le moins du monde par cette provocation, elle ouvrit le dossier posé devant elle sur la table.

– J'aurais bien aimé le faire. Mais comme tu as sans doute dû l'apprendre, il est mort. On lui a arraché le cœur avant de le jeter dans une mare. J'ai quelques photos si tu veux…

Vanja commença à disposer les photos grand format de Roger prises sur les lieux de la découverte et à la morgue. Vanja et Billy savaient tous deux que peu importait le nombre de cadavres qu'on avait vus dans des jeux vidéo ou des films. Aucun média ne sait refléter la mort. Même les meilleurs effets spéciaux ne peuvent recréer le spectacle de la vue d'un vrai cadavre, ni susciter les mêmes émotions. Et encore moins quand on a vu la personne vivante la semaine précédente, comme c'était le cas pour Leonard. Il jeta un bref regard aux photos. Tenta d'arborer un air détaché, mais Vanja et Billy remarquèrent immédiatement qu'il lui était difficile, voire impossible, de les regarder. Toutefois, cela ne voulait rien dire. Le fait que ces images lui soient insoutenables pouvait être dû au choc des photos ou au sentiment de culpabilité. Des images comme celles-là frappaient les meurtriers avec la même violence que les innocents. Presque sans exception. La réaction n'était pas l'essentiel. Il s'agissait plutôt de faire prendre un tour plus sérieux à l'interrogatoire. De faire cesser cette attitude nonchalante et insolente. Tandis que Vanja continuait d'aligner les photos sur le bureau, l'une après l'autre, Billy se dit qu'elle ne cessait de l'étonner. Bien que plus jeune que lui de quelques années, elle était comme une grande sœur. Une sœur qui n'avait que des vingt dans toutes les matières sans être lèche-bottes pour autant : elle était au contraire plutôt cool. Et qui défendait toujours ses cadets. Elle se pencha vers Leonard.

– On veut retrouver celui qui a fait ça. Et on va y arriver. Pour l'instant, on a un seul suspect, et c'est toi. Donc si tu veux sortir d'ici et te vanter auprès de tes copains en disant que tu as été relâché par la police, mieux vaut descendre de tes grands chevaux et commencer à me répondre.

– Je vous ai dit que je l'ai vu vendredi.

– Mais ce n'est pas la réponse à ma question. Je t'ai demandé pourquoi il avait changé d'école.

Leonard soupira.

– Sûrement parce qu'on l'embêtait un peu. Sûrement pour ça. Mais je n'étais pas le seul. À l'école, personne ne pouvait le blairer.

– Tu me déçois, Leonard. Les vrais durs ne se défaussent pas sur les autres. Tu étais un des meneurs, non ? Enfin, c'est ce que j'ai entendu dire.

Leo la regarda et s'apprêtait à répondre par l'affirmative quand Billy intervint :

– Belle montre. C'est une Tonino Lamborghini Pilot ?

Le silence se fit. Vanja jeta un regard étonné à Billy. Non pas parce qu'il avait reconnu la montre au poignet de Leonard, mais à cause du brusque changement de sujet. Leonard croisa les bras dans l'autre sens pour cacher la montre. Mais il ne dit rien. Il n'en eut pas besoin. Vanja se tourna vers lui.

– Si tu n'as pas de ticket de caisse à nous fournir pour ce bijou, je pense que tu as du souci à te faire.

Leonard fixa leurs mines sérieuses. Il déglutit et commença à raconter. Tout raconter.

*

– Il a avoué avoir volé la montre. Il était à mobylette quand il a croisé Roger *ici*.

Vanja fit une petite croix sur la carte fixée au mur. Ursula et Torkel écoutaient attentivement Billy et Vanja, qui livraient le résultat de l'interrogatoire de Leo.

– Il dit qu'il voulait juste le taquiner un peu et qu'il a commencé à lui tourner autour avec sa mobylette. Roger l'aurait alors poussé, ce qui l'aurait fait tomber. Enfin, c'est ce que prétend Leonard. Ils se sont ensuite battus, apparemment si fort que Roger en a saigné du nez. Leo lui a flanqué des coups de poing pour le maintenir à terre, et il est reparti avec sa montre.

Silence. La seule chose qu'ils avaient encore contre Leonard était la montre. Rien ne portait à croire que Leo ne disait pas la vérité, pas de témoignages, pas d'indices. Vanja continua.

– Mais ce ne sont, bien sûr, que les déclarations de Leonard. Au cours de la bagarre, il a très bien pu sortir son couteau pour poignarder Roger.

– Et le planter vingt fois de suite ? Dans une rue assez fréquentée, sans que personne ne s'en aperçoive ?

– Nous ne savons pas si la rue était fréquentée. Peut-être a-t-il paniqué. Un coup de couteau, Roger est par terre et crie. Leo comprend qu'il va atterrir en prison, le tire dans le buisson et continue de le poignarder. Pour le faire taire définitivement.

– Et le cœur ?

Ursula semblait loin d'être convaincue.

Vanja comprenait ses doutes.

– Je ne sais pas. Mais indépendamment de *ce* qui s'est passé, cela s'est passé peu après neuf heures. Leo a confirmé l'heure. Ce qui signifie que Roger n'était pas chez Lisa jusqu'à vingt-deux heures, comme elle le prétend.

– OK. Beau travail. Est-ce qu'on a trouvé quelque chose dans la forêt ?

– Pas grand-chose. Les traces de pneus proviennent d'un modèle Pirelli P7. Pas un pneu standard, mais quand même assez répandu. En plus, on n'est pas sûr que l'empreinte appartienne au véhicule qui a transporté le corps.

Ursula sortit de son classeur la photo des traces de pneus et la donna à Billy. Il se leva pour accrocher cette nouvelle information au tableau.

– Est-ce que Leo Lundin avait accès à une voiture ? demanda Torkel pendant que Billy fixait la photo et la notice d'information du pneu.

– Pas que je sache. Il n'y avait pas de voiture dans l'allée, ce matin.

– Comment aurait-il transporté le cadavre jusqu'à Listakärr ? En mobylette ?

Les autres se turent. Bien sûr que non. Leur théorie déjà faible sur le déroulement des faits venait de perdre encore plus de crédibilité. Mais ils étaient obligés de la suivre jusqu'au bout avant de pouvoir l'écarter totalement.

– Ursula et moi allons rendre une petite visite aux Lundin avec des collègues pour fouiller toute la maison. Billy, tu iras vérifier rue Gustavborgsgatan si le meurtre a pu être commis là-bas. Vanja, tu vas parler…

– … encore une fois à Lisa Hansson, compléta Vanja sans pouvoir cacher sa joie.

*

Clara se tenait devant sa maison, fumant une cigarette. Une demi-heure plus tôt, des policiers de la criminelle étaient revenus, suivis par d'autres agents en uniforme. Quand Clara avait demandé si elle pouvait se rendre au poste pour parler à cette Vanja Lithner, on lui avait donné pour seule réponse que Leonard était encore en détention provisoire jusqu'à ce que ses déclarations soient vérifiées. Et leur maison fouillée. Si elle avait l'amabilité de…

Et la voilà, expulsée de sa propre maison, en train de fumer et de trembler malgré la douceur printanière, essayant de mettre de l'ordre dans ses pensées. Ou plutôt d'en refouler une en particulier qui ne cessait de revenir et qu'elle redoutait plus que tout : Leonard pouvait vraiment avoir quelque chose à voir avec la mort de Roger. Clara savait qu'ils n'étaient pas vraiment les meilleurs amis du monde. Non, pourquoi le nier ? Leonard harcelait et rackettait Roger. Parfois violemment.

Quand les garçons étaient entrés au collège, Clara s'était retrouvée un bon nombre de fois chez le principal et, la dernière fois, il avait été question de renvoyer Leonard, mais cela avait été impossible à cause de l'obligation de recevoir une éducation scolaire. On lui avait demandé de parler à Leonard, pour essayer de régler la situation entre quatre yeux. « Il est essentiel de trouver une solution », lui avait-on dit. De plus en plus de demandes de dommages et intérêts étaient adressées aux écoles qui n'agissaient pas contre le racket. Et l'école Vikinga n'avait pas l'intention d'en faire partie.

Finalement, les choses s'étaient apaisées. Après six mois passés à menacer et à rançonner Leonard, le collège se termina, et elle parvint à se persuader qu'à la rentrée, tout irait mieux. L'entrée au lycée serait l'occasion de repartir à zéro. Elle s'était bercée d'illusions. Leonard et Roger étaient inscrits dans le même établissement, le lycée Runeberg. Roger avait changé d'école au bout d'un mois. Clara savait que Leonard avait été la raison principale de ce départ. Mais avait-il commis l'irréparable ? Troublée, Clara écarta cette pensée. Quelle mère était-elle pour penser ça de son fils ? Pourtant, cette question la rongeait. Son fils était-il un meurtrier ?

Clara entendit des pas dans l'allée et se retourna. Sebastian Bergman arrivait avec des sacs de courses portant le logo de Statoil. Les traits de Clara se durcirent.

– Ils sont encore là ? demanda-t-il en désignant du menton la maison. Venez chez moi en attendant si vous voulez, ça va sûrement encore durer un petit moment.

– Ah, vous vous préoccupez de mon sort tout d'un coup ?

– Pas directement, c'était juste par politesse. On est quand même voisins.

Clara poussa un soupir dédaigneux et lui jeta un regard glacé.

– Non, merci. Je me débrouille toute seule.

– C'est possible, mais vous avez l'air gelée, et tout le quartier est déjà au courant que la police est chez vous. Ce n'est qu'une question de temps avant que la meute de journalistes ne débarque. Et elle ne s'arrêtera pas devant la clôture. Si vous me trouvez désagréable, je vous assure que ce n'est rien à côté d'eux.

Clara regarda à nouveau Sebastian. Deux journalistes avaient effectivement déjà téléphoné. L'un d'eux quatre fois de suite. Clara n'avait pas la moindre envie de les rencontrer. Ils avancèrent jusqu'à la porte qui menait au jardin.

– Sebastian ?

Sebastian reconnut immédiatement la voix et se tourna vers l'homme qu'il n'avait pas vu depuis bien longtemps. Torkel se tenait sur le perron et le regardait d'un air pour le moins étonné. Sebastian s'adressa à Clara.

– Allez-y, c'est ouvert. Vous pouvez prendre ça avec vous ? Il lui tendit les sacs de courses. Si vous avez envie de nous faire à manger, ne vous gênez pas.

Prise de court, Clara saisit les sacs. Pendant un instant, elle parut vouloir lui demander quelque chose, mais elle se ravisa et se dirigea vers la maison de Sebastian.

– Mais qu'est-ce que tu fais ici ?

Ils se serrèrent la main.

– Content de te voir ! Ça fait un bail.

Ce qui signifiait apparemment qu'il fallait absolument qu'il serre Sebastian dans ses bras. Une brève et énergique accolade à laquelle Sebastian ne réagit pas immédiatement. Puis Torkel fit un pas en arrière.

– Qu'est-ce que tu fais à Västerås ?

– J'habite ici, dit Sebastian en désignant la maison voisine. Dans la maison de ma mère qui est décédée. Je dois la vendre. C'est pour ça que je suis là.

– Je suis désolé pour ta mère.

Sebastian haussa les épaules. Ce n'était pas si tragique, et Torkel aurait dû le savoir, ils avaient été assez proches. C'était il y a longtemps, douze ans pour être précis, mais ils avaient souvent parlé des parents de Sebastian. Torkel avait sûrement voulu être poli. Comment aurait-il pu réagir autrement ? Il s'était écoulé beaucoup trop de temps pour reprendre la conversation là où elle s'était arrêtée. Trop de temps pour prétendre se connaître encore. Un ange passa.

– Je travaille toujours à la Crim', dit Torkel au bout de quelques secondes pour rompre le silence.

– Je sais. J'ai entendu parler du gamin.

– Oui…

Nouveau silence. Torkel toussota et désigna la maison de laquelle il venait de sortir.

– Je dois y retourner…

Sebastian hocha la tête, compréhensif. Torkel lui sourit.

– Et tiens-toi à l'écart, il ne faudrait pas qu'Ursula te voie.

– Vous travaillez toujours ensemble ?

– C'est la meilleure.

– C'est moi, le meilleur.

Torkel toisa l'homme qu'il considérait comme son ami il y avait des années de cela. Peut-être pas son meilleur ami, mais un ami. Évidemment, il aurait pu ignorer sa remarque ou faire un signe de tête approbateur, rire, lui taper dans le dos et rentrer à l'intérieur, mais ce n'aurait pas été juste. C'est pourquoi il répondit :

– Tu *étais* le meilleur. Dans bien des domaines. Et dans d'autres, un cas désespéré.

En fait, Sebastian n'attendait pas de réaction à son commentaire un peu idiot. C'était juste un réflexe. Durant les quatre années pendant lesquelles ils avaient travaillé ensemble, ils n'avaient cessé d'être en concurrence : domaines différents, attributions différentes, points de vue différents. Il n'y avait qu'un seul point sur lequel ils tombaient d'accord : seul l'un d'entre eux pouvait être le meilleur de l'équipe. Ils avaient ça dans le sang. Mais Torkel avait raison. Dans certains domaines, Sebastian était imbattable. Et dans d'autres, c'était un cas désespéré. Sebastian sourit.

– Malheureusement, j'ai beaucoup développé mon côté désespéré. Prends soin de toi.

– Toi aussi.

Sebastian pivota et se dirigea vers le portail du jardin, étonné que Torkel ne conclue pas par un : « Il faudrait qu'on se revoie un de ces quatre », ni un : « Tu veux aller boire une bière ? » Apparemment, il avait tout aussi peu envie que lui de raviver leur amitié.

Quand Sebastian eut tourné à gauche vers la maison de ses parents, Torkel vit Ursula dévaler les escaliers devant la maison de Clara. Elle suivit des yeux l'homme qui disparaissait dans la maison voisine. Contrairement à Torkel, son regard exprimait autre chose que de l'étonnement.

– C'était Sebastian ?

Torkel hocha la tête.

– Qu'est-ce qu'il fiche ici ?

– Apparemment, sa mère habitait à côté.

– Ah, et que fait-il en ce moment ?

– Il a dit qu'il travaillait son côté désespéré.

– Il n'a pas changé alors, répondit Ursula, irritée.

Torkel sourit intérieurement en repensant aux incessantes disputes entre Ursula et Sebastian sur le moindre détail, sur la moindre analyse et sur chaque étape des enquêtes. Au fond, ils étaient pareils, c'était peut-être pour cela qu'ils ne pouvaient pas travailler ensemble. Ils retournèrent dans la maison. En chemin, Ursula lui tendit un sac en plastique, fermé.

– Qu'est-ce que c'est ?

– Un T-shirt. On l'a trouvé dans la corbeille à linge sale de la salle de bains. Taché de sang.

Torkel examina le vêtement avec intérêt. Les choses ne s'annonçaient pas bien pour Leonard Lundin.

15

Vanja avait dû attendre plus longtemps que prévu avant de pouvoir parler à Lisa Hansson. D'abord, elle s'était rendue au lycée Palmlövska qui était situé un peu à l'extérieur de Västerås. C'était sans aucun doute une école qui affichait de grandes ambitions. Des arbres bien alignés, des murs crépis jaunes sans graffitis et une bonne place au palmarès national des meilleurs établissements. Un lieu que Leonard Lundin ne connaissait même pas en photo. C'était donc cet établissement d'élite que Roger avait fréquenté, après avoir quitté le lycée Runeberg du centre-ville. Vanja sentait que ce changement d'école n'était pas anodin, et qu'il allait falloir s'y intéresser de plus près. Roger avait atterri dans un environnement entièrement nouveau. Cela avait-il provoqué d'autres changements dans sa vie ? Les grands bouleversements suscitent des conflits. Vanja décida de découvrir qui était Roger Eriksson. Ce serait l'étape suivante. Mais avant, il fallait faire la lumière sur le déroulement de cette soirée, sur lequel Lisa Hansson s'obstinait à mentir.

Le temps que Vanja trouve la classe de Lisa et interrompe le cours d'anglais, une demi-heure s'était déjà écoulée.

La classe fut emplie de murmures curieux quand Lisa se leva et s'approcha un peu trop lentement au goût de Vanja. Une fille du premier rang leva la main, mais parla presque aussitôt sans attendre la permission de son professeur.

– Vous savez qui c'est ?

Vanja secoua la tête.

– Non, pas encore.

– On dit que c'était un garçon de son ancienne école.

– Oui, Leo Lundin, compléta un jeune au crâne presque rasé et avec de grandes pierres dans les oreilles. De son ancienne école, ajouta-t-il, face à l'absence de réaction de Vanja.

L'enquêtrice n'était pas étonnée. Västerås était une ville relativement petite, et les jeunes étaient sans arrêt connectés. Ils n'avaient pas attendu pour s'envoyer des SMS, chatter ou twitter l'information selon laquelle un de leurs camarades avait été emmené au poste. Mais Vanja n'avait pas l'intention de relayer cette rumeur. Bien au contraire.

– Nous interrogeons toujours les témoins et n'écartons aucune piste, dit-elle avant de laisser passer Lisa et de refermer la porte de la salle de classe derrière elle.

Dans le couloir, Lisa, les bras croisés, jeta un regard effronté à Vanja en lui demandant ce qu'elle voulait. Cette dernière répondit qu'elle devait vérifier quelques points.

– Est-ce que vous avez le droit de m'interroger sans que mes parents soient là ?

– Je ne t'interroge pas. Tu n'es accusée de rien. Je veux seulement discuter un peu.

– Je préférerais quand même que papa et maman soient là.

– Mais pourquoi ? Ça ne prendra que quelques minutes.

Lisa haussa les épaules.

– Quand même.

Vanja ne put réprimer un soupir excédé, mais elle savait qu'il valait mieux ne pas poursuivre la conversation contre la volonté de la jeune fille. Lisa appela donc son père qui travaillait dans les environs et, après qu'elle eut refusé la proposition de Vanja de prendre un café ou une limonade à la cafétéria, elles se postèrent dans l'entrée pour l'attendre.

Vanja profita de l'occasion pour appeler Billy et Ursula. Selon Billy, il était pratiquement impossible que le meurtre ait été commis dans la rue Gustavborgsgatan, car elle abritait une université, une piscine et un gymnase : il y avait donc pas mal de passage. Les espaces libres étaient aménagés en parkings ou en squares. Il était bien sûr trop tôt pour éliminer Leo Lundin de la liste des suspects, mais il leur fallait reconstruire la véritable chronologie des événements. La bonne nouvelle était que Billy avait trouvé des caméras de surveillance dans la rue. S'ils avaient de la chance, les enregistrements de vendredi dernier étaient encore disponibles. Il allait s'en assurer immédiatement.

Ursula n'avait pas grand-chose à dire, à part que le T-shirt ensanglanté était en analyse au labo. Elle avait inspecté le garage et la mobylette, sur laquelle se trouvaient des traces de sang, et allait continuer dans le reste de la maison. Vanja la pria d'accorder une attention particulière à la chambre de Leo.

Lisa était assise par terre dans le couloir, adossée contre le mur, et observait Vanja faire les cent pas, le portable vissé sur l'oreille. Lisa paraissait s'ennuyer à mourir. Mais en réalité, son cerveau tournait et retournait les questions que cette femme allait lui poser. Et ce qu'elle allait lui répondre. À la fin, elle décida de s'en tenir à sa première version des faits. Elle ne se souviendrait pas des détails.

Roger était venu. Devoirs. Thé. Télé. Roger était parti.

Le père de Lisa arriva au bout de vingt minutes. Vanja se demanda si c'était le souvenir du tableau de perles ou la vue du costume bleu clair de mauvaise qualité et de la raie de côté bien peignée qui la fit penser à l'Église, quand l'homme à bout de nerfs se précipita dans le couloir. Il se présenta comme étant Ulf Hansson, et déclara à Vanja qu'il avait fermement l'intention de déposer plainte car la police se permettait d'interroger sa fille mineure en son absence, et à son école de surcroît ! On aurait tout aussi bien pu accrocher une pancarte « Accusée » autour de son cou. N'avait-elle donc aucune idée à quel point les jeunes parlaient entre eux ? N'aurait-elle pas pu faire les choses un peu plus discrètement ?

Vanja lui expliqua le plus calmement possible que, d'après la loi, Lisa n'était plus mineure, qu'elle restait la dernière personne à avoir vu Roger vivant – mis à part son meurtrier, se dépêcha-t-elle d'ajouter – et qu'elle voulait simplement vérifier certaines informations. De plus, Vanja avait immédiatement accédé à la demande de Lisa quant à la présence de son père et n'avait posé aucune question depuis. Ulf Hansson jeta un regard interrogateur à Lisa, qui confirma d'un signe de tête. De plus, Vanja proposa de raccompagner Lisa dans sa classe et d'expliquer qu'elle n'était en rien suspectée d'être impliquée dans le meurtre de Roger Eriksson.

Ulf Hansson parut satisfait et se calma quelque peu. Ils se rendirent ensemble dans le foyer des élèves éclatant de propreté, et s'installèrent dans les canapés confortables.

Vanja expliqua que deux témoins indépendants avaient affirmé avoir vu Roger Eriksson en ville peu après neuf heures ce vendredi-là, et qu'il ne pouvait donc pas se trouver chez eux à cette heure-là, comme l'avait déclaré Lisa.

– Vos témoins se trompent.

– Tous les deux ?

Vanja ne put dissimuler son étonnement.

– Oui. Si Lisa dit que Roger était chez elle à vingt-deux heures, c'est que c'est vrai. Ma fille ne ment pas.

Ulf entoura Lisa de son bras d'un air protecteur, comme s'il avait voulu donner encore plus de poids à ses paroles.

– Elle s'est peut-être trompée. Ça arrive, dit Vanja en baissant les yeux sur Lisa, qui restait muette à côté de son père.

– Mais elle vous a dit que Roger était parti avant le début des infos sur TV4. Et elles commencent tous les soirs à vingt-deux heures, si je ne m'abuse.

Vanja abandonna et se tourna directement vers Lisa.

– Se pourrait-il que tu te sois trompée sur l'heure ? Il est essentiel que nous ayons des informations très précises pour pouvoir retrouver celui qui a fait ça à Roger.

Lisa se cramponna à son père et secoua la tête.

– Alors, vous voyez ? Il y a autre chose ? Parce que là, je dois vraiment retourner au travail.

Vanja se retint de rétorquer qu'elle avait dû attendre une demi-heure avant de pouvoir poser ses questions et qu'elle aussi avait du travail.

Qui était sûrement plus important que le sien. Elle fit une dernière tentative.

– Les deux personnes que nous avons interrogées sont absolument sûres de l'heure, et ces deux sources sont complètement indépendantes l'une de l'autre.

Ulf la fixa, et quand il prit la parole, sa voix était plus courroucée. Il n'avait manifestement pas l'habitude qu'on le contredise.

– Ma fille aussi est absolument sûre. C'est parole contre parole, non ?

Vanja n'avançait pas. Lisa ne souffla pas un mot, et Ulf indiqua clairement qu'il avait l'intention d'être présent lors de tous les futurs entretiens. Vanja ne prit pas la peine de lui expliquer que ce n'était pas lui qui décidait, mais elle et ses collègues. Elle préféra se taire tandis qu'Ulf se levait. Il serra sa fille dans ses bras en lui donnant un baiser sur la joue, prit congé de Vanja par une poignée de main et quitta le foyer.

Vanja resta immobile et le regarda partir. Elle admirait ces parents qui soutenaient coûte que coûte leur progéniture. Elle rencontrait beaucoup plus souvent le contraire. Des familles dans lesquelles les jeunes étaient comme des étrangers et dont les parents n'avaient aucune idée de ce qu'ils faisaient ni avec qui. En temps normal, un père qui s'absentait de son travail pour mettre un bras autour des épaules de sa fille, lui faisait confiance et la défendait aurait dû être une exception bienvenue dans le monde de Vanja. En temps normal. Mais elle ne parvenait pas à se défaire de l'impression qu'Ulf ne défendait pas vraiment Lisa, mais l'image de la famille parfaite et de la fille bien élevée qui ne mentait jamais. Qu'il lui importait plus d'éviter à tout prix les rumeurs et les spéculations que de découvrir ce qui s'était vraiment passé ce vendredi soir. Vanja se tourna vers Lisa qui était en train de se ronger l'annulaire.

– Je te raccompagne dans ta classe.

– Ce n'est pas nécessaire.

– Je sais, mais je vais le faire quand même.

Lisa haussa les épaules. Elles passèrent en silence devant les casiers des élèves, tournèrent à gauche avant l'entrée de la cafétéria et montèrent au deuxième étage. Lisa resta tête baissée, si bien que Vanja ne pouvait pas voir l'expression de son visage derrière sa frange.

– Qu'est-ce que tu as comme cours, maintenant ?

– Espagnol.

– *¿Qué hay en el bolso ?*

Lisa sembla ne pas comprendre.

– Ça veut dire : « Qu'y a-t-il dans le sac ? »

– Je sais.

– J'ai aussi fait de l'espagnol au collège, mais c'est la seule chose dont je me souvienne.

– Ah.

Vanja se tut. Lisa lui avait bien fait comprendre que ses piètres connaissances en espagnol ne l'intéressaient pas. Elles étaient apparemment arrivées devant la salle de classe de Lisa, car celle-ci s'arrêta et tendit la main vers la poignée. Vanja posa sa main sur le bras de Lisa. Après un bref sursaut, Lisa leva le visage vers Vanja.

– Je sais que tu mens, souffla Vanja en regardant la jeune fille droit dans les yeux.

Lisa resta impassible.

– Je ne sais pas pourquoi, mais je vais le découvrir.

Vanja se tut et attendit une réaction. En vain.

– Maintenant que tu sais que je le sais, tu as peut-être quelque chose à me dire ?

Lisa secoua la tête.

– Qu'est-ce que je devrais dire ?

– La vérité par exemple.

– J'ai cours d'espagnol.

Lisa jeta un regard sur la main de Vanja, toujours posée sur son bras. Vanja la retira.

– D'accord, on va se revoir alors.

Vanja se retourna et partit. La jeune fille la suivit des yeux jusqu'à ce qu'elle eût disparu derrière la porte vitrée au bout du couloir. Lisa lâcha doucement la poignée, fit quelques pas en arrière et tira son téléphone portable de son sac. En un éclair, elle composa un numéro.

Elle n'avait enregistré ni le nom ni le numéro de la personne qu'elle appelait dans son répertoire, et avait pris pour habitude d'effacer son numéro de la liste des appels après chaque contact. Après quelques sonneries, quelqu'un décrocha.

– C'est moi.

Lisa jeta encore un œil dans le couloir. Personne à l'horizon.

– La police est venue.

Elle roula des yeux en entendant ce que disait la personne à l'autre bout du fil.

– Non, bien sûr que je n'ai rien dit, mais ils vont le découvrir tout seuls. L'une d'entre eux est déjà venue me voir deux fois. Et elle va revenir. Je le sais.

Lisa, qui avait réussi à rester imperturbable pendant tout l'interrogatoire, paraissait nerveuse maintenant. Elle avait caché la vérité pendant tellement longtemps. Elle comprenait à présent que de plus en plus de gens voulaient la lui arracher, et ses forces l'abandonnaient. La personne à l'autre bout du fil s'efforça de la rassurer et de lui redonner du courage en énumérant quelques arguments. Elle hocha la tête et parut reprendre du poil de la bête. Tout irait bien. Elle raccrocha en entendant des pas derrière elle dans le couloir, écarta sa frange qui s'était prise dans ses cils, oublia son angoisse et entra en cours d'espagnol. Aussi discrètement que possible.

*

Lena Eriksson avait passé la matinée dans le même fauteuil que la veille. À présent, elle titubait dans tout l'appartement. En grillant une cigarette après l'autre. Une légère brume bleuâtre de nicotine planait dans le trois-pièces situé au premier étage. Elle ne tenait pas en place. Elle était restée un moment sur le lit défait de Roger, mais la vue des jeans, de la pile de manuels scolaires et de sa vieille console vidéo lui avait très vite été insupportable. Elle essaya ensuite la salle de bains, la cuisine et même sa propre chambre, mais rien n'y faisait : elle n'arrivait pas à se calmer. Chaque recoin lui rappelait son fils, l'obligeant à aller ailleurs et encore ailleurs. Elle finit par tourner en rond dans tout l'appartement. Mais il y avait encore autre chose qui ne lui laissait aucun répit. La voix. La petite voix tout au fond de son esprit.

Était-ce de sa faute ? Bon sang, pourquoi s'était-elle laissée entraîner dans ces discussions ? Mais elle était tellement en colère. Elle avait voulu se venger. C'était comme ça que tout avait commencé. Avec l'argent. Les discussions, l'argent, les discussions. Un cercle vicieux, comme son circuit à travers l'appartement. Cela avait-il causé sa perte ? Elle ne le savait pas. Elle ne le savait vraiment pas. Et elle ignorait comment en avoir le cœur net. Mais elle devait le découvrir. Avoir la certitude qu'elle n'était qu'une mère qui avait perdu son fils, une innocente à qui il était arrivé le pire qu'on puisse imaginer. Lena alluma encore une cigarette. Aujourd'hui, ils seraient allés faire des courses ensemble. Comme toujours, ils se seraient disputés au sujet de l'argent, des vêtements, du comportement et du respect. Elle savait combien Roger en avait assez de ces mots. Lena se mit à pleurer. Il lui manquait tellement. Elle tomba à genoux, et laissa le deuil et la douleur la gagner. C'était une libération, mais entre les larmes, la voix se fit de nouveau entendre.

Et si c'était de ta faute ?

*

– Quand on pense avoir tout fait pour eux, ils nous filent entre les doigts. Ça donne vraiment l'impression d'être une mauvaise mère.

Clara but la dernière gorgée de son café et posa sa tasse. Elle regarda Sebastian, assis en face d'elle. Il fit un signe de tête approbateur sans vraiment avoir écouté. Depuis qu'ils étaient dans la maison, Clara n'avait parlé de rien d'autre que de ses mauvaises relations avec Leonard. Au vu des événements de la matinée, c'était bien compréhensible, mais pas franchement intéressant pour quelqu'un d'extérieur au cercle familial. Sebastian se demandait s'il devait lui faire remarquer que l'emploi systématique du « on » au lieu du « je » pour parler d'elle-même était un mécanisme d'autodéfense verbal, afin de faire apparaître son échec personnel comme un échec collectif et de se délester d'une part de culpabilité. Mais il se dit que cette remarque pourrait sûrement la blesser et renforcer son opinion négative sur lui. Et il voulait l'éviter.

Du moins, pour l'instant.

Jusqu'à ce qu'il ait décidé s'il allait tenter de la mettre dans son lit ou non. Il continua donc sur la voie de la douceur. Calmement, en s'efforçant d'inspirer la confiance. Sans porter de jugement, et en se montrant compréhensif. Son regard descendit sur ses seins qui avaient l'air très tentants sous son pull-over kaki.

– C'est comme ça avec les enfants. Parfois ça marche, et parfois non. Le fait d'être du même sang ne garantit pas une relation harmonieuse.

Sebastian gloussa intérieurement. Quelle finesse ! Sept ans d'études de psychologie, vingt ans de pratique professionnelle et une telle sagesse, des mots si rassurants pour une femme dont la vie venait d'être chamboulée en l'espace de quelques heures. « Parfois ça marche, et parfois non. »

À son grand étonnement, Clara hocha la tête d'un air grave : son analyse approfondie paraissait lui plaire. Elle lui offrit même un sourire plein de gratitude. S'il ne faisait pas de bourdes, il pourrait peut-être arriver à coucher avec elle. Lorsqu'il était rentré à la maison, elle avait déjà préparé le déjeuner. Des pommes de terre sautées avec des œufs au plat. Elle avait même trouvé un bocal de betteraves rouges encore comestibles dans le réfrigérateur. Sebastian avait dévoré le repas avec appétit tandis qu'elle n'avait fait que tourner sa fourchette dans son assiette.

Le nœud dans son estomac se serrait de minute en minute, et elle avait la nausée. Mais cela lui faisait du bien d'être assise devant une table bien dressée et d'avoir quelqu'un à qui parler pour faire le point. Quelqu'un d'intelligent qui savait écouter. C'était rassurant. Au fond, il était plutôt sympa, ce prétendu goujat.

Elle se tourna vers Sebastian qui était occupé, derrière elle, à ranger les assiettes dans le lave-vaisselle.

– Vous n'êtes pas venu ici souvent, n'est-ce pas ? Nous avons emménagé en 1999, et je crois que je ne vous ai jamais vu.

Sebastian ne répondit pas immédiatement. Si Clara avait parlé à Esther comme elle l'avait évoqué dans le jardin, elle connaissait parfaitement la fréquence de ses visites. Sebastian se redressa.

– Je ne suis jamais venu.

– Pourquoi ?

Sebastian se surprit lui-même à se demander quelle raison avait invoquée sa mère pour justifier son absence. La question était de savoir si elle s'était jamais avoué la vérité.

– On ne pouvait pas se supporter.

– Pourquoi pas ?

– Mes parents étaient des imbéciles. Hélas !

Clara le considéra un moment, puis décida qu'elle n'irait pas plus loin dans ses questions. Bien sûr, les Bergman ne lui avaient pas paru les gens les plus drôles du monde. Mais elle trouvait que, après la mort du père, la mère s'était épanouie. On pouvait mieux discuter avec elle. Il leur était même parfois arrivé de boire un café ensemble, et Clara avait vraiment été touchée quand elle avait appris qu'Esther n'en avait plus pour longtemps à vivre.

On sonna à la porte, qui s'ouvrit presque aussitôt. Torkel lança un bonjour depuis le couloir et apparut devant eux. Il s'adressa directement à Clara.

– Nous avons terminé, vous pouvez rentrer chez vous. Nous vous prions de nous excuser pour les désagréments causés.

Mais la voix de Torkel ne trahissait pas le moindre regret. Il était correct, comme toujours. Sebastian secoua la tête presque imperceptiblement. Des désagréments. Il avait sûrement appris cette phrase dans un code de conduite des policiers des années 1950. Bien sûr qu'il avait causé des désagréments à Clara. Il avait arrêté son fils et mis sa maison sens dessus dessous. Mais Clara ne parut pas réagir. Elle se leva et se tourna vers Sebastian.

– Merci pour le repas. Et pour la compagnie.

Puis elle quitta la cuisine sans accorder un regard à Torkel.

Après que la porte se fut refermée derrière elle, Torkel fit un pas dans la pièce. Sebastian était toujours debout contre l'évier.

– Tu n'as pas changé d'un poil à ce que je vois. Le chevalier de ces dames, dans sa belle armure.

– Elle était en train de grelotter devant ma porte.

– C'aurait été papa Lundin, je suis sûr qu'il serait encore devant la porte. Je peux ?

Torkel désigna la machine à café. Il en restait encore un peu dans la cafetière, sur la plaque chauffante.

– Bien sûr.

– Des tasses ?

Sebastian désigna un placard de cuisine, et Torkel en sortit une tasse Iitalla à liseré rouge.

– Ça fait plaisir de te revoir. Ça fait un bail.

Sebastian craignit que ce ne soit l'introduction par laquelle Torkel finirait tout de même par lui proposer d'aller boire une bière.

– Oui, c'est vrai, ça fait longtemps, répondit-il évasivement.

– Qu'est-ce que tu fais en ce moment ?

Torkel versa le restant de café dans la tasse et éteignit la machine.

– Je vis de mes droits d'auteur et de l'assurance-vie de ma femme. Et maintenant que ma mère est morte, je peux vendre cette maison et en vivre un moment. Mais pour répondre à ta question : rien. En ce moment, je ne fais rien.

Torkel s'était figé. Beaucoup d'informations d'un seul coup, et pas la litanie habituelle oh-tu-sais-comme-d'hab' à laquelle il s'attendait, pensa Sebastian. Mais peut-être le total désintérêt de Sebastian pour les décès dans son cercle familial allait-il inciter Torkel à éviter de parler du bon vieux temps. Sebastian regarda son ancien collègue et reconnut des marques de sympathie sincère dans ses yeux. C'était l'une de ses qualités, l'empathie. Correct, mais compatissant. Malgré tout ce que son travail lui avait donné de voir.

– L'assurance-vie de ta femme… Torkel but une gorgée de café. Je ne savais même pas que tu étais marié.

– Si, si. Marié, puis veuf. Il peut se passer un tas de choses en douze ans.

– Je suis désolé.

111

– Merci.

Silence. Torkel trempa les lèvres dans son café et fit comme s'il était bien plus chaud qu'il ne l'était en réalité, pour ne pas avoir à relancer cette conversation laborieuse. Sebastian lui sauva la mise. Pour une raison qui lui échappait, Torkel semblait vraiment rechercher sa compagnie. Et Sebastian pouvait bien faire l'effort de lui accorder cinq minutes d'intérêt feint, après douze ans.

– Et toi ? Comment tu vas ?

– Je suis encore divorcé. Depuis un peu plus de trois ans.

– Je suis navré.

– Oui. Sinon, comme d'habitude. Je suis toujours à la Crim'.

– Oui, tu l'as déjà dit.

– Ouais...

Nouveau silence. Nouvelle gorgée de café. Encore une bouée de sauvetage, leur seul dénominateur commun : le travail.

– Vous avez trouvé quelque chose chez les Lundin ?

– Même si c'était le cas, je n'aurais pas le droit de te le dire.

– Non, bien sûr. De toute façon, je m'en fiche. C'était juste histoire de bavarder un peu.

Était-ce une pointe de déception que Sebastian avait lue sur le visage de Torkel ? Peu importait ce que c'était, l'expression avait aussitôt disparu, et Torkel jeta un bref regard sur sa montre avant de s'étirer.

– Je dois y aller, dit-il en posant la tasse à moitié pleine à côté de l'évier. Merci pour le café.

Sebastian le raccompagna dans le couloir. Il s'appuya contre le mur, les bras croisés, en regardant Torkel prendre un chausse-pied sur le portemanteau et remettre les mocassins qu'il avait abandonnés sur le tapis. Soudain, Sebastian vit devant lui un monsieur grisonnant d'un certain âge, un vieil ami qui n'était venu qu'avec de bonnes intentions et qu'il avait envoyé paître assez brusquement.

– J'aurais pu envoyer une carte postale ou quelque chose.

Torkel interrompit son mouvement et dévisagea Sebastian avec étonnement.

– Comment ?

– Je veux dire, si tu penses que c'est de ta faute si on a perdu contact. C'est pour ça que je te dis que j'aurais pu me manifester, si j'avais cru que c'était important.

Torkel mit quelques secondes à assimiler les paroles de Sebastian en remettant le chausse-pied à sa place.

– Je ne pense pas que ce soit de ma faute.

– Tant mieux.

– Enfin, pas seulement.

– Alors, ça va.

La main sur la poignée, Torkel s'immobilisa. Devait-il dire quelque chose ? Devait-il expliquer à Sebastian qu'il n'était pas vraiment agréable de s'entendre dire que son amitié n'était pas assez importante pour être entretenue ? Même si ce n'était pas ce qu'il avait voulu dire ? Devait-il lui en faire la remarque ? Il repoussa cette pensée. En fait, il n'aurait pas dû être surpris. Par le passé, ils avaient souvent plaisanté sur le manque de tact de Sebastian, plutôt étonnant chez un psychologue. Ce dernier avait toujours rétorqué que le tact était une qualité surestimée. Le plus intéressant était les pulsions, pas les sentiments, qui n'étaient que des déchets, avait-il coutume de dire. Torkel ne put s'empêcher de sourire en pensant qu'il n'était lui-même sûrement qu'un déchet dans la mémoire de Sebastian.

– À bientôt, dit-il en ouvrant la porte.

– Peut-être.

Torkel laissa la porte claquer derrière lui. Il entendit le verrou tourner. Puis il s'en alla, en espérant qu'Ursula l'ait attendu dans la voiture.

Arrivé devant l'hôtel de police, il se dépêcha de sortir de la voiture tandis qu'Ursula cherchait une place de parking. Ils n'avaient pas échangé un seul mot au sujet de Sebastian durant le trajet. Torkel avait fait une tentative, mais la réaction d'Ursula avait été sans équivoque, et pendant le reste de la route, il n'avait plus été question que de l'affaire. Les premières analyses du T-shirt ensanglanté étaient terminées, et Ursula avait eu par téléphone la confirmation que le vêtement ne pouvait appartenir qu'à une seule personne : Roger Eriksson. Malheureusement, la quantité de sang ne permettait pas de conclure à une violente attaque à l'arme blanche, mais bien plus, selon les explications de Leo, à une bagarre.

En outre, l'insolence des débuts avait fait place, lors des derniers interrogatoires, aux gémissements et aux sanglots. Torkel avait donc de plus en plus de mal à imaginer que cette piètre figure ait été capable d'accomplir un acte aussi complexe et organisé que de se débarrasser du corps dans un étang. Avec une voiture que Leo ne possédait pas. Non, malgré les traces de sang, cette hypothèse ne paraissait pas réaliste.

Néanmoins, ils n'étaient pas encore disposés à clore totalement le dossier Leonard. Trop d'erreurs avaient déjà été commises au cours de cette enquête. Ils garderaient Leonard encore une nuit. S'ils ne trouvaient aucune autre preuve, il serait malgré tout difficile de convaincre le procureur de le maintenir plus longtemps en préventive. Torkel et Ursula avaient décidé de convoquer toute l'équipe pour discuter des étapes suivantes.

Ce fut absorbé par ces pensées que Torkel franchit les portes du commissariat où l'agent d'accueil lui fit immédiatement signe de venir.

– Vous avez de la visite, dit-elle en pointant du doigt le coin des canapés verts, près de la fenêtre.

Une femme obèse et mal fagotée attendait. Quand elle vit que la réceptionniste la désignait, elle se leva.

– Qui est-ce ? demanda Torkel qui n'était pas habitué à être pris de court.

– Lena Eriksson. La mère de Roger Eriksson.

Super, voilà la mère, eut le temps de penser Torkel avant qu'elle ne lui tapote sur l'épaule :

– C'est vous le responsable de l'enquête ? Sur le meurtre de mon fils ?

Torkel se retourna.

– Oui. Torkel Höglund. Toutes mes condoléances.

Lena Eriksson hocha la tête.

– C'est Leo Lundin alors ?

Torkel regarda la femme qui le fixait avec des yeux pleins d'espoir. Bien sûr qu'elle voulait savoir. Il était important pour le travail de deuil que le meurtrier soit identifié, arrêté et condamné. Mais Torkel ne pouvait pas lui apporter cette réponse.

– Je suis désolé, mais pour l'instant, je ne peux donner aucun détail concernant l'enquête.

– Mais vous l'avez arrêté ?

– Comme je viens de vous le dire, je n'ai pas le droit d'en parler.

Lena n'avait pas l'air d'écouter. Elle fit un pas vers Torkel. Un de trop. Torkel dut réprimer un mouvement de recul.

– Il était toujours après Roger. C'est de sa faute si Roger a dû aller chez cette bande de snobs.

Oui, c'était de sa faute. La faute de Leo Lundin. Leonard. Comment pouvait-on choisir un prénom aussi ridicule ? Lena ne savait pas combien de temps avaient duré ces persécutions. Elles avaient commencé au collège, elle en était sûre, mais Roger n'en avait pas parlé tout de suite. Il ne s'était pas confié à propos des sobriquets, des bousculades dans les couloirs, des livres arrachés et des casiers forcés. Il avait inventé des excuses pour expliquer pourquoi il rentrait torse nu ou les pieds trempés. Il n'avait pas pu avouer qu'on lui avait déchiré son T-shirt et qu'il avait retrouvé ses chaussures dans les toilettes après le cours de sport. Il avait toujours une excuse pour expliquer pourquoi son argent et d'autres affaires disparaissaient. Mais Lena avait deviné la vraie raison, et Roger avait fini par lui raconter la vérité. Puis il avait dit que tout était rentré dans l'ordre. Il maîtrisait la situation et se débrouillait seul. Si elle s'en mêlait, cela ne ferait qu'empirer les choses. Mais la violence était arrivée. Les coups. Les bleus. Les lèvres éclatées et les yeux enflés. Le coup de pied dans la tête. C'était à ce moment-là que Lena avait pris contact avec l'école. Elle avait rencontré Leo et sa mère chez le directeur et avait réalisé au bout d'une heure de conversation qu'elle n'obtiendrait pas d'aide de ce côté. Elle avait bien vu qui était le chef chez les Lundin.

Lena était consciente de ne pas être une lumière, mais elle savait comment fonctionnait le pouvoir. Le chef n'était pas obligatoirement celui qui prenait les décisions. Le principal n'était pas forcément celui qui commandait à ses collègues. Et tous les parents n'avaient pas forcément d'autorité. Lena vit aisément qui avait le pouvoir et comment il était investi. Et elle comprit quelle attitude adopter pour en tirer un maximum d'avantages. Ou du moins pour limiter les inconvénients. C'était peut-être pour cela que certains la qualifiaient d'opportuniste, quelqu'un qui savait retourner sa veste au bon moment, ou qui faisait de la lèche à tout le monde. Mais c'était le seul moyen de survivre dans un monde où l'on est entouré de pouvoirs sans en avoir aucun soi-même.

Ce n'est pas vrai, dit la petite voix qui l'avait accompagnée toute la journée dans sa tête. *Tu avais du pouvoir.*

Lena ignora la voix, elle ne voulait pas l'écouter. Elle voulait entendre que c'était Leo le meurtrier. C'était lui ! Elle le savait. Ce devait être le cas. Elle devait seulement en convaincre le monsieur d'un certain âge, bien habillé, qui lui faisait face.

– Je suis sûre que c'est lui. Ce n'était pas la première fois qu'il s'en prenait à Roger. On n'a jamais porté plainte, mais vous pouvez demander à l'école. C'est lui. Je sais que c'est lui.

Torkel comprenait sa conviction. Il s'était souvent retrouvé dans cette situation. Ce fumier, le tortionnaire de son fils était allé trop loin. Ce serait plausible et concret. Cela rendrait la réalité un peu plus supportable. Il savait aussi qu'ils n'avanceraient pas dans leur conversation. Il posa sa main sur le bras de Lena et la conduisit presque imperceptiblement vers la sortie.

– Nous verrons ce que donne l'enquête. Je vous tiendrai au courant de la moindre évolution.

Lena opina du chef et se dirigea comme un automate vers les portes vitrées. Puis elle s'arrêta.

– Il y a autre chose.

Torkel revint vers elle.

– Oui ?

– Les journaux m'appellent.

Il soupira. Bien sûr. Dans les heures les plus sombres, alors qu'elle était la plus vulnérable. Peu importait combien de fois la presse faisait son autocritique après avoir diffusé des interviews avec des gens qui avaient perdu la maîtrise d'eux-mêmes et qui acceptaient des entretiens dans cet état. Des personnes en état de choc ou en deuil. C'était une loi de la nature : un enfant est assassiné – les journaux appellent.

– D'expérience, la plupart des gens dans votre situation qui acceptent une interview le regrettent par la suite, dit sincèrement Torkel. Vous n'êtes pas obligée de répondre, vous pouvez nous envoyer les journalistes.

– Mais ils veulent une interview exclusive et sont prêts à payer pour l'avoir. Je voulais juste savoir combien on peut demander ?

Torkel fit une moue que Lena interpréta comme de l'incompréhension. Effectivement, il ne comprenait pas, mais pas au sens où Lena l'entendait.

– Je me disais, comme vous avez souvent rencontré cette situation, que vous auriez une idée de ce qu'on peut demander... Je ne sais pas. Je n'ai jamais eu affaire à la presse, vous pouvez me donner un ordre de grandeur ? Mille ? Cinq mille ? Quinze mille ?

– Je ne sais vraiment pas. Mon conseil serait de ne pas leur parler du tout.

Lena le regarda avec l'air de celle pour qui cette proposition n'était même pas envisageable.

– C'est ce que j'ai fait jusqu'à présent. Mais maintenant, ils sont prêts à payer.

Torkel essaya de se mettre à sa place. Elle avait manifestement besoin d'argent. Et pas de sa morale ni des conseils tirés de son expérience. Elle voulait un prix. Et qui était-il pour se permettre de la juger ? À quand remontait la dernière fois qu'il avait vraiment eu besoin d'argent ? S'était-il déjà trouvé dans ce genre de situation ?

– Faites comme bon vous semble. Mais prenez garde à vous.

Lena acquiesça et à son grand étonnement, Torkel ajouta :

– Vendez-vous le plus cher possible.

Lena hocha de nouveau la tête, sourit, se retourna et s'en alla. Torkel resta debout quelques secondes et la regarda s'éloigner dans la rue ensoleillée par les rayons printaniers. Puis il essaya d'oublier cette visite pour se concentrer sur son travail, et rejoignit ses collègues.

Mais les éléments perturbateurs s'enchaînaient.

Haraldsson se précipita vers lui. Son air sérieux fit comprendre à Torkel qu'il voulait discuter. Sûrement du sujet que Torkel avait réussi à éviter jusqu'à présent. Et que Vanja lui avait déjà demandé de régler à trois reprises.

16

– Qu'est-ce que tu comprendrais si quelqu'un te disait qu'il aimerait travailler en étroite collaboration avec toi ?

Haraldsson était allongé sur son lit, les bras croisés sous la tête, et regardait en l'air. Jenny était à côté de lui, les pieds enfoncés dans le matelas, deux coussins sous les fesses. De temps en temps, elle tendait le bas-ventre vers le plafond que son mari fixait d'un regard vide. Il était vingt-deux heures trente.

Ils venaient de faire l'amour, ou plutôt de baiser. Même pas ça en fait, si Haraldsson était tout à fait honnête. Il avait consciencieusement accompli son devoir et vidé sa semence dans le corps de sa femme tout en étant complètement ailleurs. Au travail.

Il avait parlé à Torkel de la tentative de Hanser de l'écarter de l'enquête, contre la volonté exprimée de Torkel.

– Je pense que ça veut dire qu'on va travailler ensemble, répondit Jenny en soulevant de nouveau les hanches pour accélérer le cheminement jusqu'à son utérus impatient.

– Oui, c'est ce qu'on pourrait croire, hein ? Je veux dire, quand tu dis à un collègue que vous allez travailler en étroite collaboration, c'est que vous allez bosser ensemble. Sur la même chose. Pour le même but, non ?

– Mmh.

En réalité, Jenny n'écoutait que d'une oreille. La situation était loin d'être inédite. Depuis que son mari avait cette nouvelle supérieure, il ne parlait pratiquement plus que de son travail, et quand il parlait de son travail, il s'agissait surtout d'exprimer sa mauvaise humeur. Le fait que ce soit cette fois la Crim' qui soit l'objet de sa colère et non Kerstin Hanser ne changeait pas grand-chose. Même rengaine, nouveau texte.

– Tu sais ce que ce Torkel Höglund veut dire par travailler en étroite collaboration ? Tu as une idée ?

– Oui, tu l'as déjà dit.

– Ne pas collaborer du tout ! Quand je lui ai enfin tiré les vers du nez sur ce que devrait être notre collaboration, il en est ressorti qu'on n'allait pas collaborer du tout ! Tu ne trouves pas ça carrément bizarre ?

– Oui, difficile à comprendre.

Jenny utilisait ses propres mots, ceux-là même qu'il avait employés en racontant l'histoire pendant le dîner. C'était un bon moyen d'avoir l'air informé sans l'être vraiment. Elle ne se fichait pas du travail de son mari, pas du tout. En temps normal, elle adorait tout apprendre sur les faussaires maladroits ou, l'été dernier, sur les détails d'une attaque de fourgon blindé. Mais Hanser était arrivée dans la vie de Thomas, et ses récits sur son travail de policier s'étaient mués en de longues tirades sur l'injustice. D'amères lamentations. Il fallait d'urgence lui changer les idées.

– Mais tu sais avec qui tu pourrais travailler en collaboration très très étroite maintenant ?

Jenny se tourna vers lui et laissa voguer sa main sous la couverture jusqu'à son pénis relâché. Haraldsson la regarda avec l'air d'un patient qui vient de se faire plomber trois dents et à qui on apprend qu'il faut encore s'occuper d'une quatrième.

– Encore ?

– Je suis en période d'ovulation.

Sa main avait atteint son but et le saisit. Pompa. Doucement mais fermement.

– Encore ?

– Je crois, oui. Ma température a monté d'un demi-degré hier matin. Il vaut mieux ne prendre aucun risque.

Haraldsson fut lui-même étonné de sentir le sang s'accumuler à nouveau. Jenny se retourna complètement de son côté du lit, pour se retrouver dos à lui.

– Prends-moi par derrière, tu pourras rentrer plus profondément.

Haraldsson adopta la posture suggérée et pénétra d'un coup en elle. Jenny se tourna à moitié vers lui.

– Je dois commencer tôt demain, ça n'a pas besoin de durer toute la nuit.

Elle tapota le menton de Haraldsson et se retourna à nouveau. Et tandis que Haraldsson prenait sa femme par les hanches, il laissa voguer ses pensées. Il allait leur montrer.

À tous.

Une bonne fois pour toutes.

Il se jura de résoudre l'affaire Roger Eriksson.

*

Pendant que Haraldsson tentait de féconder sa femme sans trop perturber son repos nocturne, l'homme qui n'était pas un meurtrier, à quelques kilomètres de là, dans un quartier résidentiel peu éclairé, s'informait de l'état de l'enquête. Sur Internet. Il était assis dans l'obscurité à peine violée par la froide lumière de l'écran, dans la pièce qu'il qualifiait avec un peu trop de prétention de bureau. Les journaux consacraient toujours une large couverture au décès – il ne parvenait pas à se résoudre à le qualifier de meurtre –, même s'ils n'actualisaient pas aussi souvent les faits qu'au début. Aujourd'hui, l'accent avait été mis sur « L'école sous le choc », quatre pages de reportages sur le lycée Palmlövska. Apparemment, tout le monde avait eu son mot à dire, des élèves aux professeurs en passant par le personnel de cantine. La plupart d'entre eux auraient aussi bien pu tenir leur langue, constata l'homme qui n'était pas un meurtrier, en lisant ce ramassis de clichés et de lieux communs. Ils avaient tous un avis, mais personne n'avait rien à dire. Le journal local rapportait également que le procureur avait décidé de placer un jeune garçon du même âge en détention provisoire. Décision basée sur des soupçons plus qu'insuffisants. La presse à scandales avait plus à offrir. Elle en savait davantage et consacrait encore plus d'articles à l'affaire. *Aftonbladet.se* annonçait que le jeune homme en question avait terrorisé et maltraité la victime, et avait même été la raison de son changement d'école. Le journaliste, qui apparaissait photographié en pied, livrait cette histoire tragique de façon à la rendre plus déchirante encore. Il racontait comment le garçon avait tenté d'échapper à ses tortionnaires, avait remonté la pente et s'était fait de nouveaux amis dans sa nouvelle école, où il avait commencé à entrevoir le bout du tunnel – jusqu'à ce qu'il soit victime de cette violence insensée. Impossible de rester insensible à cette histoire.

Après avoir lu ce texte émouvant, l'homme qui n'était pas un meurtrier réfléchit. Souhaitait-il que cela n'ait jamais eu lieu ? Évidemment. Mais il ne fallait pas raisonner ainsi. C'était arrivé. On ne pouvait pas revenir en arrière. Éprouvait-il des regrets ? Pas vraiment. Pour lui, les regrets signifiaient que l'on agirait autrement si l'on était confronté à la même situation. Impossible. Il y avait trop de choses en jeu.

Il cliqua sur *Expressen.se*. Sous la rubrique « Dernière minute », un entrefilet annonçait : « Les soupçons contre le meurtrier présumé de Västerås en passe d'être annulés ». Ça ne sentait pas bon. Si la police libérait le garçon, ils recommenceraient à chercher. Il se renversa dans son fauteuil. Comme il le faisait toujours quand il avait besoin de réfléchir.

Il pensa à la veste. La veste Diesel verte roulée en boule dans la commode derrière lui. La veste maculée du sang de Roger. Imaginons qu'on la retrouve dans la maison du jeune homme arrêté... À première vue, cela pouvait apparaître comme une démarche égoïste. Un faux indice pour rejeter la faute sur quelqu'un d'autre. Une tentative immorale de se défausser des conséquences de ses actes. Mais était-ce le cas ?

En agissant ainsi, l'homme qui n'était pas un meurtrier aiderait les proches et les amis de Roger. Ils n'auraient plus à se creuser la tête et pourraient se consacrer pleinement à leur deuil. L'énigme serait résolue, et ils pourraient reprendre le cours de leur vie. C'était beaucoup.

Et de plus, il ferait monter les statistiques d'élucidations d'enquêtes de la police de Västerås. Plus il y réfléchissait, plus son geste lui paraissait généreux. Une bonne action, même.

Il n'eut pas besoin de beaucoup de clics pour découvrir l'identité du suspect. Leonard Lundin. Son nom était claironné dans les *chatrooms*, les forums et autres blogs. Internet était tout simplement génial.

Très vite, il trouva également son adresse.

Maintenant, il allait vraiment pouvoir les aider.

17

Pour la combientième fois Sebastian regardait-il l'heure ? Il ne pouvait le dire. Vingt-trois heures onze. La dernière fois, il était vingt-trois heures huit. Était-il vraiment possible que le temps passât si lentement ? Il ne tenait pas en place. Il ne voulait pas être dans cette ville, dans cette maison. Que devait-il faire ? S'installer dans un fauteuil et faire comme chez lui ? Impossible. Même autrefois, quand il y habitait, il ne s'y sentait pas chez lui. Il alluma la télévision et zappa au hasard, sans rien trouver d'intéressant. Comme il ne buvait pas, le minibar ne l'intéressait pas. Et il n'était pas non plus du genre à se servir des sels parfumés de sa mère pour se lover dans un bain relaxant-vivifiant-énergisant dans la grande et presque luxueuse salle de bains qui, dans ses souvenirs, avait été le refuge de sa mère. La seule pièce de la maison qu'elle avait eu le droit d'aménager elle-même. Sa pièce à elle, dans sa maison à lui.

Pendant un moment, il avait erré sans but, ouvrant de temps à autre une commode ou une armoire, par pure curiosité. Tout comme il ouvrait toujours les placards de la salle de bains quand il était invité quelque part. Mais, il devait se l'avouer à contrecœur, il était également mû par le désir de savoir ce qui s'était passé depuis son départ. Son impression jusqu'ici : rien. La précieuse porcelaine de Rörstrand derrière la vitrine blanche, des nappes et des chemins de table pour toutes les fêtes et toutes les saisons s'empilaient, soigneusement repassés, dans les armoires. Bien sûr, les nombreux souvenirs de voyages récents devaient partager l'espace étroit sur les étagères de la vitrine avec les cadeaux de toute une vie : des bougeoirs, des vases et un cendrier. Des objets que l'on utilisait rarement, voire jamais, mais que l'on gardait uniquement parce que quelqu'un les avait apportés dans la maison et qu'on ne pouvait s'en débarrasser sans paraître ingrat ou donner l'impression d'avoir meilleur goût que l'auteur du cadeau. Il y avait évidemment beaucoup de choses qu'il n'avait jamais vues, mais l'atmosphère de la maison n'avait pas changé. Malgré le mobilier neuf, les murs abattus et le nouvel éclairage, cette demeure restait pour Sebastian une accumulation d'objets vides de sens. Il avait l'impression que la vie dans la maison Bergman était tout aussi calme et tranquille, conventionnelle et angoissée que dans son souvenir. Il fut pris d'un immense sentiment de lassitude à l'idée de devoir s'occuper de tous ces déchets.

*

L'agent immobilier avait appelé vers trois heures. Il avait été un peu surpris par l'attitude de Sebastian. Aujourd'hui, tout le monde percevait sa maison comme un investissement et tentait d'en tirer le meilleur prix selon les lois du capitalisme moderne. Mais Sebastian n'avait pas manifesté l'ombre d'une volonté de négocier. Il voulait vendre. À n'importe quel prix. Et si possible aujourd'hui. L'agent immobilier avait promis de passer aussi vite que possible. Sebastian espérait le voir dès le lendemain.

Il pensa à la femme du train. Le bout de papier avec son numéro de téléphone était à côté de son lit. Pourquoi n'était-il pas plus prévoyant ? Pourquoi ne l'avait-il pas appelée plus tôt pour lui proposer un dîner dans le restaurant de son choix ? Ils auraient parlé tout en dégustant un bon dîner arrosé de vin. Auraient pris le temps de faire connaissance. En ce moment, ils auraient pu être installés au bar de l'hôtel, un verre à la main et de la musique *lounge* dans les oreilles. Il effleurerait d'une main hésitante, presque sans le vouloir, ses genoux nus sous l'ourlet de sa jupe.

La séduction. Le jeu qu'il devait gagner. La victoire et la satisfaction. Tout cela était désormais hors de portée parce qu'il ne fonctionnait pas normalement. Il en incriminait la maison. Sa mère. La brusque apparition de Torkel comme un vestige du passé. Il avait toutes les raisons du monde, mais cela ne l'empêchait pas d'en être passablement énervé. Les circonstances extérieures ne l'influençaient pas, d'habitude, ou du moins ne le déstabilisaient pas autant.

C'était la vie qui s'adaptait à Sebastian Bergman, pas l'inverse. Enfin, c'était ainsi autrefois, avant Lily et Sabine.

Non, il ne céderait pas. Pas aujourd'hui. Peu importait ce qui s'était passé, qui s'adaptait à quoi, ou le fait que certains qualifiaient sa manière de passer le temps d'« état » plutôt que de « vie ». Même si tout indiquait qu'il avait perdu le contrôle. Il avait encore la force de tirer profit de n'importe quelle situation. Il était increvable.

Il pénétra dans la cuisine et prit une bouteille de vin sur l'étagère supérieure du placard. Il ne regarda même pas l'étiquette : il s'en fichait. C'était du vin, il était rouge et ferait l'affaire. Lorsqu'il ouvrit la porte de la terrasse, il imagina une tactique d'approche.

La compassion.

J'ai pensé que vous n'aviez peut-être pas envie d'être seule en ce moment...

L'inquiétude.

J'ai vu qu'il y avait encore de la lumière... Tout va bien ?

Ou alors la résolution. Mais sympathique.

Vous ne devriez pas être seule un soir comme celui-ci...

Le résultat serait le même.

Il coucherait avec Clara Lundin.

18

Au plafond, la peinture commençait à s'écailler, remarqua Torkel, allongé sur le lit d'une énième chambre d'hôtel anonyme. Au fil des années, il avait dormi dans tant de chambres d'hôtel que l'impersonnel était devenu la norme, la simplicité plus importante que l'originalité, et la fonctionnalité plus décisive que le confort. Si l'on était tout à fait honnête, son deux-pièces du sud de Stockholm ne différait pas tellement de la chambre standard du Scandic Hotel. Torkel s'étira et glissa son bras sous le coussin. La douche ne s'était pas encore arrêtée. Dans la salle de bains, elle était tout sauf rapide.

L'enquête. Qu'avaient-ils jusqu'ici ? Un lieu de découverte, mais pas de lieu du crime. Des traces de pneus qui provenaient peut-être de la voiture du meurtrier, ou peut-être pas. Ils avaient arrêté un jeune homme, mais de plus en plus d'éléments conduisaient à sa libération prochaine. Sur la liste des pour : le fait que Billy, après avoir été transféré dans tous les sens, avait enfin pu joindre une responsable de l'agence de surveillance qui savait à qui il devait s'adresser pour avoir accès aux enregistrements de la rue Gustavborgsgatan. Le collègue en question assistait à une fête d'anniversaire à Linköping, mais il s'en occuperait dès le lendemain matin. Il n'était pas sûr que les enregistrements de vendredi aient été conservés. Certains n'étaient autorisés à être conservés que durant quarante-huit heures, selon les règlements fixés par le conseil municipal. Billy lui avait donné jusqu'à onze heures.

Vanja était sûre que la petite amie de Roger avait menti. Mais comme l'avait fait remarquer à juste titre le père de Lisa, c'était sa parole contre la leur. Les enregistrements les aideraient à résoudre ce problème. Torkel soupira. Il était plutôt déprimant de savoir que les progrès actuels de l'enquête dépendaient de la durée de conservation des bandes de vidéosurveillance des lieux publics par la société G4. Qu'était devenue la vénérable police d'autrefois ? Il s'interdit immédiatement ces pensées. C'était ainsi que, dans les séries policières, les commissaires férus d'opéra raisonnaient en sirotant leur whisky. L'ADN, les caméras de surveillance, l'informatique, le recoupement des données, les dispositifs d'écoute, de localisation des portables, de reconstitution de SMS effacés – c'était comme ça qu'on résolvait les affaires de nos jours. Non seulement il serait inutile de ne pas reconnaître l'importance de ces techniques, mais en plus cela apparaîtrait comme un hommage rendu à la loupe en tant qu'élément essentiel de l'équipement d'un policier. Stupide et rétrograde. Ce n'était pas le moment pour ça. Un jeune homme avait été assassiné, et tous les regards étaient braqués sur eux. Torkel venait de regarder les infos sur TV4, puis un talk-show dont le sujet était la violence chez les jeunes : cause-conséquence-solution. Même si tout convergeait vers l'innocence de Lundin et que Torkel et son équipe avaient clairement communiqué là-dessus pour que Leo ne soit pas condamné d'avance par la presse et par l'opinion publique, les producteurs de l'émission avaient sans doute jugé qu'une jeune victime suffisait à organiser un débat autour de la violence des jeunes. Peu importait l'âge qu'avait le tueur. Évidemment, la discussion n'aboutit à aucun nouveau résultat. On attribua la faute de ces drames aux pères absents et aux parents démissionnaires en général, aux films et surtout aux jeux vidéo violents. Finalement, une femme d'une trentaine d'années, affublée d'un piercing, avait prononcé la phrase que Torkel attendait :

– « Il faut dire aussi que la société est de plus en plus impitoyable. »

Voici les causes : les parents, les jeux vidéo, la société. Comme toujours, les solutions brillaient par leur absence. Ou alors on prônait l'édiction d'une loi imposant le partage à cinquante pour cent du congé parental, une censure plus stricte ou plus de contact physique. Mais on ne pouvait pas changer la société. Torkel avait éteint la télévision avant la fin de l'émission et avait commencé à parler de Sebastian. Il n'avait pas souvent pensé à son collègue ces dernières années, mais il avait toujours imaginé que leurs retrouvailles se passeraient différemment, qu'elles seraient plus chaleureuses. Il était déçu.

À ce point de leur discussion, Ursula était partie se doucher. Elle émergeait à présent de la salle de bains vêtue d'une simple serviette enroulée autour de la tête. Torkel continua, comme si ce quart d'heure d'interruption n'avait pas eu lieu.

– Tu aurais dû le voir. À l'époque déjà, il était bizarre, mais maintenant... j'avais l'impression d'être son ennemi...

Ursula ne répondit pas. Torkel la suivit du regard et l'observa s'approcher de la table de nuit, prendre sa lotion pour le corps et commencer à s'en enduire. À l'aloe vera, il le savait. Il l'avait si souvent admirée en train de le faire. Durant des années.

Quand cela avait-il commencé entre eux ? Il ne le savait pas vraiment. Avant son divorce, mais après que son couple avait commencé à battre de l'aile. Selon cette définition, cela faisait tout de même pas mal d'années. C'était sans importance. Du peu qu'en savait Torkel, elle n'avait pas l'intention de quitter son mari. Mais il en savait peu sur leur relation. Mikael avait traversé une mauvaise passe et avait eu des problèmes d'alcool. Un ivrogne occasionnel. Il le savait, mais il avait cru comprendre que ses crises d'alcoolisme étaient devenues plus courtes et de plus en plus rares. Peut-être étaient-ils un couple libre, et chacun avait-il le droit de coucher avec qui il voulait, quand il le voulait et aussi souvent qu'il le voulait ? Ou peut-être Ursula trompait-elle Mikael avec Torkel. Torkel avait l'impression qu'Ursula et lui étaient assez proches, mais il ne savait quasiment rien de sa vie en dehors du travail. Au début, il avait posé des questions, mais elle lui avait très vite fait comprendre que cela ne le regardait pas. Ils se rapprochaient quand ils travaillaient ensemble, et cela fonctionnait bien ainsi. Pas besoin de plus. Torkel avait décidé de ne plus insister, de peur de la perdre. Il ne le voulait pas. Il ne savait pas très bien lui-même ce qu'il attendait de cette relation, seulement que c'était plus que ce qu'Ursula était prête à donner. Ils passaient la nuit ensemble quand elle le voulait. Comme maintenant, alors qu'elle soulevait la couette pour se glisser à côté de lui.

– Je te préviens. Si tu continues à parler de Sebastian, je m'en vais.

– C'est juste que je pensais le connaître et là…

Ursula posa son doigt sur ses lèvres et s'appuya sur son coude. Elle le regarda d'un air sérieux.

– Je ne plaisante pas. J'ai ma propre chambre. Tu ne veux pas que j'y aille, hein ?

Elle avait raison : il ne le voulait pas. Il se tut et éteignit la lumière.

*

Sebastian s'éveilla en plein milieu de son rêve. Tandis qu'il étirait les doigts de sa main droite, il se demanda un court instant où il était. Chez la voisine, Clara Lundin. Ils avaient passé une nuit étonnamment agréable.

Cela ne l'avait pas empêché de se réveiller avec une pointe de déception. Cela avait été si facile. Trop facile pour se réveiller avec un sentiment de satisfaction.

La séduction de l'autre sexe faisait partie des talents de Sebastian. Il en avait toujours été ainsi. Son succès auprès des femmes étonnait même parfois les autres hommes. Il n'était pas beau au sens classique du terme. Il avait toujours oscillé entre le surpoids et le « presque surpoids », et ces dernières années, il s'était arrêté quelque part au milieu. Les traits de son visage n'étaient ni marqués ni marquants, plutôt bouledogue que doberman pour prendre un exemple canin. Ses cheveux se faisaient de plus en plus rares sur son crâne, et son style vestimentaire correspondait davantage à la représentation qu'on pouvait se faire d'un professeur de psychologie qu'aux pages tendance d'un magazine de mode. Bien sûr, il y avait les femmes qui se laissaient impressionner par l'argent, le physique ou le pouvoir. Mais ce n'était qu'une partie d'entre elles. Si l'on voulait avoir du succès avec *toutes* les femmes, il fallait posséder autre chose. Comme Sebastian. Du charme, de l'intuition et un large registre d'acteur. Et assez de discernement pour savoir que chaque femme est différente, d'où l'utilité de maîtriser plusieurs tactiques d'approche. Que l'on peut tester en basculant de l'une à l'autre, pour savoir laquelle adopter le moment venu. Être attentif et faire preuve de finesse.

Ce qui fonctionnait le mieux, c'était quand la femme était convaincue que c'était elle qui l'avait séduit. Un sentiment que les hommes riches dans les bars, avec leurs cartes de crédit en platine, ne comprendraient jamais.

Sebastian adorait manipuler les événements, réagir et réguler, pour enfin, s'il se débrouillait bien, orienter les choses vers le plaisir physique. Mais Clara Lundin avait été une proie trop docile. Comme si l'on avait demandé à un chef étoilé de faire des œufs au plat. Il n'avait pas pu mettre ses talents à l'épreuve. Cela devenait ennuyeux. Que du sexe.

En se rendant chez sa voisine, il avait opté pour la stratégie compatissante :

– J'ai pensé que vous n'aviez peut-être pas envie d'être seule en ce moment…

Elle l'avait invité à entrer, ils s'étaient assis sur le canapé et avaient ouvert la bouteille de vin. Il avait dû réécouter la même litanie qu'au déjeuner dans une version plus détaillée, où elle avait développé la partie concernant son échec en tant que mère. Il avait marmonné et hoché la tête au bon moment, rempli son verre de vin, continué d'écouter, répondu ici et là à ses questions sur la manière de procéder de la police en cas d'arrestation, ce qui l'attendait à présent... etc. Lorsqu'elle n'avait plus pu retenir ses larmes, il avait posé une main bienveillante sur son genou et s'était blotti contre elle dans un geste compatissant. À ce moment-là, il avait senti une secousse parcourir son corps. Ses sanglots silencieux s'étaient apaisés, et son souffle s'était accéléré. Elle s'était tournée vers Sebastian et l'avait regardé dans les yeux. Avant même qu'il ait pu réagir, ils s'étaient déjà embrassés.

Dans la chambre à coucher, elle s'était donnée complètement à lui. Puis elle avait pleuré, l'avait embrassé et avait aussitôt voulu recommencer. Elle avait dormi aussi près de lui que possible.

Quand il se réveilla, le bras de Clara était toujours posé sur sa poitrine et sa tête enfouie au creux de son épaule. Avec précaution, il se libéra de son étreinte et quitta le lit. Elle ne se réveilla pas. Pendant qu'il s'habillait en silence, il l'observa. Autant Sebastian était intéressé lors de la phase de séduction, autant il voulait éviter de trop prolonger le moment d'intimité après la relation sexuelle. Qu'est-ce que ça lui apporterait ? Juste de la répétition, sans suspense. Il avait quitté suffisamment de femmes après ses aventures d'une nuit pour savoir que ce point de vue était rarement partagé. En ce qui concernait Clara Lundin, il était certain qu'elle s'attendait à une suite. Pas seulement au bavardage du petit-déjeuner, mais à plus. Quelque chose de sérieux. Il s'en alla donc.

Normalement, la culpabilité n'appartenait pas à son répertoire, mais il savait qu'une mauvaise surprise attendrait Clara Lundin au réveil. En fait, il avait déjà senti pendant la journée, dans le jardin, à quel point elle était seule, ce qu'elle avait confirmé plus tard sur le canapé. À la façon dont elle avait pressé ses lèvres contre les siennes, et collé son corps au sien. Elle était à la recherche désespérée de contact et de tendresse. Sur tous les plans, pas seulement physique. Après avoir été violemment rabrouée, et même insultée et menacée, après avoir ignoré ses propres sentiments durant des années, elle avait une soif inextinguible de tendresse et de sollicitude. Comme le sable du désert avec la pluie, elle aspirait tout ce qui rappelait de près ou de loin un rapport humain. Sa main sur son genou. Le contact physique, le signal évident qu'elle était désirable. Comme s'il avait ouvert la valve de ses besoins, de proximité, de peau, de quelqu'un.

C'était là qu'avait résidé son erreur, se dit Sebastian en parcourant les quelques mètres qui menaient à la maison de ses parents. Cela avait été trop facile, et elle avait été trop reconnaissante. Il pouvait supporter la plupart des sentiments de ses conquêtes, mais la gratitude l'écœurait toujours un peu. La haine, le mépris, la tristesse, tout valait mieux que ça. La reconnaissance révélait avec trop d'évidence qu'il était le maître du jeu. Il l'était de toute façon, mais il était plus agréable de se dire que la situation reposait sur une forme d'égalité. Cela renforçait l'illusion. La reconnaissance la détruisait. Et révélait le mufle qu'il était en réalité.

Quand il ouvrit la porte d'entrée, il était à peine quatre heures du matin : il n'avait aucune envie d'aller se recoucher. Que faire ? Il n'en avait pas réellement envie, et il espérait que le problème se résoudrait d'une autre manière, mais il serait tôt ou tard obligé de vider les armoires et les tiroirs. Ils ne se videraient pas tout seuls.

Il fouilla dans le garage et trouva des cartons de déménagement pliés, posés contre le mur à côté de la vieille Opel. Il en prit trois, puis s'arrêta au milieu du couloir. Par quoi devait-il commencer ? Il choisit l'ancienne chambre d'amis. Il ignora le bureau et les vieux appareils de bureautique, déplia un carton et commença à vider la bibliothèque. Un fouillis où se mêlaient romans, beaux livres, ouvrages de référence et manuels. Il mit tout dans les cartons. Pour les livres, c'était comme pour la vieille Opel : les chances de revente équivalaient à zéro. Quand il eut rempli l'un des cartons, il tenta de le refermer. Il n'y parvint pas, mais un déménageur n'aurait qu'à se le coltiner, pensa Sebastian en tirant avec peine le carton vers la porte. Puis il déplia un autre carton et poursuivit son rangement. À cinq heures du matin, il avait pris quatre autres cartons dans le garage et vidé presque toute la bibliothèque, excepté seulement deux étagères. Des albums photos soigneusement étiquetés d'après le lieu et la date. Sebastian hésita. C'était quand même plus ou moins la vie de ses parents qui se trouvait sur ces étagères. Devait-il simplement la jeter dans un carton et transporter tout ça à la décharge ? Pouvait-il faire cela ? Il décida de repousser le moment de prendre cette décision, il devait les ranger de toute façon. Où mettre tout ça, il y penserait plus tard.

Sebastian commença par l'étagère supérieure. Il était arrivé à l'album « Hiver-Printemps 1992 – Innsbruck », qui se trouvait à peu près à la moitié, quand sa main rencontra quelque chose, caché derrière les albums. Une boîte. Il tâtonna pour la chercher, parvint à la saisir. C'était une boîte à chaussures, un petit modèle bleu ciel avec un soleil sur le couvercle. Une bibliothèque était un endroit étrange pour conserver des chaussures. La boîte n'était remplie qu'à moitié. À l'intérieur, un sex-toy préhistorique, soigneusement emballé dans un carton décoré de dessins au crayon paraissant tout droit sortis du Kâmasûtra. Juste à côté, il trouva la clé d'un coffre-fort et des lettres. Sebastian saisit les lettres. Il y en avait trois. Dont deux adressées à sa mère. Une écriture féminine. La troisième avait été envoyée à une certaine Anna Eriksson à Hägersten et lui était revenue. D'après le tampon de la poste, la lettre datait de plus de trente ans. Cette boîte semblait contenir les secrets que sa mère avait cachés au reste du monde pendant toutes ces années. Qu'avait-elle fait ? De qui provenaient les deux autres lettres ? D'une maîtresse ? Une petite aventure loin de la maison et de son père ? Sebastian ouvrit la première lettre.

Bonjour,

Je ne sais pas si j'envoie cette lettre à la bonne personne. Mon nom est Anna Eriksson. Je dois parler à votre fils Sebastian Bergman. Il était professeur de psychologie à l'université de Stockholm, où je l'ai rencontré. J'ai essayé de le contacter par le biais de l'université, mais il n'y enseigne plus, et personne n'a pu me communiquer sa nouvelle adresse. Ses anciens collègues m'ont dit qu'il était parti aux États-Unis, mais personne ne sait où exactement. Finalement, quelqu'un m'a appris qu'il venait de Västerås et que sa mère s'appelait Esther. J'ai trouvé votre adresse dans l'annuaire, et j'espère que j'écris à la bonne personne et que vous pourrez m'aider à prendre contact avec Sebastian. Si vous n'êtes pas la mère de Sebastian, je vous prie de m'excuser de vous avoir dérangée. Mais que vous le soyez ou non, je vous serais reconnaissante de me répondre, c'est urgent, c'est pourquoi je préférerais savoir si j'ai écrit cette lettre à la bonne personne.

Sincères salutations,

Anna Eriksson

Sous la signature, une adresse. Sebastian réfléchit. Anna Eriksson. L'automne précédant son départ aux États-Unis. Son nom ne lui disait rien de prime abord, mais ce n'était pas étonnant. C'était il y a trente ans, et de nombreuses femmes avaient croisé son chemin à l'université. Quand il était sorti major de sa promotion, on lui avait proposé un poste d'un an comme assistant à l'Institut de psychologie. Il avait au moins vingt ans de moins que ses collègues et s'était senti comme un chiot au milieu de squelettes de dinosaures. En faisant un effort, il arriverait peut-être à se souvenir du nom de quelques femmes avec lesquelles il avait couché, mais c'était peu probable. En tout cas, il ne se rappelait aucune Anna. Il y verrait peut-être plus clair après la deuxième lettre.

Bonjour,

Merci pour votre réponse aimable et rapide. Je suis désolée de vous embêter de nouveau. Je comprends que ce doit être inhabituel pour vous de donner l'adresse de votre fils à des inconnus qui vous écrivent, mais je dois ABSOLUMENT parler à Sebastian. C'est très urgent. Je ne pense pas que ce soit une bonne idée de vous l'écrire, mais je pense qu'il le faut pour que vous compreniez en quoi c'est si important : je vais avoir un enfant de Sebastian, et je dois le contacter. S'il vous plaît. Si vous savez où il est, faites-le-moi savoir. Vous comprendrez que c'est important pour moi.

La lettre continuait : il était question d'un déménagement et du fait qu'elle se manifesterait à nouveau, mais Sebastian s'arrêta de lire. Il lut et relut la même phrase. Il avait un enfant. Un fils ou une fille. Ou même les deux. Peut-être. Peut-être. Il n'hésita pas longtemps, il devait faire quelque chose. Les mains tremblantes, il tira la dernière lettre de son enveloppe. Il avait devant lui l'écriture de sa mère, son style, ses mots. D'abord, il eut du mal à comprendre ce qu'il lisait, tout tournait autour de lui.

Bonjour Anna,

La raison pour laquelle je ne vous ai pas donné l'adresse de Sebastian n'est pas que vous êtes une étrangère, mais que je ne sais pas où il habite, comme je vous l'ai déjà précisé dans ma lettre précédente. Nous n'avons plus aucun contact avec notre fils. Depuis des années déjà. C'est comme ça. Vous devez me croire.

Je suis un peu triste d'apprendre que vous êtes enceinte. Bien que ce soit totalement contraire à mes convictions, j'ai le sentiment que je dois vous donner ce conseil : interrompez cette grossesse. Essayez d'oublier Sebastian. Il n'assumerait jamais cette responsabilité, ni envers vous, ni envers l'enfant. Cela me fait mal d'avoir à vous écrire cela, et vous vous demandez peut-être quelle mère je suis pour le faire. Mais la plupart des gens se portent mieux sans Sebastian dans leur vie. J'espère malgré tout que tout ira pour le mieux pour vous.

Sebastian relut la lettre une deuxième fois. Sa mère avait suivi le scénario de leur relation à la lettre. Même après sa mort, elle parvenait encore à le blesser. Il essaya de nouveau de mettre de l'ordre dans ses pensées et de se concentrer sur les faits, pas sur les sentiments. D'observer tout cela de l'extérieur. De rester professionnel. Que savait-il ? Trente ans plus tôt, lorsqu'il travaillait à l'université de Stockholm, il avait mis enceinte une femme du nom d'Anna Eriksson. Peut-être avait-elle avorté, peut-être pas. En tout cas, elle avait quitté le – il regarda l'adresse – 17 de la rue Vasaloppsvägen il y avait environ trente ans. Il avait couché avec elle. Était-elle l'une de ses étudiantes ? Sûrement. Il avait partagé un lit avec plusieurs d'entre elles.

Le directeur retraité de l'Institut avait un nom facile à retrouver par le biais des Renseignements téléphoniques : Arthur Lindgren. Arthur décrocha au troisième appel, au bout de la vingt-cinquième sonnerie. Il habitait toujours dans la rue Surbrunnsgatan et une fois qu'il fut un peu plus réveillé et qu'il comprit qui l'appelait, il fut étonnamment serviable. Il promit de chercher le nom d'Anna Eriksson dans les papiers et classeurs qui traînaient chez lui. Sebastian le remercia. Arthur avait toujours fait partie des rares personnes que Sebastian respectait, et ce respect était réciproque. Il savait qu'Arthur l'avait même défendu quand la direction de l'université avait tenté de le virer pour la première fois. À la fin, la situation était devenue intenable, même pour Arthur. Les aventures de Sebastian n'étaient plus de petites liaisons discrètes. Tant de rumeurs couraient sur lui qu'au bout de la troisième tentative, la direction parvint à le suspendre. Il était ensuite parti aux États-Unis et avait donné des cours à l'université de Caroline du Nord. Il avait réalisé que ses jours étaient comptés et avait déposé une demande de bourse Fulbright.

Sebastian essaya de reconstituer les événements. Il nota la date de la première lettre. 9 décembre 1979. La deuxième lettre était datée du 18 décembre 1979. Il compta neuf mois en arrière et tomba sur mars 1979.

Il était arrivé à Chapel Hill, en Caroline du Nord, début novembre. Cela avait donc dû se produire entre mars et octobre, il avait le choix entre huit mois. Elle avait sûrement appris sa grossesse peu avant la première lettre. Les mois de septembre et d'octobre étaient donc les plus probables. Sebastian essaya de toutes ses forces de se rappeler ses conquêtes de l'automne 1979. Ce n'était pas si facile, car c'était justement à cette période que son addiction sexuelle avait atteint son paroxysme. En partie parce que les incessantes enquêtes de l'Institut à son encontre avaient renforcé son besoin de reconnaissance. Et en partie parce que, après des années de pratique, il maîtrisait son rôle de séducteur à la perfection. La lourdeur, la crainte et la maladresse des débuts avaient disparu. Il récoltait maintenant les fruits de son art et, après la nervosité des débuts, il avait perdu toutes ses inhibitions. Avec le recul, son comportement de l'époque l'étonnait. Quand la peur du sida se répandit au début des années 1980, il réalisa quel danger lui faisait courir sa dépendance. Il se mit à chercher des moyens de lui résister et puisa beaucoup de force dans ses recherches sur les tueurs en série. Il se souvenait encore de l'instant précis où, assis à un bureau à Quantico, le centre de formation du FBI, il avait remarqué à quel point son comportement pulsionnel ressemblait à celui d'un tueur en série. À une échelle nettement moindre, bien sûr : il jouait au poker avec des allumettes, les tueurs en série avec des lingots d'or. Mais la cause était la même. Un manque d'empathie et d'amour durant l'enfance, une absence d'estime de soi et un besoin de prouver sa puissance. Et cette spirale infernale entre les fantasmes et leur réalisation, qui ne cessait de tourner. L'individu cherche de la reconnaissance et entretient des fantasmes de contrôle, d'ordre sexuel dans son cas, sur la vie et la mort pour les tueurs en série. Les fantasmes sont finalement si omniprésents que l'on ne peut plus résister à l'envie de les vivre. Puis arrive la frayeur devant l'acte que l'on a commis. On est une mauvaise personne. Avec les doutes reviennent les fantasmes, qui apaisent la peur. Les fantasmes qui deviennent de nouveau si puissants qu'ils font renaître l'envie de les vivre. Et ainsi de suite.

Ce constat avait effrayé Sebastian, mais l'avait également aidé dans son travail qui consistait à seconder la police dans la recherche de tueurs en série. Ses analyses étaient plus détaillées, ses profils plus précis. Comme s'il possédait ce truc en plus qui lui permettait de mieux comprendre la psychologie des tueurs. Et c'était le cas. Tout au fond de lui, derrière la façade scientifique, le savoir académique et les commentaires intelligents, il ressemblait à ceux qu'il pourchassait.

Arthur rappela une heure plus tard. Dans l'intervalle, Sebastian avait déjà contacté les Renseignements et appris qu'il y avait tellement d'Anna Eriksson en Suède que l'ordinateur indiquait « Trop de résultats ». Il restreignit donc sa recherche et en obtint quatre cent soixante-trois. Pourtant, il ne savait même pas si elle vivait encore à Stockholm, ou si elle s'était mariée et avait pris un autre nom.

Arthur avait une bonne et une mauvaise nouvelle. La mauvaise était qu'il n'avait pas trouvé d'Anna Eriksson inscrite à l'Institut de psychologie en 1979. Il y en avait bien eu une en 1980, mais ce ne pouvait pas être elle.

La bonne nouvelle était qu'il avait pu avoir accès au Ladok.

Bien sûr ! Pourquoi Sebastian n'y avait-il pas pensé plus tôt ? Le système de documentation de tous les résultats universitaires ne datait que de quelques années quand il avait terminé ses études. Les adresses, les changements de noms et autres étaient immédiatement comparés aux données de la mairie. Et le plus beau là-dedans, c'était que ces informations étaient publiques. Elles n'étaient pas communiquées par téléphone, mais l'un des employés du secrétariat de l'université avait fait une exception pour l'ancien directeur de l'Institut. Il avait maintenant l'adresse et le numéro de téléphone de trois Anna Eriksson inscrites à cette époque.

Sebastian ne sut comment remercier Arthur. Il raccrocha en lui promettant de l'inviter dans l'un des meilleurs restaurants de Stockholm dès qu'il y serait de passage. Son cœur battait la chamade. Trois Anna Eriksson.

La première des trois avait quarante et un ans à l'époque : Sebastian la raya donc immédiatement de la liste. Bien sûr, elle aurait aussi pu tomber enceinte, mais à l'époque, les femmes qui auraient pu être sa mère ne l'intéressaient pas. Pas encore. Aujourd'hui, l'âge n'avait plus d'importance.

Il en restait deux. Deux Anna Eriksson possibles. Il y avait bien longtemps que Sebastian n'avait plus ressenti un tel mélange d'angoisse, d'énergie et d'espoir en décrochant le combiné de son téléphone pour appeler la première. Elle habitait à Hässleholm et avait étudié le cinéma. Elle se rendait à son travail quand il l'appela. Sebastian choisit la sincérité et lui déroula toute l'histoire des lettres qu'il avait découvertes le matin même. Elle fut un peu surprise par cette conversation plutôt intime de si bon matin, mais expliqua avec amabilité qu'elle ignorait totalement qui il était et qu'elle n'avait définitivement aucun enfant de lui. Elle avait bien des enfants, mais ceux-ci étaient nés en 1984 et 1987. Sebastian la remercia et la raya de la liste.

Plus qu'une.

L'appel de Sebastian l'avait réveillée. C'était peut-être pour cela qu'elle était beaucoup plus sur ses gardes. Elle lui dit immédiatement ne pas le connaître. Elle reconnut tout de même avoir étudié l'économie et obtenu son diplôme en 1980, mais elle n'avait couché avec aucun doctorant de l'Institut de psychologie. Elle s'en souviendrait. *A fortiori* si elle était tombée enceinte. Non, elle n'avait pas d'enfants. S'il avait réussi à trouver son adresse et son numéro de téléphone aussi facilement, il n'aurait aucun mal à le vérifier. Puis elle raccrocha.

Sebastian raya la dernière Anna Eriksson de sa liste.

Il expira longuement, comme s'il avait passé les dernières heures à retenir son souffle. L'énergie qui lui avait donné des ailes s'échappait. Il s'affala sur une chaise dans la cuisine. Les pensées se bousculaient dans sa tête. Il devait y mettre de l'ordre.

L'Anna Eriksson qu'il recherchait n'était donc pas une étudiante. Cela compliquait l'affaire. Mais elle avait un lien avec l'université. Elle avait écrit qu'ils s'y étaient rencontrés. Mais à quel titre ? Était-elle professeure, secrétaire, ou tout simplement l'amie de quelqu'un qui y étudiait et qu'il avait rencontrée au cours d'une soirée ? Beaucoup de possibilités, pas de réponse.

Un nom, une adresse, une année et un lien avec l'époque où il enseignait à l'université de Stockholm. C'était tout. Il ne savait même pas quel âge elle avait, cela lui aurait peut-être facilité la tâche. Mais il devait en apprendre davantage. Trouver des détails. Le plus possible. Pour la première fois depuis bien longtemps, Sebastian ressentait autre chose que l'éternelle fatigue qui l'accompagnait tous les jours. Ce n'était pas vraiment de l'espoir, mais quelque chose s'était ouvert en lui. Une petite fenêtre sur la vie. Il reconnut ce sentiment. C'était Lily qui le lui avait fait connaître, ce sentiment de lien. D'appartenance. Avant, Sebastian s'était toujours senti seul. Comme s'il avait vécu en marge de la vie et des autres. Comme s'il avait marché à côté d'eux, mais jamais avec eux. Lily avait tout changé. Elle avait réussi à l'atteindre, à franchir ce mur d'affectation et d'intelligence, et à le toucher comme personne auparavant. Elle lui avait pardonné ses erreurs, mais avait aussi posé ses exigences. C'était nouveau pour lui. L'amour. Il avait arrêté de coucher à droite et à gauche. C'était un combat difficile, mais elle parvenait toujours à le rassurer dans les instants de doute. Soudain, il s'était rendu compte qu'elle n'était pas seule à se battre pour eux. Il le faisait aussi. Lui qui d'habitude prenait toujours la fuite allait de l'avant. C'était un sentiment fabuleux. Il n'était plus un soldat solitaire, ils étaient deux. Et quand Sabine était née ce jour d'août, il fut entouré de vie. Il se sentait comblé, faisait partie de quelque chose, il n'était plus seul.

Le tsunami avait tout balayé. Toutes les relations, les liens lentement tissés avec les autres. Et il s'était de nouveau retrouvé plus seul que jamais, car il savait à présent à quoi ressemblait la vie, ce qu'elle pouvait être, ce qu'elle devait être.

Sebastian sortit sur la terrasse. Il était étrangement excité. Comme si on lui avait soudain lancé une bouée de sauvetage. Devait-il la saisir ? Cela finirait probablement mal. Sans l'ombre d'un doute. Mais ce matin-là, il sentait pour la première fois depuis une éternité une énergie bouillonner en lui, un désir. Pas un désir sexuel, mais un désir de vivre. Il voulait saisir cette chance. Il était de toute façon maudit, il n'avait donc rien à perdre. Il avait tout à gagner. Avait-il un autre enfant ? Il devait retrouver cette Anna Eriksson pour en avoir le cœur net. Mais comment ? Tout à coup, il eut une idée. Des gens pouvaient l'aider. Mais cela ne serait pas facile.

19

Par hasard, Ursula et Torkel avaient pénétré dans la salle du petit-déjeuner au même moment. Quand Ursula passait la nuit dans la chambre de Torkel, elle réglait le réveil à quatre heures et demie, se levait dès qu'il sonnait, s'habillait et retournait dans sa propre chambre. Torkel se levait lui aussi et lui souhaitait bonne nuit près de la porte, correctement habillé. Ainsi, si quelqu'un passait dans le couloir à ce moment-là, il penserait qu'ils avaient travaillé toute la nuit et que l'un d'eux regagnait sa chambre pour s'offrir quelques heures de sommeil bien mérité. Ce matin, ils s'étaient rencontrés dans l'escalier, c'est pourquoi ils étaient exceptionnellement arrivés en même temps dans la salle de restaurant de l'hôtel. Ils furent aussitôt accueillis par un sifflement strident et se tournèrent vers la table située à côté de la fenêtre, d'où provenait le son. Sebastian y était attablé. Il leva la main en guise de salut. Torkel entendit Ursula soupirer à côté de lui, puis s'éclipser avec son plateau pour étudier le buffet du petit-déjeuner en tournant délibérément le dos à Sebastian.

– Sois sympa, assieds-toi avec moi un instant. Je t'ai apporté du café.

La voix de Sebastian résonna dans toute la salle du restaurant. Les clients qui ne s'étaient pas encore retournés après le sifflement le firent. Torkel s'approcha de la table d'un pas décidé.

– Qu'est-ce que tu veux ?

– Je veux retravailler. Avec vous. Sur cette affaire de meurtre.

Torkel scruta Sebastian pour déceler s'il s'agissait d'une blague. Quand il comprit que ce n'en était pas une, il secoua la tête.

– Pas question.

– Pourquoi pas ? Parce qu'Ursula ne veut pas ? Allez, accorde-moi deux minutes.

Torkel jeta un coup d'œil en direction d'Ursula qui leur tournait toujours le dos. Puis il tira une chaise et s'assit. Sebastian poussa la tasse de café dans sa direction. Torkel regarda sa montre et appuya sa tête sur ses mains.

– Deux minutes.

Le silence régna pendant quelques secondes, Sebastian s'attendait d'abord à ce que Torkel dise un mot. Lui pose une question. Mais il ne le fit pas.

– Je veux recommencer à travailler. Avec vous. Sur le meurtre de l'ado. Qu'est-ce que tu veux que je te dise de plus ?

– Pourquoi tu veux retravailler. Avec nous. Sur le meurtre de l'ado.

Sebastian haussa les épaules et but une gorgée de son café.

– C'est personnel. Ma vie… ne va pas très bien en ce moment. Mon thérapeute m'a conseillé de retrouver une certaine routine. J'ai besoin de discipline. D'une mission. Et en plus, vous avez besoin de moi.

– Ah bon ?

– Oui. Vous pédalez dans la semoule.

Torkel y était habitué. Combien de fois ses collègues et lui avaient-ils avancé une théorie ou reconstitué un déroulement des faits avant que Sebastian ne vienne tout balayer d'un revers de la main ! Torkel se surprit néanmoins à être blessé par le jugement de son ancien collègue, qui condamnait ainsi leur travail. Un travail dans lequel il n'était même pas impliqué.

– Ah bon ?

– Ce n'est pas le voisin. Le cadavre a été transporté dans un endroit isolé et soigneusement choisi. L'ablation du cœur a quelque chose de rituel. Sebastian se pencha et baissa la voix pour renforcer l'effet dramatique. Le meurtrier est bien trop raffiné et beaucoup plus mûr qu'un jeune voyou qui n'arrive même pas à se forcer à aller à l'école.

Sebastian se renfonça dans son siège, son café à la main, et rencontra le regard de Torkel au-dessus de sa tasse. Torkel recula sa chaise.

– On le sait aussi, c'est pour ça qu'on va le libérer aujourd'hui. Et la réponse à ta question est toujours non. Merci pour le café.

Torkel se leva et vit qu'Ursula avait pris place près de la fenêtre, un peu plus loin derrière eux. Il s'apprêtait à la rejoindre quand Sebastian posa sa tasse et éleva la voix :

– Tu te souviens à l'époque, quand Monica t'a trompé, toute cette histoire avec ton divorce ?

Torkel s'immobilisa et se retourna vers Sebastian qui le regardait d'un air détaché.

– Ton premier divorce, je veux dire.

Torkel se tut et attendit la suite qui n'allait sans doute pas tarder.

– Tu étais vraiment dévasté à l'époque, hein ?

Torkel ne répondit pas et jeta un regard à Sebastian qui indiquait clairement qu'il n'avait aucune envie d'en parler. Un regard que Sebastian ignora complètement.

– Je parierais que tu ne serais pas chef aujourd'hui si personne n'avait pris le relais cet automne-là. Non, plutôt cette année-là.

– Sebastian.

– Que se serait-il passé à ton avis si personne n'avait rendu les rapports à temps ? Corrigé tes erreurs ? Limité la casse ?

Torkel recula de quelques pas et s'appuya sur la table.

– Je ne sais pas ce que tu mijotes, mais on vient de toucher le fond, là. Toi aussi.

– Tu ne me comprends pas.

– Des menaces ? Du chantage ? Qu'y a-t-il d'autre à comprendre ?

Sebastian se tut pendant un moment. Était-il allé trop loin ? Il devait intégrer le groupe d'investigations au plus vite. De plus, il aimait bien Torkel ou, du moins, il l'avait apprécié à une époque, il y avait bien longtemps, dans une autre vie. Le souvenir de cette vie poussa Sebastian à essayer encore. Cette fois sur un ton plus aimable.

– Je ne te menace pas. Je te le demande. Comme un service.

Sebastian leva des yeux suppliants vers Torkel. Ce dernier ne put se rappeler avoir jamais lu de tels sentiments dans son regard. Il s'apprêtait à secouer la tête, mais Sebastian le devança.

– Je te demande ça au nom de notre amitié. Si tu me connaissais aussi bien que tu le penses, tu saurais que je ne te le demanderais pas de cette façon si ce n'était pas d'une importance capitale.

20

Ils étaient réunis dans la salle de conférences de l'hôtel de police. Ursula avait lancé un regard méprisant à Torkel quand, en pénétrant dans la pièce, elle avait découvert Sebastian, affalé sur l'une des chaises. Vanja avait jeté un œil plutôt interrogateur en direction de l'inconnu lorsqu'elle était entrée, puis elle s'était présentée. Mais Sebastian crut voir ce regard intrigué se muer en hostilité dès qu'il eut cité son nom. Ursula lui avait-elle parlé de lui ? Bien sûr que oui. Elle lui avait sûrement raconté leurs contradictions incessantes.

Le seul qui ne manifestât aucune réaction face à sa présence était Billy, assis à la table avec un petit-déjeuner 7-Eleven devant lui. Torkel savait qu'il n'y avait pas de façon idéale d'exprimer ce qu'il avait à annoncer. Le plus simple était souvent le mieux. Il choisit donc la manière directe.

– Sebastian va travailler avec nous un moment.

Bref silence. Échanges de regards. Étonnement. Colère.

– Ah oui ?

Torkel put voir la mâchoire d'Ursula se contracter comme elle serrait les dents. Elle était assez professionnelle pour ne pas traiter Torkel d'imbécile devant toute l'équipe, bien que Torkel sût qu'elle en brûlait d'envie. Il avait doublement agi derrière son dos : d'une part, parce qu'il avait ramené Sebastian dans sa vie professionnelle ; d'autre part, et c'était encore plus grave, parce qu'il ne lui en avait pas parlé avant, ni au petit-déjeuner, ni pendant le trajet jusqu'au commissariat. Oui, elle était en colère. Et elle avait raison. Il allait dorénavant passer toutes les nuits de cette enquête seul dans son lit, et sûrement même plus encore.

– Oui.

– Et pourquoi ? Qu'est-ce que cette affaire a de si spécial pour que nous ayons besoin de faire appel au si imposant Sebastian Bergman ?

– Le fait qu'on ne l'ait pas encore résolue et que Sebastian soit disponible.

Torkel se rendit compte lui-même que cette excuse était pitoyable. Il s'était à peine écoulé quarante-huit heures depuis la découverte du cadavre, et ils allaient sûrement faire un énorme bond en avant s'ils avaient accès aux bandes de vidéosurveillance. Et que signifiait être disponible ? Avait-il vraiment des raisons de l'intégrer au groupe d'investigations ? Bien sûr que non. Ils avaient assez de psychologues sous la main. Beaucoup d'entre eux étaient meilleurs que Sebastian aujourd'hui, Torkel en était convaincu. Pourquoi alors Sebastian était-il assis dans cette pièce ? Torkel ne lui devait rien, bien au contraire. Sa vie aurait été bien plus facile sans son collègue dans les parages. Mais il y avait eu quelque chose de sincèrement désespéré dans la demande de Sebastian. Peu importaient sa distance et son indifférence, Torkel avait perçu un vide en lui. Une tristesse. Cela pouvait paraître exagéré, mais Torkel avait eu l'impression que la vie de Sebastian, ou du moins sa santé mentale, dépendait de son intégration dans le groupe d'investigations. Dans la salle du petit-déjeuner, Torkel avait eu le sentiment de prendre la bonne décision. À présent, le doute le gagnait.

– Et en plus, j'ai un peu maigri.

Ils se tournèrent tous les quatre et virent Sebastian se redresser sur sa chaise.

– Pardon ?

– Ursula m'a qualifié d'imposant. Mais j'ai un peu maigri. À moins que tu ne fasses allusion à une autre partie de mon anatomie que mon ventre ?

Sebastian fixa Ursula avec un sourire équivoque.

– Fais attention à ce que tu dis ! Tu n'es pas là depuis trente secondes que tu commences déjà. Ursula se tourna vers Torkel. Et tu penses sérieusement qu'on doit essayer de travailler ensemble ?

Sebastian fit un geste d'excuse.

– Je te demande pardon. Je ne savais pas qu'une allusion à mon imposant cerveau provoquerait une telle indignation.

Ursula poussa un soupir, secoua la tête et croisa les bras. Elle lança à Torkel un regard qui signalait clairement qu'elle attendait de lui qu'il règle la situation. Une solution qui impliquait le départ de Sebastian. Vanja, qui n'avait pas encore de passif avec lui, le considéra avec un mélange de dégoût et de fascination, comme un gros insecte sous un microscope.

– Tu es sérieux ?

Sebastian fit encore un geste d'excuse.

– Un bel homme peut-il mentir ?

Torkel sentit le doute l'envahir. Jusqu'ici, l'expérience avait toujours montré qu'il devait suivre son instinct. Mais à présent ? Combien de temps s'était écoulé ? Trois minutes ? Et l'ambiance autour de la table n'avait jamais été aussi mauvaise. Torkel haussa le ton.

– D'accord, ça suffit pour aujourd'hui. Sebastian, tu vas sortir et lire le dossier.

Il lui tendit une chemise en carton. Sebastian la saisit, mais Torkel la tint fermement jusqu'à ce que Sebastian soit obligé de le regarder d'un air dérouté.

– Et à partir de maintenant, tu vas nous témoigner plus de respect, à mon équipe et à moi. Je t'ai engagé, je peux te virer. Compris ?

– Ah ! Comme c'est irritant que je me montre aussi irrespectueux alors que vous vous êtes donné tant de mal pour me souhaiter la bienvenue !

Les sarcasmes de Sebastian demeurèrent sans effet sur Torkel.

– Je suis sérieux. Si tu ne te reprends pas, c'est la porte. Compris ?

Sebastian comprit que le moment n'était pas forcément bien choisi pour se rebeller contre Torkel. Il hocha la tête d'un air contrit.

– Je vous prie à tous de m'excuser. Pour tout. À partir de maintenant, vous ne remarquerez même pas ma présence.

Torkel lâcha la chemise. Sebastian la saisit. La mit sous son bras et fit un signe d'au revoir aux quatre autres.

– À plus tard alors.

Il ouvrit la porte et disparut. Ursula s'avança vers Torkel et s'apprêtait à déverser un flot de reproches quand Haraldsson toqua dans l'encadrement de la porte.

– On a reçu un mail.

Il tendit la feuille à Torkel. Ce dernier la prit et lut. Vanja s'approcha pour lire par-dessus son épaule, mais ce ne fut pas nécessaire puisque Haraldsson en résuma immédiatement le contenu.

– Quelqu'un prétend que la veste de Roger se trouve dans le garage de Leo Lundin.

Torkel n'eut pas besoin d'ouvrir la bouche. Ursula et Billy se levèrent d'un bond, bousculèrent Haraldsson et sortirent.

Sebastian traversa le grand bureau, la chemise qu'il n'avait pas l'intention d'ouvrir sous le bras. Pour l'instant, tout se passait comme prévu. Il faisait partie du groupe d'investigations, il fallait seulement obtenir ce pour quoi il était venu. Si l'on voulait vraiment trouver quelqu'un, il fallait chercher grâce aux ordinateurs de la police. Le fichier des casiers judiciaires était une possibilité, mais tout le monde n'y figurait pas, et encore moins Anna Eriksson – c'était du moins ce qu'espérait Sebastian. Mais hormis ce fichier, la police possédait un nombre incommensurable de données auxquelles une personne autorisée par la police pouvait accéder. Et il avait besoin de ces sources.

Il ne lui restait plus qu'à trouver quelqu'un qui l'aiderait. La bonne personne pour cette mission. Sebastian balaya l'open-space du regard. Il choisit une femme d'une quarantaine d'années assise près de la fenêtre. Cheveux courts. Yeux marron. Maquillage discret. Boucles d'oreilles. Alliance. Sebastian s'approcha d'elle et afficha son sourire de vainqueur.

– Salut. Je m'appelle Sebastian Bergman, et je travaille avec la brigade criminelle depuis aujourd'hui.

Sebastian fit un geste en direction de la salle de conférences quand la femme leva les yeux.

– Ah bon. Bonjour. Je m'appelle Martina.

– Bonjour Martina. J'aurais besoin de ton aide pour quelque chose.

– Bien sûr. De quoi s'agit-il ?

– J'ai besoin de retrouver une certaine Anna Eriksson. Elle a habité à cette adresse à Stockholm.

Sebastian déplia la feuille sur laquelle il avait noté l'adresse d'Anna Eriksson et la posa sur le bureau de la femme. Elle y jeta un coup d'œil et releva la tête vers Sebastian avec un air légèrement méfiant.

– Est-ce qu'elle a quelque chose à voir avec l'enquête ?

– Bien sûr. Au plus haut degré.

– Alors pourquoi ne la cherches-tu pas toi-même ?

Oui, pourquoi ? Heureusement, dans ce cas précis, il pouvait exceptionnellement dire la vérité.

– Je n'ai commencé qu'aujourd'hui, je n'ai pas encore d'identifiant ni de mot de passe.

Sebastian arbora son sourire le plus charmant, mais put lire dans les yeux de Martina que cela ne suffirait pas à obtenir le résultat escompté. Elle considéra la feuille avec l'adresse et secoua la tête.

– Pourquoi est-ce que tu ne demandes pas à un de tes collègues de l'équipe de t'aider ? Ils ont accès à tout le système.

Et toi, pourquoi ne te réjouis-tu pas de te voir confier une mission dans une enquête aussi prestigieuse ? Va me chercher ce que je veux, et arrête avec tes putains de questions, pensa Sebastian en se penchant sur elle et en prenant un ton rassurant.

– Pour être tout à fait honnête, mon soupçon est peut-être un peu tiré par les cheveux, enfin, tu sais comment c'est, je préfère ne pas me ridiculiser dès le premier jour...

– Je veux bien t'aider, mais je dois d'abord en parler à ton chef. On n'a pas le droit de chercher n'importe qui comme ça.

– Ce n'est pas n'importe qui, c'est...

Sebastian se tut quand il remarqua que Torkel était sorti de la salle de conférences et semblait chercher quelqu'un du regard. Et il paraissait avoir trouvé. Torkel s'avançait vers lui d'un pas énergique. Sebastian arracha la feuille des mains de la femme et se redressa.

– Bah, tu sais, peu importe. Je vais faire appel à mes collègues du groupe, ce sera plus simple. Mais merci quand même.

Tout en parlant, Sebastian s'était déjà éloigné. Il devait, le plus possible, creuser la distance entre Martina, Torkel et lui, pour qu'il ne vienne pas à l'esprit de Martina de demander au commissaire si elle devait chercher une certaine Anna Eriksson de l'année 1979. Torkel remettrait immédiatement en cause les raisons de sa coopération. Et serait inutilement sur ses gardes. Sebastian s'éloigna donc de Martina. Pas à pas. Jusqu'à…

– Sebastian !

Sebastian jaugea brièvement la situation. Devait-il expliquer ce qui venait de se passer ? Ce n'était peut-être pas une mauvaise idée. Il décida de fournir à Torkel une raison qui pût paraître plausible.

– J'étais sur le point de commencer à lire le dossier quand je suis passé devant un décolleté bien fourni.

Torkel se demanda un instant s'il devait rappeler à Sebastian qu'il faisait partie de la Crim' depuis ce matin, que son comportement aurait des conséquences sur toute l'équipe, et que ce n'était donc pas la meilleure idée de draguer une collègue mariée. Mais Torkel savait également que Sebastian en était parfaitement conscient, et n'en avait cure.

– On a reçu un mail anonyme qui désigne à nouveau Lundin. Ursula et Billy sont partis pour aller vérifier tout ça, mais j'ai pensé que tu pourrais peut-être y aller aussi pour parler un peu à la mère.

– Avec Clara ?

– Oui, j'ai eu l'impression que tu avais un bon contact avec elle.

Oui, c'était le cas de le dire. Un bon contact physique. Encore une femme qui, non seulement éveillait l'attention de Torkel, mais en plus, était susceptible de le faire virer beaucoup plus tôt que prévu. On ne couchait pas avec les mères de gamins soupçonnés de meurtre. Sebastian était certain que Torkel avait un avis clair et sans appel sur la question.

– Je ne préfère pas. Il vaut mieux que j'examine d'abord le dossier pour voir si je peux apporter des idées.

Torkel sembla sur le point de protester, mais il finit par hocher la tête.

– D'accord. Fais donc ça.

– Ah, encore une chose. Est-ce que tu peux faire en sorte que j'aie accès aux ordinateurs ? Les casiers judiciaires et tout ça.

Torkel parut sincèrement surpris.

– Pourquoi ?

– Pourquoi pas ?

– Parce que tu es connu pour tes initiatives en solo.

Torkel s'approcha. Sebastian savait pourquoi. Il valait mieux éviter que des oreilles mal intentionnées comprennent qu'il y avait des tensions au sein de l'équipe. Aux yeux de l'extérieur, ils devaient faire bloc. C'était important. Mais cela signifiait également que Torkel n'avait pas forcément quelque chose de positif à lui dire. Effectivement, c'était le cas.

– Tu n'es pas un membre à part entière de l'équipe, seulement un conseiller. Toutes les recherches que tu mèneras, toutes les pistes que tu suivras passeront par nous. Ou de préférence par Billy.

Sebastian essaya de cacher sa déception. Mais il n'y parvint manifestement pas.

– Ça te pose un problème ?

– Non, absolument pas. C'est toi qui décides.

Cet enfoiré de Torkel ! Cela allait lui prendre plus de temps que prévu. Il n'avait pas eu l'intention de faire longtemps partie du groupe d'investigations. Et encore moins d'en être un membre actif. Il n'avait pas la moindre envie d'aller parler à qui que ce soit, ni de procéder à un interrogatoire, ni de faire la moindre analyse. Il ne voulait pas contribuer à l'enquête en dressant un profil du tueur ou en reconstituant les faits. Il allait obtenir ce pour quoi il était venu – les coordonnées actuelles d'Anna Eriksson, ou quel que soit le nom qu'elle portait aujourd'hui –, et se retirer de l'enquête aussitôt après, puis quitter la ville pour ne plus jamais y revenir.

Sebastian souleva la chemise cartonnée.

– Bon, alors, je vais me trouver un coin tranquille pour lire.

– Sebastian, encore une chose.

Sebastian soupira intérieurement. Pourquoi ne pouvait-il pas tout simplement aller s'asseoir avec une tasse de café et faire semblant de lire ?

– Je t'ai fait une fleur en t'acceptant parmi nous, au nom de notre amitié. Parce que je t'ai cru quand tu disais que c'était important pour toi. Je n'attends pas que tu exprimes ta gratitude, mais fais en sorte que je n'aie pas à le regretter.

Avant que Sebastian ait eu le temps de répondre, Torkel avait tourné les talons et l'avait planté là.

Sebastian le suivit du regard. Il n'éprouvait aucune reconnaissance. Mais il était clair que Torkel allait le regretter.

Tous ceux qui le laissaient entrer dans leur vie le regrettaient.

*

Billy ouvrit la porte du garage. Pour le moment, il n'y avait pas de voiture. Ces dernières années, Billy et Ursula avaient visité un certain nombre de garages. La plupart étaient bourrés jusqu'au plafond de toutes sortes de choses, tout sauf une voiture. En comparaison de ceux-là, le garage des Lundin était le désert du Sahara. Le sol était taché d'huile, et un trou d'évacuation se trouvait en son milieu. Pendant qu'Ursula tâtonnait encore à la recherche de l'interrupteur, Billy avait déjà fait basculer la porte.

Ils pénétrèrent dans l'espace vide. Bien que les deux néons soient en train de s'allumer en clignotant, ils sortirent leur lampe de poche. Sans se concerter, ils choisirent chacun un côté du garage. Ursula prit le côté droit et Billy le gauche. Du côté d'Ursula, le sol était pratiquement vide, mis à part un vieux jeu de croquet, un jeu de boules en plastique incomplet et une tondeuse électrique. Ursula ouvrit le compartiment à herbe. Vide, comme la dernière fois. En revanche, les étagères étaient d'autant plus remplies. Néanmoins, rien n'indiquait que ce garage avait déjà abrité une voiture. Pas d'huile hormis la tache au sol, pas de bougies, pas de spray ni de phares. Mais beaucoup d'outils de jardin.

Des rouleaux de fil de fer, des paquets de semences à moitié vides, des gants de travail et des bombes insecticides. Impossible d'y dissimuler une veste. Ursula serait très surprise que ce mail dise vrai. Si la veste était ici, elle l'aurait trouvée la première fois.

– Tu avais regardé sous la grille de la bouche d'égout la dernière fois ?

– Devine.

Billy ne répondit pas. Il souleva les trois sacs de terreau alignés le long des meubles de jardin en plastique blanc. Question bête.

Ursula n'aimait pas qu'on remît en question son travail. Sans savoir grand-chose de l'époque où ils travaillaient ensemble, il supposa que c'était la raison pour laquelle elle ne s'entendait pas avec Sebastian Bergman. D'après ce que Billy avait compris, le problème était que Sebastian remettait systématiquement tout et tout le monde en question. Il semblait tout savoir mieux que quiconque. Mais s'il était vraiment si compétent, cela ne posait aucun problème à Billy. Il travaillait tous les jours avec de meilleurs enquêteurs que lui-même. Billy ne s'était pas encore fait d'opinion sur Sebastian. La petite blague grivoise de tout à l'heure avait pu lui échapper, la nervosité aidant. Mais étant donné qu'Ursula ne l'aimait pas et Vanja non plus, il y avait de grandes chances pour qu'il rejoignît bientôt leur camp. Il était arrivé au coin de son côté du garage. Quelques ustensiles de jardin étaient posés sur un support, et des outils étaient accrochés au mur, bien alignés.

– Ursula…

Billy s'était arrêté devant les outils de jardin. À côté du support en bois qui soutenait une bêche, un râteau et un instrument qui ressemblait à une hache dont Billy ne connaissait pas le nom, se trouvait un seau de deux litres contenant des granulés. Entre les billes d'argile, on distinguait aisément quelque chose de vert.

Ursula prit des photographies en silence. Après un certain nombre de clichés, elle baissa son appareil et regarda Billy. Elle lut le doute dans l'expression de son visage qu'il croyait neutre.

– Pour ta gouverne, je ne laisse pas passer de veste mal cachée dans le garage d'un suspect.

– Je n'ai rien dit.

– Je vois ton regard. Ça suffit.

Ursula sortit un grand sac en plastique de sa sacoche et pêcha prudemment la veste à l'aide d'une pince. Ils la considérèrent tous deux d'un air grave. Elle portait de larges taches de sang en plusieurs endroits. Sur le dos, le tissu ne tenait plus qu'à un fil. Tout d'un coup, ils n'eurent aucun mal à imaginer un corps vivant dans la veste. En silence, Ursula mit le vêtement dans le sac, qu'elle referma.

*

À l'hôtel de police de la rue Västgötegatan, Haraldsson était assis devant son ordinateur et attendait un mail. Certes, les autres faisaient tout ce qu'ils pouvaient pour l'évincer, mais il ne lâchait pas l'affaire, armé de sa prévoyance et de son talent pour découvrir qui détenait les informations au sein du commissariat. Les personnes auxquelles ses collègues marmonnaient un vague bonjour : les dames de l'accueil. C'est pourquoi, depuis plusieurs années, il partageait les pauses-café avec elles, leur témoignait son intérêt, demandait des nouvelles de la famille et les remplaçait en cas de besoin. Il était donc naturel qu'elles le contactent à la moindre information au sujet de Roger Eriksson. Si un renseignement leur parvenait par téléphone ou *via* le formulaire de la page d'accueil de la police du Västmanland, il atterrissait automatiquement chez Haraldsson. Quand le mail anonyme concernant la veste dans le garage des Lundin était arrivé, la réception l'avait appelé et, une seconde plus tard, le « pling » du mail avait retenti. Il n'avait eu qu'à l'imprimer et le transférer. Un boulot digne d'un stagiaire. Mais retrouver l'émetteur du mail, ça, c'était du travail de police. Rien dans ce message n'indiquait que son auteur était le coupable. Mais si ces informations se révélaient exactes, il détiendrait des indices qui intéresseraient sans aucun doute la Crim', et Haraldsson pourrait les mettre sur la bonne piste.

Le service informatique était ridicule. Il était uniquement composé de Kure Dahlin, un quinquagénaire dont la compétence se résumait à appuyer sur « ctrl+alt+suppr », secouer la tête et envoyer finalement l'appareil récalcitrant en réparation. On lui aurait probablement appris plus vite à voler qu'à localiser l'émetteur d'un mail.

L'ordinateur d'où le mail avait été envoyé avait une adresse IP. Haraldsson, quant à lui, avait un neveu de dix-sept ans. À peine le mail avait-il atterri dans sa boîte qu'il l'avait déjà transféré à son neveu. En même temps, il lui écrivit un SMS en lui promettant une récompense de cinq cents couronnes s'il retrouvait l'adresse postale de l'émetteur. Oui, il savait qu'il était à l'école, mais il avait quand même besoin de l'information au plus vite.

Son neveu avait lu le SMS, s'était excusé auprès de son professeur et avait quitté le cours. Deux minutes plus tard, il avait devant lui le mail sur l'écran d'un ordinateur de l'école. Lorsqu'il vit l'adresse de l'auteur du message, il s'affala sur sa chaise, frustré. Haraldsson pensait que son neveu était une sorte de petit génie de l'informatique. Le plus souvent, ce qu'il lui demandait était ridiculement simple, mais dans ce cas précis, il allait sûrement le décevoir. Il était plutôt facile de retrouver une adresse IP, mais si le mail avait été envoyé par le biais d'un gros serveur Internet, il était pratiquement impossible de découvrir quoi que ce soit. Enfin, il pouvait au moins essayer.

Deux minutes plus tard, il se laissa aller de nouveau en arrière dans sa chaise. Cette fois, avec un grand sourire. Il avait eu de la chance. Le mail avait été envoyé d'un serveur public. Il allait gagner ses cinq cents couronnes. Il cliqua sur « Envoyer ».

À l'hôtel de police, un nouveau « pling » retentit sur l'ordinateur de Haraldsson. Il ouvrit rapidement le mail et hocha la tête d'un air satisfait. Le serveur d'où avait été envoyé l'indice se situait non loin de la ville.

Plus précisément, au lycée Palmlövska.

*

– Prends la prochaine à gauche.

Sebastian était assis sur le siège passager d'un véhicule civil de marque Toyota. Vanja était au volant. Elle jeta un bref regard au petit écran sur le tableau de bord.

– Le GPS dit tout droit.

– Mais c'est plus court si on tourne à gauche.

– Tu es sûr ?

– Certain.

Vanja continua tout droit. Sebastian s'enfonça dans son siège et regarda la ville par la vitre sale. Une ville qui le laissait complètement indifférent.

Peu de temps avant, Torkel, Vanja, Billy et lui s'étaient réunis dans la salle de conférences. Sebastian n'avait trouvé aucune excuse valable quand Torkel était venu lui dire qu'il y avait du nouveau. On avait retrouvé la veste de la victime. Certes, le sang n'avait pas encore été analysé, mais personne ne pensait sérieusement qu'il ne pût pas s'agir de la veste et du sang de Roger. Ce qui ramenait Leo Lundin au centre des préoccupations. Vanja projetait de l'interroger à nouveau après la réunion.

– Tu peux le faire, mais c'est une pure perte de temps.

Tous les regards s'étaient tournés vers Sebastian, assis en bout de table, en train de se balancer sur sa chaise. Il aurait tout aussi bien pu se taire et les laisser commettre toutes les erreurs qu'ils voulaient en se demandant comment accéder aux renseignements dont il avait besoin. Ou plutôt : comment trouver dans le service une femme plus réceptive à son charme que Martina. Ce n'était sûrement pas très difficile. D'un autre côté, personne ne pouvait le supporter de toute façon, il n'y avait donc aucune raison pour qu'il ne laissât pas libre cours à son côté monsieur-je-sais-tout.

– Ce n'est pas logique.

Sebastian rebascula en avant jusqu'à ce que la chaise retombe sur ses quatre pieds.

Ursula entra et s'assit discrètement près de la porte.

– Leo ne cacherait jamais la veste de la victime dans son propre garage, continua Sebastian.

– Et pourquoi pas ?

Billy paraissait sincèrement intéressé. Pas le moins du monde sur la défensive. Peut-être arriverait-il tout de même à l'amadouer, pensa Sebastian.

– Parce qu'il ne déshabillerait jamais sa victime.

– Mais il a pris sa montre.

Vanja non plus n'était pas sur la défensive, plutôt prête à l'attaque. Prête à le corriger ou à contrer ses arguments. Elle était exactement comme Ursula. Ou plutôt, comme cette dernière était à l'époque où tout cela l'intéressait encore.

Compétitive. Sûre d'elle. Une gagnante.

Mais elle ne gagnerait pas ce match. Sebastian, détendu, rencontra son regard.

– C'est différent. La montre avait de la valeur. On a un gamin de seize ans dont la mère célibataire est caissière. Essayez d'imaginer la compétition qui fait rage autour de lui. Pourquoi prendrait-il une veste déchirée et pleine de sang alors qu'il laisse le portable et le portefeuille ? Ça ne colle pas.

– Sebastian a raison.

Tous les regards se braquèrent sur Ursula. Sebastian arborait une mine ahurie, comme s'il n'en croyait pas ses oreilles. Ursula n'avait pas souvent prononcé ces trois mots dans sa vie. En fait, Sebastian ne pouvait pas se souvenir d'une seule fois où cela s'était produit.

– Ça me fait mal de le dire, mais c'est comme ça.

Ursula se leva et sortit deux photos d'une enveloppe.

– Je sais que vous pensez que je n'ai pas vu la veste la première fois. Maintenant, regardez ça.

Elle posa l'une des photos sur la table. Tous se penchèrent pour voir.

– Quand j'ai examiné le garage hier, je me suis particulièrement intéressée à trois choses : la mobylette bien sûr, la bouche d'égout, au cas où l'on y retrouverait des traces de sang si quelqu'un s'en était servi pour nettoyer la mobylette ou l'arme du crime, et enfin les outils de jardin étant donné que l'on n'a pas encore retrouvé l'arme du crime. J'ai pris cette photo hier.

Elle tapota sur la photo qui montrait les ustensiles de jardin sur leur support en bois dans le garage. Le cliché avait été pris de haut un peu de biais, et le seau avec les granulés était bien visible dans le coin.

– J'ai pris cette photo aujourd'hui. Où est l'erreur ?

Ursula posa la deuxième photo sur la table. Presque identique à la première. Sauf que l'on voyait distinctement du tissu vert dépasser en plusieurs endroits. Le silence emplit la salle pendant quelques instants.

– Quelqu'un y a caché la veste cette nuit pour faire accuser Leo Lundin.

Billy fut le premier à exprimer ce que tous pensaient.

– Mais ce n'est pas sa motivation première.

Sebastian se surprit à examiner les photos avec un certain intérêt. Tout ce qui était en train de se passer avait sur lui l'effet d'une piqûre énergisante. Le meurtrier avait pris certaines choses à la victime et s'efforçait maintenant de semer de fausses pistes. Mais pas n'importe où. Chez le principal suspect. Ce qui signifiait qu'il suivait attentivement l'enquête et agissait en fonction des résultats, avec organisation et réflexion. Apparemment, il n'éprouvait même pas de regrets. Un homme tout à fait du goût de Sebastian.

– Il veut détourner les soupçons de lui-même, voilà pourquoi il a mis cette veste dans le garage. Il n'a rien contre Leo personnellement, mais l'occasion était trop belle car le gamin était déjà dans notre viseur.

Torkel considéra Sebastian avec une certaine satisfaction. Le doute qui l'avait traversé tout à l'heure faiblissait. Torkel connaissait Sebastian mieux qu'il ne le pensait. Il avait fait l'expérience de l'incapacité de son collègue à s'engager dans quelque chose qui ne l'intéressait pas. Mais il savait aussi à quel point il pouvait être déterminé quand il devait relever un défi, et combien son travail pouvait enrichir l'enquête. Torkel avait l'impression qu'ils étaient sur la bonne voie. Il remerciait le ciel pour ce mail et pour la découverte de la veste.

– Celui qui a envoyé ce message est donc probablement le meurtrier.

Vanja tira rapidement les bonnes conclusions.

– Il faut essayer de remonter jusqu'à l'expéditeur. Trouver d'où le mail a été envoyé.

Et là, comme dans une pièce de théâtre, de brefs coups à la porte précédèrent l'arrivée de Haraldsson. Comme s'il avait attendu ces mots pour faire son entrée sur scène.

À présent, Sebastian détachait sa ceinture et descendait de voiture. Il leva les yeux vers la façade du bâtiment et fut pris d'un lourd accès de fatigue.

– C'était à cette école qu'il allait ?

– Oui.

– Pauvre bougre. Est-ce qu'on peut vraiment exclure la thèse du suicide ?

Dans le hall d'entrée du lycée Palmlövska se trouvait une longue fresque représentant sans nul doute possible Jésus. Il écartait les bras dans un mouvement que l'artiste interprétait sans doute comme un geste de bienvenue. Sebastian le trouvait plutôt menaçant. Sous l'image, on pouvait lire : « Jean 12 : 46 ».

– « Je suis venu comme une lumière dans le monde afin que quiconque croit en moi ne demeure point dans les ténèbres », débita Sebastian d'une voix monocorde.

– Tu connais la Bible par cœur ?

– Non, seulement cette phrase.

Sebastian franchit les dernières marches et poussa l'une des deux portes à battants. Vanja jeta un dernier coup d'œil à la fresque et le suivit.

Le directeur Ragnar Groth désigna de la main un canapé deux places et un fauteuil dans un coin de son bureau. Puis il ouvrit sa veste et s'installa derrière un bureau rustique et démodé. D'un geste machinal, il remit en place un stylo jusqu'à ce qu'il soit exactement parallèle au bord de la table. Sebastian le remarqua et laissa voguer son regard sur le meuble. Il était pratiquement vide. À gauche, une pile de pochettes en plastique méticuleusement empilées. Pas un millimètre de travers. Elles étaient disposées dans un coin du bureau de façon à se trouver à exactement deux centimètres du bord. À la droite de Ragnar Groth, deux stylos à plume et un crayon, parallèles, les pointes dans la même direction, ainsi qu'une règle et une gomme tout aussi parallèles qui semblaient n'avoir jamais été utilisées. Le téléphone, l'ordinateur et la lampe étaient soigneusement disposés dans chaque coin du bureau, et se faisaient face.

Sebastian laissa son regard errer à travers la pièce. Tout avait été conservé dans le même style. Aucun tableau de travers. Pas de post-it, tout était accroché bien droit sur le panneau en liège, avec toujours le même espacement, et les tranches des livres s'arrêtaient exactement au bord de l'étagère. Une table sans la moindre trace de tasse de café ni de verre d'eau. Même les meubles se tenaient à une distance proportionnelle du mur et du tapis sur lequel ils étaient placés. Sebastian diagnostiqua immédiatement le directeur : tatillon à tendance maniaque.

Ragnar Groth avait accueilli Vanja et Sebastian devant son bureau d'un air grave, et leur avait tendu une main ridiculement droite. Puis il s'était lancé dans un sermon sur l'horreur de l'assassinat d'un de ses élèves. Bien sûr, tout le monde allait faire de son mieux pour aider les enquêteurs à résoudre ce terrible crime. Il veillerait à ne pas mettre de bâtons dans les roues de la police. Dans une volonté de coopération absolue. Vanja ne put s'empêcher d'avoir l'impression que les mots du directeur résonnaient comme un communiqué de crise. Le directeur leur proposa du café. Vanja et Sebastian déclinèrent poliment.

– Que savez-vous de notre école ?

– Suffisamment, dit Sebastian.

– Pas grand-chose, dit Vanja.

Groth s'excusa d'un sourire auprès de Sebastian et se tourna vers Vanja.

– Dans les années 1950, nous avons ouvert comme internat et aujourd'hui, nous sommes un lycée privé orienté vers les sciences sociales et naturelles, ainsi que d'autres spécialités : les langues, l'économie et la gestion. Nous avons deux cent dix-huit élèves. Des jeunes venus de tout le Mälardalen et même de Stockholm. C'est pour cette raison que nous avons conservé l'internat.

– Pour que les gosses de riches ne se mêlent pas à la plèbe.

Groth se tourna de nouveau vers Sebastian et, bien que sa voix soit toujours aussi grave et maîtrisée, il ne put dissimuler complètement son irritation.

– Notre école a de moins en moins la réputation d'être réservée aux classes sociales supérieures. Aujourd'hui, nous nous adressons essentiellement aux parents qui souhaitent que leurs enfants apprennent quelque chose. Notre école obtient les meilleurs résultats au classement international.

– Bien sûr, c'est le seul moyen de rester concurrentiel et de justifier les frais de scolarité exorbitants.

– Nous avons supprimé les frais de scolarité.

– Bien sûr, vous les avez juste rebaptisés « frais de matériel pédagogique ».

Groth jeta un regard noir à Sebastian et se renversa dans son fauteuil de bureau ergonomique. Vanja sentit que la situation commençait à lui échapper. Malgré son ton peu engageant, le directeur avait clairement affirmé sa volonté de coopérer. L'arrogance de Sebastian pouvait tout faire capoter en l'espace de quelques minutes. Et ils devraient alors se battre pour obtenir la moindre information sur un élève ou un professeur. Sans l'accord de Ragnar Groth, ils ne pouvaient même pas regarder une photo de classe sans en demander préalablement l'autorisation. Vanja n'était pas sûre que le directeur soit conscient de son pouvoir de nuisance en la matière, mais dans ce cas précis, elle ne voulait prendre aucun risque. Elle se pencha en avant et lui sourit d'un air intéressé.

– Parlez-nous un peu de Roger. Comment se fait-il qu'il ait atterri dans votre école ?

– Il a connu des problèmes de harcèlement dans son ancienne école. L'un de mes professeurs le connaissait bien, car c'était un ami de son fils. Elle m'a donc exposé son cas, et nous lui avons trouvé une place.

– Est-ce que ça se passait mieux pour lui ici ? Il n'y avait pas de conflits ?

– Nous faisons tout ce qui est en notre pouvoir pour éviter le harcèlement.

– C'est juste que ça porte un autre nom ici, non ? Les rites d'initiation, c'est ça ?

Groth ignora la remarque de Sebastian. Vanja fusilla ce dernier du regard en espérant le convaincre de tenir sa langue. Puis elle se tourna à nouveau vers le directeur.

– Vous savez si Roger avait changé de comportement ces derniers temps ? S'il paraissait nerveux, agressif ou autre chose ?

– Non, je ne peux pas le confirmer. Mais vous feriez mieux de parler à son professeur principal, Beatrice Strand, elle le voyait tous les jours. Il ne s'adressait plus qu'à Vanja. : C'est grâce à elle que Roger a intégré notre école.

– Comment pouvait-il payer les frais de matériel ? intervint Sebastian.

Il n'avait pas l'intention de se laisser ignorer. Cela aurait rendu les choses un peu trop faciles à M. Groth. Le directeur lui lança un regard étonné, comme s'il était réellement parvenu à oublier la présence de cet homme médiocre à l'allure négligée.

– Roger a été dispensé de frais de scolarité.

– Ah, alors c'était votre petite œuvre de charité ? Votre augmentation du taux de mixité sociale ? Vous avez dû avoir bonne conscience.

D'un geste contrôlé, Groth recula sa chaise et se leva. Il resta debout derrière le bureau, le dos droit et le bout des doigts figés sur la surface bien époussetée. Comme le professeur de latin sadique dans *Tourments*, ce vieux film des années 1950, pensa Sebastian en observant le directeur refermer sa veste de costume.

– Votre vision de notre école m'indispose.

– Oh mon Dieu ! Vous savez, j'ai passé ici les trois pires années de ma vie, il est donc inutile de me servir votre soupe publicitaire.

Groth était visiblement sceptique.

– Vous êtes un ancien élève ?

– Oui, malheureusement, c'est mon père qui a eu la mauvaise idée de fonder ce temple du savoir.

Groth digéra l'information et après avoir réalisé ce qu'on venait de lui dire, se rassit. Le bouton de veste rouvert. L'irritation sur son visage fit place à la méfiance.

– Vous êtes le fils de Ture Bergman ?

– Oui.

– Vous ne lui ressemblez pas beaucoup.

– Merci, c'est le plus beau compliment qu'on m'ait jamais fait. Sebastian se leva et fit un geste englobant Vanja et Groth : Mais vous pouvez continuer tous les deux. Où puis-je trouver Beatrice Strand ?

– Elle fait cours en ce moment.

– Sûrement quelque part dans cette école, non ?

– Je préférerais que vous attendiez la pause pour lui parler.

– D'accord, je la trouverai tout seul.

Sebastian sortit dans le couloir. Avant même d'avoir refermé la porte, il entendit Vanja s'excuser pour son comportement. Il connaissait cette situation. Pas avec elle, mais avec d'autres collègues qui s'étaient excusés pour lui dans d'autres circonstances. Sebastian se sentait de plus en plus en terrain connu dans cette enquête. Il descendit les marches au pas de course. Autrefois, la plupart des salles de classe se trouvaient au rez-de-chaussée. Cela n'avait sans doute pas changé, au vu du reste du bâtiment. Rien ne semblait avoir été transformé depuis quarante ans, mis à part le rafraîchissement des murs. L'enfer ne change jamais.

C'est ce qui caractérise l'enfer.

Une douleur éternelle.

Sebastian mit plus de temps à trouver la salle qu'il ne le pensait. Durant de longues minutes, il déambula dans les couloirs et toqua à différentes portes jusqu'à ce qu'il arrive enfin à la salle de Beatrice Strand. En chemin, il s'était promis de ne rien ressentir. Cette école n'était qu'un bâtiment. Un bâtiment dans lequel il avait passé trois années de sa vie en état de révolte permanente. Son père l'avait forcé à aller au lycée Palmlövska et Sebastian, dès le premier jour, n'avait fait aucun effort pour s'y sentir bien. Surtout ne pas s'intégrer. Il avait passé son temps à déroger à toutes les règles possibles et en tant que fils du directeur, il était un défi pour l'ensemble des professeurs et des figures d'autorité. Son comportement lui avait valu un certain prestige auprès des autres élèves, mais il avait décidé que *rien* de positif ne sortirait de ces années dans cette école. Il n'avait donc eu aucun scrupule à dénoncer les autres élèves, à les monter les uns contre les autres ou contre les professeurs. Il avait cru pouvoir punir son père en étant indifférent à tout et à tous. Et on ne pouvait pas nier que sa totale marginalité lui avait procuré une nouvelle forme de liberté. On n'attendait plus qu'une chose de lui : qu'il n'en fasse qu'à sa tête. Ce qu'il accomplissait avec perfection.

Cette voie qu'il avait choisie adolescent, il ne l'avait plus jamais quittée. « Ça passe, ou ça casse », tout au long de sa vie. Non, rectification. Pas avec Lily. Ce n'était pas comme ça avec elle. Comment était-il possible qu'une personne, et plus tard deux aient eu une telle influence sur sa vie ? L'aient transformé à ce point ? Il savait seulement que c'était arrivé. C'était arrivé, et puis, on lui avait tout repris.

Il frappa à la porte brun clair et entra. Une femme d'une quarantaine d'années était assise derrière le bureau du professeur. Elle avait une épaisse chevelure rousse retenue en queue-de-cheval. Pas de maquillage sur un visage avenant, couvert de taches de rousseur. Un chemisier vert foncé noué sur une poitrine généreuse. Et une longue jupe marron. Elle dévisagea Sebastian d'un air interrogateur. Celui-ci se présenta et libéra la classe jusqu'à la fin de l'heure. Beatrice Strand n'émit aucune objection.

Une fois les élèves partis, Sebastian tira une chaise du premier rang et s'assit. Il la pria de parler de Roger et attendit l'explosion d'émotion qu'il voyait poindre. Et voilà. Beatrice était obligée de se montrer forte face à ses élèves, d'être celle qui pouvait répondre à toutes les questions, celle qui garantissait la sécurité et la normalité quand l'incompréhensible arrivait. Mais à présent, elle était seule en face d'un autre adulte, quelqu'un qui enquêtait sur l'affaire et assurait le rôle de la sécurité et du contrôle. Sebastian n'avait qu'à attendre que cela explose.

– Je ne comprends pas… Beatrice essayait d'articuler ses mots entre deux sanglots. Vendredi, on s'est quitté comme d'habitude, et maintenant… il ne reviendra jamais. On a espéré jusqu'au dernier moment mais après, quand ils l'ont trouvé…

Sebastian ne dit rien. On toqua à la porte : Vanja passa la tête à l'intérieur. Beatrice se moucha et sécha ses larmes tandis que Sebastian faisait les présentations. Beatrice désigna son visage éploré avec son mouchoir, s'excusa, se leva et quitta la pièce. Vanja s'assit sur le bord du bureau.

– L'école n'effectue pas de veille informatique, et il n'y a pas de caméras. Une question de respect mutuel, d'après le directeur.

– Alors, n'importe qui aurait pu envoyer ce mail ?

– Oui, ce n'est pas forcément un élève. N'importe quelle personne extérieure peut entrer ici.

– À condition que ce soit quelqu'un qui connaisse un peu l'école.

– Bien sûr, mais ça fait toujours deux cent dix-huit élèves plus leurs amis, tous les professeurs et le personnel.

– Il le savait. Celui qui a envoyé le mail. Il savait qu'on ne pourrait pas remonter sa piste plus loin qu'ici. Mais il est déjà venu, c'est un indice.

– Sûrement. Si c'était bien un « il ».

Sebastian regarda Vanja d'un air dubitatif.

– Je serais étonné qu'il s'agisse d'une femme. Son mode opératoire et le dépeçage du cœur font plutôt penser à un homme.

Sebastian s'apprêtait à faire une conférence sur la propension masculine à accumuler les trophées et à rechercher le pouvoir sur les victimes en conservant leurs effets personnels. Un comportement qui ne se retrouvait pratiquement jamais chez les femmes. Mais Beatrice était revenue et l'interrompit avant même qu'il ait pu commencer. Elle se confondit en excuses et se rassit derrière le bureau. Elle paraissait calmée.

– Vous avez fait en sorte que Roger soit accepté ici, c'est ça ? demanda Vanja.

Beatrice hocha la tête.

– Oui, c'est un ami de mon fils.

Beatrice remarqua qu'elle avait employé le présent et se corrigea aussitôt.

– C'était un ami. Il était souvent chez nous. Je sais qu'il ne se sentait pas bien au collège, et c'était encore pire au lycée Runeberg.

– Mais il était bien intégré ici ?

– De mieux en mieux. Bien sûr, c'était dur au début.

– Pourquoi ?

– Il a dû faire beaucoup d'efforts pour s'adapter. Les élèves de cette école sont très motivés. Il n'était pas habitué au rythme et au niveau. Mais au fil du temps, ça s'est amélioré. Il restait plus longtemps après les cours et allait à l'aide aux devoirs. Il a su relever le défi.

Sebastian observa Beatrice de profil et s'imagina en train de passer ses doigts à travers ses épais cheveux roux. D'embrasser ce visage couvert de taches de rousseur. De voir les grands yeux bleus se fermer de plaisir. Quelque chose en elle lui faisait sentir que... Sebastian n'en était pas sûr.

Sans doute la solitude. Mais pas comme Clara Lundin, pas aussi vulnérable. Beatrice paraissait plus sûre d'elle, plus mûre. Sebastian supposait qu'il serait plus difficile de la mettre dans son lit, mais que cela en valait la peine. Il écarta cette pensée. Une femme mêlée à l'enquête, c'était déjà bien suffisant. Il se concentra sur la conversation.

– Roger avait-il des amis ?

– Pas beaucoup. Il était souvent avec Johan et parfois aussi avec Sven Heverin, mais ce dernier est aux États-Unis en ce moment. Il voyait aussi sa petite amie Lisa, bien sûr. Il n'était pas impopulaire ou marginal, c'était plutôt un loup solitaire.

– Est-ce qu'il se disputait parfois ?

– Pas ici, mais cela arrivait quand il croisait des camarades de son ancienne école.

– Vous donnait-il l'impression d'être préoccupé ?

– Non. Quand il est parti, il était comme d'habitude. Nous étions tous heureux d'être en week-end. Ils avaient eu une interro de suédois, et il est venu me voir en me disant qu'il avait l'impression de l'avoir bien réussie. Beatrice se tut et secoua la tête comme si elle venait de réaliser l'incongruité de la situation. De nouveau, les larmes lui montèrent aux yeux. C'était vraiment un bon garçon. Sensible. Adulte. C'est absolument incompréhensible.

– Est-ce que votre fils Johan est ici ?

– Non, il est à la maison. La mort de Roger l'a sévèrement secoué.

– Nous aimerions bien lui parler.

Beatrice hocha la tête, résignée.

– Je comprends. Je serai à la maison vers seize heures.

– Vous n'avez pas besoin d'être présente.

Beatrice acquiesça. Encore plus résignée. Elle paraissait habituée à ce que personne n'ait besoin d'elle. Sebastian et Vanja se levèrent.

– Nous reviendrons éventuellement vous voir pour vous demander d'autres renseignements.

– Entendu. J'espère de tout mon cœur que vous allez résoudre cette affaire. C'est tellement… dur. Pour tout le monde.

Sebastian imita un sourire compatissant. Puis Beatrice dit tout à coup :

– Il y a encore une chose, mais je ne sais pas si elle est importante. Roger a appelé chez nous ce fameux vendredi soir.

– À quelle heure ?

C'était une information totalement nouvelle. La surprise se dessina sur le visage de Vanja. Elle s'approcha.

– Vers huit heures et quart. Il voulait parler à Johan, mais mon fils était sorti avec Ulf, son père. Je lui ai dit qu'il pouvait appeler Johan sur son portable, mais d'après Johan, il ne l'a pas fait.

– Est-ce qu'il a dit ce qu'il voulait ?

Beatrice secoua la tête.

– Il voulait parler à Johan.

– Vendredi soir à huit heures et quart ?

– Oui, environ.

Vanja la remercia et s'en alla. Huit heures et quart.

Roger aurait dû être chez sa copine Lisa à ce moment-là. Vanja était de plus en plus convaincue qu'il n'y était sans doute pas allé du tout.

*

Le matériel était enregistré sur des disques durs externes que l'entreprise de vidéosurveillance leur avait fait parvenir par coursier. En quelques instants, Billy avait relié la première cassette gris métallisé à son ordinateur et avait entamé son travail. Le disque portait une étiquette indiquant

« Vend. 23 avril 06 : 00 - 00 : 00, caméras 1 : 02 - 1 : 16 ». D'après la notice que l'entreprise leur avait fournie, les caméras 1 : 14 et 1 : 15 couvraient la rue Gustavborgsgatan ou au moins une partie. Le dernier endroit où Roger avait été aperçu vivant lors de cette funeste soirée.

Billy chercha la caméra 1 : 14 dans tous les dossiers, puis l'ouvrit d'un double-clic. La vidéo était de meilleure qualité que prévu. Le dispositif n'avait pas encore six ans, et l'entreprise n'avait pas lésiné sur les moyens. Billy s'en réjouissait, car les bandes de vidéosurveillance étaient parfois si floues qu'elles ne leur étaient d'aucune aide. Là, on avait affaire à un tout autre type de matériel. Putain d'objectif Zeiss, se dit-il en faisant avance rapide. Au bout d'une demi-heure, il appelait déjà Torkel qui arriva immédiatement.

Il s'assit à côté de Billy. Au plafond, le projecteur relié à l'ordinateur de Billy vibrait. Au mur, les images de la caméra de surveillance 1 : 15 défilaient. D'après l'angle de vue, on pouvait aisément déduire que la caméra était fixée à dix mètres au-dessus du sol.

Elle était dirigée vers une place publique traversée en son milieu par une rue qui disparaissait entre deux immeubles hauts : à gauche l'université, et à droite une autre école. La grande place vide devant la caméra paraissait froide et venteuse. L'heure était inscrite dans un coin de l'image. Soudain, le silence fut rompu par une mobylette qui apparut à l'écran. Billy arrêta la vidéo.

– Là. Leo Lundin passe à vingt et une heures deux. Peu après, Roger arrive de la gauche.

Billy pianota sur le clavier, et le film reprit. Au bout d'une minute, une autre silhouette apparut à l'écran. Vêtue d'une veste verte, marchant d'un pas rapide et résolu. Billy arrêta de nouveau la vidéo, et ils observèrent la silhouette. Malgré la casquette qui lui cachait le visage, il s'agissait sans aucun doute de Roger Eriksson. La taille, les cheveux mi-longs et cette veste qui était maintenant suspendue dans le dépôt des pièces à conviction de la police, assombrie par le sang séché. Sur le film, elle était encore intacte.

– Il apparaît à vingt et une heures deux et quarante-huit centièmes exactement, dit Billy en laissant défiler le film.

Roger sursauta et continua.

Les images animées d'une personne qui n'avait plus que quelques heures à vivre présentaient un caractère très spécial. La connaissance de la catastrophe à venir conduisait à observer le moindre de ses gestes avec une attention particulière. La mort attendait au tournant, mais cette promenade banale n'en laissait rien présager. Seul l'observateur connaissait le destin de ce jeune homme de seize ans qui passait sans bruit devant la caméra 1 : 15. Lui-même ne savait pas ce qui l'attendait. Torkel observa le moment où Roger sursauta et leva les yeux. La seconde suivante, la mobylette était revenue. Au langage corporel de Roger, il comprit que l'adolescent avait reconnu le conducteur et que l'apparition de la mobylette signifiait des problèmes. Il se figea, regarda autour de lui comme s'il cherchait une issue de secours. Puis il décida d'ignorer la mobylette qui lui tournait maintenant autour pour le provoquer. Roger essaya de faire encore quelques pas, mais la mobylette qui continuait à l'encercler l'en empêcha. Roger s'arrêta. Après encore quelques tours, la mobylette s'immobilisa également. Leo en descendit. Roger fixa le garçon qui enlevait son casque et se redressa comme pour paraître plus grand. Il savait qu'il allait y avoir du grabuge et s'y préparait. Se blindait pour ce qu'il voyait venir.

Pour Torkel, c'était la première rencontre avec le garçon assassiné. Ces images lui donnaient une idée de sa personnalité. Il ne s'était pas enfui. Il n'était peut-être pas seulement une victime. Il se grandit encore un peu plus. Leo dit quelque chose. Roger répondit, et s'ensuivit la première bourrade. Roger trébucha en arrière, Leo resta tout près de lui. Quand Roger retrouva l'équilibre, Leo le saisit par le bras gauche et remonta la manche de Roger de façon à voir sa montre. Leo sembla dire quelque chose avant que Roger ne tente de dégager son bras. Leo répondit avec un coup de poing en pleine figure. Rapide et brutal, sans prévenir.

Torkel vit le sang couler sur la main droite de Roger quand il se toucha le visage. Puis Leo frappa à nouveau. Roger vacilla et se raccrocha au T-shirt de Leo en tombant.

– C'est de là que provient le sang sur son T-shirt, commenta Billy.

Torkel hocha la tête : cela expliquait leur découverte. Le T-shirt taché de sang avait visiblement été le signal de départ du déchaînement de violence de Leo. Ivre de rage, il se jeta sur Roger. Cela ne dura pas longtemps avant que celui-ci se retrouve à terre sous une pluie de coups de pied. Les minutes continuaient de défiler sur l'écran, pendant que Roger restait allongé par terre en position fœtale et prenait ce qui, aux yeux de Leo, était une raclée méritée. Leo n'arrêta de frapper qu'à vingt et une heures cinq, se pencha sur Roger et lui arracha sa montre. Puis il jeta un dernier regard au garçon recroquevillé sur lui-même, mit lentement son casque comme pour montrer à nouveau sa supériorité, sauta sur sa mobylette et disparut de l'écran. Roger resta allongé quelques instants.

Billy jeta un regard à Torkel.

– En tout cas, il n'a pas regardé « Let's dance » avec sa copine.

Torkel acquiesça. Lisa mentait. Mais Leo aussi avait menti. Roger ne l'avait pas provoqué en renversant sa mobylette. Ils ne s'étaient pas disputés. Pour Torkel, il fallait être deux pour cela.

Torkel se renversa dans son fauteuil et croisa les bras derrière la tête. Ils pouvaient coffrer Leo Lundin pour vol avec violence, mais pas pour meurtre. En tout cas, pas tout de suite. Et sans doute pas plus tard non plus, Torkel en était quasiment certain. Leo était un voyou. Mais de là à aller découper un cœur ? Non, cela ne lui ressemblait pas. Sûrement dans quelques années, quand sa vie aurait complètement déraillé. Mais pas encore.

– Où est allé Roger ensuite ?

– Je ne sais pas. Mais regarde ça.

Billy se leva et s'approcha de la carte accrochée au mur.

– Il va tout droit et arrive dans la rue Vasagatan. Là, il a le choix entre tourner à droite ou à gauche. S'il prend à gauche, il débouche sur la rue Norra Ringvägen. À ce carrefour, il y a une caméra, mais il n'apparaît pas sur les bandes.

– Il est parti à droite alors ?

– Il aurait aussi dû apparaître devant une autre caméra installée ici.

171

Billy désigna un endroit devant le terrain de sport qui se trouvait quelques décimètres plus au nord sur la carte. Quelques centaines de mètres en réalité.

– Mais il ne le fait pas.

– Il a donc tourné avant.

Billy opina du chef et désigna une ruelle qui partait de la rue Vasagatan.

– Sûrement ici. Apalbyvägen. Directement dans un quartier résidentiel. Il n'y a pas de caméras là-bas. On ne sait même pas dans quelle direction il est allé.

– Alors, vérifiez toutes les directions. Peut-être qu'il réapparaîtra dans une autre grande rue. Envoyez des collègues pour qu'ils interrogent le voisinage. Quelqu'un doit l'avoir vu. Je veux savoir où il est allé.

Billy hocha la tête, et les deux hommes sortirent leurs portables. Billy appela l'invité à une fête d'anniversaire qui avait un peu la gueule de bois, à la société de vidéosurveillance, et lui demanda d'autres enregistrements.

Torkel téléphona à Vanja. Comme toujours, elle décrocha dès la première sonnerie.

Vanja et Sebastian étaient en train de sortir du lycée Palmlövska quand Torkel avait appelé. Il lui avait fait un petit topo des derniers résultats. Au téléphone, il allait toujours à l'essentiel, et cela durait rarement plus d'une minute. Quand il eut fini, Vanja se tourna vers Sebastian.

– Ils ont vu les images de la rue Gustavborgsgatan : Roger y était peu après neuf heures.

Sebastian analysa cette information. Vanja était convaincue depuis le début que l'adolescente mentait quand elle disait que Roger avait passé la soirée avec elle. Maintenant, ils avaient la preuve qu'elle avait raison. Pour Lisa, il était plus important de cacher la vérité que de découvrir qui avait tué son ami. Ce genre de cachotteries stimulait Sebastian. Merde, au fond, toute cette affaire commençait à le titiller. Il devait admettre qu'elle était arrivée à point nommé pour le tirer de ses idées noires. Tant qu'il en aurait envie, il resterait impliqué et essaierait d'en extraire le meilleur. Et il prendrait les décisions sur sa participation et son avenir le moment venu.

– Alors, on va rendre une petite visite à Lisa ? Qu'est-ce que tu en penses ?

– Je n'aurais jamais cru que tu le proposerais.

Ils firent demi-tour et retournèrent à l'école. Mais elle avait fini tôt ce jour-là, et était rentrée chez elle après son cours d'anglais. Restait à espérer qu'elle soit à son domicile. Vanja n'avait aucune envie d'appeler pour s'en assurer. Ses parents en auraient profité pour élaborer une nouvelle tactique de défense. Ils montèrent dans la voiture et Vanja accéléra, bien au-delà des limites autorisées.

Ils firent la route en silence. Vanja ne s'en plaignait pas. Elle n'avait aucune envie de mieux connaître un collègue qu'on lui avait imposé et qu'elle espérait ne plus voir bientôt au sein de l'équipe. Elle savait que Sebastian ne lui ferait pas la conversation simplement pour passer le temps. Ursula l'avait qualifié de catastrophe nucléaire sociale. Elle avait également dit que son silence était de loin préférable car, dès qu'il ouvrait la bouche, il était soit grossier, soit sexiste, soit critique, soit tout simplement désagréable. Tant qu'il se taisait, il ne vexait personne.

Comme Ursula, Vanja avait été extrêmement vexée quand Torkel avait présenté Sebastian en annonçant qu'il participerait désormais à l'enquête. Non qu'elle ait quelque chose contre Sebastian, mais elle en voulait à Torkel d'avoir pris cette décision seul. Elle savait que rien n'obligeait Torkel à la consulter avant de prendre une décision. Mais elle avait le sentiment qu'ils travaillaient en collaboration si étroite que l'avis de l'autre était important. Elle aurait dû avoir son mot à dire pour une décision qui concernait toute l'équipe. Torkel était le meilleur chef qu'elle ait jamais eu. Cela l'étonnait d'autant plus qu'il agisse de la sorte derrière son dos. Derrière leur dos à tous. Elle était surprise et, pour être totalement honnête, un peu déçue aussi.

– Comment s'appellent ses parents ?

Vanja fut tirée de ses pensées. Elle jeta un œil sur Sebastian qui n'avait pas bougé d'un centimètre. Il regardait toujours par la vitre.

– Ulf et Ann-Charlotte. Pourquoi ?

– Comme ça.

– C'est écrit dans le dossier que tu as reçu.

– Je ne l'ai pas lu.

Vanja ne pouvait pas avoir mal entendu.

– Tu ne l'as pas lu ?

– Non.

– Pourquoi travailles-tu sur cette affaire alors ?

Cette question, Vanja se l'était déjà posée après la vague explication que Torkel avait fournie hier pour expliquer la présence de Sebastian. Lui avait-il fait du chantage ? Non, impossible, Torkel ne mettrait jamais une enquête en péril pour des raisons personnelles, quelles qu'elles fussent. La réponse de Sebastian vint plus vite que prévu.

– Parce que vous avez besoin de moi. Sans moi, vous ne résoudrez jamais cette affaire.

Ursula avait raison. On pouvait facilement en vouloir à Sebastian. Vanja se gara et coupa le contact. Avant de descendre, elle s'adressa à Sebastian.

– Encore une chose.

– Quoi donc ?

– On sait qu'elle ment. On a des preuves. Mais je veux la faire parler. On ne va pas débarquer en lui balançant nos preuves à la figure pour qu'elle reste bouche cousue. Compris ?

– Bien sûr.

– Je la connais. Je mène la conversation. Toi, tu la fermes.

– Comme je l'ai déjà dit, tu ne remarqueras même pas ma présence.

Vanja lui lança un regard pour souligner qu'elle était sérieuse, avant de descendre et de se rendre dans la maison. Sebastian la suivit. Comme Vanja l'avait espéré, Lisa était seule. La jeune fille parut affolée en voyant Vanja accompagnée d'un inconnu devant la porte d'entrée, et balbutia de mauvaises excuses. Mais Vanja pénétra dans la maison sans attendre d'y être invitée. Elle voulait profiter de l'absence des parents.

– Cela ne prendra que quelques minutes. On peut parler ici.

Vanja les devança dans la cuisine éclatante de propreté. Sebastian resta en retrait. Il avait simplement adressé un aimable bonjour à la jeune fille et n'avait pas soufflé mot depuis. Jusqu'ici, il avait tenu sa promesse, pour le plus grand soulagement de Vanja. En vérité, il était tout simplement fasciné par le Jésus de perles. Il n'avait jamais vu une chose pareille. Fantastique.

– Assieds-toi, je t'en prie.

Vanja crut percevoir un léger changement chez la jeune fille. Elle paraissait plus fatiguée, n'avait plus la même ferveur défensive dans les yeux. On aurait dit que son mur de défense se fissurait. Vanja essaya d'être aussi personnelle que possible. Elle ne voulait pas que Lisa perçoive ses paroles comme une agression.

– Alors voilà, Lisa. On a un problème. Un gros problème. Nous *savons* que Roger n'était pas ici à vingt et une heures vendredi dernier. Nous savons où il était, et nous pouvons le prouver.

Avait-elle vu les épaules de Lisa s'affaisser, ou était-ce juste une impression ? Mais elle ne dit rien, pas encore. Vanja se pencha vers elle et lui effleura la main. Elle tenta la manière douce :

– Tu dois nous raconter la vérité maintenant. J'ignore pourquoi tu mens. Mais tu dois arrêter. Pas pour nous, mais pour toi.

– Je veux que mes parents viennent, souffla Lisa.

La main de Vanja était toujours posée sur celle de l'adolescente.

– Tu es sûre ? Tu veux vraiment qu'ils apprennent pourquoi tu as menti ?

Pour la première fois, Vanja vit une paupière papillonner, un court moment de faiblesse qui annonçait la vérité.

– Roger était dans la rue Gustavborgsgatan à neuf heures. J'ai une vidéo qui le prouve. Cette rue est plutôt loin d'ici, continua Vanja. Je suppose que ton copain est parti à huit heures et quart. Au plus tard neuf. Si tant est qu'il était là.

Elle s'interrompit. Décela la lassitude et la résignation dans les yeux de Lisa. Toute trace de défi et d'insolence s'était évaporée. À présent, la jeune fille paraissait nerveuse. Un enfant pris au piège.

– Ils vont être tellement fâchés, finit par murmurer Lisa. Maman et papa.

– S'ils l'apprennent.

Vanja serra la main de l'adolescente, qui était de plus en plus chaude au fur et à mesure qu'elle parlait.

– Merde, merde, merde ! explosa Lisa dont les mots interdits annonçaient le début de la fin.

La carapace était tombée. Elle se dégagea de l'emprise de Vanja et enfouit son visage entre ses mains. Vanja et Sebastian entendirent un long soupir, presque de soulagement. Les secrets pèsent lourd, ils isolent.

– Ce n'était pas mon copain.

– Pardon ?

Lisa leva la tête et haussa la voix.

– Ce n'était pas mon copain.

– Ah non ?

Lisa secoua la tête et se détourna de Vanja. Elle regarda par la fenêtre, au loin. Comme si elle avait envie de partir. Loin.

– Quelles étaient vos relations alors ? Qu'aviez-vous prévu ?

Lisa haussa les épaules.

– Rien. Il était accepté.

– Comment ça, « accepté » ?

Lisa regarda Vanja d'un air las. N'avait-elle pas compris ?

– Tu veux dire accepté par tes parents ?

Lisa retira sa main et hocha la tête.

– J'avais le droit de sortir avec lui. Ou de rester seule avec lui à la maison. Bien qu'on ne soit jamais sortis.

– Ou du moins pas ensemble ?

Lisa secoua la tête.

– Tu as un autre copain, c'est ça ?

Lisa hocha à nouveau la tête en jetant un regard suppliant à Vanja. Celui d'une adolescente qui avait joué toute sa vie le rôle de la petite fille parfaite, un masque qu'elle ne parvenait plus à préserver.

– Tes parents ne l'aiment pas ?

– Ils me tueraient s'ils savaient.

Vanja regarda encore le tableau de perles. Il avait pris une nouvelle signification. « Je suis le chemin. » Pas quand on a seize ans et que l'on est amoureuse du mauvais garçon.

– Tu sais qu'on va être obligé de le rencontrer pour lui parler, n'est-ce pas ? Mais tes parents n'en sauront rien. Promis.

Lisa acquiesça. Elle n'avait plus envie de résister. La vérité est libératrice, clamait l'animateur de la paroisse à chaque occasion. Elle avait pesé ces mots dans le filet de mensonges dans lequel elle se débattait ces dernières années. Mais à présent, à cet instant précis, elle comprenait que ces paroles prenaient un nouveau sens. La vérité est libératrice mais rendra tes parents furieux. C'était ainsi. Mais c'était tout de même la vérité, et elle était vraiment libératrice.

– Qu'est-ce qu'il a qui ne va pas ? Trop vieux ? Délinquant ? Drogué ? Musulman ?

La question venait de Sebastian. Vanja le regarda, et il fit un geste d'excuse. Elle lui adressa un signe de tête voulant dire : « C'est bon. »

– Il n'a rien qui ne va pas. C'est juste qu'il n'est pas… tout ça.

Lisa fit un geste qui englobait non seulement la maison, mais aussi tous les environs, les jardins bien soignés devant les maisons le long de la rue. Sebastian la comprit immédiatement. Lui-même n'aurait pas pu mieux l'analyser et le formuler quand il avait l'âge de Lisa, mais il reconnut ce sentiment. La sécurité devenue une prison. L'attention devenue étouffante. Le carcan des conventions, paralysant.

Vanja se pencha de nouveau vers elle, et reprit sa main. Lisa la laissa faire, voulait la sentir.

– Est-ce que Roger était là ?

Lisa acquiesça.

– Mais seulement jusqu'à huit heures et quart. Jusqu'à ce qu'on soit sûr que papa et maman soient partis.

– Et où est allé Roger après ?

Lisa secoua la tête.

– Je ne sais pas.

– Avait-il un rendez-vous ?

– Sûrement, il en avait toujours.

– Et avec qui ?

– Je ne sais pas. Roger ne racontait jamais rien. Il aimait garder son jardin secret.

Sebastian observait Lisa et Vanja, assises à la table ridiculement lustrée, conversant au sujet d'une soirée qui avait tout vu passer sauf Roger. L'ordre qui régnait dans cette cuisine rappelait à Sebastian la maison de ses parents, ainsi que toutes les maisons des voisins qui recherchaient l'amitié de ses parents, dont la réussite était si impressionnante. Il avait la sensation d'avoir atterri dans sa propre enfance merdique. Il s'était toujours battu contre tout ça. Avait vécu la préservation superficielle de l'ordre et de l'apparence, mais jamais de l'amour ou du courage. Sebastian avait de plus en plus de sympathie pour cette jeune fille. Elle pouvait encore devenir quelqu'un. Une liaison secrète à seize ans, elle allait donner du fil à retordre à ses parents en vieillissant. Cette idée le mit de bonne humeur.

Soudain, il entendit la porte s'ouvrir. Des voix enjouées s'exclamèrent : « Lisa, on est rentré ! »

Instinctivement, Lisa retira sa main et se figea. Vanja lui tendit sa carte de visite en un éclair.

– Envoie-moi un SMS pour nous dire comment joindre ton ami, et nous ne t'embêterons plus.

Lisa hocha la tête et fit disparaître la carte juste à temps dans sa poche avant que papa Ulf n'apparaisse dans l'encadrement de la porte.

– Qu'est-ce que vous faites ici ?

Le ton enjoué du couloir s'était envolé.

Vanja se leva et le salua avec un sourire un peu forcé. Un sourire lui signifiant qu'il était arrivé trop tard. Vanja était satisfaite. Ulf s'efforça de rétablir son autorité.

– Je pensais être convenu avec vous que vous ne parleriez pas à ma fille en mon absence. C'est tout à fait inacceptable !

– Vous n'avez aucun droit d'exiger cela. De plus, il s'agissait seulement de détails à éclaircir avec Lisa. Nous partions.

Vanja se retourna et sourit à Lisa qui ne le remarqua pas, car elle fixait la table. Sebastian se leva. Vanja passa devant les parents et se dirigea vers la porte.

Ulf regarda Vanja, puis sa fille, puis à nouveau Vanja. Durant quelques secondes, il resta interloqué avant d'avoir une nouvelle fois recours à la seule menace qu'il connût :

– Préparez-vous à ce que j'en informe votre chef. Vous ne vous en tirerez pas comme ça.

Vanja ne se donna même pas la peine de répondre et continua d'avancer vers la porte. Soudain, elle entendit derrière elle la voix de Sebastian. Elle paraissait très puissante, comme s'il avait longtemps attendu ce moment.

– Mais il y a une chose que vous devriez savoir, dit-il en replaçant presque formellement sa chaise près de la table de la cuisine. Votre fille vous a menti !

Bon sang, mais qu'est-ce qui lui prend ? Vanja, choquée, se retourna et fusilla Sebastian du regard. Que Sebastian se comporte comme un mufle avec ses collègues était une chose, mais comment pouvait-il livrer cette enfant en pâture à ses parents ? C'était complètement inutile. Lisa parut vouloir s'enterrer six pieds sous terre. Son père s'était tu. Tous les regards se braquèrent sur l'homme qui était soudain devenu le centre de la cuisine.

C'était l'un des moments que Sebastian avait le plus regrettés durant son inactivité professionnelle choisie. Il prit tout son temps. Profita de la magie du moment. L'occasion ne s'était pas souvent présentée dernièrement.

– Roger est parti bien avant ce que Lisa a bien voulu admettre, ce vendredi-là.

Les parents se regardèrent. Finalement, la mère rompit le silence.

– Notre fille ne ment pas.

Sebastian fit un pas vers les parents.

– Oh que si.

Il n'avait pas l'intention de laisser les vrais menteurs s'en tirer si facilement...

– Mais vous devriez plutôt vous demander pourquoi elle a fait ça. Peut-être y a-t-il une raison pour laquelle elle n'ose pas vous dire la vérité ?

Sebastian se tut et fixa les parents. Dans la cuisine, tout le monde redoutait la suite. *Sa* suite. Vanja réfléchissait à cent à l'heure. Comment sortir Lisa du bourbier dans lequel il l'avait fourrée et reprendre pied ? La seule chose qu'elle parvint à articuler fut une faible supplique.

– Sebastian…

Mais elle ne parvint pas jusqu'à lui. Il régnait sur la pièce et tenait la vie d'une gamine de seize ans entre ses mains. Pourquoi l'écouterait-il ?

– Lisa et Roger se sont disputés ce soir-là. Il est reparti dès huit heures. Ils se sont disputés, et puis il est mort : comment croyez-vous qu'elle se sente ? S'ils ne s'étaient pas disputés, il serait sûrement encore en vie. C'est de sa faute s'il est parti plus tôt. Une telle culpabilité pèse lourd sur les épaules d'une jeune fille.

– C'est vrai, Lisa ?

La voix de la mère paraissait suppliante, et ses yeux se remplirent de larmes. Lisa regarda ses parents comme si elle venait de se réveiller d'un rêve et ne savait plus différencier le vrai du faux. Sebastian lui adressa un clin d'œil discret. Il se complaisait dans son rôle.

– Ce que Lisa a fait ne peut être qualifié de mensonge. C'est plutôt un mécanisme de défense, un réflexe de survie. Un moyen de supporter sa culpabilité. C'est pour ça que je vous le raconte, continua Sebastian avec un air sévère. Puis il baissa la voix pour souligner la gravité de la situation. Lisa a maintenant besoin de savoir qu'elle n'a rien fait de mal.

– Mais bien sûr que non, ma chérie.

Cette fois, c'était papa Ulf qui avait repris la parole. Il s'était approché de sa fille et avait passé son bras autour de ses épaules. Lisa paraissait la plus étonnée de tous. Le passage de son démasquage imminent à l'amour et l'affection avait été plus que rapide.

– Mais pourquoi ne nous as-tu rien dit, ma puce ? demanda doucement la mère avant d'être à nouveau interrompue par Sebastian.

– Vous ne voyez pas qu'elle avait peur de vous décevoir ? Elle se sent infiniment coupable. La culpabilité et le deuil. Et vous ne cessez de parler de mensonges ou de non-mensonges. Vous ne comprenez pas à quel point vous avez isolé Lisa en agissant ainsi ?

– Mais nous ne savions pas... nous croyions...

– Vous avez cru ce qui vous arrangeait, et rien d'autre. C'est compréhensible. C'est humain. Mais votre fille a maintenant besoin d'amour et d'affection, elle doit sentir que vous lui faites confiance.

– Mais c'est le cas.

– Pas assez. Donnez-lui de l'amour mais aussi de la liberté. C'est exactement ce dont elle a besoin en ce moment. Beaucoup de confiance et de liberté.

– Mais bien sûr. Merci. Nous ne le savions pas. Excusez-nous pour notre réaction, mais j'espère que vous comprendrez que...

– Mais bien sûr. Nous voulons tous protéger nos enfants. De tout. C'est dans la nature des parents.

Sebastian accorda un sourire des plus chaleureux à la mère. Elle le lui rendit avec un signe de gratitude. Trop beau pour être vrai.

Sebastian se tourna vers Vanja dont la colère s'était muée en perplexité.

– On y va ?

Vanja tenta de hocher la tête de la manière la plus naturelle possible.

– Bien sûr. Nous n'allons pas vous déranger plus longtemps.

Sebastian et elle adressèrent un dernier sourire aux parents.

– Et rappelez-vous, vous avez une fille formidable. Donnez-lui de l'amour et de la liberté. Elle doit savoir que vous lui faites confiance.

Sur ces mots, ils quittèrent la maison. Sebastian était enchanté d'avoir pu poser une bombe à retardement au sein de la famille Hansson. Car la liberté était exactement ce dont Lisa avait besoin pour faire exploser tout ce tas de merde. Le plus tôt serait le mieux.

– Était-ce vraiment nécessaire ? demanda Vanja quand ils eurent franchi le portail de la clôture.

– En tout cas, c'était amusant, non ?

Sebastian put lire sur le visage de Vanja que l'argument de l'aspect divertissant de sa prestation ne suffisait pas. Sebastian soupira. Il fallait toujours tout expliquer.

– Tôt ou tard, la presse apprendra que Roger n'était pas là où Lisa le prétendait. On a pu l'aider à expliquer pourquoi.

Sebastian continua à avancer. En regagnant la voiture, il avait presque envie de siffler. Il y avait bien longtemps que cela ne lui était plus arrivé.

Très longtemps.

Quelques pas derrière lui, Vanja tentait de le suivre. Bien sûr. Laisser Lisa comme ça aurait été extrêmement stupide de leur part. Elle aurait dû y penser. Elle ne s'était pas sentie aussi dépassée depuis longtemps.

Très longtemps.

*

Torkel et Hanser étaient installés dans le bureau de ce dernier, au troisième étage. Torkel avait demandé un entretien pour faire un bilan des indices récoltés. Leur découverte sur la caméra de surveillance constituait une avancée, car ils pouvaient maintenant dire avec certitude que Roger s'était trouvé dans la rue Gustavborgsgatan le vendredi, peu après neuf heures. De plus, ces informations avaient contribué à disculper un peu plus Leo. Ses aveux correspondaient en grande partie à la réalité et Torkel avait donc décidé, en accord avec le procureur, de le libérer, pour éviter de perdre plus de temps et de concentration dans cette affaire. La presse allait sans doute réagir, car elle avait déjà condamné Leo Lundin : il était le harceleur qui était allé trop loin. Certains journaux prétendraient, pour se dédouaner, que d'autres preuves désignaient malgré tout Leo Lundin. Le sang de la victime répandu sur son T-shirt était déjà de notoriété publique. La veste verte ne faisait pas encore les gros titres, mais plusieurs journaux avaient annoncé que la police avait fait une nouvelle découverte dans le garage du suspect. La presse n'avait pas été informée qu'une autre personne y avait placé la veste pour le faire accuser, et cela ne devait en aucun cas filtrer. Il s'agissait là d'informations que seule l'équipe de Torkel détenait, et il n'y avait pas lieu que cela changeât. Torkel tenait à annoncer personnellement la nouvelle à Hanser avant que le procureur la contacte. Sur le papier, c'était toujours elle qui dirigeait l'enquête, et l'obligation de résultats pesait sur ses épaules. Torkel savait qu'il était délicat de libérer un suspect sans le remplacer par un autre. Mais Hanser suivit ses arguments et se déclara d'accord avec ses conclusions. Elle insista tout de même pour que Torkel se chargeât de la prochaine conférence de presse. Il comprenait pourquoi. Il était toujours avantageux pour sa propre carrière de voir la Crim' nager dans le brouillard. Torkel promit de s'occuper de la presse et quitta le bureau pour appeler le procureur.

*

Ils garèrent la voiture dans une autre rue, devant une autre maison, dans un autre quartier résidentiel. Combien y en avait-il à Västerås ? Dans la région ? Et dans toute la Suède ? se demandait Sebastian tandis qu'il longeait avec Vanja le chemin de gravier menant à la maison à deux étages. Sebastian supposa qu'il était possible d'être heureux dans un tel environnement. Lui-même n'avait pas fait cette expérience, mais cela ne signifiait pas que c'était exclu. Si, pour lui, oui. Il y avait une aura « paisible et digne » dans ce quartier, qu'il méprisait au plus haut point.

– Mais cassez-vous maintenant !

Sebastian et Vanja se retournèrent et virent un homme d'environ quarante-cinq ans s'avancer vers eux. Il portait un rouleau de tissu bleu sous le bras. Une tente. Il s'approchait à pas rapides.

– Mon nom est Vanja Lithner, et voici Sebastian Bergman.

Vanja lui présenta sa carte. Sebastian leva la main pour le saluer.

– Nous sommes de la brigade criminelle, et enquêtons sur le meurtre de Roger Eriksson. Nous avons déjà parlé à Beatrice à l'école.

– Oh, excusez-moi. Je vous ai pris pour des journalistes. J'ai déjà dû en chasser plusieurs de ma propriété aujourd'hui. Ulf Strand, le père de Johan.

Il leur tendit la main. Sebastian remarqua qu'il était le deuxième à se présenter de cette façon. En tant que parent. « Ulf, le père de Johan », pas « Ulf, le mari de Beatrice ». Et Beatrice avait parlé d'Ulf de la même manière. En tant que père de son fils. Pas en tant que mari.

– Vous n'êtes pas mariés, Beatrice et vous ?

Ulf parut sincèrement étonné de cette question.

– Si. Pourquoi me demandez-vous cela ?

– Par pure curiosité. J'avais le sentiment que… Bah, ça n'a pas d'importance. Est-ce que Johan est là ?

Ulf jeta un coup d'œil à la maison et fronça les sourcils.

– Oui, mais faut-il vraiment que vous le voyiez aujourd'hui ? Il est vraiment sous le choc après tout ce qui s'est passé. C'est pour cela que nous voulons partir camper. Prendre un peu de recul.

– Je suis désolé, mais nous avons déjà pris un certain retard dans cette enquête pour diverses raisons, et nous devons donc parler à Johan au plus vite.

Ulf comprit qu'il ne servirait à rien de tergiverser. Il haussa les épaules, posa son matériel de camping et les mena dans la maison.

Tous enlevèrent leurs chaussures dans le couloir où plusieurs paires s'alignaient déjà, des baskets et des pantoufles dans tous les sens. Des moutons de poussière s'accumulaient par terre. Au moins trois vestes traînaient sur un banc en bois noir adossé à l'un des murs. En progressant, Vanja eut l'impression de pénétrer dans l'antithèse de la maison bien entretenue de la famille Hansson. Dans un coin du salon trônait une planche à repasser, sur laquelle s'empilaient du linge mais aussi une partie du courrier, un journal et une tasse de café. Sur la table tachée et pleine de miettes, devant la télévision, se trouvaient également deux tasses. D'autres tas de vêtements dans lesquels on ne distinguait pas le propre du sale étaient éparpillés sur les fauteuils et le dossier du canapé. Ils montèrent à l'étage. Là, un frêle garçon à lunettes qui paraissait avoir moins de seize ans était assis dans sa chambre et jouait à la console.

– Johan. Ces deux personnes sont de la police et aimeraient parler un peu avec toi de Roger.

– J'arrive.

Johan se concentra à nouveau sur l'écran. Un homme avec un bras géant et déformé sautait partout et se battait contre quelque chose, apparemment des soldats. Il utilisait son bras comme arme. Billy saurait sûrement comment s'appelait ce jeu. La créature grimpa dans un tank arrêté au coin de la rue, et l'écran se figea en affichant une boîte de dialogue indiquant « Loading ». Quand l'image réapparut, on se trouvait apparemment à l'intérieur du tank, et on pouvait le conduire. Johan appuya sur une touche. L'image s'arrêta. Il se tourna vers eux. Son regard était las.

– Nous sommes désolés. Nous savons que Roger était ton ami.

Johan acquiesça.

– Il est possible que Roger t'ait confié certaines choses qu'il n'aurait dites à personne d'autre.

– Quoi par exemple ?

Au final, rien de neuf. Johan ne pensait pas que Roger ait eu des soucis. Et pas non plus qu'il ait eu peur de quelqu'un, même s'il croisait de temps en temps quelques anciens camarades de l'école Vikinga. Il se sentait bien à Palmlövska, ne devait d'argent à personne et ne s'intéressait pas aux copines des autres. Il en avait déjà une de toute façon. Johan croyait que Roger était chez elle ce vendredi-là. Il était souvent chez elle. Trop souvent à son goût probablement, supposèrent Sebastian et Vanja. Et non, il ne savait pas non plus qui Roger comptait retrouver s'il n'était pas chez Lisa. Il ne savait pas non plus pourquoi Roger l'avait appelé chez lui ce soir-là. Il n'avait pas essayé de le joindre sur son portable ensuite. Beaucoup de non.

Vanja était désespérée. Ils n'avançaient pas. Tout le monde disait la même chose. Roger était un garçon calme et bien élevé, plutôt solitaire et qui ne cherchait pas les ennuis. Et si c'était l'un des rares cas où la victime ne connaissait pas son meurtrier ? Et si ce dernier était sorti de chez lui le vendredi soir avec pour objectif de tuer quelqu'un, et que c'était tombé sur Roger ?

185

Bien sûr, ce serait assez inhabituel. Surtout si l'on considérait le mode opératoire. L'ablation du cœur. Le transport et la dissimulation du corps. Les preuves placées à dessein. Inhabituel, mais pas impossible. En même temps, quelque chose clochait dans ces descriptions quasiment identiques que tous donnaient de Roger. Vanja le sentait de plus en plus. Les paroles de Lisa, expliquant que Roger aimait garder son jardin secret, lui restaient en mémoire. Selon toute vraisemblance, ces mots se rapprochaient le plus de la vérité. On aurait dit qu'il y avait deux Roger Eriksson : l'un presque invisible et qui ne se faisait jamais remarquer, et l'autre qui gardait une foule de secrets.

– Tu ne penses à personne qui aurait pu avoir une raison d'en vouloir à Roger ?

Vanja était déjà sur le point de quitter la pièce, certaine que sa question n'aurait, une fois de plus, qu'un signe de tête de dénégation pour seule réponse.

– Si, Axel était en colère contre lui. Mais pas beaucoup.

Vanja s'arrêta. Elle sentit une montée d'adrénaline. Un nom. Quelqu'un qui lui en voulait. Une branche à laquelle se raccrocher. Sûrement une partie d'un autre secret.

– Qui est Axel ?

– L'ancien concierge de l'école.

Un adulte. Qui avait le permis de conduire. La branche était à portée de main.

– Pourquoi Axel était-il en colère contre Roger ?

– Parce que Roger l'a fait virer il y a quelques semaines.

*

– Ah oui, cet événement regrettable.

Le principal Groth ouvrit sa veste et s'assit derrière son bureau avec la tête de quelqu'un qui vient d'ingérer un aliment écœurant. Vanja resta dans l'encadrement de la porte, les bras croisés. Elle avait du mal à cacher sa colère.

– Quand nous sommes venus la semaine dernière, j'ai précisé qu'une personne de votre école pourrait être impliquée dans le meurtre de Roger Eriksson. Et vous n'avez pas pensé à votre ancien collègue qui a été licencié par sa faute ?

Le principal écarta les bras dans un geste d'excuse mêlé de mépris.

– Malheureusement non, je vous prie de m'en excuser. Je n'ai absolument pas fait le lien.

– Pouvez-vous nous en dire plus ?

Groth jeta un regard visiblement réprobateur à Sebastian qui était affalé dans un fauteuil et feuilletait une brochure d'information de l'école piochée sur un présentoir devant le bureau du principal pendant qu'ils l'attendaient.

« *Le lycée Palmlövska : la porte ouverte vers toutes les possibilités.* »

– Il n'y a pas grand-chose à raconter. Nous avons découvert que le concierge vendait de l'alcool aux élèves. Du trafic. Bien sûr, nous l'avons licencié sans préavis, et l'affaire a été réglée.

– Et comment l'avez-vous appris ?

Le principal lui jeta un regard fatigué et ôta des grains de poussière imaginaires de son bureau.

– C'est la raison de votre visite, non ? En élève responsable qu'il était, Roger Eriksson est venu me voir et m'a raconté ce qui se passait. J'ai recruté une jeune fille de seconde pour faire l'appât et passer commande. Quand il est arrivé avec la marchandise, nous l'avons pris en flagrant délit.

– Axel sait-il que Roger l'a dénoncé ?

– Je l'ignore. Sûrement, oui. Autant que je sache, plusieurs élèves étaient au courant.

– Mais vous n'avez jamais informé la police de cette affaire ?

– Non, je n'en ai pas vu l'utilité.

– Se pourrait-il que votre réputation de « lieu de formation idéal basé sur les valeurs chrétiennes, qui donne à chaque individu la sécurité, l'inspiration et les chances d'épanouissement optimales » en eût été quelque peu entachée ?

Sebastian leva les yeux de la brochure qu'il venait de citer et ne put s'empêcher d'arborer un petit sourire satisfait.

Ragnar Groth dut lutter pour dissimuler son mépris lorsqu'il répondit :

– Notre réputation est effectivement notre bien le plus précieux.

Vanja secoua la tête, déroutée.

– Et c'est pour cette raison que vous ne portez pas plainte lorsque des délits sont commis dans votre école ?

– Il ne s'agissait que de commerce illégal d'alcool. Bien sûr, il en vendait à des mineurs, mais tout de même. Axel n'aurait pas encouru plus qu'une amende, n'est-ce pas ? Ou peut-être même pas.

– Peut-être, mais là n'est pas la question.

– Non ! Groth l'interrompit d'une voix perçante. Il s'agissait de ne pas perdre la confiance des parents, car cela nous aurait coûté très cher. C'est une question de priorités.

Groth se leva, reboutonna sa veste et se dirigea vers la porte.

– Si c'est tout ce que vous aviez à me dire, veuillez m'excuser, j'ai à faire. Mais vous pouvez demander l'adresse d'Axel Johansson au secrétariat, si vous désirez lui parler.

Sebastian était dans le couloir, devant le secrétariat, et attendait Vanja. Le mur était couvert de portraits en noir et blanc d'anciens principaux et professeurs ayant mérité de rester dans la mémoire des générations futures. Au milieu de cette galerie de photos, un tableau. Un portrait du père de Sebastian, dans toute sa splendeur. Debout devant un bureau qui devait évoquer les valeurs éducatives classiques. Le tableau était peint en légère contre-plongée, de façon que Ture Bergman baissât continuellement les yeux sur l'observateur. Ce qui lui plaisait assurément beaucoup, pensa Sebastian. Tout regarder de haut et condamner, de sa position surélevée.

Sebastian laissa voguer ses pensées. Quel père avait-il été lui-même durant les quatre ans passés auprès de Sabine ? La réponse était certainement : passable.

Ou plutôt : il avait été le meilleur père possible, mais il n'avait réussi à atteindre qu'une mention « passable ». Quand Sebastian se posait des questions sur ses qualités de père, il se rassurait toujours en pensant que ce n'était pas éloigné de la relation que Sabine entretenait avec la télévision : la qualité des images n'était pas importante. Tant que c'était coloré et que quelque chose bougeait à l'écran, elle était satisfaite. Était-ce la même chose avec lui ? Sabine l'aimait-elle simplement car il était près d'elle, sans se préoccuper de la qualité de sa présence ? Il avait passé beaucoup de temps avec sa fille, plus qu'avec Lily. Il ne l'avait pas voulu, c'était le résultat de leur emploi du temps. Sebastian travaillait souvent à la maison, partait en déplacement pendant de courtes périodes pour travailler intensivement, avait ensuite de longues vacances puis retravaillait à la maison. Présent, ça, oui, il l'était. Mais cela n'empêchait pas Sabine d'aller chercher refuge dans les bras de sa mère quand il lui arrivait quelque chose. Toujours chez Lily en premier. Cela devait bien avoir un sens. Sebastian se refusait à croire que c'était dans les gènes. Que l'on ne pouvait remplacer une mère, comme certaines femmes le prétendaient. C'était une pure absurdité. Que donnait-il à sa fille à part sa présence ? Sebastian ne trouvait pas que les premières années passées avec Sabine avaient été spéciales ou, pour être honnête, particulièrement drôles. Ou bien, si, spéciales, oui. Troublantes. Il avait entendu beaucoup de gens prétendre que rien ne changeait quand on devenait parent. Ils continuaient leur vie comme avant, avec des enfants en plus. Sebastian n'avait pas été si crédule. Il avait su qu'il serait obligé de transformer toute sa vie. Tout ce qu'il était. Et il était prêt. De ce point de vue, elles avaient été spéciales, ces premières années, mais pas extrêmement enrichissantes. Pour le formuler de manière extrême : Sabine ne lui avait pas donné assez dans ces premières années. C'était ce qu'il pensait à l'époque. Aujourd'hui, il donnerait tout pour les retrouver.

Cela s'était amélioré avec le temps, il devait l'admettre. C'était de mieux en mieux, au fur et à mesure qu'elle grandissait. Il avait le sentiment que plus leur relation se développait et se renforçait, plus elle était en mesure de lui donner quelque chose en retour. Mais qu'est-ce que cela signifiait, à part qu'il était un égoïste ? Il avait à peine osé penser à ce que ce serait quand elle serait plus grande et qu'elle poserait ses conditions. Quand l'enfant deviendrait indépendante. S'il n'était plus celui qui savait tout. Si elle le perçait à jour. Il l'aimait par-dessus tout. Mais le savait-elle ? Avait-il su le lui montrer ? Il n'en était pas sûr. Il avait aussi aimé Lily. Et le lui avait dit. Bien trop rarement.

Il se sentait mal à l'aise quand il prononçait ces mots. Enfin, surtout quand il les pensait vraiment. Il partait du principe qu'elle savait qu'il l'aimait. Et le lui montrait d'une autre manière. Il ne lui avait jamais été infidèle à l'époque où ils étaient ensemble. Pouvait-on prouver son amour à travers les choses qu'on ne faisait pas ? Pouvait-on les montrer ?

Et maintenant, il était là et avait peut-être un fils ou une fille adulte quelque part. La lettre d'Anna Eriksson l'avait déboussolé. Son cerveau était passé en pilotage automatique depuis. Il avait immédiatement décidé qu'il lui fallait retrouver cette femme coûte que coûte. Il devait retrouver son enfant. Mais, à bien y réfléchir, le fallait-il ? Devait-il vraiment chercher quelqu'un qui avait presque trente ans et avait passé toute sa vie sans lui ? Et si oui, que devait-il lui dire ? Peut-être Anna avait-elle menti à son enfant et désigné quelqu'un d'autre comme père. Peut-être avait-elle prétendu qu'il était mort. Peut-être ne ferait-il que semer la pagaille. Chez les autres, mais aussi en lui-même.

En réalité, Sebastian se fichait éperdument de savoir si c'était une bonne idée ou non de s'introduire dans la vie d'un adulte pour la mettre sens dessus dessous. La question était plutôt de savoir ce que cela allait lui apporter à lui. Croyait-il qu'il y avait une autre Sabine qui l'attendait ? Non, évidemment. Personne ne mettrait sa main à bague en forme de papillon dans la sienne, ni ne s'endormirait au soleil à côté de lui. Personne ne viendrait, tôt le matin, se lover tout contre lui dans son lit. Au lieu de cela, il courait le risque d'être méchamment envoyé sur les roses. Ou au mieux d'être pris dans les bras par un parfait inconnu qui ne serait jamais plus qu'un parent éloigné. Ou au mieux un ami. Il n'en avait effectivement pas beaucoup. Mais ce ne serait que le cas idéal. Que se passerait-il s'il n'avait jamais la chance de jouer un rôle dans la vie de son enfant ? En aurait-il la force ? S'il continuait à s'accrocher à cette entreprise égoïste, il devait être sûr d'en retirer quelque chose. Mais ce n'était plus le cas. Peut-être devrait-il plutôt oublier tout cela. Vendre la maison, laisser derrière lui Västerås et le meurtre, et rentrer chez lui à Stockholm.

Il fut arraché à ses pensées par Vanja qui sortit du commissariat en claquant la porte un peu trop bruyamment et s'approcha à pas rapides et agacés.

– J'ai une adresse, dit-elle en passant devant Sebastian sans réduire son allure.

Il la suivit.

– Combien de choses peuvent se passer ici sans qu'on porte plainte ? demanda Vanja rouge de colère en se précipitant dans la cour.

Sebastian supposa qu'il s'agissait d'une question purement rhéto- rique et ne répondit pas. Ce n'était pas nécessaire. Elle recommençait déjà à pester.

– Incroyable ! Jusqu'où iront-ils pour ne pas nuire à la bonne réputation de l'école ? Dix jours avant sa mort, Roger a fait virer un employé, et ils ne lâchent pas un mot là-dessus. Est-ce que Ragnar Groth le passera aussi sous silence quand une ado se fera violer dans les toilettes ?

Sebastian supposa qu'elle n'attendait toujours pas de réponse, mais il pouvait au moins lui faire le plaisir de s'intéresser à ce qu'elle disait.

– Évidemment, s'il pense que la plainte nuit à la réputation de son école. Il a un mode de fonctionnement relativement simple. La réputation du lycée a la priorité absolue. Quelque part, c'est compré- hensible : c'est le premier argument de vente de l'établissement.

– Et ce discours sur le harcèlement ? C'est du flan aussi ?

– Bien sûr. Il est dans la nature de l'homme de hiérarchiser les priorités. Dès qu'on appartient à un groupe, il nous faut savoir où on se situe, et on agit en fonction de ce qu'il faut faire pour garder cette place ou en trouver une meilleure. De manière plus ou moins directe. Et plus ou moins rusée.

Ils étaient arrivés à la voiture. Vanja resta debout devant la portière du conducteur et jeta un regard sceptique à Sebastian par-dessus le toit.

– Je travaille dans le groupe d'investigations depuis plusieurs années. Ce n'est pas comme ça chez nous.

– Mais seulement parce que la hiérarchie est statique et que Billy, qui est en bas de l'échelle, n'a aucune ambition de monter en grade.

Vanja lui lança un regard à la fois amusé et incrédule.

– Tu crois que Billy est tout en bas ?

Sebastian opina du chef. Évidemment. Il avait compris en trois secondes que Billy était le subalterne.

– Et moi, je suis où à ton avis ?

– Juste en dessous de Torkel. Ursula ne te dispute pas cette place, car elle ne travaille pas dans le même domaine. Elle sait qu'elle est la meilleure dans son secteur, vous n'êtes donc pas encore en concurrence. Si c'était le cas, elle t'aurait volé ta place depuis longtemps.

– Ou moi, la sienne.

Sebastian lui sourit comme à une petite fille qui vient de dire une bourde.

– Oui, c'est peut-être ce que tu crois.

Sebastian ouvrit la portière passager et s'assit. Vanja resta encore un moment debout et tenta d'évacuer ce sentiment d'irritation qui montait en elle. Elle n'allait pas lui faire le plaisir d'être vexée. Elle se maudit. Ne pas l'inciter à discuter, c'était le mot d'ordre. Tant qu'il ne l'ouvrait pas, il n'y avait pas de raison de se mettre en colère. Elle prit encore deux profondes inspirations. Puis elle ouvrit la portière et s'installa derrière le volant. De meilleure disposition, elle lui adressa de nouveau la parole. Il ne devait en aucun cas avoir le dernier mot.

– Tu ne nous connais même pas. C'est du vent tout ça.

– Ah bon, tu crois ? Torkel m'a engagé. Billy s'en fiche. Ursula et toi, vous ne savez toujours pas à quoi vous en tenir. Vous savez seulement que je suis super bon, et vous avez pris vos distances.

– Et tu crois que c'est parce que nous nous sentons menacées ?

– Pourquoi, sinon ?

– Parce que tu es un connard.

Vanja démarra. Ah ! Gagné ! Elle avait eu le dernier mot. Si tout se passait bien, ils feraient le trajet jusqu'au domicile d'Axel Johansson en silence.

Mais ce n'était pas elle qui menait la danse.

– C'est important pour toi, hein ?

Mon Dieu, ne pouvait-il pas enfin la fermer ? Vanja poussa un soupir.

– Qu'est-ce qui est important ?

– D'avoir toujours le dernier mot.

Vanja serra les dents et regarda droit devant elle. Ainsi, elle évitait au moins l'expression d'autosatisfaction collée sur le visage de Sebastian quand il s'adossa à son siège en fermant les yeux.

Vanja laissa son doigt appuyé sur la sonnette. Le bourdonnement monotone résonnait à travers la porte, jusque dans la cage d'escalier où ils étaient entrés. Mais c'était tout ce qu'on entendait. Elle avait jeté un coup d'œil à travers la fente du courrier avant de sonner, mais n'avait perçu aucun bruit ni aucun mouvement.

Vanja avait toujours le doigt collé sur le bouton. Sebastian hésita à lui faire remarquer qu'Axel Johansson serait probablement venu ouvrir dès le premier coup de sonnette s'il avait été chez lui. Même s'il dormait, il aurait déjà dû atteindre la porte depuis belle lurette. Oui, même s'il agonisait à l'intérieur, il aurait déjà été en train de ramper pour arriver jusqu'à la porte.

– Hé, qu'est-ce que vous faites là, dehors ?

Vanja lâcha la sonnette et se retourna. Derrière une porte entrouverte, une vieille souris grise les épiait. C'était vraiment la première impression qu'avait eue Sebastian. Le gris ne tenait pas seulement à la couleur de ses cheveux lisses et fins. La vieille femme portait un gilet gris, un jogging gris et des chaussettes en laine. Grises, elles aussi. Au milieu de son visage gris et ridé, une paire de lunettes transparentes renforçait encore cette impression de grisaille. Elle cligna des yeux en direction des intrus d'un air méfiant. Ce serait un miracle si elle n'avait pas aussi les yeux gris, pensa Sebastian.

Vanja se présenta et expliqua qu'ils recherchaient Axel Johansson. La voisine savait peut-être où il se trouvait ? Au lieu d'un oui ou d'un non, ils reçurent pour toute réponse une autre question.

– Qu'est-ce qu'il a fait ?

La petite mamie grise reçut une vague réponse standard.

– Nous aimerions simplement lui parler.

– Interrogatoire de routine, ajouta Sebastian, plutôt pour la blague. En fait, personne ne disait jamais le mot « routine », mais il collait si bien à la situation... Comme si la souris grise l'avait attendu. Vanja lui fit comprendre qu'elle ne trouvait pas ça drôle. Il n'en attendait pas moins d'elle. Elle se retourna vers la voisine tout en jetant un coup d'œil au nom sur la boîte aux lettres.

– Madame Holmin, savez-vous par hasard où nous pourrions le trouver ?

Madame Holmin l'ignorait. Elle savait seulement qu'il n'était pas chez lui. Depuis plus de deux jours. Elle en était sûre. Non qu'elle contrôlât ce qui se passait dans l'immeuble, non, mais il y avait des choses qui se remarquaient, qu'on le veuille ou non. Comme le fait qu'Axel Johansson avait été viré récemment. Ou que sa bien trop jeune copine avait déménagé il y a quelques jours. Il était temps aussi. Madame Holmin ne comprenait pas ce qu'elle avait bien pu lui trouver. Il n'était pas désagréable, non, mais plutôt bizarre. Il préférait être seul. Asocial. Saluait à peine quand on le croisait dans l'escalier. La fille, par contre, était plutôt causante. Et très gentille. Tout le monde était de cet avis dans l'immeuble. La mamie n'espionnait pas, mais les murs n'étaient pas épais et elle avait le sommeil léger : c'était pour ça qu'elle savait autant de choses.

– Est-ce qu'il a souvent de la visite ?

– Oui, souvent. Surtout des jeunes. J'entends tout le temps le téléphone ou la sonnette. De quoi le soupçonne-t-on au juste ?

Vanja secoua la tête et répéta seulement qu'ils avaient à parler à Johansson. Elle adressa un sourire à la voisine, lui tendit une carte et la pria d'appeler si elle l'entendait revenir.

La petite souris grise plissa les yeux pour examiner la carte de visite de la brigade criminelle. Elle sembla tout à coup avoir une illumination.

– Est-ce que ça a quelque chose à voir avec le meurtre de l'adolescent ? Ses yeux gris brillants de curiosité regardèrent tour à tour Vanja et Sebastian en attendant leur confirmation. Il travaillait à son école, mais vous le savez sans doute déjà ?

Vanja fouilla dans sa poche intérieure.

– Savez-vous s'il est déjà venu ici ?

Elle sortit la photo de Roger que tous les policiers portaient sur eux. Le cliché datait du dernier passage du photographe de l'école. Elle le tendit à la souris grise qui y jeta un bref coup d'œil et secoua la tête.

– Je ne sais pas, je trouve qu'ils se ressemblent tous avec leurs casquettes, leurs capuches et leurs vestes beaucoup trop grandes. Je ne saurais pas dire.

Vanja et Sebastian la remercièrent et lui rappelèrent encore une fois de les contacter dès qu'Axel se montrerait.

Quand ils descendirent les marches, Vanja sortit son téléphone et appela Torkel. Elle lui fit un bref résumé de la situation et lui proposa de lancer un avis de recherche sur Axel Johansson. Torkel promit de s'en occuper immédiatement. Devant la porte d'entrée, ils faillirent percuter une personne qui s'apprêtait à pénétrer dans l'immeuble. Haraldsson. Le visage de Vanja s'assombrit.

– Qu'est-ce que tu fais ici ?

Haraldsson expliqua qu'il avait reçu l'ordre de rechercher des témoins dans les environs. Roger Eriksson avait été aperçu par une caméra de surveillance dans la rue Gustavborgsgatan mais par aucune autre ensuite, ce qui aurait dû être le cas s'il avait continué sur la grande route. Il devait donc avoir tourné quelque part, et ce quartier faisait partie de la zone concernée. Ils étaient maintenant à la recherche de témoins qui l'auraient vu le vendredi soir.

Du nettoyage de poignées de portes, donc. Vanja avait le sentiment que Haraldsson avait enfin la mission qu'il méritait. Axel Johansson habitait donc à l'intérieur de la zone de recherches. La branche était à portée de main à présent.

*

Ce fut une troupe éreintée qui se rassembla autour de la table en bouleau clair, dans la salle de conférences de l'hôtel de police. Lorsqu'ils confrontèrent leurs résultats, ils prirent conscience qu'ils n'avaient pas beaucoup avancé. Le fait que le mail avait été envoyé de l'école Palmlövska n'avait pas vraiment resserré le cercle des suspects. Et le fait qu'ils puissent maintenant prouver que Lisa avait menti confirmait certes les soupçons de Vanja, mais ne menait strictement nulle part. L'élément le plus important qui était ressorti de l'interrogatoire était les secrets de Roger. Ils devaient s'intéresser de plus près à sa vie en dehors de l'école, et plus particulièrement à cette probable relation cachée : tous étaient d'accord sur ce point. Le garçon voyait quelqu'un, lorsqu'il était censé être chez Lisa : tous en étaient convaincus. Ils décidèrent qu'une partie de l'équipe se consacrerait à l'étude de la personnalité de Roger. Quel genre de garçon était-il ?

– Est-ce qu'on a déjà analysé son ordinateur ?

– Il n'en avait pas.

Billy regarda Vanja comme s'il avait mal entendu.

– Il n'avait pas d'ordinateur ?

– En tout cas, rien n'est indiqué sur la liste établie par les agents qui ont fouillé sa chambre.

– Mais il avait seize ans ! Est-ce que l'ordinateur a pu avoir été volé ? Comme la montre ?

– D'après les images de vidéosurveillance, il n'avait pas d'ordinateur, objecta Torkel.

Billy secoua la tête en s'imaginant quelles épreuves avait subies le garçon. Déconnecté. Isolé. Seul.

– Il a quand même pu être actif sur Internet, poursuivit Torkel. En se servant de l'ordinateur de Lisa, dans un centre de loisirs ou un cybercafé. Vérifie si tu le trouves quelque part.

Billy acquiesça.

196

– Et il y a encore Axel Johansson.

Torkel parcourut la table du regard. Billy saisit la perche et enchaîna.

– Les interrogatoires de voisinage n'ont rien donné. Personne ne se souvient d'avoir aperçu Roger dans les environs vendredi soir.

– Ce qui ne veut pas dire qu'il n'y était pas, intervint Vanja.

– Ce qui ne veut pas dire non plus qu'il y était, rétorqua Billy.

– Que savons-nous sur Johansson à part qu'il habite dans la zone où Roger se trouvait, ou peut-être pas, au moment de sa disparition ? demanda Sebastian.

– Johansson a été viré à cause de Roger, lança Vanja. Pour l'instant, c'est le mobile le plus convaincant que nous ayons.

– Et il a disparu depuis deux jours, ajouta Billy.

Pendant un court instant, Sebastian sentit l'impatience le gagner. Il avait passé la journée à suivre Vanja. Avait entendu les mêmes choses qu'elle. Il était donc totalement conscient qu'ils avaient ce qu'on pouvait appeler un mobile et qu'Axel Johansson n'était pas chez lui.

– Mis à part ça, bien sûr.

Le silence se fit autour de la table. Billy feuilleta ses papiers et trouva ce qu'il cherchait.

– Axel Malte Johansson. Quarante-deux ans. Célibataire. Né à Örebro. Changements fréquents d'adresse. Ces dernières années, il a habité à Umeå, Sollefteå, Gävle et Helsingborg. Il s'est installé à Västerås il y a deux ans. S'est fait embaucher au lycée Palmlövska comme concierge. Il est signalé pour factures impayées. Casier judiciaire vierge, mais son nom apparaît dans plusieurs affaires de falsifications de chèques et de documents et dans quelques plaintes pour harcèlement sexuel. Toutes les procédures ont été suspendues par manque de preuves.

Vanja était confortée dans son idée. Son nom figurait dans leurs fichiers, ce qui rendait Axel Johansson d'autant plus intéressant pour leur enquête. L'expérience révélait que les meurtriers avaient déjà eu au moins une fois dans leur vie affaire à la police. Souvent, ces crimes n'étaient que le point culminant d'une escalade dans l'échelle de la violence. Souvent, le chemin vers le crime le plus grave était parsemé de petits délits, et les tueurs connaissaient presque toujours leur victime. Presque toujours.

Vanja se demanda si elle devait parler de l'idée qui lui avait traversé l'esprit : si elle devait évoquer la possibilité que le tueur ne connût absolument pas Roger, suggérer qu'ils ne faisaient que gaspiller un temps précieux en tentant d'établir un profil de la victime. Peut-être devaient-ils aborder l'affaire sous un angle totalement nouveau. Mais elle se tut. Jusqu'ici, elle avait participé à la résolution de douze affaires de meurtres. Dans la plupart, victime et meurtrier se connaissaient. Il était quasiment impossible que Roger ait été tué par un parfait inconnu. Si c'était le cas, ce crime ne serait probablement jamais élucidé, et ceux qui étaient assis autour de cette table le savaient. Les chances de retrouver un meurtrier n'ayant aucun lien avec sa victime étaient quasi nulles, surtout sans empreintes ou trace ADN. Depuis les années 1990, ces crimes-là avaient connu une hausse du taux d'élucidation grâce au travail de la police scientifique. Dans le cas des corps immergés, il était malheureusement presque impossible de retrouver des traces ADN.

— Sait-on si Axel Johansson a effectivement filé ? Il est peut-être seulement parti en voyage, peut-être une petite visite à son vieux père ?

L'objection tout à fait recevable de Sebastian ne facilitait pas les choses.

Billy jeta un coup d'œil dans ses papiers pour vérifier.

— Ses deux parents sont morts.

— D'accord, mais il a peut-être rendu visite à une autre personne encore vivante ?

— Possible, confirma Torkel, mais on ignore où il se trouve.

— Ursula pourrait fouiller du côté de son appartement, non ?

Torkel se leva et commença à faire les cent pas. Il réprima un bâillement. L'air devenait facilement moite dans cette pièce. Contrairement à toutes les autres pièces, la ventilation n'était pas des plus modernes, ici.

— Nous n'avons pas assez d'éléments contre lui pour ordonner une perquisition. Si on pouvait prouver que Roger était dans le quartier, certainement, mais pour le moment, on n'a rien.

Un silence résigné envahit la pièce. Billy se figea en entendant le téléphone de Vanja sonner. Elle jeta un regard à l'écran, s'excusa et sortit. Torkel et Billy la regardèrent, étonnés. Ils ne pouvaient pas se souvenir d'une seule fois où Vanja avait interrompu son travail pour une conversation privée. Ce devait être important.

Le coup de fil de son père avait réveillé beaucoup d'émotions en Vanja, et elle quitta l'hôtel de police pour mettre un peu d'ordre dans ses pensées. En général, elle arrivait à bien séparer sa vie professionnelle de sa vie privée. Mais ces six derniers mois, elle avait eu de plus en plus de mal. Ses collègues n'avaient rien remarqué, elle était trop disciplinée pour cela, mais l'angoisse la rongeait.

Au centre de cette foule de pensées se trouvait l'homme qu'elle aimait plus que tout au monde, son père Valdemar. Il était difficile de réprimer une angoisse. Plus on l'écartait, plus elle vous revenait en pleine figure. Ces derniers temps, c'était devenu de pire en pire, et Vanja s'était réveillée chaque jour un peu plus tôt, sans pouvoir se rendormir.

Elle tourna à gauche dans le petit parc du château. Un vent léger soufflait depuis le lac Mälar. Les bourgeons à peine éclos et les petites feuilles se balançaient en bruissant. Vanja marchait sur le sol mou sans but précis.

Les premiers résultats de la chimiothérapie étaient finalement positifs, mais il y aurait d'autres tests.

Les images revinrent. L'hôpital. L'annonce du diagnostic huit mois auparavant. Sa mère avait pleuré. Le médecin était resté à côté de son père, professionnel. Elle avait pensé à toutes les fois où elle-même avait dû endosser ce rôle. Rester calme et concentrée en face de la victime et des proches. Cette fois, les rôles étaient inversés. Elle avait donné libre cours à ses émotions. Le diagnostic n'avait pas été difficile à comprendre. Des cellules dégénérées dans les poumons. Cancer.

Vanja s'était effondrée sur sa chaise à côté de son père. Ses lèvres avaient un peu tremblé, sa voix avait péniblement retrouvé un équilibre. Son père l'avait observée depuis son lit d'hôpital et avait essayé de paraître calme. Chimiothérapie et rayons. Il y avait de grandes chances pour que son père vainque le cancer et retrouve la santé. Tout à l'heure, elle s'était assise à sa place en face de Billy et l'avait écouté raconter le concert d'un groupe dont elle ignorait le nom et qui lui donnerait sûrement envie d'éteindre la radio si elle l'entendait. Pendant une seconde, il s'était arrêté et l'avait fixée. Comme s'il avait remarqué que quelque chose n'allait pas. Il avait porté sur elle un regard doux et bienveillant. Mais cet instant s'était vite écoulé. Elle s'était immédiatement entendue devenir sarcastique et lui lancer qu'il allait avoir trente-deux ans le mois suivant et non vingt-deux, au cas où il l'aurait oublié. Et ils avaient continué à se taquiner ainsi pendant quelque temps. Comme ils le faisaient toujours. Vanja avait alors décidé qu'elle n'irait pas plus loin. Pas parce qu'elle n'avait pas confiance en lui. Billy était plus qu'un simple collègue. Il était aussi son meilleur ami. Mais à ce moment-là, elle avait besoin qu'il soit comme d'habitude. Cela atténuait la douleur. Une partie de sa vie pouvait s'arrêter soudainement, mais une autre continuait comme d'habitude.

Ce jour-là, elle s'était beaucoup chamaillée avec Billy.

Vanja s'était approchée de la rive. Le soleil de l'après-midi faisait étinceler la rivière. Des bateaux courageux bravaient le vent froid. Elle sortit son téléphone, préféra oublier qu'elle aurait dû retourner auprès de ses collègues et composa le numéro de ses parents. Sa mère avait été particulièrement touchée par la maladie de Valdemar. En fait, Vanja elle-même aurait pu passer son temps à pleurer, à crier, à se sentir petite et impuissante à l'idée que son père pût la quitter. Mais ce rôle était déjà pris. En temps normal, Vanja préférait qu'il en fût ainsi : la mère émotive et la fille rationnelle et mesurée comme son père. L'année dernière, Vanja avait eu pour la première fois envie d'échanger les rôles. Ne fût-ce que pour quelques secondes. Brutalement, elle eut le sentiment d'être au bord d'un précipice. Et celui qui avait toujours été là pour l'empêcher d'y tomber était soudain sur le point de l'abandonner – pour toujours. Ou peut-être pas ?

La médecine avait insufflé de l'espoir dans la balance. Il allait très probablement s'en sortir. Vanja sourit. Regarda l'eau étincelante et se laissa envahir par un immense bonheur.

– Salut, maman.

– Tu es au courant ?

– Oui, il vient de m'appeler. C'est génial !

– J'ai encore du mal à y croire. Il va bientôt rentrer à la maison.

Vanja entendait sa mère retenir ses larmes. Des larmes de bonheur. Il y avait bien longtemps qu'elle n'avait pas pleuré.

– Embrasse-le très fort de ma part. Et très longtemps, et dis-lui que j'arrive dès que je peux.

– Quand exactement ?

– Ce week-end au plus tard.

Elles décidèrent qu'ils iraient dîner au restaurant tous les trois la semaine suivante. Sa mère n'avait pas envie de raccrocher. Les paroles fusaient pour évacuer l'angoisse. Comme si elles ressentaient toutes deux le besoin de s'assurer que tout était redevenu comme avant. Le portable émit un bip. Un SMS.

– Je t'aime, Vanja.

– Moi aussi, mais je dois y aller maintenant.

– Vraiment ?

– Oui, tu le sais bien, maman. Mais on se voit bientôt.

Vanja mit fin à la conversation et ouvrit le message. Torkel. L'autre monde réclamait de nouveau son attention.

« *Où es-tu ? Ursula est en route.* »

Une réponse rapide.

« *J'arrive.* »

Elle se demanda si elle devait insérer un smiley, mais y renonça.

21

Comme à son habitude, Beatrice Strand avait pris le bus pour rentrer chez elle. Elle descendit un arrêt plus tôt pour prendre l'air. À l'école, c'était impossible. À la maison aussi. La mort de Roger était partout, comme l'écroulement d'un barrage, balayant tout sur son passage. Son élève, pour lequel elle s'était tellement engagée. L'ami de Johan, avec qui il avait passé tant d'après-midi. C'était impossible. Les amis ne mouraient pas. Les lycéens n'étaient pas assassinés puis abandonnés dans la forêt.

Normalement, elle mettait huit minutes à parcourir la distance qui séparait l'arrêt de bus de sa maison jaune pâle à deux étages. Aujourd'hui, elle en mit trente-cinq. Elle ne redoutait pas qu'Ulf s'inquiétât de son absence. Savoir à quelle heure elle rentrait lui était égal depuis longtemps.

Quand elle pénétra dans la maison, elle n'entendit pas un bruit.

– Hello, je suis là !

Rien.

– Johan ?

– On est là-haut, obtint-elle pour seule réponse.

Pas de « Je descends » ni de « Ça va ? ». Rien qu'un silence. On est là-haut. Toujours Ulf et Johan. Et de moins en moins eux trois. Qui voulait-elle tromper ? *Jamais* eux trois.

– Je vais préparer un thé, cria-t-elle sans obtenir davantage de réaction.

Beatrice alluma la bouilloire et resta debout à fixer le voyant rouge, perdue dans ses pensées. Les premiers jours, elle s'était battue pour qu'ils restent unis, dialoguent, se soutiennent. Comme le faisaient des familles normales dans les moments difficiles. Mais Johan ne voulait pas. Il l'évitait de plus en plus. Dans cette famille, on faisait tout avec le père, même son deuil. Elle était exclue, mais n'avait pas l'intention d'abandonner. Elle chercha les grandes tasses orange et les disposa sur un plateau avec un sucrier et un pot de miel. Observa la rue calme par la fenêtre. Bientôt, elle aurait vue sur les fleurs roses qu'elle aimait tant. Leur cerisier venait de bourgeonner. C'était tôt, cette année. La famille l'avait planté ensemble un jour, il y avait une éternité. Johan avait cinq ans à l'époque, et il avait insisté pour creuser le trou lui-même. Elle l'avait laissé faire en riant. Elle se rappelait encore ce qu'elle avait dit : « Une vraie famille possède un arbre. »

Une vraie famille. Le voyant s'éteignit, et elle versa l'eau bouillante dans les tasses. Trois sachets de thé. Puis elle monta les escaliers pour rejoindre les décombres de sa vraie famille.

Johan était assis à l'ordinateur et jouait à « Person Shooter », un jeu où il s'agissait de tuer un maximum de gens, comme elle l'avait appris. Ulf, confortablement installé sur le bord du lit, assistait au massacre. Quand elle ouvrit la porte, il fut le seul à lui accorder un regard. Comme d'habitude.

– Vous avez faim ?

– Non. On vient de manger.

Beatrice posa le plateau sur la commode où étaient entreposés les mangas de son fils.

– Est-ce que la police est venue aujourd'hui ?

– Oui.

Nouveau silence. Beatrice s'approcha de son fils et posa une main sur son épaule. Elle l'y laissa un instant et put sentir la chaleur de sa peau à travers son T-shirt. Pendant une seconde, elle crut qu'il allait l'autoriser à le toucher.

– Maman...

Un coup d'épaule lui fit clairement comprendre qu'elle devait enlever sa main. À contrecœur, Beatrice la retira, mais ne renonça pas. Pas encore. Elle s'assit sur le lit à côté d'Ulf.

– Il faut qu'on parle, ça ne sert à rien de faire l'autruche, commença-t-elle.

– Mais j'en parle avec papa, dit Johan depuis son bureau, sans se retourner.

– Moi aussi, je ressens le besoin d'en parler, dit-elle d'une voix tremblante.

Elle n'avait pas seulement besoin d'en parler ; elle avait besoin de sa famille, et surtout de son fils. Elle avait espéré qu'il reviendrait, comme son mari l'avait fait.

Oublier, pardonner et continuer. Pour que tout redevienne comme avant. Comme autrefois. Quand elle était encore celle à qui Johan confiait ses soucis. Quand ils partageaient leurs joies et leurs peines dans de longues conversations et lorsqu'elle pouvait être ce qu'elle désirait, une mère, une femme, une partie de quelque chose. Mais elle paraissait bien loin, l'époque où la famille avait fièrement planté son cerisier.

Ulf se tourna vers elle.

– On en parlera plus tard. L'entretien avec la police s'est très bien passé. Johan leur a raconté ce qu'il savait.

– C'est bien.

– Écoute, on va partir tout à l'heure, Johan et moi. Faire du camping pour s'éloigner un peu de tout ça.

S'éloigner d'elle. Beatrice ne put s'empêcher de le penser, mais elle ne dit rien.

– Ça va sûrement être bien.

Nouveau silence. Qu'aurait-elle dû dire d'autre ? Johan continua de fusiller des gens avec son joystick.

*

Ursula entra dans la pièce, le sourire aux lèvres.

– S'il te plaît, dis-moi que tu as de bonnes nouvelles, la supplia Torkel.

– J'ai le rapport d'autopsie. C'est une véritable pochette-surprise.

Vanja, Sebastian et Torkel se redressèrent sur leur chaise. Ursula ouvrit la chemise qu'elle portait sous le bras et accrocha une poignée de photos au mur. Des clichés du torse et du dos de Roger à différentes distances et sous divers angles.

— On a pu dénombrer vingt-deux coups de couteau dans le dos, le torse, les bras et les jambes. Sans oublier les blessures causées par l'ablation du cœur.

Elle désigna une photo du dos de la victime montrant une fente profonde et asymétrique entre les omoplates. Sebastian détourna le regard. Il avait toujours eu du mal à supporter la vue des blessures à l'arme blanche, car elles dévoilaient ce que la peau était censée cacher.

— Pas de blessures de défense sur les mains ou les avant-bras, continua Ursula. Et vous savez pourquoi ? Elle n'attendit pas de réponse : Parce que tous les coups de couteau ont été infligés *post mortem*.

Torkel quitta son bloc-notes des yeux et retira ses lunettes.

— Qu'est-ce que tu veux dire ?

— Il était déjà mort quand on l'a poignardé.

Ursula fixa ses collègues d'un air grave, comme pour souligner l'importance de la découverte.

— Et de quoi est-il mort alors ?

Ursula désigna la plaie béante dans le dos de Roger. Elle mesurait jusqu'à huit centimètres de large. Ici et là, on distinguait des débris de côtes. Il fallait avoir une force impressionnante pour infliger de telles blessures. De la force et de la détermination.

— Une grande partie du cœur manque, mais cela n'a rien à voir avec un sacrifice ou un rituel. On l'a découpé pour extraire une balle.

Ursula sortit une nouvelle photo. Dans la pièce, on entendait une mouche voler.

— On lui a tiré dans le dos. La balle a disparu, mais on en a retrouvé des traces au niveau du thorax.

Ursula pointa du doigt l'agrandissement de la blessure de Roger, qu'elle venait d'accrocher au mur. Sur l'une des côtes, on pouvait apercevoir la petite empreinte en demi-lune de la balle.

– C'est une arme de calibre relativement petit. À en juger par les dégâts, je dirai un calibre 22.

Cette information insuffla à tous un nouvel élan. Ils se mirent à énumérer toutes les armes de ce calibre. Torkel alla chercher une liste dans la base de données. Sebastian n'avait rien à ajouter à ce genre de discussion : il se leva et s'approcha du mur. Il se força à regarder les clichés de plus près. Derrière lui, la conversation s'éteignait peu à peu. L'imprimante commença à ronronner et cracha la liste de Torkel. Ce dernier jeta un regard à son collègue.

– Tu as découvert quelque chose ?

Sebastian examinait encore la photo de la plaie béante dans le dos.

– Je crois que la mort de Roger était accidentelle.

– Quand on tire sur quelqu'un et qu'on le poignarde vingt-deux fois, j'ai du mal à le croire.

– OK, je me suis mal exprimé. Je ne crois pas que la mort de Roger ait été préméditée.

– Et pourquoi ?

– Parce qu'il n'a pas été facile de retirer cette balle. Une opération sanglante qui prend beaucoup de temps et qui augmente le risque d'être découvert. Mais le meurtrier y était obligé. Parce qu'il savait qu'on pouvait le retrouver grâce à la balle.

Vanja comprit immédiatement ce qu'il voulait dire. L'espace d'un instant, elle fut irritée de ne pas y avoir pensé elle-même. Elle se dépêcha de compléter les conclusions de Sebastian, pour que tout le mérite ne revienne pas à ce type énervant.

– Et si le meurtre avait été prémédité, il aurait choisi une autre arme. Une arme qui ne permettait pas de remonter jusqu'à lui.

Sebastian approuva. Elle avait l'esprit vif.

– Que s'est-il vraiment passé alors ? demanda Torkel. Roger se baladait dans un quartier plutôt fréquenté de Västerås, a rencontré quelqu'un armé d'un fusil, est passé devant lui et a été touché dans le dos. Le tireur s'est dit : « Oh non, la balle va me trahir », et décide de la rechercher et d'aller jusqu'à Listakärr pour se débarrasser du corps.

Torkel observa ses collègues qui avaient suivi son raisonnement sans un mot.

– Est-ce que ça vous paraît plausible ?

– On ne sait pas ce qui s'est passé.

Sebastian lança un regard las et un peu énervé à son chef. Il n'avait livré qu'une partie du puzzle, pas le puzzle entier.

– On ne sait même pas où il est mort. J'ai seulement dit que ce meurtre n'était sans doute pas prémédité.

– Il se pourrait donc qu'il ne s'agisse pas d'un assassinat, mais d'un homicide involontaire. Mais cela ne nous avance pas d'un pouce sur l'identité de la personne qui a tué le garçon, je me trompe ?

Silence. Sebastian savait par expérience qu'il ne servait à rien de répondre quand Torkel était de pareille humeur. Apparemment, les autres le savaient aussi. Torkel poursuivit :

– Cette entaille dans sa côte, est-ce qu'on pourrait identifier l'arme du crime à partir de ça ?

– Hélas ! non, répondit Ursula.

Torkel s'affala sur sa chaise d'un air résigné.

– Donc, on a une nouvelle cause de la mort, mais c'est tout.

– Ce n'est pas vrai.

Sebastian désigna une autre photographie au mur.

– On a la montre.

– Et alors ?

– Elle était chère.

Il pointa les photos brillantes des habits de Roger.

– Un jean Acne. Une veste Diesel. Des baskets Nike. Que des vêtements de marque.

– C'était un ado.

– Oui, mais où a-t-il trouvé l'argent pour les acheter ? Sa mère n'a pas l'air de rouler sur l'or. Il était quand même l'œuvre de charité de l'année du lycée Palmlövska.

*

207

Lena Eriksson était installée dans le salon et tapotait sa cigarette pour en faire tomber la cendre dans le cendrier posé sur le bras de son fauteuil. Le matin même, elle avait ouvert un nouveau paquet, et il y avait une heure, le deuxième. C'était la troisième cigarette du deuxième paquet, donc la vingt-troisième. C'était trop. Surtout quand on n'avait rien mangé de la journée. Elle eut de légers vertiges quand elle toussa et regarda les policiers assis de l'autre côté de la table basse. Ils étaient deux. Trois, si l'on comptait la femme dans la chambre de Roger. Celle de la morgue n'était pas là. Aucun de ceux à qui elle avait parlé jusqu'ici n'était là. Les nouveaux policiers étaient en civil et venaient d'une unité nommée brigade criminelle. Ils lui demandèrent où Roger s'était procuré l'argent.

– Il avait plus de seize ans, il avait droit à une bourse d'études.

Elle tira une nouvelle bouffée sur sa cigarette. Ce geste était si familier, si quotidien, un réflexe. Qu'avait-elle fait d'autre aujourd'hui à part rester assise dans son fauteuil et fumer ? Rien. Impossible de dépenser la moindre énergie. Le matin, elle s'était réveillée après quelques heures de sommeil et avait prévu de sortir prendre un peu l'air. Acheter de quoi manger. Peut-être faire un peu de ménage. Le premier pas vers le retour à une certaine forme de quotidien. Sans Roger.

Elle serait dans tous les cas obligée de se reprendre et d'acheter *Aftonbladet*. Le journal l'avait payée quinze mille couronnes en liquide pour un entretien d'à peine deux heures avec une jeune journaliste. Un photographe y avait assisté la première demi-heure, puis il était reparti. La jeune femme dont Lena avait oublié le nom avait posé un dictaphone sur la table et l'avait interrogée sur Roger. Sur son enfance, ses loisirs et le vide qu'il avait laissé. À son grand étonnement, Lena n'avait pas pleuré pendant l'interview. Elle s'était attendue à fondre en larmes, car c'était la première fois depuis la disparition de Roger qu'elle parlait de lui à quelqu'un d'autre qu'à la police. Vraiment parler. Il y avait bien eu Maarit, une collègue, qui l'avait appelée pour lui présenter maladroitement ses condoléances, mais Lena avait rapidement mis fin à la conversation. Son chef l'avait également contactée, mais seulement pour lui dire qu'il comprenait qu'elle avait besoin de quelques jours et qu'ils s'organiseraient pour la remplacer jusqu'à son retour. Mais elle devait impérativement le prévenir suffisamment à l'avance quand elle compterait reprendre le travail. Les premiers policiers l'avaient plutôt interrogée sur la disparition de Roger, avaient voulu savoir s'il avait déjà fugué, s'il avait des soucis ou subi des menaces. Ils n'avaient rien demandé sur sa personnalité. Rien sur le fils qu'il avait été, ni à quel point il avait compté pour elle.

Contrairement à la journaliste. Ensemble, elles avaient regardé des albums photos, et elle avait laissé Lena raconter à son rythme, en ne posant qu'une question de temps en temps. Quand cette dernière eut dit tout ce qu'elle pouvait et tout ce qu'elle voulait sur son fils, la femme avait commencé à poser des questions plus précises. Est-ce que les amis de Roger venaient le voir quand ils avaient besoin d'aide ? Faisait-il du bénévolat ? Entraînait-il des équipes de jeunes, ou parrainait-il quelqu'un ? Quelque chose de ce genre ? Lena avait été sincère et avait répondu par la négative à toutes ces questions. Les seuls amis qui lui avaient rendu visite à la maison étaient Johan Strand et un autre garçon de sa nouvelle école. Sven quelque chose. Il était venu ici une fois. Lena avait cru entrevoir une pointe de déception sur le visage de la journaliste. Lena pouvait-elle lui parler de ses problèmes à l'école ? De ses sentiments quand elle avait appris que l'ancien bourreau de son fils avait été suspecté du meurtre ? Bien que ce soit de l'histoire ancienne, la journaliste – dont le prénom était Katharina – trouvait qu'il était intéressant de l'évoquer. Avec une photo du lit de Roger sur lequel trônaient deux peluches, pour illustrer le drame. Lena avait donc raconté. Le racket. La violence. Le changement d'école. Mais surtout, sa profonde certitude que Leo était le meurtrier de son fils et qu'elle ne le lui pardonnerait jamais. Ensuite, Katharina avait arrêté le dictaphone et lui avait demandé si elle pouvait emporter quelques photos de l'album, l'avait payée, puis était partie. C'était hier. Lena avait fourré l'argent dans sa poche. Une grosse somme. Elle avait envisagé d'aller déjeuner dehors. Il fallait bien qu'elle sorte de l'appartement un jour. Et qu'elle se nourrisse aussi. Mais elle était restée assise. Dans son fauteuil. Avec ses cigarettes et les billets dans la poche.

Dès qu'elle changeait de position, elle les sentait contre sa jambe. Et à chaque fois, la petite voix se réveillait.

En tout cas, ce n'est pas cet argent-là qui l'a tué.

Finalement, elle s'était levée et avait déposé la liasse de billets dans le tiroir de la commode. Elle n'était pas sortie, n'avait pas déjeuné ; elle était restée toute la journée dans son fauteuil à fumer. Et puis, ces deux flics étaient venus pour lui parler d'argent.

– Les allocations familiales et la bourse d'études suffisaient jusqu'à ce qu'il aille dans cette foutue école de bourges. À partir de ce jour, il a toujours eu besoin de nouvelles affaires.

Étonnée, Vanja resta interdite. Elle ne s'attendait à entendre que des louanges sur le lycée Palmlövska. Son fils avait tout de même eu une chance exceptionnelle d'y avoir obtenu une place, Vanja en était convaincue, malgré son opinion sur le principal. Et grâce au changement d'école, Roger avait enfin pu échapper à ses tortionnaires.

– Vous ne trouvez pas que son changement d'établissement a été positif ?

Lena garda les yeux rivés sur la fenêtre en face d'elle. Sur le rebord se trouvaient une lampe avec un abat-jour en verre bleu et deux pots de fleurs remplis de plantes vertes fanées. Quand les avait-elle arrosées pour la dernière fois ? Sans doute pas depuis longtemps. Les orchidées avaient tenu le coup, mais elles étaient toutes ratatinées. Dans les rayons du soleil qui perçaient à travers la fenêtre, elle remarqua à quel point son appartement était enfumé.

– Elle me l'a enlevé, dit-elle en éteignant sa cigarette, puis elle se leva pour ouvrir la porte du balcon.

– Qui vous a enlevé Roger ?

– Beatrice. Et toute cette école de bourges.

– Ils vous ont enlevé Roger ? Comment cela ?

Lena ne répondit pas immédiatement. Elle ferma les yeux et inspira l'air rempli d'oxygène. Sebastian et Vanja sentirent une bouffée bienvenue d'air frais qui s'infiltrait par la porte du balcon. Dans le silence, ils entendirent Ursula se déplacer dans la chambre du garçon. Elle avait insisté pour venir, d'une part parce qu'elle ne voulait pas être seule avec un Torkel ronchon, d'autre part parce que la chambre de la victime avait jusqu'ici été fouillée uniquement par la police de Västerås. Et la confiance d'Ursula en ses collègues locaux était minimale. Après tout, ils avaient tout de même mis deux jours à lancer les recherches ! Si elle voulait être sûre que le travail soit bien fait, elle devait s'en occuper elle-même.

Lena l'entendit ouvrir les portes de l'armoire, sortir les tiroirs et enlever les posters des murs tandis qu'elle fixait un arbre dans le parking désert. La seule verdure que l'on voyait de sa fenêtre, devant la façade grise de l'immeuble voisin. De quelle manière lui avaient-ils pris Roger ? Comment leur expliquer ça ?

– Tout à coup, il réclamait de partir aux Maldives à Noël, dans les Alpes à Pâques et sur la Côte d'Azur en été. Il ne voulait plus rester à la maison. L'appartement n'était plus assez bien. Plus rien de ce que je faisais ou possédais ne suffisait. Je n'avais aucune chance.

– Mais Roger allait mieux au lycée Palmlövska, non ?

Oui, bien sûr. Il n'était plus le souffre-douleur. Ne se faisait plus tabasser. Mais, dans les moments les plus sombres, Lena pensait qu'elle préférait tout de même cette époque. Celle où il était encore avec elle. Celle où, quand il n'était pas au sport ou avec Johan, il était à la maison. Celle où ils avaient autant besoin l'un de l'autre. À présent, l'amère vérité était que plus personne n'avait besoin d'elle. La dernière année, elle avait été non seulement seule mais abandonnée. Et cela était encore pire.

Soudain, Lena prit conscience du silence dans la pièce. Les autres attendaient une réponse.

– Je suppose, murmura Lena en hochant la tête. Je suppose qu'il allait mieux, oui.

– Travaillez-vous ? demanda Vanja, qui avait saisi qu'elle n'obtiendrait pas de réponse plus satisfaisante sur la nouvelle école de Roger.

– Oui, à temps partiel. Au Lidl. Pourquoi ?

– Je me demandais s'il pouvait vous avoir volé de l'argent à votre insu.

– Il l'aurait peut-être fait s'il y avait eu quelque chose à voler.

– Est-ce qu'il vous a dit qu'il avait besoin d'argent ? Paraissait-il désespéré ? Aurait-il pu l'avoir emprunté à quelqu'un ?

– Je ne sais pas. Pourquoi est-ce si important de savoir comment il se l'est procuré ?

– S'il l'a emprunté ou volé à la mauvaise personne, ce pourrait être un mobile.

Lena haussa les épaules. Elle ne savait pas d'où venait l'argent de Roger. Était-elle censée le savoir ?

– Vous a-t-il déjà parlé d'Axel Johansson ? tenta cette fois Vanja.

On ne pouvait pas dire que la mère fût particulièrement coopérative. Il fallait littéralement lui tirer les vers du nez.

– Non. Qui est-ce ?

– Le concierge du lycée Palmlövska. Enfin, l'ex-concierge.

Lena secoua la tête.

– Quand les autres policiers sont venus, vous avez dit… Vanja feuilleta quelques pages de son bloc-notes et lut : … que Roger ne se sentait pas menacé et qu'il ne se disputait avec personne. Vous confirmez ?

Lena acquiesça.

– Vous pensez qu'il vous en aurait parlé si quelqu'un lui en voulait ou s'il avait eu des problèmes ?

La question venait de l'homme. Jusque-là, il n'avait rien dit. Il s'était simplement présenté en arrivant, puis il s'était tu. Enfin, non, même pas ça. La femme les avait présentés tous les deux quand elle avait montré sa carte. L'homme n'avait rien montré du tout. Il s'appelait Sebastian, se rappela Lena. Sebastian et Vanja. Lena regarda dans les yeux bleus de Sebastian et comprit qu'il connaissait déjà la réponse. Il avait deviné la situation.

Il savait que le problème n'était pas seulement l'appartement miteux dans ce quartier triste, ou le fait que le lecteur DVD n'était pas un lecteur Blu-Ray, ou qu'il devait changer de portable tous les six mois pour être à la pointe de la technologie. Il savait qu'elle n'était pas assez bien. Avec son physique ingrat, son obésité et son travail de misère. Il ne voulait plus d'elle dans sa vie, et l'avait rejetée. Mais il n'avait jamais su qu'elle avait trouvé un moyen. Un moyen de le retrouver. De se retrouver tous les deux.

Mais maintenant, il est mort, voilà tout ce que ça t'a rapporté, dit la petite voix.

Les doigts tremblants, Lena prit son paquet et alluma la cigarette numéro vingt-quatre avant que Sebastian n'obtienne la réponse qu'il attendait.

– Probablement pas.

Lena se tut et secoua la tête comme si elle avait soudain réalisé à quel point ses relations avec son fils étaient mauvaises. Son regard se perdit au loin.

La conversation fut interrompue par Ursula qui revenait de la chambre de Roger avec deux sacs en bandoulière et un appareil photo autour du cou.

– C'est bon pour moi. On se voit tout à l'heure au commissariat.

Ursula se tourna ensuite vers Lena.

– Je vous présente encore toutes mes condoléances.

Lena hocha la tête d'un air absent. Ursula jeta à Vanja un regard éloquent, ignora Sebastian et quitta l'appartement. Vanja attendit que la porte d'entrée se soit refermée.

– Comment peut-on joindre le père de Roger ?

Nouvelle tentative de Vanja. Une autre piste. Pour voir s'il était possible de tirer plus de trois mots de la bouche de la mère.

– Il n'y a pas de père.

– Oh la la ! La dernière fois que c'est arrivé, c'était il y a deux mille ans !

Lena regarda calmement Vanja à travers l'écran de fumée.

– Vous me condamnez ? Vous iriez bien dans la nouvelle école de Roger.

– Personne ne vous condamne, mais il doit bien y avoir un père.

Sebastian était intervenu. Se faisait-elle des idées, ou semblait-il avoir changé de ton ? Un ton qui dénotait de l'intérêt ? Une certaine implication ?

Lena tapota sa cigarette sur le cendrier et haussa les épaules.

– Je ne sais pas où il est. On n'a jamais formé un couple. C'était une histoire d'un soir. Il ne connaît même pas l'existence de Roger.

Sebastian se pencha vers elle, paraissant sincèrement intéressé. Il chercha délibérément le regard de Lena et la fixa.

– Comment avez-vous expliqué la situation ? Je veux dire, Roger a certainement dû vous poser des questions, non ?

– Oui, quand il était petit.

– Et que lui avez-vous dit ?

– Je lui ai dit qu'il était mort.

Sebastian hocha la tête. Était-ce ce qu'Anna Eriksson avait raconté à son fils ou à sa fille ? Que papa était mort ? Que se passerait-il alors, si le papa en question réapparaissait soudain au bout de trente ans ? Il devrait sans doute affronter une certaine méfiance et prouver qu'il était bien celui qu'il prétendait. Le mari allait sûrement être déçu ou en colère contre sa femme. Elle avait menti. Enlevé un enfant à son père. Si Sebastian réapparaissait, il allait probablement détruire leurs relations. Faire plus de dégâts qu'autre chose. Peu importait dans quel sens il tournait les choses, il en arrivait toujours à la conclusion qu'il valait mieux continuer sa vie comme s'il n'avait jamais trouvé les lettres. Comme s'il n'avait jamais rien su.

– Et pourquoi lui avez-vous dit qu'il était mort ? Si Roger avait su la vérité, il aurait pu le rencontrer.

– J'y ai pensé également. Mais j'ai trouvé préférable de lui raconter qu'il était mort plutôt que de lui dire qu'il ne voulait pas de lui. Pour qu'il ait confiance en lui, vous voyez.

– Mais vous ne le savez même pas ! Vous ne savez même pas ce que voulait le père ! Il n'a jamais eu sa chance !

Vanja loucha vers Sebastian. Elle était étonnée de le voir soudain si impliqué. Sa voix était plus aiguë et plus forte. Il avait avancé jusqu'au bord du canapé.

– Imaginez un instant qu'il ait pu accepter Roger. S'il l'avait su.

Lena paraissait plutôt indifférente au coup de sang de Sebastian. Elle éteignit sa cigarette et expira la dernière bouffée de ses poumons.

– Il était marié. Il avait déjà d'autres enfants. Les siens.

– Comment s'appelle-t-il ?

– Le père de Roger ?

– Oui.

– Jerry.

– Supposons qu'un jour, Jerry ait recherché Roger. Comment pensez-vous que votre fils aurait réagi ?

Vanja lui jeta un regard éberlué. Que cherchait-il ? Cela ne les menait nulle part.

– Et comment aurait-il pu le faire ? Il n'était même pas au courant de son existence.

– Peu importe. Imaginons qu'il l'ait été.

Vanja posa doucement sa main sur le bras de Sebastian pour attirer son attention.

– Mais ce n'est qu'une simple hypothèse qui n'a rien à voir avec notre affaire, non ?

Sebastian s'interrompit quand il aperçut le regard en coin de Vanja.

– C'est vrai… je…

Pour la première fois depuis longtemps, Sebastian ne savait plus quoi dire. Il répéta simplement :

– C'est vrai.

Silence. Ils se levèrent, considérant que leur visite touchait à sa fin. Sebastian se dirigea vers le couloir, et Vanja lui emboîta le pas. Lena ne parut pas avoir la moindre intention de se lever pour les raccompagner ni les saluer. Lorsqu'ils eurent presque atteint le couloir, Lena leur cria encore quelque chose.

– La montre de Roger !

Sebastian et Vanja se retournèrent. Cette dernière ne put s'empêcher d'avoir l'impression que quelque chose clochait chez cette femme recroquevillée dans son fauteuil usé.

– Oui, qu'y a-t-il avec cette montre ?

– La journaliste avec qui j'ai parlé m'a dit que Leo Lundin lui avait pris une montre avant de le tuer. Une montre de valeur. Elle est sûrement à moi maintenant, non ?

Vanja fit un pas dans la pièce, un peu étonnée que Lena ne soit pas au courant. En temps normal, Torkel informait toujours les proches dans les moindres détails.

– Pour l'instant, tout indique que Leonard Lundin n'a rien à voir avec le meurtre de votre fils.

Lena réceptionna cette information avec autant d'indifférence que si Vanja lui avait raconté ce qu'elle avait mangé à midi.

– D'accord. Mais la montre me revient quand même, non ?

– Oui, sûrement.

– Alors, j'aimerais bien l'avoir.

Sebastian et Vanja faisaient route vers l'hôtel de police pour y terminer leur journée. Vanja roulait vite. Son estomac était noué de colère. Lena l'avait provoquée. Normalement, Vanja se laissait très rarement provoquer. C'était l'un de ses points forts : sa capacité à rester froide et distanciée. Mais Lena avait poussé le bouchon trop loin. Sebastian avait le portable vissé sur l'oreille. Vanja tenta de suivre la conversation. Il parlait à Lisa. Après lui avoir demandé comment cela se passait à la maison et reçu une réponse apparemment brève, il raccrocha et rangea son portable dans sa poche.

– Lisa payait Roger pour qu'il fasse semblant d'être son copain.

– C'est ce que j'ai cru comprendre, oui.

– Pas des sommes folles qui auraient couvert ses dépenses, mais c'est tout de même un point de départ. Il était doué pour les affaires.

– Ou cupide. On dirait que c'est familial, ce rapport à l'argent. Son fils vient d'être assassiné, et elle ne pense qu'à récupérer sa montre.

– Tirer profit de la situation est aussi un moyen de supporter la douleur.

– Un moyen détestable.

– Peut-être n'en a-t-elle pas d'autres.

Le psychologue typique. Toujours compréhensif. Toutes les réactions sont naturelles. Il y a une explication à tout. Mais Vanja n'était pas prête à accepter celle de Sebastian aussi facilement. Elle était en colère et n'avait aucun scrupule à passer sa colère sur lui également.

– Allez, sois honnête. Elle avait les yeux un peu rouges à cause de la fumée. Mais je parie qu'elle n'a même pas pleuré ! Rien ! J'ai vu des gens sous le choc, mais elle, ce n'est pas pareil. Elle paraît indifférente.

– J'ai eu l'impression qu'elle n'arrivait pas à éprouver les sentiments qu'on attend d'elle. Le deuil. Le désespoir. Peut-être même pas l'empathie.

– Et pourquoi pas ?

– Comment le saurais-je ? Je ne l'ai vue que quarante-cinq minutes. Peut-être qu'elle les ignore.

– On ne peut pas tout simplement « ignorer » ses sentiments.

– Ah non ?

– Non.

– Tu n'as jamais entendu parler de personnes qui ont été tellement blessées par une autre qu'elles n'arrivent plus à faire confiance à qui que ce soit ?

– C'est différent. Son enfant a été assassiné. Pourquoi aurait-elle décidé de ne pas réagir ?

– Pour continuer à vivre.

Vanja tressaillit face au ton sec de Sebastian.

– Que sais-tu du deuil ? rétorqua-t-il. Tu as déjà perdu quelqu'un qui était tout pour toi ?

– Non.

– Alors, comment sais-tu ce qu'est une réaction normale ?

– Je ne sais pas, mais…

– Voilà, c'est bien ça, le problème, l'interrompit Sebastian. Tu ne sais pas de quoi tu parles, et dans ces cas-là, tu ferais mieux de la fermer.

Vanja loucha vers Sebastian, surprise par ce soudain accès de colère. Mais il avait le regard rivé sur la route. Vanja garda le silence pendant le reste du trajet. On ne sait presque de rien l'un de l'autre, pensa-t-elle. Tu caches quelque chose. Je connais ce sentiment. Mieux que tu ne le penses.

*

217

L'open-space du commissariat était plongé dans la quasi-obscurité. Ici et là, un écran d'ordinateur ou une lampe que l'on avait oublié d'éteindre éclairaient une partie de la salle, mais sinon elle était sombre, vide et silencieuse. En marchant vers la salle de pause, Torkel passa lentement entre les bureaux. Il savait que le commissariat de Västerås ne fourmillait pas d'activité à toute heure du jour ou de la nuit. Mais le fait qu'il soit pratiquement déserté dès dix-sept heures le surprenait.

Torkel entra dans la salle de repos à l'aménagement impersonnel. Trois tables rondes entourées de huit chaises chacune. Un réfrigérateur, un congélateur, trois micro-ondes et une machine à café. Le long du mur, un plan de travail et un évier surmontant un lave-vaisselle. Au centre de chaque table, des fleurs en plastique sur un napperon rouge foncé. Un plancher en lino rayé. Pas de rideaux aux trois fenêtres. Un téléphone. Sebastian buvait son café à la table la plus éloignée de la porte. Il lisait *Aftonbladet*. Torkel aussi l'avait feuilleté. Lena Eriksson se dévoilait sur quatre pages entières.

D'après l'article, Lena demeurait persuadée que Leonard Lundin était l'assassin de son fils. Torkel se demanda comment elle avait réagi en apprenant qu'il avait été relâché aujourd'hui. Il avait plusieurs fois essayé de l'appeler pour l'en informer, mais elle n'avait jamais décroché. Peut-être l'ignorait-elle encore.

Sebastian ne leva pas les yeux de son journal, alors qu'il avait parfaitement dû entendre Torkel approcher. Ce ne fut qu'une fois que Torkel eut pris place en face de lui qu'il lui jeta un bref coup d'œil avant de se replonger dans son journal. Torkel posa les mains sur la table et s'inclina vers lui.

– Alors, comment ça s'est passé aujourd'hui ?

Sebastian tourna une page.

– Quoi ?

– Le travail. Tu as passé la journée avec Vanja.

– Oui.

Torkel soupira intérieurement. Apparemment, il n'aurait rien gratuitement.

– Et comment ça s'est passé ?

– Bien.

Sebastian feuilleta encore son journal pour arriver au cahier rose. Les pages sportives. Torkel savait que Sebastian n'accordait pas le moindre intérêt au sport. Mais il paraissait à présent s'être découvert une nouvelle passion. Torkel s'adossa à sa chaise, dévisagea Sebastian quelques secondes sans dire un mot, puis se dirigea vers la machine à café pour se faire un cappuccino.

– Ça te dirait qu'on aille dîner ensemble ?

Sebastian se figea. Nous y voilà. Comme il le craignait. Pas de : « Il faudrait qu'on se voie un de ces quatre », ni de : « Il faudrait qu'on aille boire une bière », mais un dîner. *Same shit, different name.*

– Non, merci.

– Pourquoi pas ?

– J'ai autre chose de prévu.

Un mensonge. Comme son intérêt soudain pour les pages sportives. Torkel le savait, mais il décida de ne pas insister. Il n'obtiendrait que d'autres mensonges, et il avait eu sa dose pour la soirée. Il prit son gobelet dans la machine, mais au lieu de quitter la salle, il revint s'asseoir à la table, au grand dam de Sebastian. Ce dernier lui jeta un regard interrogateur avant de se replonger dans sa lecture.

– Parle-moi de ta femme.

Il ne s'y attendait pas. Sebastian le dévisagea avec surprise. Torkel porta son gobelet à ses lèvres avec une expression des plus détendues, comme s'il venait de demander l'heure.

– Pourquoi donc ?

– Pourquoi pas ?

Torkel reposa le gobelet, s'essuya le coin des lèvres à l'aide de son pouce et de son index droits, puis fixa Sebastian par-dessus la table sans détourner le regard. Ce dernier envisagea rapidement les alternatives qui s'offraient à lui : se lever et partir, continuer de faire semblant de lire, dire à Torkel d'aller se faire voir, ou…

Accepter de parler de Lily. Son instinct lui disait de choisir l'une des trois premières possibilités. D'un autre côté, à bien y réfléchir, en quoi cela serait-il un problème si Torkel en savait un peu plus ?

Il l'interrogeait sûrement par pure sympathie, et non par curiosité. Sa question était une main tendue. Une tentative pour raviver une amitié sinon morte, du moins très endormie. Sa ténacité forçait l'admiration. Peut-être était-il temps pour Sebastian de donner quelque chose en retour ? Il pouvait lui-même décider quoi. Mieux valait ça plutôt que Torkel ait l'idée de chercher lui-même sur Internet et d'en découvrir plus que Sebastian ne l'aurait voulu.

Sebastian posa son journal.

– Elle s'appelait Lily. Elle était allemande. On s'est rencontrés dans son pays quand j'y travaillais, et on s'est mariés en 1998. Malheureusement, je ne fais pas partie de ces types qui ont toujours une photo dans leur portefeuille.

– Dans quoi travaillait-elle ?

– Elle était sociologue. À l'université de Cologne. C'était là qu'on habitait.

– Elle était plus jeune ou plus âgée que toi ?

– Cinq ans de moins que moi.

Torkel hocha la tête. Trois questions rapides, trois réponses apparemment honnêtes. C'était maintenant plus délicat.

– Quand est-elle morte ?

Sebastian se figea. OK, ça suffisait. L'interrogatoire était officiellement terminé. La limite était atteinte.

– Il y a quelques années. Je n'ai pas envie d'en parler.

– Pourquoi pas ?

– Parce qu'il s'agit de ma vie privée et que tu n'es pas mon psy.

Torkel approuva. C'était vrai, mais il y avait tout de même eu une époque où ils savaient tout l'un sur l'autre. Il aurait été exagéré de dire que Torkel la regrettait. Ces dernières années, il avait à peine consacré une pensée à Sebastian. Mais maintenant que ce dernier était de retour et qu'il le voyait à l'œuvre, il avait réalisé que son travail et peut-être même sa vie avaient été un peu plus mornes depuis qu'il était parti. Son ancien collègue, son vieil ami Sebastian, lui avait manqué plus qu'il ne l'aurait cru. Torkel ne se faisait aucune illusion : il savait que ce sentiment n'était pas réciproque, mais il pouvait au moins essayer d'en parler.

– On était amis à une époque. Combien de fois as-tu été obligé d'écouter mes problèmes avec Monika et les enfants ? dit Torkel en regardant son collègue avec bienveillance. Tu sais que je suis là pour t'écouter.

– À quel sujet ?

– Ce que tu veux. S'il y a quelque chose dont tu veux parler.

– C'est pour ça que tu voulais m'inviter à dîner ? Pour recueillir ma confession ?

Torkel porta son gobelet à ses lèvres, histoire de gagner un peu de temps avant de répondre.

– J'ai l'impression que tu ne vas pas très bien.

Sebastian ne répondit pas. Cela n'allait sûrement pas en rester là.

– J'ai demandé à Vanja comment ça s'était passé aujourd'hui. Hormis le fait qu'elle te trouve lourd, elle a dit qu'elle avait l'impression que tu… enfin, que quelque chose n'allait pas.

– Vanja ferait mieux de se concentrer sur son travail.

Sebastian se leva, laissa son journal sur la table, mais prit son gobelet qu'il écrasa dans sa main.

– Et tu ferais mieux de ne pas croire toutes les conneries qu'on te raconte.

Sebastian sortit en jetant son gobelet au passage. Torkel resta seul dans la salle. Il respira profondément. À quoi s'était-il attendu ? Il aurait dû le savoir. Sebastian Bergman n'aimait pas qu'on l'analyse. Son dernier espoir d'avoir de la compagnie pour le dîner était mort. Billy et Vanja allaient travailler, et ce n'était même pas la peine de penser à Ursula. Mais il était décidé à ne pas passer une nouvelle soirée seul au restaurant. Il sortit son téléphone.

Après avoir quitté la cafétéria, Sebastian gagna l'open-space à pas rapides. Il était en colère. Contre Torkel, contre Vanja, mais surtout contre lui-même. Jamais un collègue ne lui avait fait remarquer que « quelque chose n'allait pas ». Jamais personne n'avait pu ne serait-ce que deviner ce qu'il pensait. La seule chose qu'ils savaient de lui était ce qu'il voulait bien leur dire. C'était ainsi qu'il était arrivé là où il était. Au sommet. Craint et admiré.

Mais, dans la voiture, il s'était dévoilé. Avait perdu son admirable maîtrise. Pour être honnête, cela avait commencé chez Lena Eriksson, et cela n'aurait jamais dû arriver. C'était la faute de sa mère. La sienne et celle des lettres. Il était obligé de prendre une décision sur la suite à donner à cette histoire. En ce moment, elle l'influençait plus que de raison.

Il y avait encore de la lumière dans la salle de conférences. À travers la vitre, il aperçut Billy qui travaillait sur son ordinateur portable. Sebastian ralentit le pas et s'immobilisa. À chaque fois qu'il avait pensé à Anna Eriksson durant cette journée, il s'était dit qu'il devait abandonner. Il y avait trop peu à gagner et bien trop à perdre. Mais le pouvait-il ? Pouvait-il oublier ce qu'il avait appris et faire comme si de rien n'était ? Sûrement pas. Et puis, cela ne mangeait pas de pain de retrouver son adresse. Il aurait toujours la possibilité de changer d'avis. S'en servir ou la jeter. Y aller ou rester à distance. Il pourrait même s'y rendre pour sonder un peu le terrain. Voir quel type de personnes y habitait. S'imaginer l'accueil qu'on lui réserverait s'il se présentait. Il prit une décision. Ce serait trop bête de se fermer des portes.

Sebastian entra dans le bureau. Billy leva les yeux de l'ordinateur.

– Salut.

Sebastian lui fit un signe de tête et étendit les jambes. Il rapprocha la corbeille de fruits sur la table et prit une poire. Billy avait de nouveau fixé son attention sur l'ordinateur.

– Qu'est-ce que tu fais ?

– J'explore Facebook et d'autres réseaux sociaux.

– Et Torkel t'y autorise pendant tes heures de travail ?

Billy regarda par-dessus le bord de l'écran, et rit en secouant la tête.

– Aucun risque. Je cherche Roger.

– Et alors ? Tu as trouvé quelque chose ?

Billy haussa les épaules. Cela dépendait du point de vue adopté. Certes, il avait retrouvé Roger, mais rien de bien intéressant.

– Il n'était pas très actif. Il n'avait pas d'ordinateur à lui, et la dernière fois où il a écrit quelque chose sur Facebook remonte à plus de trois semaines. Pas étonnant qu'on n'ait rien retrouvé de plus. Il n'avait que vingt-six amis.

– C'est peu ?

Sebastian savait évidemment ce qu'était Facebook, il n'avait pas passé les dernières années enfermé dans une grotte, mais il n'avait jamais ressenti le besoin de découvrir comment cela fonctionnait, ni d'en devenir membre. Il n'avait aucune envie de garder contact avec d'anciens camarades ou collègues de travail. Rien que l'idée qu'on pût « l'inviter à rejoindre un groupe d'amis » et l'embêter avec une proximité hypocrite l'épuisait d'avance. Au contraire, il mettait tout en œuvre pour n'être en contact avec personne, que ce soit dans le monde virtuel ou réel.

– Vingt-six amis, ce n'est rien, dit Billy. Normalement, on en a plus dès le jour de son inscription. Même chose pour MSN. Il n'y est plus allé depuis quatre mois et n'avait des contacts qu'avec Lisa, Sven Heverin et Johan Strand.

– Il n'avait donc pas beaucoup d'amis virtuels.

– On dirait que non. Mais pas non plus d'ennemis virtuels, je n'ai rien trouvé de négatif sur lui sur la Toile.

Sebastian décida qu'il avait témoigné suffisamment d'intérêt pour aborder la vraie raison de sa venue. Il pourrait peut-être faire passer les choses plus facilement avec un peu de flatterie.

– Si j'ai bien compris, tu es un crack en informatique ?

Billy ne put s'empêcher de sourire, ce qui confirma que Sebastian avait raison.

– Meilleur que la moyenne en tout cas. J'adore ça, ajouta-t-il avec modestie.

Sebastian sortit de sa poche la feuille sur laquelle était notée l'adresse d'Anna Eriksson, et la tendit à Billy.

– J'ai besoin de retrouver une certaine Anna Eriksson. Elle habitait à cette adresse en 1979.

Billy prit la feuille et la déplia.

– Est-ce qu'elle a quelque chose à voir avec l'enquête ?

– Peut-être, oui.

– Et dans quelle mesure ?

C'était effarant à quel point ils suivaient le règlement à la lettre. Sebastian était trop fatigué et trop amorphe pour sortir plus qu'un blabla vide de sens en espérant que cela suffise.

– C'est juste une piste que je suis, elle est un peu tirée par les cheveux. Je n'ai encore rien dit aux autres, mais peut-être que ça donnera quelque chose.

Billy hocha la tête, et Sebastian se détendit imperceptiblement. Il allait se lever quand Billy l'interrompit.

– Mais quel rapport a-t-elle avec Roger Eriksson ?

OK, le blabla n'avait pas suffi. Pourquoi était-il si grave de faire ce qu'il demandait, simplement ? Si des problèmes surgissaient, Billy pourrait toujours rejeter la faute sur Sebastian qui, lui, prétendrait que Billy l'avait mal compris. Torkel s'énerverait un peu. On envisagerait de vérifier encore une fois les procédures. Et après, la vie reprendrait son cours. Sebastian servit à Billy une soupe encore moins consistante que la précédente.

– C'est une longue histoire, mais ce serait génial si tu pouvais m'aider, dans ton intérêt également. Je crois vraiment qu'il pourrait en sortir quelque chose.

Billy replia la feuille. Sebastian concocta encore un mensonge au cas où il refuserait de chercher l'adresse. Il dirait qu'il était possible qu'Anna Eriksson fût la mère biologique de Roger. Non, ce n'était inscrit dans aucun registre d'adoption, c'était une information non officielle. Non, il ne pouvait pas dévoiler ses sources. Cela pourrait marcher. Si c'était biologiquement possible. Sebastian commença à compter. Quel âge aurait eu Anna à la naissance de Roger ? À peu près quarante ans, non ? Ça collait.

– OK.

Sebastian revint à la réalité, incertain de ce qu'il avait entendu.

– OK ?

– Bien sûr, mais ça devra attendre parce que j'ai encore beaucoup de travail, je dois visionner les bandes de vidéosurveillance pour demain.

– Oui, bien sûr, ce n'est pas pressé. Merci.

Sebastian se leva et se dirigea vers la porte.

– Encore une chose.

Billy leva les yeux de son ordinateur.

– Je te serais très reconnaissant si cette recherche pouvait rester entre nous. C'est assez tiré par les cheveux, et tu sais comment sont les gens. Rien ne les réjouit plus qu'un échec.

– Bien sûr. Pas de problème.

Sebastian lui adressa un sourire plein de gratitude et quitta la salle.

*

Il Limone Ristorante Italiano. C'était elle qui avait réservé, mais Torkel était arrivé le premier, et on l'avait conduit à une table dans un coin de la salle, à côté de deux fenêtres. Une table pour quatre personnes éclairée par une boule de métal de la taille d'une boule de bowling. Deux canapés au lieu de chaises. Durs, au dossier droit et au revêtement mauve. Torkel trempa les lèvres dans sa bière. Était-ce une mauvaise idée d'avoir invité Hanser ? En fait, il ne l'avait même pas vraiment invitée. Il voulait simplement poursuivre leur courte conversation sur les derniers résultats, et ils pouvaient tout aussi bien le faire devant un bon repas qu'au bureau. Hanser s'était naturellement mise en retrait de l'enquête et les laissait diriger les opérations à leur guise. Mais il ne fallait pas oublier qu'elle en était toujours la principale responsable, et Torkel avait le sentiment d'avoir été un peu désagréable avec elle ces derniers jours.

Hanser débarla, s'excusa pour son retard, et s'assit tout en commandant un verre de vin blanc. Le commissaire divisionnaire lui avait rendu visite pour s'informer de la situation. Il n'était pas serein d'avoir libéré Leonard Lundin et espérait pouvoir bientôt procéder à une autre mise en examen. Elle avait été obligée de le décevoir. Le commissaire divisionnaire avait lui aussi la pression. L'intérêt des médias et surtout de la presse à scandales ne s'était pas atténué, consacrant chaque jour au moins quatre pages à l'affaire. L'interview de Lena Eriksson avait fait sensation. Après une description pathétique de la solitude de Roger, on y spéculait sur le fait que l'adolescent ne connaissait peut-être même pas son assassin. Un « expert » disait que, dès lors qu'une personne tuait pour la première fois, une limite était franchie. Le tueur allait sûrement frapper à nouveau. Comme d'habitude, les médias semaient la panique sur un nouveau tueur en série, quand ce n'était pas sur une pandémie ou des articles alarmants du style « Vos maux de tête pourraient être une tumeur au cerveau ». L'*Expressen* remettait en question l'efficacité de la police après avoir révélé les accrocs du premier week-end. Des encadrés évoquaient d'autres meurtres non élucidés, dont celui d'Olof Palme. Hanser avait déclaré au commissaire divisionnaire qu'elle avait rendez-vous avec Torkel et escomptait lui donner plus de détails le lendemain. Il avait paru satisfait. Avant de partir, il lui avait clairement fait comprendre qu'il espérait d'une que ce n'avait pas été une erreur de faire appel à la brigade criminelle, et de deux qu'elle seule porterait la responsabilité de cette erreur le cas échéant.

Quand la serveuse apporta le vin et demanda s'ils avaient fait leur choix, ils se plongèrent un instant dans la carte. Torkel savait déjà ce qu'il allait commander. *Salmone alla calabrese.* Du saumon poêlé aux tomates cerise, oignons, câpres et olives, accompagné d'un gratin de pommes de terre. Il n'était pas du genre à prendre une entrée. Hanser se décida rapidement pour un *Agnello alla Griglia*, des côtelettes d'agneau grillées avec des pommes de terre au parmesan arrosées d'une sauce au vin rouge. C'était lui qui l'avait appelée pour qu'elle lui tienne compagnie. Il considérait cela comme un rendez-vous professionnel, et il serait donc tout naturel qu'il se chargeât de l'addition et qu'elle dînât aux frais de la Crim'.

En attendant leurs plats, ils firent le point. Oui, Torkel avait lu les articles. Un tueur inconnu. Au départ, Vanja avait suivi la même piste. Mais quand ils avaient découvert qu'il avait été victime d'un coup de feu, Sebastian avait écarté cette possibilité. Quelqu'un qui prévoit de commettre un meurtre n'utilise pas d'arme laissant une balle qu'il serait obligé de retirer du cœur de la victime par la suite. Malheureusement, Hanser ne pouvait pas transmettre cette information à la presse. Le fait qu'ils connaissent la vraie cause de la mort ne devait pas être rendu public, et ne devait surtout pas remonter jusqu'aux oreilles du meurtrier. À part ça, Torkel n'avait pas grand-chose à raconter. Ils n'avaient fait aucun progrès hormis la piste Axel Johansson. Beaucoup de choses dépendaient de ce qu'ils allaient trouver le lendemain, et des rapports du laboratoire d'analyses criminelles. Le portable de Torkel vibra dans sa poche intérieure. Il le sortit et regarda l'écran. Vilma.

— Excuse-moi un instant, je dois décrocher.

Hanser acquiesça et but une gorgée de vin. Torkel répondit.

— Salut, ma puce, dit-il avant d'entendre sa voix.

Il rayonnait de bonheur. Sa plus jeune fille avait toujours le même effet sur lui.

— Qu'est-ce que tu fais en ce moment ?

— Je suis au restaurant avec une collègue. Et toi ?

— Je vais à une fête de l'école. Tu es en ville ?

— Non, je suis encore à Västerås. Pourquoi, il y a une raison particulière ?

— Oui, je voulais te demander si tu pouvais venir me chercher ce soir. On ne savait pas si tu étais déjà rentré, alors maman m'a dit de t'appeler pour savoir.

— Si j'étais à la maison, je le ferais volontiers.

— C'est bon. Maman va venir me chercher. C'était juste pour savoir.

— Qu'est-ce que c'est comme fête ?

— Une soirée costumée.

— Ah, et tu te déguises en quoi ?

— En ado.

Torkel avait une vague idée de se qui se cachait derrière ce concept. Il n'était pas très heureux du choix de ce déguisement, mais d'un autre côté, il n'était pas là pour l'en empêcher ou pour suggérer une alternative plus créative. Et puis, Yvonne allait sûrement faire en sorte de cadrer tout ça. À la différence de son divorce d'avec Monica, celui d'avec Yvonne avait été plutôt positif. Aussi positif qu'un divorce pouvait l'être. Ils étaient tombés d'accord sur le fait que leur relation n'était plus satisfaisante. Il l'avait trompée. Elle aussi, il en était sûr. Tous deux souhaitaient se séparer, pour le bien d'Elin et de Vilma. Et ils s'entendaient effectivement mieux maintenant que lorsqu'ils étaient en couple.

— OK. Passe le bonjour à maman, et amuse-toi bien.

— Je le ferai. Elle te passe le bonjour aussi. On se voit à ton retour.

— Oui. Tu me manques.

— Toi aussi. À plus.

Torkel raccrocha et se tourna à nouveau vers Hanser.

— C'était ma fille.

— C'est ce que je me disais.

Torkel remit son téléphone dans sa poche.

— Et toi, tu as un fils, non ? Quel âge a-t-il maintenant ?

Hanser hésita. Bien qu'elle ait souvent vécu cette situation ces six dernières années, elle hésitait de plus en plus à parler de son fils. Au début, elle avait répondu sincèrement, mais les gens étaient à chaque fois si gênés que, après un silence pesant et une tentative de relancer la conversation, ils finissaient par trouver un prétexte pour s'en aller. En général, quand on lui demandait si elle avait des enfants, elle disait tout simplement non. C'était la solution la moins compliquée et, qui plus est, c'était vrai. Elle n'en avait plus. Mais Torkel savait qu'elle avait été mère.

— Il est décédé. Niklas est mort il y a trois ans.

— Oh non ? Je suis désolé ! Je ne savais pas… je suis désolé.

— Non, comment aurais-tu pu le savoir ?

Hanser savait d'expérience ce que Torkel pensait. Ce que tout le monde se demandait quand ils apprenaient que Niklas était mort. Les jeunes de quatorze ans ne meurent pas comme ça. Il devait être arrivé quelque chose. Mais quoi ? Tous voulaient savoir. Torkel était comme les autres, Hanser en était sûre. Par contre, ce qui était exceptionnel, c'était qu'il posât la question.

– Comment est-il mort ?

– Il voulait prendre un raccourci. En montant sur le toit d'une loco. Il est passé trop près de la caténaire.

– Je n'imagine même pas ce que vous avez pu vivre, ton mari et toi. Comment avez-vous fait pour surmonter tout ça ?

– On ne l'a pas surmonté. Il paraît que quatre-vingts pour cent des couples qui perdent un enfant se séparent. J'aurais aimé pouvoir dire que nous faisons partie des vingt pour cent restants, mais ce n'est pas le cas.

Hanser prit une autre gorgée de vin. C'était plus facile de le raconter à Torkel. Plus facile qu'elle ne l'aurait cru.

– J'étais tellement en colère contre lui. Contre Niklas. Il avait quatorze ans. On avait déjà lu plusieurs articles sur des jeunes qui s'étaient électrocutés sur le toit de trains. À chaque fois, on disait qu'ils auraient dû le savoir. Ils étaient ados. Et Niklas approuvait. Il savait que c'était très dangereux. Mortel même. Et malgré tout, il a… J'étais tellement en colère après lui.

– C'est compréhensible.

– Je me suis sentie la pire des mères. À tous points de vue.

La serveuse revint avec les plats. Cela aurait pu leur fournir une raison de dîner en silence. Mais ils continuèrent à discuter pendant le repas, et Torkel pensa qu'ils en sauraient beaucoup plus l'un sur l'autre à la fin de la soirée. Il sourit intérieurement. Il aimait que cela se passât ainsi.

22

Haraldsson était assis dans sa Toyota verte devant la maison d'Axel Johansson, transi de froid bien que vêtu d'un caleçon long et d'un pull en laine polaire sous sa doudoune. Il se réchauffa les mains avec son gobelet de café. Pendant la journée, on ressentait les premières vagues de la chaleur printanière, mais les soirées et les nuits étaient toujours fraîches.

Haraldsson pensait que, grâce à lui, on avait lancé aujourd'hui un avis de recherche contre Axel Johansson. Plus que largement. Son intervention avait été déterminante. C'était grâce à lui que la provenance de l'e-mail avait été localisée et qu'ils étaient remontés jusqu'au lycée Palmlövska, puis jusqu'à l'ancien concierge. Certes, Torkel lui avait adressé un hochement de tête et un léger sourire en passant devant lui cet après-midi, mais c'était tout. Mis à part cela, personne ne lui avait témoigné la reconnaissance qui lui revenait pour avoir fait faire un pas déterminant à l'enquête. Haraldsson avait compris que jamais personne ne viendrait le remercier pour son travail. En tout cas, pas Torkel ni ses collègues. De quoi auraient-ils l'air si un talent local résolvait l'affaire au nez et à la barbe de la Crim' ? Avant de boiter pour rentrer chez lui, Haraldsson avait demandé à Hanser si l'avis de recherche impliquait la mise sous surveillance du domicile du suspect. Ce n'était pas le cas. Il n'avait d'abord été diffusé qu'en interne pour que tous les agents de police soient plus vigilants lors de leurs patrouilles et de leurs contrôles. De plus, on avait contacté les proches et voisins pour les informer qu'Axel Johansson était recherché en tant que témoin. À chaque fois, on avait souligné qu'il n'était soupçonné de rien pour l'instant. La Crim' déciderait bientôt s'il y avait lieu de faire surveiller l'immeuble ou pas.

Haraldsson, quant à lui, avait immédiatement pris sa décision. Cet homme se cachait, c'était évident. Un innocent ne fuirait jamais, et ce que Haraldsson faisait durant son temps libre ne regardait personne. Il était donc assis dans sa Toyota et grelottait.

Il envisagea un instant de démarrer la voiture et de faire un tour pour la réchauffer, mais c'était courir le risque de rater Axel Johansson s'il rentrait chez lui. Et faire tourner le moteur comme ça, à vide, était impossible, d'abord parce que cela aurait attiré l'attention du suspect sur la présence d'une voiture garée devant chez lui, ensuite parce qu'il était interdit de faire tourner un moteur à l'arrêt pendant plus d'une minute en ville. Ce n'était qu'une petite infraction, mais tout de même. Les lois et les règles étaient faites pour être respectées. Et d'un point de vue écologique, c'était tout à fait inadmissible. Pour se réchauffer, Haraldsson versa une nouvelle giclée de café dans son gobelet, qu'il entoura de ses mains. Il aurait dû prendre des gants. Il souffla sur ses doigts pour les réchauffer et observa la compresse sur le revers de sa main. Jenny s'était glissée derrière lui alors qu'il versait le café dans la bouteille thermos, et il avait sursauté quand elle avait posé une main sur son ventre et l'avait rapidement fait descendre plus bas. Dans la salle de bains, il avait enduit la plaie de pommade à la xylocaïne et mis une compresse. Jenny lui avait tenu compagnie quand il avait jeté le paquet de compresses vide dans la poubelle en inox de la salle de bains. Elle s'était collée contre son dos et lui avait demandé s'il était pressé.

Ils l'avaient fait sous la douche. Ensuite, elle avait dû lui remettre de la pommade et changer la compresse. Malgré cet intermède, Jenny avait paru déçue quand il était parti. Elle lui avait demandé quand il reviendrait, et s'il pouvait passer une petite demi-heure avant d'aller au travail demain, pleine d'espoir. Haraldsson en doutait. Il avait l'intention de se rendre directement au commissariat. Ils se reverraient le lendemain soir. Baisers et salut.

Il y repensa en buvant une gorgée de son café refroidi. Jenny lui en voulait d'être parti. Il le savait. Et maintenant, il était assis là, et il lui en voulait de lui en vouloir. Il aimerait tellement... faux. Il *devait* arrêter le meurtrier de Roger Eriksson, mais on aurait dit qu'elle ne comprenait absolument pas combien c'était important pour lui. Son désir de grossesse prenait le pas sur tout le reste. Haraldsson la comprenait dans une certaine mesure. Il désirait ardemment être père et s'inquiétait que ce fût si difficile. Mais pour Jenny, cela frisait l'obsession. En ce moment, leur relation se résumait au sexe. Il avait essayé de la convaincre de sortir, au cinéma ou au restaurant, mais elle avait rétorqué qu'ils feraient mieux de rester dîner à la maison, de regarder de bons DVD, et puis de faire l'amour après. Les rares fois où ils rendaient visite à des amis, ils repartaient tôt et ne buvaient pas. Inviter des amis ? Même pas la peine d'y penser. Les invités s'éternisaient toujours, et Jenny et lui ne pourraient pas en venir au fait. Haraldsson essayait de lui parler de son travail, de ses problèmes, avec Hanser d'abord, maintenant avec la Crim', mais il avait de plus en plus l'impression qu'elle n'écoutait pas vraiment. Elle hochait la tête, émettait des marmonnements approbateurs et répondait souvent en répétant ses mots à lui. Et voulait encore faire l'amour. Les rares collègues qui lui avaient parlé de leur relation ou de leur couple racontaient toujours le contraire : pas assez de sexe, trop rare, trop ennuyeux.

Haraldsson n'avait pas osé leur confier ce qui se passait chez lui. Mais il cogitait. Que se passerait-il si Jenny était aussi hystérique durant sa grossesse ? Serait-il obligé de devenir le genre d'homme qui lisait les étiquettes de tous les aliments et qui faisait des kilomètres en pleine nuit pour aller chercher un bocal de cornichons et du réglisse à la station-service ? Haraldsson chassa cette idée. Il devait faire son travail. C'était pour cela qu'il était là. Car il n'était tout de même pas en train de fuir sa femme, non ?

Haraldsson décida d'aller se dégourdir un peu les jambes pour se réchauffer. Il pouvait marcher sans quitter des yeux la porte d'entrée d'Axel Johansson.

*

Vanja était penchée sur son bureau et regardait par la fenêtre. La vue était largement cachée par l'immeuble d'en face, un cube moderne en verre. Mais elle voyait tout de même un bout de ciel étoilé, et un peu de la forêt qui s'étendait jusqu'au Mälar.

Elle avait devant elle quelques blocs-notes, des feuilles et des agendas noirs. Ursula avait pris ces objets dans le bureau de Roger. Une heure plus tôt, Vanja et Billy avaient partagé une salade à la feta chez le Grec que la jeune femme de la réception leur avait conseillé. Le repas avait été plus que correct, et ils savaient tous deux qu'ils y retourneraient. Dans une ville suédoise moyenne, il ne fallait pas prendre trop de risques culinaires. Quand ils trouvaient un bon restaurant, ils devenaient immédiatement des habitués. Sur le chemin du retour, Vanja était vite montée dans sa chambre pour appeler son père. Valdemar avait l'air fatigué mais heureux. Cette journée avait été un véritable grand huit des sentiments, et le traitement le rendait somnolent. Pour Vanja, ce fut toutefois une conversation formidable. Après avoir raccroché, pour la première fois depuis longtemps, elle n'eut pas l'impression qu'elle allait bientôt le perdre. Elle était surexcitée et ivre de bonheur, et avait décidé qu'elle pourrait aussi bien utiliser cette énergie positive pour travailler. Elle était rentrée au commissariat. En général, quand ils étaient en mission à l'extérieur, elle travaillait autant qu'elle le pouvait. Ce soir-là, la perspective d'une nuit de labeur la réjouissait plus que d'habitude. Ursula avait quitté le bureau vers six heures. Curieux, avaient pensé Billy et Vanja. D'habitude, Ursula travaillait tard, et ils avaient tous les deux spéculé pour savoir si Torkel n'en était pas la vraie raison. Aussi discrets fussent-ils, Vanja et Billy les soupçonnaient depuis longtemps d'être plus que des collègues.

Vanja commença par les feuilles volantes. Surtout des vieilles interrogations écrites et quelques notes de cours. Vanja les classa en différentes piles : les interros d'un côté, les notes de cours de l'autre, et le reste au milieu. Elles formaient trois piles de base qu'elle parcourut ensuite et classa par thème et par date. À la fin, elle obtint en tout douze piles qu'elle examina avec attention. C'était Ursula qui lui avait appris à procéder par étapes et à classer. Le grand avantage était que l'on se faisait rapidement une idée de ce qu'on avait et que l'on regardait les mêmes documents plusieurs fois avec une concentration croissante. De cette manière, on découvrait plus facilement les changements d'habitudes, et l'on augmentait les chances de découvertes. Inventer des systèmes, c'était la spécialité d'Ursula. Vanja ne put s'empêcher de penser soudain à ce que Sebastian avait dit sur la hiérarchie dans leur groupe. Il avait raison. Ursula et elle avaient passé un accord tacite selon lequel elles ne devaient pas empiéter sur le territoire de l'autre. Ce n'était pas seulement une question de respect, mais aussi le constat que, sans cela, elles allaient sans doute très vite se livrer à une compétition sans merci et mettre en péril la position de l'autre. Car elles étaient bien en concurrence. Chacune des deux voulait être la meilleure.

Vanja examina le reste de la paperasse. Les copies ne lui avaient rien appris, si ce n'était que Roger était plus mauvais en maths qu'en suédois, et que ses résultats en anglais laissaient à désirer. Elle considéra les agendas. Ils ne paraissaient pas avoir été beaucoup utilisés et allaient de 2007 à aujourd'hui. Elle prit le plus récent et commença par le mois de janvier. Roger n'y avait pas écrit grand-chose. On aurait plutôt dit qu'il avait reçu l'agenda à Noël et qu'il avait peu à peu cessé de s'en servir. Quelques anniversaires y étaient inscrits, des devoirs et des interrogations écrites, mais plus on avançait dans l'année, moins il y avait de notes.

L'abréviation PW apparaissait pour la première fois début février, puis à nouveau fin février et dans la première semaine de mars pour se poursuivre un mercredi sur deux. Elle sauta immédiatement aux yeux de Vanja – c'était la seule note qui revenait régulièrement. Elle tourna les pages jusqu'à ce funeste vendredi d'avril. Les initiales PW revenaient un mercredi sur deux. Toujours à dix heures. Qui était ou qu'était PW ? Étant donné que les rendez-vous avaient lieu pendant les heures de cours, elle supposa que cela devait avoir un rapport avec l'école. Elle tourna les pages après le vendredi de sa disparition et vit que Roger avait raté un rendez-vous avec PW. Vanja prit l'agenda de l'année précédente pour vérifier si PW y figurait également : c'était le cas. Pour la première fois fin octobre, puis un mardi sur deux à quinze heures, régulièrement, jusqu'à fin novembre.

Le cercle d'amis de Roger était très limité et n'avait pas beaucoup contribué à faire progresser l'enquête. Ici, elle avait au moins une personne qui le rencontrait régulièrement. Pourvu que ce fût bien une personne et non une activité ! Elle regarda sa montre : il était à peine neuf heures moins le quart. Pas trop tard pour appeler. Elle essaya d'abord de joindre la mère de Roger, mais celle-ci ne décrocha pas. Vanja ne s'attendait pas à autre chose. Lorsqu'elle lui avait rendu visite avec Sebastian, le téléphone avait sonné plusieurs fois, et elle n'avait pas montré la moindre intention de répondre.

Elle décida d'appeler Beatrice. En tant que professeure principale, celle-ci devait être la mieux placée pour savoir ce que Roger faisait un mercredi sur deux à dix heures.

– Il avait une heure de libre.

Beatrice paraissait fatiguée, mais disposée à l'aider.

– Et vous savez ce qu'il faisait pendant cette heure ?

– Malheureusement non. Le cours suivant commençait à onze heures et quart, et il n'était jamais en retard.

Vanja hocha la tête et ouvrit l'agenda de l'année précédente.

– Et l'automne dernier, le mardi à quinze heures ?

Il y eut une seconde de silence.

– Je crois que les cours étaient finis, à cette heure-là. Oui, nous finissions toujours à trois heures moins le quart le mardi.

– Avez-vous une idée de ce que signifient les initiales PW ?

– PW ? Non, là tout de suite, ça ne me dit rien.

Vanja hocha la tête. C'était de mieux en mieux. Roger cachait ses rendez-vous avec PW à Beatrice. C'était sûrement important : elle était plus que son professeur, et l'avait beaucoup soutenu.

– Est-ce qu'il voyait ce PW le mercredi aussi ? demanda Beatrice au bout d'un moment. Elle avait manifestement continué de réfléchir à ces initiales.

– Oui, exactement.

– Ce pourrait être Peter Westin.

– Qui est-ce ?

– Un psychologue qui a un accord avec notre école. Je sais que Roger est allé le voir plusieurs fois quand il est arrivé à Palmlövska. Je crois que c'est même moi qui le lui avais conseillé. Mais j'ignorais qu'il continuait à le voir.

Vanja nota les coordonnées de Peter Westin et la remercia pour son aide. Puis elle appela ce dernier. Personne ne décrocha, mais un répondeur lui indiqua que le cabinet ouvrait à neuf heures, et un bref coup d'œil sur le plan de la ville lui indiqua qu'il ne se trouvait qu'à dix minutes de l'école. Roger avait pu y aller pendant ses heures libres sans que personne ne le remarque, et s'il y avait bien une chose dont on parlait à un psychologue, c'étaient des secrets. Quelque chose dont on ne voulait parler à personne d'autre.

Son téléphone bipa. Un SMS.

« G trouvé l'ex de Johansson. Tu veux venir avec moi pour lui parler ? Billy »

Une réponse rapide.

« YES. »

Cette fois, elle ajouta un smiley.

L'ex-petite amie de Johansson, qui s'appelait Linda Beckman, était à son travail lorsque Billy l'avait appelée. Elle avait répété à plusieurs reprises qu'elle ne sortait plus avec Axel et qu'elle n'avait aucune idée de l'endroit où il se trouvait ni de ce qu'il fabriquait. Billy avait dû faire preuve d'une grande force de persuasion pour la convaincre d'accepter de les rencontrer. Lorsqu'elle avait enfin consenti à les voir, elle avait refusé catégoriquement de se rendre au commissariat. Ils n'avaient qu'à venir à son travail, elle ferait une petite pause pour leur parler. Vanja et Billy étaient donc attablés dans une pizzeria de la place Stortorget. Chacun d'eux commanda une tasse de café.

Linda vint s'asseoir en face des deux policiers. C'était une jeune femme blonde plutôt quelconque, la trentaine. Elle avait des cheveux jusqu'aux épaules attachés en queue-de-cheval et une frange qui lui tombait juste au-dessus des yeux. Son pull-over rayé noir et blanc ne mettait pas vraiment en valeur sa silhouette au-dessus d'une petite jupe noire. Autour du cou, un cœur en or pendait à une fine chaînette.

– J'ai un quart d'heure.

– Alors, on va essayer de faire tout ça en un quart d'heure, dit Billy en prenant le sucre. Il mettait toujours du sucre dans son café. Et pas qu'un peu.

– Comme je vous l'ai dit au téléphone, nous aimerions en savoir un peu plus sur Axel Johansson.

– Mais vous n'avez pas dit pourquoi.

Vanja prit la parole. Elle n'avait pas l'intention de raconter ce qu'ils savaient sur le petit trafic d'Axel Johansson avant de cerner l'opinion de Linda sur son ex. Ce fut pourquoi Vanja commença prudemment :

– Savez-vous pourquoi il a été licencié ?

Linda sourit aux policiers. Elle avait tout de suite compris de quoi il s'agissait.

– Oui, à cause de l'alcool.

– L'alcool ?

– Il en revendait aux jeunes, cet idiot !

Vanja regarda Linda et hocha la tête. Axel ne semblait pas avoir trouvé en elle une alliée.

– Exactement.

Linda secoua la tête d'un air résigné comme pour souligner qu'elle condamnait ces agissements.

– Je lui ai dit que c'était une connerie. Mais vous croyez qu'il m'aurait écoutée ? Et puis, il a été viré, cet imbécile. Exactement comme je l'avais prédit.

– Est-ce qu'il vous a déjà parlé de Roger Eriksson ?

Linda parut réfléchir, mais son expression ne laissait pas deviner si elle le connaissait.

– Un garçon de seize ans, compléta Billy en posant la photo de Roger sur la table.

Linda prit la photo et l'observa. Elle le reconnaissait à présent.

– Celui qui a été tué ?

Vanja acquiesça.

– Oui, je crois qu'il est venu chez nous une fois. Il y a deux mois peut-être. J'ai déménagé peu après.

– Avez-vous vu Roger plus d'une fois ? Réfléchissez bien, c'est important.

Linda resta silencieuse un moment. Puis elle secoua la tête. Vanja changea de sujet.

– Comment Axel a-t-il réagi quand vous avez déménagé ?

Linda secoua à nouveau la tête. On aurait dit que c'était pour elle un réflexe quand elle pensait à Axel.

– Ça a été une révélation. Il n'était pas triste, ni en colère, ni quoi que ce soit. Il n'a rien fait pour me retenir. Il a juste continué comme si de rien n'était. Comme si ça ne faisait aucune différence que je sois là ou pas. C'était tout simplement incroyable.

Quand, vingt minutes plus tard, Vanja et Billy remercièrent Linda Beckman et retournèrent au commissariat, l'image d'Axel Johansson ne s'était pas seulement dessinée, non, elle s'était confirmée dans les moindres détails.

Au début, Axel s'était comporté comme le parfait gentleman. Attentionné, généreux, amusant. Au bout de quelques semaines à peine, Linda avait emménagé chez lui. C'était encore bien à ce moment-là, du moins au début. Puis il s'était passé plusieurs choses. D'abord rien de sérieux. Un peu moins d'argent dans son porte-monnaie que ce qu'elle avait cru. Puis, suite à la disparition d'un bijou hérité de sa grand-mère, elle avait fini par réaliser que cette relation n'était pour Axel qu'un moyen de s'enrichir. Linda l'avait mis au pied du mur, et il avait exprimé des remords. Il avait prétendu avoir des dettes de jeu et craint qu'elle ne le quittât s'il le lui avouait. Il avait donc tout fait pour la rembourser, pour repartir sur de bonnes bases. Elle avait avalé ses explications. Mais très vite, il y avait eu des récidives, de l'argent avait encore disparu. Et quand elle avait mis la main sur une quittance de loyer et réalisé qu'elle payait en réalité la totalité du loyer et non la moitié comme elle l'avait toujours cru, ce fut la goutte d'eau qui avait fait déborder le vase. Linda couronna ce portrait d'une note encore plus truculente : leur vie sexuelle était catastrophique. Il n'était pas souvent intéressé et quand c'était le cas, il était plutôt dominant. À la limite de la violence. Il voulait toujours la prendre par derrière, en enfonçant son visage dans le coussin. *Too much information*, pensa Vanja en hochant malgré tout la tête d'un air encourageant. Axel était toujours dehors à des heures bizarres, parfois des nuits entières, et ne revenait que tôt le lendemain matin, voire en fin de matinée. Le temps qu'il ne passait pas à l'école, il le passait à chercher différentes méthodes pour se procurer de l'argent. Le monde d'Axel ne tournait qu'autour des moyens d'abuser du système.

Son credo était qu'« *il n'y avait que les idiots pour faire ce qu'ils disent là-haut.* » Il avait postulé au lycée Palmlövska pour la seule et unique raison que les élèves avaient des parents riches, qu'ils étaient élevés plus sévèrement, et posaient donc moins de problèmes.

« *Il faut toujours vendre à ceux qui peuvent payer le plus et qui auraient un maximum à perdre si on le découvrait.* » C'était ce qu'il avait dit. Mais cet argent, Linda n'en avait jamais vu la couleur. C'était ce qu'elle avait le plus de mal à comprendre. Malgré toutes ses « affaires », Axel était toujours à sec. Il ne semblait pas avoir beaucoup d'amis et se plaignait sans cesse des rares qu'il avait, car ils ne voulaient pas lui prêter d'argent. Et quand ils le faisaient, il pestait, car ils le lui réclamaient ensuite. Il était toujours insatisfait de tout.

La question la plus importante pour Vanja et Billy était de savoir ce que Roger fabriquait avec Axel. Roger était allé chez lui, ils le savaient à présent. S'était-il produit un événement qui avait entraîné Roger à faire renvoyer le concierge quelques semaines plus tard ? C'était probable. Quand Vanja et Billy se séparèrent ce soir-là, ils étaient plutôt satisfaits de leur journée. Axel Johansson devenait de plus en plus intéressant. Et le lendemain, ils rendraient visite à un psychologue dont les initiales étaient PW.

*

Torkel salua les dames de la réception et gagna l'ascenseur. Quand il inséra la carte dans le lecteur, il hésita un instant à appuyer sur le bouton quatre. Il avait la chambre 302, et Ursula était au quatrième. Les Rolling Stones résonnaient dans les haut-parleurs. C'était le groupe le plus violent qu'il écoutait dans sa jeunesse, se dit Torkel. Et aujourd'hui, c'était de la musique d'ascenseur. Les portes s'ouvrirent, et Torkel s'immobilisa. Devait-il tenter sa chance ? Il ne savait pas si elle était toujours en colère contre lui ou non, il le supposait seulement. À sa place, il le serait encore. Mais il pouvait tout aussi bien en avoir le cœur net tout de suite. Il longea le couloir jusqu'à la chambre 410 et frappa à la porte. Ursula mit quelques secondes à ouvrir. L'expression totalement neutre de son visage donna à Torkel une idée assez précise de ce qu'elle pensait de sa visite.

– Je te dérange ?

Torkel s'efforça de ne pas laisser transparaître sa nervosité. Maintenant qu'il se trouvait devant elle, il se rendit compte qu'il n'avait absolument pas envie qu'ils soient fâchés.

– Je voulais juste savoir où on en était.

– Et où crois-tu qu'on en est ?

C'était bien ce qu'il craignait. Elle était toujours en colère, c'était compréhensible. Mais Torkel n'avait jamais eu de mal à demander pardon quand il avait commis une erreur.

– Excuse-moi, je t'en prie, j'aurais dû te dire que j'avais l'intention d'engager Sebastian.

– Non ! Tu n'aurais même pas dû l'embaucher !

L'espace d'un instant, Torkel ressentit une certaine irritation. Elle était vraiment têtue. Il lui demandait pardon. Reconnaissait qu'il ne s'était pas comporté comme il l'aurait dû dans cette situation. Mais il restait le chef. Il était obligé de prendre des décisions et d'engager les personnes les plus compétentes pour l'enquête. Même si elles n'étaient pas appréciées. Il fallait rester professionnel. Torkel décida malgré tout de garder ses réflexions pour lui. D'un côté, il ne voulait pas se mettre Ursula encore plus à dos, et de l'autre, il n'était toujours pas à cent pour cent convaincu que la présence de Sebastian au sein de l'équipe fût bénéfique. Torkel avait l'impression de devoir sans cesse justifier sa présence, non seulement auprès d'Ursula, mais aussi à lui-même. Pourquoi ne lui avait-il pas tout simplement dit : « Non merci, au revoir » ce matin-là, dans la salle de restaurant ? Il regarda Ursula d'un air presque suppliant.

– Il faut vraiment que je te parle. Je peux entrer ?

– Non.

Ursula n'ouvrit pas la porte d'un millimètre de plus. Au contraire. Elle la referma un peu, comme si elle s'attendait à ce qu'il mette son pied dans l'interstice. Trois bips courts, deux longs et de nouveau trois bips courts se firent entendre dans la chambre d'Ursula. SOS. La sonnerie du téléphone d'Ursula.

– C'est Mikael. Il devait appeler.

– OK.

Torkel réalisa que la conversation était terminée.

– Passe-lui le bonjour.

– Tu pourras le lui dire toi-même, il sera là demain.

Ursula referma la porte. Torkel resta pétrifié quelques secondes pour digérer cette information. Une visite de Mikael lors d'un déplacement, cela ne s'était plus produit depuis une éternité... En fait, jamais, même. Il n'avait pas envie d'imaginer ce que cela pouvait signifier. D'un pas lourd, il gagna l'escalier qui menait à sa chambre. Sa vie semblait infiniment plus compliquée aujourd'hui qu'elle ne l'était encore vingt-quatre heures plus tôt.

Mais à quoi s'attendait-il ? Il avait engagé Sebastian Bergman.

23

Sebastian se réveilla sur le canapé. Il était allongé sur le dos, il avait sûrement piqué du nez. La télévision était allumée, c'était l'heure du journal. Son poing droit était si serré qu'il avait mal jusqu'au coude. Il essaya avec précaution de détendre ses doigts engourdis et ferma les yeux. Une tempête avait éclaté. Les bourrasques s'abattaient sur la maison, tonnaient à travers les conduits d'aération jusque dans la cheminée, mais dans son état de demi-sommeil, le bruit se confondait avec son rêve. Le tonnerre, la puissance, cette force surhumaine dans un mur d'eau.

Il l'avait tenue. Fort. Au milieu des cris, entre tous ceux qui hurlaient. Le sable qui fusait dans tous les sens. La force. La seule chose qu'il savait au milieu de cette folie était qu'il la tenait. Il pouvait même voir leurs deux mains. Bien sûr, c'était impossible, mais si, il voyait vraiment leurs mains, il pouvait encore les voir. Sa petite main avec la bague, dans sa main droite à lui. Il l'avait tenue plus fort que jamais. Il n'avait pas eu le temps de réfléchir, mais pourtant, il savait ce qu'il pensait. Une seule pensée l'obsédait : il ne devait jamais, jamais lâcher. Pourtant, il l'avait fait.

Soudain, elle lui avait échappé. Elle devait avoir été heurtée par quelque chose dans les masses d'eau. Ou bien lui ? Était-ce son petit corps qui était resté accroché à quelque chose ? Ou le sien ? Il l'ignorait. Quand il était revenu à lui, choqué, bleu et vert des coups qu'il avait reçus, à plusieurs centaines de mètres de ce qui avait été un jour la plage, il avait seulement su qu'elle n'était plus là. Elle n'était pas non plus dans les parages. Nulle part. Sa main droite était vide. Sabine avait disparu.

Il ne l'avait jamais retrouvée.

Lily les avait laissés seuls ce matin-là pour aller faire son jogging. Comme tous les matins, et cela l'ennuyait profondément. Son prêchi-prêcha sur les effets bénéfiques de l'activité physique. Son doigt s'enfonçant dans ce qui avait un jour été sa taille. Il lui avait promis d'aller courir avec elle au moins une fois pendant les vacances. Mais n'avait pas dit quand. En tout cas, pas ce deuxième jour des vacances. Il voulait le passer avec sa fille. Lily était en retard. D'habitude, elle allait courir avant qu'il fasse trop chaud, mais ils avaient pris le petit-déjeuner au lit et étaient restés couchés à se chamailler. Toute la famille. À la fin, Lily s'était levée, l'avait embrassé, avait fait un dernier bisou à Sabine et avait quitté la chambre d'hôtel en leur adressant un joyeux salut. Elle n'allait pas courir très longtemps aujourd'hui, avait-elle dit. Il faisait déjà trop chaud. Elle serait de retour une demi-heure plus tard.

Elle non plus, il ne l'avait jamais retrouvée.

Sebastian se leva du canapé. Il frissonnait. Il faisait frais dans cette pièce silencieuse. Quelle heure était-il en fait ? Dix heures passées. Il ramassa la vaisselle de la table basse et alla dans la cuisine. Quand il était rentré à la maison, il s'était réchauffé un repas assez rustique de la marque « Auberge campagnarde », puis il s'était installé devant la télé avec une bière légère. Dès la première bouchée, il avait pensé qu'une auberge campagnarde qui servait de tels plats devait immédiatement faire faillite. Peu goûteux n'était pas le bon mot. Mais le repas allait parfaitement bien avec le programme télé de la soirée. Insipide, simple et sans le moindre piquant. Une chaîne sur deux montrait un jeune animateur regardant dans la caméra pour le persuader, lui, le téléspectateur, d'appeler pour voter pour quelque chose. Sebastian avait mangé la moitié du plat, puis s'était enfoncé dans son siège et s'était manifestement endormi. Et il avait rêvé.

Il se tenait maintenant dans la cuisine, ne sachant que faire. Il posa l'assiette et la bouteille à côté de l'évier. Resta immobile. Il n'y était pas préparé. Normalement, il ne se permettait jamais de s'endormir ainsi, ni de faire ne serait-ce qu'une sieste après le repas ou dans le train. Cela gâchait le reste de sa journée. Mais pour une raison mystérieuse, il s'était laissé aller aujourd'hui. Cette journée avait été différente des autres. Il avait travaillé, participé à quelque chose, et cela n'était plus arrivé depuis 2004. Il ne voulait pas aller jusqu'à dire que cela avait été une bonne journée, mais elle avait tout de même été différente. Apparemment, il avait cru que le rêve n'arriverait pas jusqu'à lui aujourd'hui. Il avait eu tort. Et maintenant, il était là, dans la cuisine de ses parents, nerveux et agité. Ouvrant et refermant inconsciemment la main. S'il ne voulait pas rester éveillé le reste de la nuit, il n'y avait qu'une seule solution.

Il allait d'abord prendre une douche.

Et après, il aurait besoin de sexe.

24

La maison faisait vraiment peur à voir. Du linge à repasser, des vêtements sales, de la poussière et de la vaisselle partout. Les draps du lit devaient être changés et les habits aérés. Pendant la journée, le soleil du printemps révélait l'urgence d'un nettoyage de vitres. Beatrice ne savait même pas par où commencer ; elle ne faisait donc rien, comme tous les soirs et les week-ends ces derniers temps. Elle n'osait même pas penser à quand remontaient « ces derniers temps ». Un an ? Deux ? Elle l'ignorait. Elle savait seulement qu'elle n'en avait pas envie. Elle utilisait toute son énergie à préserver l'image de bon professeur et de collègue appréciée à l'école. Soigner les apparences pour que personne ne remarque à quel point elle était fatiguée, seule et malheureuse.

Elle mit de côté un tas de sous-vêtements propres pas encore trié et s'assit sur le canapé avec son deuxième verre de vin de la soirée. Si quelqu'un avait regardé par la fenêtre – et ignoré le désordre –, il aurait vu une femme d'affaires, une épouse et une mère se détendre sur le canapé après une dure journée de labeur. Les pieds sur la table basse. Un verre de vin sur la table, un bon livre et une douce musique de fond. Il ne manquait plus que le crépitement du feu dans la cheminée. Une femme mûre qui profitait d'une soirée de liberté pour s'occuper un peu d'elle. Mais rien n'était moins vrai. Beatrice était seule, c'était son problème. Même quand Ulf et Johan étaient là, elle était seule. Johan avait seize ans, devenait autonome et revendiquait son indépendance, tout en restant le fiston à son papa. Cela avait toujours été ainsi. Et quand Johan avait intégré le lycée Palmlövska, cela avait été pire encore. D'une certaine manière, Beatrice le comprenait : avoir sa propre mère comme professeure principale ne devait pas être drôle. Mais elle se sentait encore plus exclue que ce qu'elle croyait avoir mérité. Elle en avait parlé à Ulf, ou en tout cas, elle avait essayé. Sans résultat bien sûr. Ulf. Son mari, qui partait le matin et revenait le soir. Son mari, avec qui elle dînait et à côté duquel elle dormait. L'homme avec qui elle partageait sa solitude. Il était présent dans la maison, mais jamais auprès d'elle. Il ne l'avait pas été depuis son retour. Et avant non plus.

On sonna. Beatrice jeta un coup d'œil à la porte. Qui cela pouvait-il bien être ? Elle alla dans le couloir, dégagea par réflexe les paires de baskets et ouvrit la porte. Elle mit quelques secondes avant de mettre un nom sur ce visage. Le policier qui était venu la voir à l'école. Sebastian quelque chose.

– Bonjour, excusez-moi de vous déranger si tard, mais j'étais dans les parages.

Beatrice hocha la tête et jeta un œil derrière son hôte. Pas de voiture, ni dans l'allée ni dans la rue. Sebastian comprit son étonnement quand elle le regarda à nouveau.

– Je me promenais, et je me suis dit que vous aviez peut-être besoin de parler.

– Pourquoi le devrais-je ?

L'instant était décisif. Sebastian avait peaufiné sa stratégie en chemin. En partant de ce qu'il croyait savoir sur elle et son mari. Ils s'étaient tous deux présentés en tant que parents et non comme des parties d'un couple. Ce n'était pas la première fois qu'il rencontrait ce cas. Dans une relation de couple, c'était un moyen inconscient de punir l'autre. « Je ne me considère pas en premier lieu comme ta moitié. » Le fait que père et fils partent ensemble en voyage pour prendre du recul par rapport aux événements de ces derniers jours au lieu d'en parler en famille était aussi le signe pour Sebastian que le père et la mère n'allaient pas forcément très bien. Il avait donc décidé d'endosser le rôle de l'oreille attentive : peu importait ce qu'il entendrait. Qu'elle lui parle de la mort de Roger, de son couple en berne, ou qu'elle lui tienne un discours sur la physique quantique... Il était convaincu qu'une oreille était exactement ce dont Beatrice avait le plus besoin – après une femme de ménage.

– Quand nous nous sommes rencontrés à l'école, j'ai eu l'impression que vous deviez vous montrer forte devant vos élèves. Et ici aussi, j'imagine, vu que Roger était le meilleur ami de votre fils. Je veux dire, vous devez réprimer vos sentiments. Mais Roger était votre élève. Un adolescent. On doit pouvoir parler d'une chose pareille. Avoir quelqu'un qui écoute.

Sebastian conclut sa prestation en inclinant la tête sur le côté et en revêtant son sourire compatissant. Une combinaison qui le faisait passer pour un ange gardien totalement désintéressé. Il pouvait voir que Beatrice réagissait à ce qu'il lui disait, mais ne savait toujours pas à quoi s'en tenir.

– Mais je ne comprends pas très bien... Vous enquêtez pourtant sur cette affaire, vous êtes policier.

– Je suis psychologue. Je travaille parfois avec la police, comme profileur par exemple, mais ce n'est pas pour cela que je suis là. Je savais que vous seriez seule ce soir et que vous alliez peut-être broyer du noir.

Sebastian se demanda s'il devait ponctuer ses paroles d'un léger contact. Une main sur son avant-bras. Mais il se contrôla. Beatrice hocha la tête. Est-ce que ses yeux brillaient ? Il avait pris le ton qu'il fallait. Incroyable comme il était bon... Il se retint de sourire quand Beatrice fit un pas de côté pour le laisser entrer.

25

L'homme qui n'était pas un meurtrier tapota son oreiller. Il était épuisé. La journée avait été longue et fatigante à tous points de vue. Il pensait continuellement à paraître naturel. Se demandait s'il n'en faisait pas trop, n'avait pas l'air artificiel. C'était éreintant. Et la police avait libéré Leonard Lundin. Ce qui signifiait qu'ils recherchaient à nouveau activement quelqu'un d'autre. Lui.

L'homme qui n'était pas un meurtrier s'allongea sur le dos et joignit les mains. Une courte prière avant de dormir. Un remerciement pour avoir eu la force de tenir encore un jour. Le souhait que la vie retrouve une forme de normalité le plus vite possible. Il avait lu quelque part que les premières vingt-quatre heures d'une enquête étaient déterminantes. Dans cette affaire, l'enquête avait commencé trois jours après la disparition du jeune. Ce retard ne pouvait que le conforter dans sa conviction que son acte était justifié. À la fin de sa prière, il formula encore le vœu de dormir toute la nuit sans rêver. Il ne voulait pas être hanté par le même rêve que la nuit précédente.

Un rêve bizarre. Il était debout derrière le remblai près du terrain de foot, éclairé par des phares de voiture. Le jeune était allongé à ses pieds. Couvert de sang. L'homme qui n'était pas un meurtrier tenait le cœur en lambeaux dans sa main. Il était encore chaud. Battait-il ? Dans son rêve, oui. Un battement lent, faiblissant. Agonisant.

Puis il s'était tourné vers la droite, prenant conscience que quelqu'un se tenait près de lui, à quelques mètres. Silencieux. Il était sûr de savoir de qui il s'agissait. Mais il se trompait. À son grand étonnement, il vit son père, debout près de lui et muet. Bien que ce ne fût que dans son inconscient, un sentiment d'irréalité naquit. Son père était mort depuis de nombreuses années. L'homme qui n'était pas un meurtrier fit un geste en direction du garçon couvert de sang.

– Ne reste pas là comme ça. Tu ne veux pas m'aider ?

Sa voix claire se brisa comme celle d'un enfant désespéré. L'homme ne bougea pas d'un pouce, et observa la scène de ses yeux fixes et gris.

– Parfois, quand on a des soucis, il vaut mieux en parler.

– Que veux-tu dire ? cria l'homme qui n'était pas un meurtrier avec sa voix enfantine. Le gamin est mort. J'ai son cœur dans les mains. Aide-moi !

– Parfois, quand on parle, on en dit trop.

L'homme qui n'était pas un meurtrier regarda autour de lui. Troublé, apeuré et déçu.

Son père ne pouvait pas disparaître comme ça. Pas maintenant. Il devait l'aider. Comme il l'avait toujours fait. Il lui devait bien ça. Mais son père avait disparu, et l'homme qui n'était pas un meurtrier remarqua que le cœur, qu'il tenait toujours dans sa main, avait refroidi.

Puis il s'était réveillé. Pendant la journée, il n'avait cessé de repenser à ce rêve. Avait-il une signification ? Mais plus les heures passaient, plus les souvenirs s'effaçaient.

Il devait dormir à présent. Il avait besoin de repos, pour avoir toujours une longueur d'avance sur les autres. L'e-mail qu'il avait envoyé depuis l'école n'avait pas donné le résultat escompté. La police avait dû comprendre que Leonard n'avait pas caché lui-même la veste dans le garage et que c'était un leurre. Que faire maintenant ? Il lisait tous les articles sur la mort du garçon, mais ceux-ci ne contenaient rien de nouveau. Apparemment, le groupe d'investigations comptait désormais un membre supplémentaire. Sebastian Bergman. Une pointure dans son domaine. Il avait joué un rôle majeur dans l'arrestation du tueur en série Edward Hinde en 1996. Bergman était psychologue.

L'homme qui n'était pas un meurtrier sombrait doucement dans le sommeil. Soudain, il tressaillit.

– Si tu as des soucis, parles-en.

Son père essayait de l'aider, comme toujours. Il avait juste été trop bête pour comprendre. Avec qui parlait-on quand on avait des soucis ? Avec un psychologue, un thérapeute.

– Mais il arrive qu'on en dise trop.

Il le savait. L'avait toujours su, sans arriver à faire le lien. Il n'avait jamais cru devoir faire ça. Mais il y avait un homme dans cette ville qui pouvait réduire tous ses efforts à néant. Tout ce pour quoi il s'était battu. Un homme qui représentait une menace.

Une oreille professionnelle.

Peter Westin.

26

Il était deux heures vingt, et il faisait un froid de canard. En dessous de zéro, Enfin presque. Haraldsson voyait de la vapeur s'échapper de sa bouche quand il respirait, assis dans sa voiture, le regard rivé sur l'immeuble d'en face. Une fois, il avait entendu dire qu'on n'avait pas mal lorsqu'on mourait de froid, que c'était même agréable. Le corps était censé se réchauffer et se détendre juste avant de passer l'arme à gauche. À en croire cette théorie, les jours de Haraldsson n'étaient pas encore en danger. Les bras croisés, il tremblait sur le siège du conducteur. Dès qu'il bougeait un peu, il grelottait et avait l'impression de sentir la température de son corps baisser d'un dixième de degré de plus. Il y avait de la lumière à quelques fenêtres de l'immeuble qu'il observait, mais la plupart étaient noires. Ses habitants dormaient déjà. Bien au chaud sous leur couette. Haraldsson les enviait du plus profond du cœur. À plusieurs reprises au cours de la soirée, il avait eu envie d'abandonner et de rentrer chez lui. Mais à chaque fois qu'il s'apprêtait à tourner la clé, il s'imaginait le lendemain matin, arrivant en héros au commissariat : un héros qui aurait résolu à lui seul le meurtre de Roger Eriksson. Qui aurait coffré l'assassin et bouclé l'affaire. Il voyait déjà la réaction des autres. Les louanges, la jalousie. Dans sa tête, il entendait déjà le commissaire divisionnaire le remercier, louant son initiative et ses sacrifices personnels, grâces auxquels il avait fait un pas de plus que ses collègues, même un pas de plus que la brigade criminelle. Ce pas que seul un véritable policier est capable de faire. Cette dernière remarque du grand chef serait accompagnée d'un regard vers Hanser qui baisserait les yeux, embarrassée. Peut-être même que Haraldsson aurait, par son engagement extraordinaire, empêché que d'autres personnes ne fussent tuées.

Rien que d'y penser, cette idée le réchauffait et lui faisait oublier qu'il se trouvait dans cette espèce de congélateur de Toyota. Difficile d'imaginer alors ce qu'il ressentirait si cela arrivait vraiment. Tout changerait pour lui. La spirale infernale dans laquelle sa vie s'engouffrait en ce moment serait interrompue, et il reviendrait sur le devant de la scène. Sur tous les plans.

Tout à coup, Haraldsson fut arraché à ses rêveries ensommeillées et congelées. Quelqu'un s'approchait de l'entrée de l'immeuble. Une silhouette élancée, longiligne. Un homme. Il marchait à pas rapides, les mains enfoncées dans les poches de sa veste, tête baissée. Haraldsson n'était visiblement pas le seul à avoir froid cette nuit. L'homme passa sous une lampe accrochée au mur de l'immeuble, et, pendant un instant, Haraldsson put voir clairement son visage. Il jeta un regard sur la photo qu'il avait accrochée au tableau de bord à l'aide d'un trombone. Pas de doute possible. C'était Axel Johansson.

Te voilà, pensa Haraldsson, dont la fatigue glacée s'envola d'un coup. Axel Johansson atteignit la porte d'entrée et tapa le code à quatre chiffres. Le verrou cliqueta, et il poussa la porte. Il s'apprêtait à s'engouffrer dans le hall chauffé, lorsqu'il entendit un bruit sourd qui ne pouvait provenir que d'une portière de voiture. Johansson s'immobilisa et se retourna en scrutant les environs. Haraldsson se figea. Il avait été trop zélé. Il n'aurait pas dû ouvrir la portière avant que le suspect ait disparu dans la maison. Que faire maintenant ? Axel Johansson fixait la Toyota sans bouger. Rester assis, la portière entrouverte, paraîtrait certainement encore plus louche. Alors Haraldsson l'ouvrit et descendit. À vingt mètres de lui, il vit Axel Johansson lâcher la poignée et faire quelques pas en arrière. Haraldsson traversa la rue d'un pas décidé.

– Axel Johansson !

Haraldsson s'efforça d'adopter un ton jovial, comme quelqu'un qui serait surpris en voyant un vieil ami. Heureux, plein d'attente, pas menaçant le moins du monde. Cela ne lui réussissait visiblement pas.

Axel Johansson tourna les talons et piqua un sprint.

Haraldsson se lança à ses trousses en maudissant les heures passées immobile dans le véhicule. Il était froid et lent. Quand il bifurqua au coin de l'immeuble, il remarqua que la distance entre Johansson et lui s'était creusée. Haraldsson accéléra. Ses jambes étaient raides et absolument pas coopératives, mais il s'en fichait. Il avança par la pure force de sa volonté. Johansson courait vite et à grandes foulées à travers les immeubles. Il sauta par-dessus une barrière portant l'inscription « parking privé », fonça jusqu'à la pelouse suivante et poursuivit sa course. Mais Haraldsson n'était pas loin. Il sentit ses foulées s'allonger, son corps s'échauffer peu à peu. Il prenait de la vitesse. À présent, Haraldsson commençait à le rattraper. S'il ne perdait pas le fuyard de vue et évitait de glisser sur l'herbe humide, il l'attraperait tôt ou tard, il en était convaincu.

Pas mal pour un mec avec une cheville foulée.

D'où lui venait tout à coup cette idée ?

Haraldsson ralentit par réflexe, jura en silence, puis accéléra de nouveau. Il courait. Son pouls tambourinait contre ses tempes. Il avait retrouvé un souffle régulier. Ses jambes volaient énergiquement à travers l'air. Mais Axel Johansson n'était pas encore au bout de ses forces. Il traversa la rue Skultunavägen et fonça vers le pont au-dessus du ruisseau Svartån. Haraldsson le suivait, mais la pensée qui venait de surgir dans sa tête ne voulait pas partir. Officiellement, il était blessé et souffrait d'une grave entorse à la cheville. Il s'était donné beaucoup de mal pour maintenir l'illusion, prétendant être à peine capable de faire le trajet entre son bureau et la machine à café. Parfois, il s'arrêtait même à mi-chemin près d'un collègue pour grimacer de douleur. S'il parvenait maintenant à coffrer un suspect au bout d'une course-poursuite nocturne de plusieurs kilomètres, tout le monde saurait qu'il avait joué la comédie et qu'il avait menti. Ils lui demanderaient des explications, voudraient savoir pourquoi il avait quitté son poste lors des battues. Mais cela aurait-il de l'importance ? Dans la mesure où il mettait un tueur d'enfants sous les verrous, personne ne lui reprocherait de s'être un peu écarté de la vérité, non ? Si, Hanser le ferait. Il en était sûr. Elle veillerait à ce qu'il n'y eût ni louanges ni discours. Elle lui collerait une enquête interne au cul. Enfin, peut-être pas, mais que diraient les collègues ? En tout cas, il pourrait l'oublier, sa promotion. Les pensées se bousculaient dans sa tête. Axel Johansson traversa le ruisseau, tourna à gauche et s'engagea sur la piste cyclable le long de la route nationale en direction de Vallby. Avec une avance considérable. Bientôt, il atteindrait la réserve naturelle sur la colline de Djäkne, et il n'y aurait plus moyen de le retrouver dans le noir. Haraldsson ralentit. S'arrêta en haletant. Ne voyait plus Johansson. Il jura. Pourquoi était-il allé inventer une entorse ? Pourquoi ne pas avoir prétendu que Jenny était tombée malade, qu'il avait eu une indigestion, peu importe, mais quelque chose qui passât vite ? Haraldsson fit demi-tour et retourna à sa voiture.

Il allait rentrer auprès de Jenny, la réveiller et lui faire l'amour.

Pour ne pas se sentir totalement nul.

*

Une fenêtre de la chambre à coucher était entrouverte, et l'air frais de la nuit avait refroidi la pièce poussiéreuse. Sebastian s'étira en ouvrant son poing avec précaution. Il sentait encore Sabine sur sa peau et caressa la paume de sa main pour être près d'elle un instant de plus. Il faisait chaud sous la couette. Une partie de lui souhaitait rester là et différer la rencontre avec le froid. Sebastian se tourna vers Beatrice. Elle était allongée à côté de lui et le regardait.

– Tu as fait un cauchemar ?

Il détestait quand elles se réveillaient. Le départ devenait si compliqué.

– Non.

Elle s'approcha, la chaleur de son corps l'enveloppa. Il la laissa faire, sachant qu'il devrait plutôt choisir le froid. Elle l'embrassa sur le dos et sur le cou.

– Tu n'aimes pas quand je fais ça ?

– Si, si, mais je dois y aller.

– Je sais.

Elle l'embrassa sur la bouche. Pas trop passionnée. Ni trop désespérée. Ce qui l'incita à répondre au baiser. Ses cheveux roux tombèrent sur ses joues. Puis elle se détourna de lui, tapota son oreiller et s'installa confortablement.

– J'adore me réveiller tôt le matin. On a l'impression d'être seul au monde.

Sebastian se redressa. Ses pieds touchèrent le parquet froid. Il la dévisagea. Elle l'étonnait, il fallait le reconnaître. Il ne l'avait pas remarqué avant, mais elle était définitivement une « évolutive potentielle ». C'était ainsi que Sebastian surnommait des femmes très dangereuses. Des femmes qui évoluaient, qui donnaient quelque chose en échange. Plus que du sexe. Qu'on trouvait agréables – et qu'on avait envie de revoir. Surtout quand on ne pétait pas vraiment la forme. Il se leva pour créer un peu de distance. Il se sentit déjà mieux. Pour lui, la plupart des femmes étaient plus jolies lorsqu'il couchait avec elles que quand il se réveillait à leurs côtés. Chez certaines, c'était l'inverse ; et une « évolutive » était plus belle quand on la quittait.

Elle lui sourit.

– Tu veux que je te ramène chez toi ?

– Non, merci. Je vais rentrer à pied.

– Allez, je t'emmène.

Il rendit les armes. Rien à faire, c'était une « évolutive ».

Ils étaient seuls sur la route. Le soleil se reposait derrière l'horizon en attendant que la nuit s'en aille. « Heroes » de David Bowie résonnait dans la voiture. Ils parlèrent peu. Bowie se chargea de la conversation. Sebastian commençait à se sentir plus fort. Habillé, c'était toujours plus facile. Les événements de ces derniers jours lui trottaient dans la tête. Beaucoup d'émotions, et puis ça. Un début d'attachement, naissant d'accord, mais quand même. Il l'attribua à la situation, la fatigue et sa piètre forme en général.

Beatrice se gara devant la maison de ses parents et éteignit le moteur. Elle lui jeta un regard légèrement étonné.

– Tu habites ici ?

– En ce moment, oui.

– Cette maison n'est pas ton genre.

– Tu ne peux pas savoir comme tu as raison.

Il lui lança un sourire en ouvrant la portière. La lumière intérieure s'alluma, faisant briller ses grains de beauté. Il se pencha vers elle. Elle sentait si bon. Qu'est-ce qu'il foutait, bordel ? Un baiser ? Alors qu'il avait voulu garder ses distances, merde. Beatrice l'attira vers elle et l'embrassa sur la bouche comme pour lui rendre les choses encore plus difficiles. De ses mains, elle caressa ses cheveux et sa nuque. Il se libéra de son étreinte. Doucement, mais sûrement.

– Faut que j'y aille.

Il ferma vite la porte, effaçant ainsi cette lumière traîtresse qui la rendait beaucoup trop attirante. Beatrice mit le contact et fit marche arrière. Les phares l'aveuglèrent, mais il la vit tout de même lui faire un signe de la main avant de tourner le volant ; les rayons de lumière des phares passèrent sur la maison de ses parents, puis tombèrent sur celle d'à côté. Une paire d'yeux et une doudoune bleue apparurent comme un éclair. Clara Lundin était assise sur son perron, une cigarette à la main, et lui asséna un regard rempli à la fois de colère et de douleur. Sebastian la salua d'un signe de tête en tentant une approche hésitante.

– Bonjour !

Pas de réponse. Voilà une réaction qu'il n'avait pas prévue. Clara écrasa le mégot et rentra dans sa maison après l'avoir fixé un long moment. Sans doute pas un bon signe. Mais Sebastian était trop fatigué pour se casser la tête. Il monta les marches vers la maison de ses parents. En moins de quarante-huit heures, il avait décroché une maison, un enfant potentiel et un nouveau boulot, rencontré une « évolutive » et une femme en colère. Il s'était trompé. Il se passait beaucoup de choses à Västerås.

27

Le cabinet se trouvait à six cents mètres du lycée Palmlövska, dans un immeuble à trois étages ; le rez-de-chaussée était occupé par des bureaux, le reste de l'immeuble par des appartements. Vanja avait attendu Sebastian jusqu'à huit heures vingt-cinq au commissariat. Finalement, elle avait perdu patience et avait décidé de se rendre chez Westin seule. D'habitude, elle préférait mener les interrogatoires à plusieurs, même s'il s'agissait d'un témoin insignifiant. D'une part parce qu'il était intéressant d'avoir plusieurs points de vue sur l'histoire, d'autre part parce qu'on évitait ainsi d'avoir à écrire de longs rapports – ce que Vanja trouvait de plus en plus enquiquinant au fil des années – puisque d'autres membres de l'équipe connaissaient les faits. Avec Sebastian, pourtant, c'était différent. Il n'était pas ennuyeux, mais avait le chic pour tout transformer en lutte de pouvoir. C'est pourquoi elle ne l'avait pas attendu très longtemps.

Il était écrit « Westin & Lemmel » sur la porte vitrée, et en dessous, en plus petit, « Psychologues diplômés d'État ». Vanja entra. À l'intérieur, le décor était agréable : des meubles clairs et un meilleur éclairage que dans des cabinets moyens, de petites lampes de designer blanches sur la table basse. Un canapé confortable dans la salle d'attente. Une deuxième porte vitrée donnait sûrement sur les salles de thérapie. Elle appuya sur la poignée. Fermée à clé. Elle dut frapper plusieurs coups énergiques avant qu'un homme d'une quarantaine d'années ne vienne ouvrir. Il se présenta en tant que Rolf Lemmel. Vanja lui montra sa carte et expliqua la raison de sa venue.

– Peter n'est pas encore là, mais il doit arriver d'une minute à l'autre, répondit Rolf Lemmel, qui la pria de s'asseoir en attendant.

Vanja s'installa sur le canapé et se mit à feuilleter le *Dagens Nyheter* de la veille posé sur la table. Elle était toute seule dans la salle d'attente. Au bout d'un moment, une fille d'une quinzaine d'années entra. Elle était un peu rondelette et venait visiblement de prendre une douche. Vanja l'accueillit d'un gentil hochement de tête.

– Est-ce que tu as rendez-vous avec Peter Westin ?

La fille acquiesça.

Bien, pensa Vanja, alors il ne va pas tarder.

*

– Faut que je te parle.

Sebastian sut immédiatement qu'il s'était passé quelque chose ; ce ton dans la voix de Torkel lui était familier. Contrairement à ses habitudes, Sebastian s'était rendormi après le réveil et n'était arrivé au commissariat qu'à neuf heures. Mais ce n'était sûrement pas son retard qui mettait Torkel dans tous ses états, il devait s'agir de quelque chose de plus grave.

– D'accord, dit Sebastian qui suivit Torkel en traînant les pieds.

Son chef s'engouffra dans l'une des trois salles d'interrogatoire du premier étage en faisant signe à Sebastian de le suivre. Une conversation à huis clos, qui plus est dans une pièce insonorisée, c'était sûrement grave. Sebastian ralentit le pas ; comme toujours, il se préparait au pire en affichant un air particulièrement nonchalant. Torkel, par contre, n'était pas du tout impressionné.

– Allez, viens, on n'a pas toute la journée.

Torkel ferma la porte derrière Sebastian et le regarda droit dans les yeux.

– Est-il exact que la veille de ton arrivée dans l'équipe, tu as couché avec la mère de Leonard Lundin ?

Sebastian secoua la tête.

– Non, l'avant-veille.

– Arrête ton cinéma ! Tu as complètement perdu la tête ? C'est la mère de notre ancien suspect numéro un.

– Et alors ? Leo était innocent.

– Mais à l'époque, tu ne le savais pas encore !

Sebastian répliqua par un ricanement moqueur. Sûr de lui, à la limite de l'arrogance.

– Si. J'en étais absolument sûr, tu devrais t'en souvenir.

Torkel fit les cent pas dans la petite salle en levant les bras au ciel.

– C'était une connerie monumentale, j'espère que tu en es parfaitement conscient. Du coup, elle m'a appelé pour m'en informer. Et menace d'aller voir la presse si je n'en tire pas de conséquences. Putain, il faut que tu arrives à gérer ta bite !

Soudain, Sebastian eut pitié de Torkel. Malgré l'opposition de la plupart de ses collaborateurs, il avait laissé un emmerdeur notoire intégrer l'équipe. Sans doute avait-il eu à justifier sa décision plusieurs fois. Le même argument était sûrement revenu sans cesse : ne vous inquiétez pas, il a changé. Mais la vérité était qu'il était resté le même, Sebastian le savait. Les gens montraient des facettes différentes – mais au fond, ils restaient toujours les mêmes.

– Tu as raison. Mais quand Clara et moi avons passé la nuit ensemble, je n'avais pas encore intégré l'équipe, pas vrai ?

Torkel le fixa. Il n'avait pas envie de répondre.

– À partir de maintenant, ce genre de choses n'arrivera plus, dit Sebastian de sa voix la plus honnête possible, avant d'ajouter : Je te le promets.

Comme si cette promesse pouvait faire disparaître le souvenir de Beatrice nue, la nuit dernière. Beatrice Strand, la professeure principale du garçon assassiné. Dont le fils, Johan, avait été le meilleur ami. Là, il avait vraiment commis une erreur, peu importait dans quel sens on tournait l'histoire. Merde, il était débile, s'avoua-t-il.

Il faut toujours que j'essaie de franchir les limites.

Torkel l'observa fixement, et pendant quelques secondes, Sebastian crut qu'il allait lui demander de s'en aller sur-le-champ. Cela aurait été la bonne décision. Mais, pour une raison qui échappait à Sebastian, Torkel hésita.

– Tu es sûr ? demanda-t-il finalement.

Sebastian hocha de nouveau la tête, le plus sincèrement possible.

– Oui.

– Tu n'es quand même pas obligé de coucher avec chaque femme qui croise ton chemin.

Tout à coup, Sebastian comprit ce qui lui avait paru absurde auparavant. Alors que c'était tellement évident. Torkel l'appréciait. Sebastian se dit qu'il allait au moins essayer de faire un effort. Il sentait que Torkel le méritait en quelque sorte.

– J'ai seulement un peu de mal à être seul. Surtout la nuit.

Torkel ne broncha pas.

– Sache une chose. Tu n'auras pas de deuxième chance. Et maintenant, file !

Sebastian hocha la tête et se dirigea vers la porte. Dans d'autres circonstances, il aurait ricané d'un air condescendant. Mais il avait réussi à sortir de la crise et s'était tiré d'affaire.

– Tu m'attires des emmerdes, entendit-il Torkel dire dans son dos. Et ça ne me plaît pas.

Si Sebastian avait été capable d'éprouver de la culpabilité ou des regrets, il aurait ressenti les deux à cet instant-là. Ce n'était pas le cas, mais une légère onde de ces sensations le traversa lorsqu'il quitta la pièce. Il ne répéterait pas son faux pas avec Beatrice. Il se le jura.

*

Lorsque Peter Westin n'était toujours pas arrivé vingt minutes plus tard, la jeune fille avait jeté l'éponge. Au bout d'un moment, Vanja fit un tour à l'extérieur de l'immeuble pour respirer un peu d'air frais. Elle avait toujours eu du mal à tenir en place, et elle profita de l'occasion pour appeler ses parents. Ils étaient sur le point de par-

260

tir, mais prirent le temps de parler quelques minutes. C'était comme au bon vieux temps. D'abord, elle discuta longuement avec sa mère, puis elle échangea quelques mots avec son père. Curieux, avec son père, elle arrivait à exprimer les mêmes choses en beaucoup moins de temps. Ces derniers mois, tout avait tourné autour de la vie et de la mort, mais depuis peu, une certaine normalité était revenue dans leurs conversations. Vanja se rendit compte à quel point cette normalité lui avait manqué. Quand sa mère aborda l'un de ses sujets favoris – les relations amoureuses de Vanja, ou plutôt leur absence –, Vanja eut juste envie de rire. Certes, elle se défendit comme toujours, mais pas avec la même ferveur qu'autrefois.

N'avait-elle pas rencontré quelqu'un à Örebro ?

Västerås. Et non, elle n'avait pas le temps pour cela.

Ce jeune homme sympathique avec qui elle travaillait, Billy, elle l'aimait bien, non ?

Oui, mais ce serait comme si elle sortait avec son propre frère.

Finalement, elles en étaient arrivées à Jonathan, le terminus éternel des réflexions de sa mère.

Ne voulait-elle vraiment pas reprendre contact avec lui ? Il était tellement gentil.

Quelques mois auparavant, Vanja se fâchait systématiquement lorsque la conversation menait à Jonathan. Elle en avait assez que sa mère tentât sans cesse de l'inciter à se remettre avec son ex, en ignorant complètement le fait que Vanja se sente humiliée. À présent, elle trouvait juste cela formidablement normal, et écoutait le blabla et les suppliques de sa mère sans répondre grand-chose. Sa mère elle-même en semblait surprise, ses arguments perdaient de leur force, et elle finit par arriver au point où Vanja concluait habituellement la discussion.

– Bon, mais tu es adulte maintenant, et tu peux prendre tes décisions toute seule.

– Merci, maman.

Ensuite, son père prit le combiné. Il lui dit qu'il avait prévu de passer à Västerås le soir même. Il n'accepterait pas d'excuse, ce que Vanja ne tenta pas non plus. Elle qui séparait toujours strictement ses deux mondes, sentait qu'ils pouvaient bien se croiser pour une fois. Il prendrait le train à dix-huit heures vingt. Vanja lui promit de venir le chercher à la gare. Elle raccrocha et retourna au cabinet. Là-bas, elle demanda l'adresse de Peter Westin à son collègue. L'homme parut un peu énervé, mais lui assura quand même qu'il informerait Westin que la police voulait lui parler. Vanja retourna à sa voiture. 12, rue Rotevägen. Elle tapa l'adresse dans son GPS. Le trajet durerait environ trente minutes, et elle avait promis d'être de retour au bureau à dix heures pour la réunion de l'équipe. Westin attendrait.

*

Torkel entra dans la salle de réunion où les autres s'étaient déjà rassemblés. Ursula lança un regard interrogateur par-dessus l'épaule de Torkel :

– Où as-tu laissé Sebastian ?

Est-ce que Torkel était particulièrement sensible ce matin, ou y avait-il une réelle différence entre la question « Où est Sebastian ? » et « Où as-tu laissé Sebastian ? » La dernière impliquait qu'ils étaient inséparables. Starsky et Hutch, Laurel et Hardy, Torkel et Sebastian.

Comme s'il avait besoin d'une telle remarque. Si elle savait ! En ce moment, Torkel aurait même été prêt à mettre Sebastian à disposition pour des expériences médicales. Mais la matinée était déjà assez horrible comme ça, pas la peine d'en rajouter en se disputant avec Ursula.

– Il arrive, répondit-il avant de prendre une chaise et de s'asseoir. Puis il s'empara de la bouteille thermos et se versa du café dans un gobelet. Est-ce que Mikael est déjà là ?

Ton neutre, question sans importance.

– Il arrive seulement cet après-midi.

– Très bien.

– En effet.

Vanja les écoutait avec étonnement. Ursula et Torkel se parlaient sur un ton bizarre. Elle ne se souvenait pas de l'avoir jamais entendu. Ou si, dans son enfance, entre ses parents, lorsque ceux-ci ne vou-

262

laient pas montrer qu'ils s'étaient disputés. Quand ils conversaient de manière gentille et neutre, pour que leur fille croie que tout était normal. Cela ne marchait pas à l'époque, et ne marchait pas plus maintenant. Vanja loucha vers Billy. Est-ce qu'il l'avait remarqué lui aussi ? Apparemment pas. Il semblait totalement absorbé par son ordinateur portable.

Sebastian entra dans la salle, les salua d'un signe de tête et s'assit. Vanja observa Ursula en cachette. Celle-ci lança d'abord un regard noir à Sebastian, ensuite à Torkel, avant de fixer la table. Qu'est-ce qui se passait ? Torkel but une gorgée de café et se racla la gorge.

– Billy, tu peux commencer.

Billy se redressa, ferma l'ordinateur, saisit un petit tas de feuilles et se leva.

– Hier soir, j'ai reçu les listes d'appels de l'opérateur téléphonique, et ce matin celles du laboratoire de technique criminelle. J'ai tout intégré dans un fichier.

Billy fit le tour de la table en distribuant les feuilles. Vanja se demanda pourquoi il ne les posait pas tout simplement au milieu pour que chacun puisse prendre son exemplaire, mais elle ne fit pas de commentaires.

– Sur la première page se trouvent les appels émis. Le dernier appel de Roger date de vendredi à vingt heures dix-sept, lorsqu'il a contacté sa professeure principale.

Billy nota l'heure de la conversation téléphonique sur l'emploi du temps accroché au mur. Sebastian leva la tête.

– Est-ce qu'on peut voir s'il a essayé de rappeler plus tard sans que quelqu'un décroche ?

– Oui, et c'était vraiment son dernier appel.

– Tu penses à quoi ? demanda Vanja à Sebastian.

– Il voulait parler avec Johan et a appelé chez les Strand, n'est-ce pas ? Mais ensuite, il n'a pas tenté de joindre Johan sur son portable, je me trompe ?

Billy tourna le dos au tableau en secouant la tête.

– Non, c'est vrai, il ne l'a pas fait.

– Peut-être a-t-il été dérangé, proposa Torkel.

– Par un assassin, par exemple, ajouta Ursula.

– Sur la page suivante, continua Billy, vous voyez les appels reçus. Le dernier a été enregistré à six heures et demie, il provient de Lisa. Enfin, vous pouvez le lire vous-mêmes.

Billy reporta également cette conversation sur le tableau, puis il se retourna vers la table et prit une autre feuille.

– Page suivante. Les SMS. Tout d'abord, la liste de tout ce qu'on a pu reconstituer dans le portable endommagé par l'eau. Il s'agit de très peu de messages, la plupart adressés à Johan, Sven et Lisa, ou reçus de leur part. Nous savions déjà que Roger n'avait pas beaucoup d'amis. Rien de spectaculaire ici. Mais si vous regardez la page suivante... vous voyez les SMS reçus qu'il a effacés : ceux-ci sont nettement plus intéressants.

Sebastian survola la page qu'il avait devant lui. Il se redressa. Nettement plus intéressants était un euphémisme.

– Deux des SMS ont été envoyés d'un téléphone à carte, poursuivit Billy. L'un jeudi, et l'autre vendredi, quelques heures avant sa disparition.

Sebastian lut.

« IL FAUT ARRÊTER TOUT ÇA ! POUR LE BIEN DE TOUTES LES PERSONNES CONCERNÉES ! »

Et l'autre :

« RÉPONDS-MOI, S'IL TE PLAÎT ! TOUT EST DE MA FAUTE ! PERSONNE NE TE CONDAMNE ! »

Sebastian posa la feuille devant lui et se tourna vers Billy.

– La technique n'a jamais été mon fort. Est-ce qu'un téléphone à carte veut dire ce que je pense ?

– Si tu penses qu'on a un numéro mais pas de nom d'abonné, alors oui, répondit Billy en notant le numéro au tableau. J'ai la liste de toutes les conversations et de tous les messages de ce numéro : voyons si quelque chose en ressort.

Sebastian observa Vanja lever le bras et pointer son index en l'air comme une élève tout en étudiant les pages de son dossier. Pendant un court instant, il se l'imagina en uniforme d'écolière, mais rejeta aussitôt cette pensée. Il avait déjà dépassé trop de limites dans cette enquête et, de plus, il avait eu assez de liaisons ces dernières années pour savoir quand il avait une chance et quand il n'en avait pas.

– Est-ce que les messages sur le téléphone étaient aussi en capitales, enfin en majuscules, ou c'est à cause de l'impression ?

Billy regarda Vanja, un peu agacé.

– Je sais ce que sont des capitales.

– Excuse-moi.

– Ils ont été écrits exactement comme ils sont imprimés ici.

– C'est comme si quelqu'un les avait criés.

– Ou bien celui qui les a écrits ne s'est pas encore familiarisé avec toutes les fonctions de son téléphone.

– Ce qui nous fait penser à quelqu'un de plus âgé.

Sebastian relut les messages et fut plutôt d'accord avec Vanja. Il ignorait si les majuscules étaient à interpréter comme des cris ou pas, mais le choix des mots correspondait plus à un adulte d'un certain âge.

– Mais il n'y a aucune chance de savoir qui a envoyé ça ? demanda Torkel non sans un brin de résignation dans la voix.

Billy répondit par la négative.

– Est-ce que quelqu'un a essayé d'appeler sur ce numéro ?

Le silence se fit dans la pièce. Tous les regards se dirigèrent d'abord sur Vanja qui avait posé la question, puis sur Billy. Ce dernier saisit rapidement le téléphone, activa la fonction haut-parleur et composa le numéro. Un silence tendu emplit la salle. Mais à leur grande déception, le répondeur s'enclencha immédiatement : « Votre correspondant n'est pas disponible pour l'instant. Veuillez réessayer plus tard. »

Billy coupa les haut-parleurs. Torkel lui lança un regard grave.

– S'il te plaît, fais en sorte que quelqu'un appelle régulièrement ce numéro.

Billy hocha la tête.

– Et qu'y a-t-il d'autre ? demanda Ursula en pointant les autres lignes du texte.

Sebastian y jeta un œil.

Le premier SMS indiquait : « *12 bières + vodka* ».

Le suivant : « *20 bières + gin* » suivi d'un smiley.

Le troisième : « *1 bout. de rouge + bière* ».

Et ainsi de suite.

– Ce sont des commandes.

Les autres levèrent la tête.

– De quoi ?

– Ben de ce qui est écrit.

– À quand remonte le dernier SMS de ce genre ?

– À un mois environ.

Les regards de Vanja et Sebastian se rencontrèrent. Il devinait qu'elle savait déjà où elle voulait en venir, mais il préféra l'exprimer de vive voix pour s'en assurer.

– Axel Johansson a été renvoyé pour trafic d'alcool exactement à ce moment-là.

Vanja repoussa sa chaise et jeta un regard à Sebastian qui fixait avec entêtement ses feuilles. Il savait exactement où elle voulait en venir. Et il ne voulait absolument pas y aller.

*

Vanja s'avançait vers la maison. Sebastian la suivait à quelques pas. Il avait d'abord envisagé de rester dans la voiture, mais avait vite réalisé que cela paraîtrait suspect. Pas parce qu'il craignait que Vanja le trouvât bizarre. Non, c'était un pur instinct de survie. Il avait décidé de continuer à travailler sur cette enquête, en tout cas jusqu'à ce que Billy lui donne la fameuse adresse.

Voir Beatrice Strand le remercier pour une nuit agréable pouvait mettre à mal ses projets. Avant que Vanja ait pu sonner, la porte s'ouvrit : c'était Beatrice. Elle avait les cheveux attachés et portait un haut simple et un jean. Elle paraissait étonnée.

– Bonjour, que s'est-il passé ?

– Nous aimerions parler à Johan, expliqua Vanja.

– Il n'est pas là, il est parti camper avec Ulf.

Beatrice regarda Sebastian, mais ne laissa rien transparaître sur leurs ébats nocturnes à peine achevés.

– Nous sommes déjà au courant, poursuivit Vanja, mais pouvez-vous nous dire où ?

Ils roulaient sur la E18 en direction de l'ouest. Ils avaient emprunté l'itinéraire que Beatrice leur avait suggéré, passant devant le petit village de Dingtuna puis, en continuant vers le sud par les petites routes, jusqu'à la baie de Lilla Blacken au bord du lac Mälar. Vanja et Sebastian se turent. Vanja essaya de joindre Peter Westin, mais personne ne répondit. Elle trouvait étrange que le thérapeute ne prît pas le temps de la rappeler. Elle lui avait déjà laissé quatre messages. Sebastian ferma les yeux et essaya de dormir.

– Tu t'es couché tard hier soir ?

Sebastian secoua la tête.

– Non, j'ai juste mal dormi.

Puis il ferma les yeux pour signifier qu'il n'avait pas envie de poursuivre cette conversation. Mais, peu de temps après, il fut obligé de les rouvrir, réveillé par un coup de frein brutal.

– Qu'est-ce qu'il y a encore ?

– On prend à droite ou à gauche ? Tu es responsable de la navigation.

– Oh, arrête !

– Toi qui aimes bien décider, c'est l'occasion rêvée.

Sebastian soupira et tourna l'écran du GPS vers lui. Il n'avait aucune envie de répondre. Pour une fois, il la laisserait avoir le dernier mot.

*

Billy détestait Västerås. Mon Dieu, comme il haïssait cette maudite ville !

Il avait l'impression d'en avoir vu chaque mètre carré sur une bande de vidéosurveillance plus ou moins brouillée.

Billy tressaillit. Ses doigts survolaient le clavier. Stop. Return. Play. Là, enfin ! Mesdames et messieurs, sur votre gauche, Roger Eriksson. Il fit un arrêt sur image et regarda le registre qu'il avait reçu avec les disques. De quelle caméra s'agissait-il ? 1 : 22. La rue Drottninggatan. Où était cette rue ? Billy alla chercher sa carte de Västerås, l'étudia, trouva et surligna le lieu. Sur le coin de l'écran, on pouvait lire vingt et une heures vingt-neuf.

Play.

Roger s'avançait vers la caméra, tête baissée, en traînant les pieds. Au bout de cinquante mètres environ, il releva la tête, tourna à droite et disparut de l'écran derrière une voiture en stationnement.

Billy soupira. La chance n'avait été que de courte durée. Sur le film, le jeune était encore en vie et poursuivait son chemin. Ce qui signifiait que Billy devait lui aussi poursuivre et explorer encore Västerås – qu'il le veuille ou non. Roger avait continué en direction du nord. Billy regarda de nouveau le registre et le compara à la carte. Il exclut un ensemble de caméras qui filmaient dans la mauvaise direction et reprit ses recherches.

Décidément, il détestait Västerås au plus haut point.

28

Lilla Blacken était une station balnéaire très appréciée des touristes, du moins en été. Elle était complètement déserte à présent. Ils avaient tourné un moment sur les routes des environs avant d'arriver à destination. Ils trouvèrent la Renault Mégane devant un panneau d'affichage défraîchi. Sebastian descendit et s'approcha du véhicule isolé. Il croyait l'avoir vue en rencontrant Ulf devant la voiture de Beatrice.

« Bienvenue à Lilla Blacken », lisait-on sur un écriteau esquinté accroché sur le haut du panneau. Juste en dessous restaient quelques annonces de vente ou de troc dont la pluie d'hiver avait effacé les lettres.

– Je crois que c'est ici.

Ils regardèrent autour d'eux. Quelques arbres feuillus se battaient en duel sur une pelouse qui s'étendait jusqu'à la rive. Tout en bas, près du bord, une tente bleue vacillait au vent.

Ils traversèrent l'herbe humide jusqu'à la tente. C'était une journée grise, mais les nuits n'étaient plus aussi froides. Comme toujours, Vanja prit la direction des opérations. Sebastian sourit. Toujours être la première, toujours avoir le dernier mot. Exactement comme lui quand il était encore jeune et débordant de soif de vivre. Aujourd'hui, il lui suffisait d'avoir le dernier mot. En s'approchant, ils virent deux personnes assises sur un ponton vermoulu, à quelques pas du campement, visiblement en train de pêcher. Tout près l'un de l'autre. Quand Sebastian et Vanja s'approchèrent, ils reconnurent Ulf et Johan.

C'était le cliché père-fils typique, quelque chose que Sebastian lui-même n'avait jamais connu.

Ulf et Johan s'étaient habillés chaudement et munis de bonnets et de bottes vertes. À côté d'eux se trouvaient des seaux, un couteau et une caisse pleine d'hameçons et d'appâts. Chacun tenait une canne à pêche. Alors que Johan resta assis, Ulf se leva et vint à leur rencontre. Il paraissait inquiet.

– Il est arrivé quelque chose ?

La fonte des neiges avait fait monter le niveau d'eau du lac, et celle-ci était dangereusement proche du ponton. De l'eau froide s'infiltra dans les fentes entre les planches quand Ulf s'approcha d'eux. Sebastian resta prudemment à l'endroit où il se tenait, de peur de se mouiller.

– Non, nous aimerions avoir une discussion plus approfondie avec Johan, nous avons découvert de nouvelles informations.

– Ah, et nous qui pensions être tranquilles ici ! Prendre du recul. Cette affaire l'a sérieusement secoué.

– Oui, vous l'avez déjà dit, mais malheureusement, nous devons lui parler encore une fois.

– C'est bon, papa.

Ulf hocha la tête d'un air résigné et s'écarta pour les laisser passer sur le ponton. Johan posa sa canne à pêche et prit tout son temps pour se relever. Vanja n'avait aucune envie d'attendre, et demanda tout en s'avançant :

– Johan, est-ce que Roger vendait de l'alcool avec Axel Johansson ?

Johan s'arrêta et fixa Vanja. On aurait dit un petit garçon dans des habits bien trop grands. Il avait pâli et hocha la tête. Ulf sursauta. C'était visiblement une surprise pour lui.

– Qu'est-ce que tu as dit ?

À présent, les trois adultes fixaient l'adolescent à la mine de déterré.

– C'était l'idée de Roger. Il prenait les commandes, et Axel achetait la marchandise. Puis ils la revendaient plus cher et se partageaient les bénéfices.

Ulf dévisagea son fils d'un air grave.

– Tu y participais ?

Le garçon secoua la tête.

– Non, je ne voulais pas.

Johan regarda son père d'un air suppliant.

– Johan, je comprends que tu penses devoir protéger Roger, mais tu dois nous dire tout ce que tu sais maintenant. À moi et aux policiers.

Ulf avait mis son bras autour des épaules de son fils.

– Tu comprends ?

Johan hocha la tête. Vanja sentit que c'était le moment de continuer à poser des questions.

– Quand cela a-t-il commencé ?

– À l'automne. Roger a négocié avec Axel, et les choses se sont mises en route. Ils gagnaient pas mal d'argent.

– Quand est-ce que ça a mal tourné ? Pourquoi Roger a-t-il dénoncé Axel ?

– Axel ne voulait plus partager l'argent, il a donc commencé à vendre l'alcool directement. Au fond, il n'avait pas besoin de Roger. Il pouvait prendre les commandes lui-même.

– Et là-dessus, Roger est allé voir le principal ?

– Oui.

– Qui a viré Axel Johansson.

– Oui, le jour même.

– Axel n'a pas mentionné que Roger était impliqué depuis le début ?

– Je ne sais pas. Je crois que Roger a avoué lui-même qu'il avait participé à l'affaire au début, mais qu'il l'avait regretté ensuite et avait tout arrêté.

Sebastian imaginait facilement Roger en train de jouer l'élève modèle et contrit devant ce pédant de principal pour balancer celui qui l'avait évincé. Roger était plus calculateur qu'il ne l'aurait pensé. Il montrait sans cesse de nouvelles facettes de sa personnalité. C'était fascinant.

– Pourquoi Roger a-t-il fait ça ?

– Il avait besoin d'argent.

– Pourquoi avait-il besoin d'argent ?

Ulf s'était senti obligé d'intervenir. Peut-être pour souligner que ce n'était pas le cas dans sa vie.

– Tu n'as pas remarqué à quoi il ressemblait avant, papa ? Comment il était habillé quand il est arrivé à l'école ? Il ne voulait pas qu'on le harcèle à nouveau.

Il y eut un silence de quelques instants. Puis Johan poursuivit.

– Vous ne comprenez pas ? Il voulait s'intégrer. Il aurait tout fait pour ça.

Roger, cet adolescent d'abord sans visage, commençait à prendre des contours. Il montrait peu à peu sa face cachée et ses motivations. Un jeune garçon qui voulait être un autre que lui-même. À n'importe quel prix. Vanja repensa à ses premiers mois en uniforme. Son étonnement en réalisant que cette lutte pour la reconnaissance pouvait mener à la violence et même finir par un meurtre. Elle alla chercher la feuille listant les SMS trouvés dans le portable de Roger.

– Nous avons trouvé ces SMS dans son téléphone.

Vanja tendit les feuilles avec les deux messages désespérés à Johan, qui les lut avec attention.

– As-tu une idée de l'identité de la personne qui a pu les envoyer ?

Johan secoua la tête.

– Non, aucune.

– Tu ne reconnais pas le numéro ?

– Non.

– Tu es sûr ? C'est très important.

Johan fit signe qu'il avait compris, mais ne savait vraiment rien. Ulf repassa le bras autour de son fils.

– Roger et toi, vous aviez de toute façon un peu perdu contact, non ?

Johan hocha à nouveau la tête.

– Et pourquoi ?

– C'est pourtant connu. Les jeunes évoluent vite à cet âge.

Ulf haussa les épaules comme pour souligner que c'était quasiment une loi de la nature. Mais Vanja n'abandonna pas si facilement. Elle posa une question encore plus directe à Johan.

– Pourquoi n'aviez-vous plus beaucoup de contacts ces derniers temps ?

Johan hésita, réfléchit, puis haussa lui aussi les épaules.

– Il avait changé.

– En quoi ?

– Je ne sais pas… À la fin, il ne parlait plus que de sexe.

– De sexe ?

Johan acquiesça.

– Il en parlait tout le temps. C'était fatigant.

Ulf se pencha et serra son fils dans ses bras. Typique, pensa Sebastian. La plupart des parents se sentent obligés de protéger leurs enfants quand il s'agit de sexe. La plupart du temps, ils ne le font que pour préserver leur image de bons parents. Pour montrer que, dans cette société dépravée, ils protègent leurs enfants contre les instincts animaux et sales. Si Ulf savait à quoi Sebastian et sa femme s'étaient adonnés pendant qu'il se gelait sous sa tente de camping… Mais ce genre de révélation diminuerait sans doute considérablement ses chances de mener un interrogatoire constructif.

Ils s'entretinrent encore quelques minutes avec Johan, tentant désespérément de lui soutirer d'autres informations sur Roger, mais le garçon ne paraissait pas disposé à leur en donner d'autres. Il était visiblement épuisé, et le tandem en avait déjà appris plus que prévu. Ils le remercièrent donc et retournèrent à la voiture. Sebastian jeta un dernier regard au père et à son fils par-dessus son épaule. Ils se tenaient au bord de la rive et les regardaient partir.

Un père aimant et protecteur avec son fils.

Il n'y avait pas de place pour quelqu'un d'autre.

Peut-être n'était-ce pas Sebastian qui avait séduit Beatrice.

Peut-être était-ce l'inverse.

Sur le chemin du retour, Vanja décida de faire un crochet par la maison de Peter Westin, rue Rotevägen. Ce n'était pas un gros détour. Son irritation devant l'impolitesse de Westin qui ne l'avait pas encore rappelée commençait à se muer en légère inquiétude. Toute une matinée s'était écoulée depuis. Ses craintes s'avérèrent justifiées. Quand ils arrivèrent près de son domicile, une forte odeur de brûlé emplit la voiture. À travers la fenêtre, Vanja vit une colonne de fumée s'élever au-dessus des arbres et des maisons. Elle ralentit et tourna dans une rue perpendiculaire, puis de nouveau à gauche dans Rotevägen. C'était une rue bordée de châtaigniers où se succédaient des maisons individuelles, et dont la perspective était bouchée par les camions de pompiers à gyrophare bleu qui en bloquaient l'accès. Les pompiers couraient dans tous les sens avec leur matériel. Derrière le ruban de sécurité, des grappes de curieux s'étaient formées. À présent, même Sebastian s'était réveillé.

– Nous sommes arrivés à destination ?

– Je crois bien.

Ils descendirent de voiture et gagnèrent la maison à pas rapides. Plus ils approchaient, plus la situation s'aggravait. D'un côté, à l'étage, de larges pans de murs s'étaient effondrés qui laissaient apparaître des meubles brûlés et des gravats calcinés. De l'eau noire et nauséabonde coulait le long du trottoir pour se jeter dans les égouts. Une demi-douzaine de pompiers luttait contre les flammes. Sur la clôture grise, qui affichait sûrement la même couleur que la maison avant l'incendie, pendait un panneau indiquant le numéro 12. C'était l'adresse de Peter Westin.

29

Vanja brandit sa carte et fut autorisée quelques minutes plus tard à parler avec le chef d'équipe, un dénommé Sundstedt. La cinquantaine, une moustache lui barrant le visage, il portait une veste brillante sur laquelle une inscription le désignait comme le chef des opérations. Il s'étonna que des agents de police en civil fussent déjà présents alors qu'il venait à peine de les informer de la découverte d'un corps à l'étage. Vanja se figea.

– Pourrait-il s'agir de l'homme qui habitait ici ? Peter Westin ?

– Nous ne le savons pas avec certitude, mais c'est probable. Le cadavre a été retrouvé dans la chambre à coucher, dit Sundstedt en rapportant qu'un de ses hommes avait découvert un pied calciné qui dépassait du toit effondré.

Ils allaient essayer de dégager le corps aussi vite que possible, mais l'incendie n'était pas encore totalement maîtrisé, et les risques d'effondrement restaient réels : cela pourrait donc prendre encore plusieurs heures.

Le feu s'était déclaré à l'aube, et l'appel était parvenu chez les pompiers à quatre heures dix-sept. C'était le voisin qui les avait prévenus. Quand les pompiers étaient arrivés, une grande partie de l'étage était déjà en flammes, et ils avaient dû batailler pour empêcher toute propagation au reste du quartier.

– Vous soupçonnez un incendie criminel ?

– Il est encore trop tôt pour se prononcer définitivement, mais le foyer et la progression rapide de l'incendie semblent l'indiquer.

Vanja regarda autour d'elle. Sebastian avait rejoint un groupe de curieux postés un peu plus loin. Il paraissait s'entretenir avec l'un d'eux. Vanja sortit son téléphone portable et appela Ursula. Elle lui expliqua la situation et lui demanda de venir le plus vite possible. Ensuite, elle essaya de joindre Torkel, en vain. Elle laissa un message sur son répondeur.

Sebastian fit un signe aux voisins avec qui il venait de parler et rejoignit Vanja.

– Quelques-uns disent avoir vu Peter Westin rentrer chez lui hier, tard dans la soirée. Il dormait toujours chez lui.

Ils se regardèrent.

– Je trouve que c'est un peu trop pour être une coïncidence, dit Sebastian. Tu es sûre que Roger était l'un de ses patients ?

– Non, pas du tout. Je sais que, d'après Beatrice Strand, il est allé le voir plusieurs fois quand il a changé d'établissement. Je ne sais pas s'il y est allé récemment. Tout ce que j'ai, ce sont ces initiales qui reviennent une semaine sur deux.

Sebastian hocha la tête et la prit par le bras.

– Il faut qu'on en ait le cœur net. L'école est trop petite pour y garder de tels secrets, tu peux me croire. J'y ai moi-même été élève.

Tous deux retournèrent à la voiture. Ils firent demi-tour et partirent rapidement en direction du lycée Palmlövska. Cette affaire les ramenait décidément toujours là-bas.

À cette école en apparence si parfaite et dont la façade commençait à se fissurer.

Vanja appela Billy pour lui demander de rassembler toutes les informations qu'il pouvait trouver sur Peter Westin. Billy promit de s'en occuper au plus vite. Pendant ce temps, Sebastian téléphona à Lena Eriksson pour lui demander si elle savait si Roger voyait un psychologue. Comme prévu, elle n'en savait rien. Vanja regarda Sebastian et esquissa un sourire. Dans l'heure qui venait de s'écouler, elle avait complètement oublié qu'elle avait décidé de le détester. En fait, il s'avérait plutôt un bon soutien dans les situations de crise. Évidemment, Sebastian sauta sur l'occasion pour mal l'interpréter.

– Tu flirtes avec moi, là ?

– Quoi ? Mais non !

– Pourtant, tu as le regard caractéristique des femmes quand elles sont excitées.

– Va te faire foutre !

– Il n'y a pas à avoir honte, je fais toujours cet effet.

Sebastian lui jeta un regard ridiculement sûr de lui.

Elle détourna les yeux et accéléra. Cette fois, c'était lui qui avait eu le dernier mot.

*

– Tu as un instant ?

En entendant le ton de sa voix, Haraldsson comprit aussitôt qu'elle voulait dire : « Il faut qu'on parle ! Et tout de suite ! » Et effectivement, quand il leva les yeux, Hanser se tenait devant lui les bras croisés et l'air pour le moins irrité en désignant son bureau du menton. Il n'allait pas se laisser faire si facilement. Peu importait ce que ce serait, Haraldsson ne lui accorderait pas l'avantage d'un match à domicile.

– On ne peut pas en parler ici ? J'essaie de ménager mon pied.

Hanser regarda autour d'elle pour évaluer les chances que ses collègues entendissent leur conversation avant de prendre une chaise près d'un bureau vide d'un geste excédé. Elle s'assit en face de lui, se pencha et baissa la voix.

– Étais-tu devant la maison d'Axel Johansson hier soir ?

– Non.

Nier. Ce n'était pas une réaction logique, mais un réflexe. Posait-elle cette question parce qu'elle savait déjà qu'il s'y trouvait ? Il aurait mieux fait d'avouer. Ensuite, si c'était un problème, il aurait toujours pu avancer une bonne excuse pour s'être montré là-bas. Elle devait être au courant, sinon elle ne serait pas là à lui en parler. Avait-elle seulement des soupçons ? Dans ce cas, il s'en sortirait en continuant

277

de nier. Ou bien peut-être voulait-elle le féliciter pour son engagement ? Impossible. Les pensées de Haraldsson se bousculaient. Le sentiment qu'il aurait mieux valu avouer tout de suite sa petite expédition nocturne pour limiter les dégâts s'insinua en lui. Mais il était malheureusement trop tard.

Certes, il ne pouvait plus faire marche arrière, mais il n'avait pas besoin de répondre immédiatement.

– Pourquoi cette question ?

– J'ai reçu un appel de Désirée Holmin. Elle habite le même immeuble qu'Axel Johansson. Elle a dit l'avoir vu cette nuit, et raconte que quelqu'un qui l'attendait dans une voiture l'a poursuivi en courant quand il est rentré.

– Et maintenant, tu crois que c'est moi ?

– C'est toi ?

Haraldsson se creusa la tête. Holmin. Holmin… N'était-ce pas la petite vieille qui habitait sur le même palier que Johansson ? Si. Elle s'était montrée on ne peut plus engagée quand il avait sonné chez elle pour l'interroger. Il ne se l'imaginait que trop bien jouer les Miss Marple pour aider la police et mettre un peu de piment dans sa vie grise et monotone de retraitée. Il était également tout à fait possible qu'il ait fait trop sombre et que la vieille ait été à moitié aveugle et très fatiguée. Peut-être même un brin sénile. Il s'en sortirait d'une manière ou d'une autre.

– Non, ce n'est pas moi.

Hanser se tut et le dévisagea non sans une certaine autosatisfaction. Haraldsson ne devinait pas qu'il était en train de creuser sa tombe. Elle ne dit plus rien, persuadée qu'il continuerait à nier obstinément.

Haraldsson était embarrassé. Il détestait ce regard et ce silence qui signifiaient qu'elle ne le croyait pas. Ne souriait-elle pas d'ailleurs un petit peu ? Il décida de jouer directement son atout.

– Comment aurais-je pu poursuivre qui que ce soit ? J'ai déjà du mal à me déplacer jusqu'aux toilettes.

– À cause de ton pied ?

– Exactement.

278

Hanser hocha la tête. Haraldsson lui sourit. Voilà, c'était clair. Elle allait admettre que ses accusations étaient invraisemblables et s'en aller. À son grand étonnement, elle conserva pourtant la même position, légèrement penchée en avant.

– Qu'est-ce que tu as comme voiture ?

– Pourquoi ?

– Madame Holmin a précisé que l'homme qui a poursuivi Johansson était descendu d'une Toyota verte.

D'accord, pensa Haraldsson. Le moment était venu de sortir les plus petites cartes : nuit, fatigue, demi-cécité et sénilité. À quelle distance était-il de la maison ? Vingt à trente mètres. Au moins. Il lui adressa un sourire désarmant.

– Je ne voudrais pas jeter le discrédit sur la vieille Holmin, mais il faisait très sombre la nuit dernière. Comment aurait-elle pu voir la couleur de la voiture, et en plus, quel âge a-t-elle ? Dans les quatre-vingts ans ? J'ai parlé avec elle, et elle paraissait plutôt sénile. Ça m'étonnerait qu'elle sache reconnaître une marque de voiture.

– La voiture était garée sous un lampadaire, et elle avait des jumelles.

Hanser se renversa en arrière et observa Haraldsson. Elle voyait littéralement son cerveau travailler, comme des rouages tournant de plus en plus vite dans un dessin animé. Elle était un peu étonnée : il aurait dû, au moins à ce moment-là, reconnaître son erreur.

– Alors il faut croire que je ne suis pas le seul à conduire une Toyota verte. Si c'en était vraiment une.

Non, tu n'es pas le seul, c'est vrai, pensa Hanser, encore plus éberluée. Haraldsson ne continuait pas seulement à creuser sa propre tombe ; il y sautait à pieds joints et la refermait sur lui.

– Elle a noté le numéro de la plaque d'immatriculation. Personne d'autre n'a le même.

Haraldsson resta coi. Il ne savait plus quoi répondre. Le vide complet. Hanser se pencha encore plus sur le bureau.

– Maintenant, Axel Johansson sait qu'on le cherche, et il va sûrement se cacher encore mieux.

Haraldsson tenta de répondre, mais aucun mot ne franchit ses lèvres, rien. Ses cordes vocales ne lui obéissaient plus.

– Je dois en informer la Crim'. C'est *leur* affaire. Je le dis encore une fois clairement, car tu sembles ne l'avoir toujours pas compris.

Hanser se leva et regarda Haraldsson dont le regard vacilla. Si cela n'avait pas été une faute aussi grave et – pour être honnête – si ce n'avait pas été Haraldsson, il lui aurait presque inspiré de la pitié.

– Il faudra aussi que l'on parle de ce que tu faisais réellement le jour où tu as disparu de Listakärr. Désirée Holmin a raconté que l'homme qui pourchassait Axel ne boitait pas du tout. Bien au contraire. Il paraît qu'il était plutôt rapide.

Hanser tourna les talons et s'en alla. Haraldsson la regarda partir. Comment avait-il pu en arriver là ? Au départ, il n'avait voulu que sauver sa peau. Apparemment, ça avait été la plus mauvaise option. Et pour ce qu'il avait fait, il n'y avait pas de mots. Les éloges du commissaire divisionnaire étaient désormais bien loin. Haraldsson sentit sa descente aux enfers s'accélérer. Il tombait. La tête la première.

*

Ursula connaissait Sundstedt depuis longtemps. À une époque, il avait été commissaire au bureau des enquêtes sur les catastrophes et les accidents, avant de réintégrer les pompiers. Ils s'étaient rencontrés quand elle était encore au SKL, et qu'ils avaient travaillé ensemble sur une affaire compliquée, un crash d'avion dans le Sörmland où le pilote était soupçonné d'avoir empoisonné sa femme. Sundstedt et Ursula s'étaient immédiatement trouvé des atomes crochus. Ils étaient faits du même bois, ne craignaient pas de prendre le taureau par les cornes et ne se laissaient pas marcher sur les pieds. Sundstedt l'avait immédiatement aperçue quand elle était descendue de la voiture et lui avait fait signe.

– Oh ! oh ! que me vaut l'honneur de cette visite ?

– Je devrais te poser la même question !

Ils se donnèrent une accolade amicale et échangèrent rapidement quelques mots, se demandant à quand remontait la dernière fois qu'ils s'étaient vus. Puis il lui tendit un casque et la laissa franchir le ruban de sécurité.

– Alors, tu travailles toujours à la Crim' ?

– Oui.

– Vous êtes là pour le meurtre du jeune ?

Ursula hocha la tête. Sundstedt désigna du menton les décombres de la maison.

– Vous croyez qu'il y a un lien ?

– Nous ne le savons pas encore. Vous avez pu dégager le corps ?

Il secoua la tête et la conduisit près de la maison, là où sa voiture était garée. Il en sortit un manteau ignifugé qu'il tendit à Ursula.

– Mets ça. Je peux te montrer tout de suite où il est, je te connais, sinon tu vas te plaindre de ne pas avoir tout vu dès le départ.

– Je ne me plains pas, je râle. Et c'est mon droit. C'est différent.

Ils échangèrent un sourire en continuant leur chemin vers la maison, et pénétrèrent par un trou dans le mur où se trouvait auparavant une porte. Les meubles de cuisine avaient été épargnés par les flammes et paraissaient attendre la venue de quelqu'un. Le plancher, quant à lui, était couvert d'eau souillée qui s'écoulait le long des murs depuis le plafond. Ils grimpèrent les escaliers rendus glissants à cause de l'eau. L'odeur de plus en plus pénétrante brûlait les narines d'Ursula, et ses yeux devinrent légèrement humides. Bien qu'elle ait déjà vu beaucoup d'incendies, elle était toujours aussi fascinée. Le feu transformait le quotidien de manière effroyable et en même temps presque séduisante. Au milieu des décombres trônait un fauteuil intact. Derrière, là où se dressait un mur extérieur, on voyait désormais la maison et le jardin voisins. Sundstedt ralentit et se déplaça avec plus de précautions. Il fit signe à Ursula de rester là où elle était. Le plancher craquait de manière suspecte sous le poids de Sundstedt. Il désigna un drap blanc posé à côté des restes d'un lit. Une partie du toit s'était effondrée ; au-dessus d'eux, on apercevait le ciel.

– Le corps est ici. Il faut étayer le sol avant de pouvoir le bouger.

Ursula hocha la tête, s'accroupit et sortit son appareil photo. Sundstedt savait ce qu'elle avait l'intention de faire : il se pencha en avant sans un mot, saisit le coin du drap le plus proche et le tira de côté. On ne voyait pratiquement que des poutres calcinées et des débris de tuiles. Mais une chose dépassait qu'on pouvait facilement identifier comme étant un pied. Il était noirci par les flammes, mais la chair n'était pas brûlée. Ursula prit une série de photos. Elle commença par des plans d'ensemble. Quand elle s'approcha avec précaution pour faire des gros plans, elle perçut au milieu de l'odeur âcre de suie un effluve plus sucré qui faisait penser à une combinaison d'odeurs de morgue et de feu de forêt. On pouvait s'habituer à beaucoup de choses dans son travail, mais les odeurs étaient toujours les plus difficiles à supporter.

Elle déglutit.

– D'après sa pointure, il s'agit sûrement d'un homme adulte, commença Sundstedt. Dois-je t'aider à prendre un prélèvement de tissus ? Il reste des morceaux de chair à la cheville.

– Merci, je pourrai le faire plus tard s'il y a lieu. Par contre, cela m'aiderait si on pouvait relever ses empreintes dentaires.

– Comme je te l'ai dit, cela prendra sûrement plusieurs heures pour le dégager.

Ursula hocha la tête.

– D'accord. Si je ne suis plus là, appelle-moi, s'il te plaît.

Elle sortit une carte de visite et la tendit à Sundstedt. Il la fourra dans sa poche, déplia à nouveau le drap et se releva. Ursula fit de même.

Ensemble, ils commencèrent à rechercher l'origine de l'incendie. Ursula n'était pas vraiment une experte en la matière, mais elle découvrit de nombreux signes qui indiquaient une propagation des flammes extrêmement rapide. Bien trop rapide pour que l'incendie soit d'origine accidentelle.

*

Rolf Lemmel était dévasté. Un ami l'avait appelé pour l'informer de l'incendie dans la maison de Peter. Il n'était toutefois pas encore au courant de la découverte d'un cadavre dans la chambre à coucher et quand Vanja le lui apprit, il pâlit encore davantage, s'assit sur le canapé de la salle d'attente et prit sa tête entre ses mains.

– C'est Peter ?

– On ne le sait pas encore, mais il y a de très grandes probabilités que ce soit lui.

Lemmel se recroquevilla et se mit à suffoquer. Sebastian alla lui chercher un verre d'eau. Rolf en but quelques gorgées et se calma un peu. Il regarda les policiers et réalisa que c'était la même femme qui avait demandé à voir Peter dans la matinée quand il croyait encore que son collègue avait simplement du retard. À ce moment-là, elle n'avait fait que l'agacer. Maintenant, il se rendait compte à quel point il avait sous-estimé la gravité de sa visite.

– Pourquoi êtes-vous passée ce matin ? Est-ce que cela a quelque chose à voir avec l'incendie ? demanda-t-il en regardant instamment Vanja.

– Nous l'ignorons. Je venais lui parler d'un garçon qui a probablement été son patient.

– Qui donc ?

– Roger Eriksson, un adolescent de seize ans du lycée Palmlövska. Vanja se redressa pour lui montrer la photo, mais il avait déjà compris.

– Le jeune qui a été assassiné ?

– Exactement.

Il fixa le cliché et réfléchit longtemps pour ne pas se tromper.

– Je ne suis pas sûr. Peter avait un accord avec l'école, beaucoup de jeunes venaient donc ici. Il est possible qu'il ait été son patient.

– Avait-il un rendez-vous un mercredi sur deux à dix heures ce semestre ?

Lemmel secoua la tête.

– Je ne suis là que trois jours par semaine. Le mercredi et le jeudi, je travaille à l'hôpital, donc je n'en sais rien. Mais nous pouvons aller voir dans le bureau de Peter pour consulter ses agendas.

– Vous n'avez pas de secrétaire ? demanda Sebastian quand ils pénétrèrent dans le couloir par une porte vitrée.

– Non, nous gérons nous-mêmes nos rendez-vous pour éviter des dépenses inutiles.

Lemmel s'arrêta devant la deuxième porte sur la droite et sortit son trousseau. Lorsqu'il essaya de tourner la clé dans la serrure, il fut étonné de constater que celle-ci s'ouvrait toute seule.

– C'est bizarre.

Sebastian ouvrit grand la porte. Un chaos sans nom régnait dans la pièce. Des feuilles volantes et des dossiers déchirés jonchaient le sol. Des tiroirs ouverts. Des chemises vides. Du verre brisé. Rolf parut choqué. Vanja enfila rapidement une paire de gants blancs en latex.

– Restez dehors. Sebastian, appelle Ursula, et dis-lui qu'on a besoin d'elle ici au plus vite.

– Je crois que ce serait mieux que tu l'appelles toi-même.

Sebastian esquissa un sourire.

– Dis-lui simplement de quoi il s'agit. Elle te hait peut-être, mais elle est professionnelle.

Vanja se tourna vers Lemmel.

– Vous n'êtes pas entré dans cette pièce aujourd'hui ?

Lemmel fit un signe de dénégation de la tête. Il regarda autour de lui.

– Est-ce que vous apercevez l'agenda de Peter quelque part ?

Le psychologue était toujours sous le choc, et cela dura un moment avant qu'il ne puisse répondre.

– Non. C'est un grand cahier vert, presque au format A4.

Vanja hocha la tête et entreprit de chercher dans les papiers, ce qui n'était pas chose facile, car elle ne voulait en piétiner aucun pour ne pas risquer de détruire d'éventuels indices. En même temps, elle savait l'importance de découvrir s'il existait un lien récent entre Peter Westin et Roger. Si c'était le cas, cette affaire prendrait un tournant décisif.

Au bout de dix minutes, Vanja abandonna. Du peu qu'elle avait vu, il n'y avait dans cette pièce aucun agenda, et elle ne pouvait pas tout mettre sens dessus dessous sans s'attirer les foudres d'Ursula. Cette dernière avait rappelé et indiqué qu'elle serait encore occupée plusieurs heures rue Rotevägen, mais elle en avait informé Hanser qui avait promis de leur envoyer ses meilleurs techniciens. Vanja referma la porte à clé et sortit pour continuer d'interroger le psychologue. Il s'était rassis sur le canapé et téléphonait, les larmes aux yeux et la voix brisée. Quand il aperçut Vanja, il essaya de se reprendre.

– Chérie, je dois te laisser. La police veut me parler.

– Les techniciens sont en route. Personne ne doit pénétrer dans cette pièce avant leur arrivée. Est-ce que je peux garder votre clé ?

Il accepta. Vanja regarda autour d'elle d'un air inquisiteur.

– Où est passé mon collègue ?

– Il est parti vérifier quelque chose.

Vanja soupira et prit son téléphone. Puis elle réalisa qu'elle n'avait même pas le numéro de Sebastian. Elle n'aurait jamais cru en avoir besoin un jour.

*

Sebastian pénétra dans la cafétéria du lycée Palmlövska. Quand il était élève ici, il n'y avait pas de salle de détente ressemblant à un café. À cette époque, c'était une salle d'étude dans laquelle les élèves pouvaient faire leurs devoirs. Les murs n'étaient pas blancs ni éclairés par des spots au plafond. Les fauteuils en cuir noir, les tables basses assorties en bois clair et les petits haut-parleurs muraux qui diffusaient de la musique *lounge* n'existaient pas non plus. À son époque, les murs étaient couverts d'étagères remplies de livres et pour les élèves, il y avait des rangées de tables et de chaises dures. Rien d'autre.

Dans le cabinet du psychologue, Sebastian avait fini par en avoir assez de jouer la potiche. Toute la journée, il avait fait des efforts sincères pour s'adapter, ne pas aller trop loin, être un bon coéquipier et toutes ces conneries. Ce n'était pas particulièrement difficile : il suffisait de se laisser porter par le vent et de la fermer dans la plupart des situations. Mais c'était ennuyeux, terriblement abrutissant, et mortellement emmerdant. Certes, il avait pu titiller un peu Vanja dans la voiture, mais cela ne suffisait pas. Il était actuellement à la limite de l'inexistence, et Sebastian Bergman n'aimait pas se rabaisser.

Après avoir regardé un moment Vanja soulever avec une immense précaution quelques feuilles dans le bureau dévasté, il avait décidé de prendre la tangente pour faire une virée en solo. Les informations étaient partout. Quelqu'un savait toujours quelque chose. Il suffisait de trouver cette personne.

C'est pourquoi il se trouvait à présent dans la cafétéria à regarder autour de lui. Il aperçut Lisa Hansson plongée dans une conversation avec ses amies devant des verres de café *latte* vides. Il s'avança vers elle. On ne pouvait pas dire qu'elle se réjouissait de le voir. Mais elle l'acceptait, et cela suffisait.

– Salut Lisa. Tu as une minute ?

Les autres filles lui jetèrent un regard étonné, mais il n'attendit même pas la réponse.

– J'ai besoin de ton aide pour quelque chose.

Quand Sebastian fut de retour dans le cabinet de Lemmel et Westin vingt-deux minutes plus tard, deux témoins indépendants lui avaient confirmé que Roger allait voir Peter Westin un mercredi sur deux à dix heures. Comme dans tous les groupes humains au grand contrôle interne – et il y a peu de groupes au contrôle interne aussi grand que les adolescents –, il était impossible de se rendre chez un psychologue sans que personne ne s'en aperçoive. Lisa ne savait pas qui Roger allait voir, mais elle connaissait parfaitement son établissement scolaire et s'était révélée très efficace quant à la recherche de la bonne personne. Une fille de première l'avait vu et une autre fille, de la classe parallèle à celle de Roger, put également le confirmer. Ils s'étaient croisés deux fois dans la salle d'attente.

Vanja était pendue au téléphone et lui jeta un regard noir quand il entra dans le cabinet d'un air nonchalant. Il lui sourit. Derrière elle, un technicien répandait de la poudre sur le cadre de la porte pour révéler des empreintes. Le timing de Sebastian était parfait. Il attendit que Vanja ait terminé sa conversation.

– Alors, quoi de neuf ? Vous avez déjà trouvé des indices ?

– Pas encore. Où étais-tu ?

– J'ai travaillé un peu. Tu avais besoin de la confirmation que Roger venait ici un mercredi sur deux. C'est fait.

– Qui t'a dit ça ?

Sebastian communiqua à Vanja le nom des deux lycéennes dont il avait même noté les coordonnées sur un bout de papier. Il savait que cela l'énerverait encore plus.

– Appelle-les pour vérifier si tu veux.

Elle jeta un œil à la feuille, d'un air agacé.

– Je m'en occuperai plus tard. Il faut qu'on aille au bureau. Billy a découvert quelque chose.

*

Torkel espérait la découverte d'un élément positif. Un progrès, une raison de se réjouir. À la limite, il se serait même satisfait d'une nouvelle qui ne mènerait pas à l'échec total. Il venait de sortir d'une conversation avec Hanser. Après quelques échanges de politesse sur la soirée de la veille, elle lui avait parlé de Thomas Haraldsson. Peu importait que son intervention soit partie d'une bonne intention ou pas. Cet idiot avait manifestement réussi à faire peur au seul suspect dont ils disposaient actuellement. Ce qui impliquait que les SMS reconstitués et les listes d'appels étaient devenus parfaitement inutiles. Pour couronner le tout, le thérapeute de Roger avait été assassiné. Ou du moins était mort. Torkel avait trop de bouteille pour croire au hasard. Ils avaient maintenant affaire à un double meurtre. Ce n'était donc qu'une maigre consolation que le premier meurtre n'ait pas été planifié, le deuxième l'était indubitablement. Apparemment, Westin avait été exécuté parce qu'il savait quelque chose sur Roger Eriksson. Torkel se maudit de ne pas avoir été plus rapide. Décidément, rien ne tournait en leur faveur. Cela ne prendrait pas longtemps avant que la presse ne fasse le lien entre les deux meurtres : c'était exactement ce dont elle avait besoin pour réchauffer l'histoire.

Et comme si cela ne suffisait pas, Ursula était toujours en colère après lui.

Mikael allait venir la voir.

Il ouvrit la porte de la salle de conférences. Ursula était encore occupée sur les lieux de l'incendie ; les autres s'étaient déjà réunis : Billy les avait informés. Torkel s'assit et fit signe à Billy de commencer.

Le projecteur ronronnant laissait supposer qu'ils allaient regarder d'autres images de caméras de surveillance. Et ce fut le cas. Roger arrivait sur l'image, par la droite.

– À vingt et une heures vingt-neuf, Roger était là, dit Billy en marquant un point sur la carte. À environ un kilomètre de la rue Gustavborgsgatan. Comme vous pouvez le voir, il traverse la rue et disparaît. Je veux dire qu'il disparaît vraiment.

Billy appuya sur une touche de la télécommande et s'arrêta sur un plan fixe de Roger disparaissant derrière une voiture en stationnement.

– Il tourne sûrement dans Spränggränd, un petit cul-de-sac qui débouche sur trois sentiers. J'ai vérifié toutes les caméras au nord et à l'ouest de cette impasse. Il n'y en a pas beaucoup. C'est la dernière image de Roger Eriksson.

Tous observèrent l'image fixe au mur. Torkel sentit son humeur atteindre des profondeurs abyssales.

– Supposons qu'il soit allé tout droit vers le nord, où serait-il arrivé ?

La question venait de Vanja. Torkel fut reconnaissant qu'il y ait encore quelqu'un dans l'équipe qui tentât de tirer quelque chose du néant.

– De l'autre côté de la E18, il y a Vallby, un quartier résidentiel.

– Tu as trouvé un lien avec cet endroit ? Un camarade de classe qui y habite, ou quelque chose ?

Billy secoua la tête. Sebastian se leva et s'approcha de la carte.

– Et ça, qu'est-ce que c'est ?

Il désigna un immeuble isolé qui se trouvait à une vingtaine de mètres du bout de Spränggränd.

– Un motel.

Sebastian faisait les cent pas en parlant calmement, comme s'il dissertait pour lui-même.

– Roger et Lisa ont fait semblant de sortir ensemble pendant un moment. Lisa a dit que Roger voyait quelqu'un d'autre mais ne savait pas qui. C'était son grand secret.

Sebastian retourna devant la carte et posa l'index sur le motel.

– D'après Johan, Roger parlait beaucoup de sexe. Un motel est le lieu idéal pour ce genre de rencontres.

Il balaya l'assistance des yeux.

– Oui, je parle d'expérience. Il adressa à Vanja un clin d'œil éloquent. Pas dans ce motel, mais nous n'en sommes pas encore là.

Vanja le fusilla du regard. C'était la deuxième allusion sexuelle de la journée. S'il s'en permettait encore une, elle ferait en sorte qu'il soit renvoyé chez lui sans tambour ni trompettes. Mais elle ne dit rien. Pourquoi le préviendrait-elle ? Torkel, les bras croisés, regardait Sebastian d'un air sceptique.

– Est-ce que ça ne semble pas un peu trop... mature, de se rencontrer dans un motel ? Est-ce qu'on ne se donne pas plutôt rendez-vous à la maison à cet âge-là ?

– Peut-être que, pour une raison ou pour une autre, ce n'était pas possible.

Tous se turent. Billy et Vanja avaient l'air tout aussi sceptiques que Torkel. Sebastian écarta les bras d'un geste théâtral.

– Arrêtez ! On a un gamin assoiffé de sexe et un motel. Vous ne croyez pas que ça vaut la peine d'aller vérifier ?

Vanja se leva.

– Billy.

Billy hocha la tête, et ils quittèrent la salle.

*

Le motel bon marché Edin datait des années 1960 et était en piteux état. Construit d'après le modèle américain, avec deux longs couloirs à escalier extérieur, il offrait à chaque chambre un accès direct au parking. Au rez-de-chaussée se trouvait une petite réception. Sur la façade, une enseigne au néon clignotante indiquait qu'il y avait des chambres libres, et seules trois voitures étaient garées sur le parking surdimensionné. Billy et Vanja devinèrent que cet endroit n'était plus guère fréquenté depuis des années. Si l'on cherchait un lieu de rendez-vous discret, on ne pouvait pas trouver mieux.

Ils passèrent la porte vitrée à battants portant la mention « Nous n'acceptons pas les cartes American Express ». La réception, un comptoir en bois sombre légèrement surélevé sur un tapis bleu sale, était faiblement éclairée. La pièce était moite et enfumée, et le petit ventilateur posé à côté du comptoir n'y changeait pas grand-chose. Debout derrière la réception, une femme aux longs cheveux blond platine, la cinquantaine. Elle feuilletait un de ces magazines *people* dans lesquels le texte était réduit à la portion congrue sous les images. Juste à côté se trouvait le numéro du jour d'*Aftonbladet*, ouvert à la page d'un article sur la mort de Roger. Vanja l'avait survolé dans la matinée. Rien de neuf, si ce n'était une déclaration du principal du lycée Palmlövska soulignant l'action de son école contre toute forme de violence. En voyant ce ramassis de mensonges, Vanja eut presque la nausée. La femme interrompit sa lecture et leva les yeux.

– Bonjour, puis-je vous aider ?

Billy lui sourit.

– Vous travailliez vendredi dernier ?

– Pourquoi ?

– Nous sommes de la police.

Billy et Vanja présentèrent leur carte. Vanja sortit une photo de Roger de la poche de sa veste et la déposa devant elle sous le faisceau lumineux de la lampe.

– Vous le reconnaissez ?

– Oui, je l'ai vu dans le journal, répondit la femme en tapotant sur son magazine *people*. Ils parlent de lui tous les jours.

– Mais vous ne l'avez jamais vu ici ?

– Non, j'aurais dû ?

– Nous pensons qu'il a pu venir ici vendredi dernier, peu avant vingt-deux heures.

La femme derrière le comptoir secoua la tête.

– Nous voyons rarement tous les clients, le plus souvent uniquement celui qui paie. Il aurait pu partager une chambre avec quelqu'un.

– Est-ce qu'il se trouvait dans l'une des chambres ?

– Pas que je sache. Je dis juste que ça *aurait pu* être le cas.

– Nous aimerions bien en savoir plus sur vos clients de ce soir-là.

La femme leur jeta un regard méfiant, mais finit par parcourir les deux pas qui la séparaient de son vieux coucou d'ordinateur. Au moins huit ans d'âge, constata Billy. Peut-être plus. Presque une relique archéologique. La femme pianota sur le clavier jauni.

– Voilà, on y est : la nuit de vendredi à samedi, en tout neuf chambres occupées.

– Étaient-elles déjà occupées à huit heures et demie ?

– Vous voulez dire du soir ?

Billy hocha la tête. La femme rechercha à nouveau dans son ordinateur. Au bout de longues minutes, elle trouva enfin ce qu'elle cherchait.

– Non, à ce moment-là, il n'y en avait que sept.

– Nous avons besoin de toutes les informations en votre possession sur ces clients.

La femme fronça les sourcils d'un air inquiet.

– Vous êtes sûrs que vous n'avez pas besoin d'un document officiel pour ça ? Un formulaire ou quelque chose ?

Vanja se pencha vers elle.

– Ce serait nouveau.

Mais la femme était résolue. Certes, elle n'était pas spécialiste en matière de protection de la vie privée, mais elle avait vu à la télé que la police avait besoin d'autorisations pour toutes sortes de choses. Elle n'était pas obligée de livrer ses clients comme ça, juste parce qu'on le lui demandait. Elle tiendrait bon.

– Si, j'en suis sûre. Vous avez besoin d'une autorisation.

Vanja jeta un regard courroucé à la femme, puis à Billy.

– D'accord, nous reviendrons avec le document.

La réceptionniste hocha la tête, satisfaite. Elle avait protégé la vie privée de ses clients ainsi que le droit à la liberté d'opinion.

Mais la femme policier poursuivit :

– On en profitera pour revenir avec un inspecteur des impôts tant qu'on y est. Et peut-être aussi quelqu'un de l'hygiène, car vous êtes sûrement aussi responsable du restaurant ?

La femme derrière le comptoir montra des signes d'hésitation. Ils ne pouvaient pas faire ça, non ? L'homme regarda autour de lui et poursuivit de plus belle :

– Il ne faut pas non plus oublier la sécurité incendie, les sorties de secours devraient être contrôlées d'urgence. Car vous semblez très préoccupée par le bien-être de vos clients.

Ils gagnèrent la sortie.

La réceptionniste hésita.

– Attendez. Je ne vais pas vous compliquer votre travail inutilement. Je peux vous imprimer une copie des fiches de réservation.

Elle sourit bêtement aux policiers. Son regard tomba sur le journal ouvert. Soudain, elle le reconnut. Quel sentiment étrange. Un mélange d'excitation et de triomphe. La chance de rattraper le coup. Peut-être qu'elle pourrait inciter les policiers à oublier les services d'hygiène. Elle regarda la femme, qui avait tourné les talons.

– Il est venu vendredi dernier.

La femme revint vers elle, hautement intéressée.

– Qu'est-ce que vous dites ?

– J'ai dit qu'il était là vendredi dernier, dit-elle en pointant le portrait dans le journal.

Vanja sursauta en voyant la photo que lui désignait la réceptionniste.

30

Dans la grande salle de conférences régnait une nouvelle tension. Beaucoup de questions restaient encore ouvertes. L'affaire avait connu des développements inattendus, et ils étaient soudain contraints de hiérarchiser les priorités. La dernière nouvelle était la déclaration de la réceptionniste selon laquelle elle aurait vu Ragnar Groth, le principal du lycée Palmlövska, au motel, la semaine précédente. Et pas pour la première fois. Il y venait régulièrement. Payait toujours en liquide et se faisait appeler Robert quelque chose. Vendredi dernier, elle l'avait aperçu fugacement alors qu'il se rendait dans l'une des chambres, il n'était pas venu chercher la clé lui-même. La femme avait supposé que l'homme voyait une maîtresse. Ils étaient un certain nombre à utiliser le motel pour ce genre de rendez-vous. Ils n'en faisaient pas la publicité, mais c'était comme ça. Sebastian rit sous cape. Ce tatillon de Groth trempait dans l'affaire. C'était de mieux en mieux. Torkel regarda Vanja et Billy, et hocha la tête d'un air triomphant.

– OK, bon travail. Le principal est notre priorité numéro un. D'après ce que je vois, il est probable que Roger et lui se soient trouvés au même endroit le jour du meurtre.

Billy sortit une photo de Ragnar Groth et la tendit à Torkel.

– Tu peux accrocher ça aussi, s'il te plaît ? Je n'en ai pas encore eu le temps. Le plus intéressant là-dedans, c'est que les deux victimes avaient un lien avec le principal. Westin avait un accord avec l'école, et Roger allait le voir.

Torkel accrocha la photo du principal et dessina une flèche qui partait de lui à Roger, et une deuxième jusqu'à Westin.

– Peut-être qu'on devrait rendre une nouvelle visite à notre cher ami le principal. Avec de nouvelles questions en stock.

Torkel se tourna vers les autres. Pendant un moment, le silence régna dans la salle.

– Je crois qu'on ferait mieux d'y aller un peu plus doucement et de récolter des preuves avant de tout lui déballer, dit Sebastian en brisant le silence. Jusqu'ici, il s'est montré plutôt doué pour dissimuler des informations importantes. Ce qui veut dire que plus on en saura, plus ce sera difficile pour lui de se débiner.

Vanja approuva. Elle était arrivée à la même conclusion.

– Surtout qu'on en sait encore trop peu sur Peter Westin. On ne peut même pas encore dire si c'est bien lui le cadavre dans la chambre à coucher, ni comment l'incendie s'est déclaré, ajouta-t-elle. Ursula est toujours sur place et a promis de nous présenter son rapport provisoire dès que possible.

– Du neuf sur le cambriolage au cabinet ? rebondit Torkel.

– Non, rien. Pas de traces ADN ni d'agenda. Le néant. Le collègue de Westin a raconté qu'il n'était pas le genre de psychologue à faire des rapports détaillés. Au mieux, quelques mots clés ici et là qu'il écrivait également dans l'agenda qui a disparu.

– On n'a vraiment pas de chance, soupira Billy.

– Non, et il faut compenser tout ça en redoublant d'efforts, répliqua Torkel en adressant un regard encourageant à ses collègues. Vous savez bien que la chance s'obtient uniquement par un travail acharné. Pour l'instant, nous partons du principe que le cambriolage a un rapport avec l'incendie et que l'agenda de Peter Westin a été dérobé à cause de ce qu'il contenait. J'ai donc chargé Hanser d'envoyer des patrouilles à la recherche de témoins dans les environs du cabinet.

– Et Axel Johansson ? Qu'est-ce qu'on fait de lui ? dit Billy en désignant du menton la photo du concierge. Il y a du nouveau ?

Torkel éclata de rire et secoua la tête.

– Ah ! notre collègue préféré, Thomas Haraldsson, est allé chez lui pour jouer au détective privé.

– Comment ça ?

– Par où commencer…

– Tu pourrais commencer par me donner raison. On aurait dû s'en débarrasser dès le moment où on l'a rencontré dans le hall, pas vrai ? demanda Vanja avec un léger ricanement.

– C'est vrai, Vanja, tu as tout à fait raison.

Un policier en uniforme frappa à la porte, passa la tête à l'intérieur, et demanda Billy et Vanja. Il tendit une enveloppe à chacun. Billy jeta un œil à l'intérieur.

– Est-ce qu'on s'occupe de ça ? dit Billy en jetant un regard interrogateur à Torkel.

– Qu'est-ce que c'est ?

– Un topo sur les clients du motel auxquels, d'après Vanja et moi, nous devrions nous intéresser de plus près.

Torkel hocha la tête.

– Absolument. Mais pour conclure sur Axel Johansson, nous n'avons aucune nouvelle piste en ce qui le concerne. Grâce à Haraldsson, maintenant, il sait qu'il est recherché. Il y a de fortes chances qu'il ait déjà quitté Västerås. Hanser a promis de faire tout ce qui était en son pouvoir pour le retrouver, nous allons donc la laisser faire. Inutile d'ajouter qu'elle a profondément honte.

Pendant les explications de Torkel, Billy s'était avancé et avait sorti les photos de l'enveloppe. Il attendit que Torkel ait fini sa phrase.

– OK. Vendredi soir à neuf heures, sept chambres étaient occupées. Nous avons exclu trois familles avec enfants et un couple de retraités qui est resté jusqu'à lundi, car il est peu probable que Ragnar Groth ou Roger leur ait rendu visite. Il nous reste donc trois noms dignes d'intérêt.

Billy accrocha les photos. Deux femmes et un homme.

– Malin Sten, vingt-huit ans, Frank Clevén, cinquante-deux ans, et Stina Bokström, soixante-quatre ans.

Les autres s'approchèrent pour regarder les photos d'identité agrandies.

Malin Sten, née Ragnarsson, était une belle jeune femme aux longues boucles brunes. D'après leurs renseignements, elle venait de se marier avec un homme du nom de William Sten. La photographie au milieu montrait Frank Clevén, un père de famille habitant à Eskilstuna, aux tempes dégarnies et grisonnantes. La dernière de la liste était Stina Bokström. Un visage fin et assez anguleux, de courts cheveux blonds. Célibataire. Billy désigna la jeune femme aux cheveux bruns.

– J'ai déjà appelé Malin Sten. Elle est représentante et a passé la nuit au motel après une réunion avec ses fournisseurs. Sten dit ne rien avoir remarqué et s'être couchée tôt. Elle habite à Stockholm. Je n'ai pas encore pu joindre les deux autres, mais comme vous le voyez, ils n'habitent pas non plus à Västerås, en tout cas pas officiellement.

Torkel hocha la tête et s'adressa à tous.

– D'accord. Il nous faut donc trouver les deux autres clients. En supposant qu'ils aient quelque chose à cacher. Ceci vaut également pour Malin.

Tous approuvèrent sauf Vanja. Elle feuilleta un peu les papiers qu'elle venait de recevoir. Puis elle leva les yeux.

– Malin attendra.

Tous les regards se braquèrent sur elle. Même celui de Sebastian. Vanja savoura de se trouver au centre de l'attention générale et fit une pause théâtrale avant de continuer.

– L'arme avec laquelle Roger a été tué était bien un calibre 22, non ? Une arme de tir sportif classique ?

Torkel la regarda, dans l'expectative.

– Oui, et alors ?

– Je viens de recevoir la liste des membres du club de tir de Västerås.

Vanja marqua encore une pause et ne put réprimer un sourire d'autosatisfaction en annonçant :

– Notre cher monsieur Groth en est membre depuis 1992. Et membre très actif.

*

Le club de tir était situé au nord de la ville, près de l'aéroport. C'était une baraque en bois qui avait sans doute un jour appartenu à l'armée. Vanja, Sebastian et Billy entendirent de loin les détonations sourdes des coups de fusils provenant des stands de tir. Vanja avait appelé le club, et pris rendez-vous avec le président pour lui poser des questions. À leur arrivée, un homme sortit sur les marches et leur souhaita la bienvenue. Âgé d'environ quarante ans, Ubbe Lindström, le président du club, portait une chemise à manches courtes et un jean élimé. On aurait dit un ancien militaire. Ils se rendirent ensemble dans la baraque et furent invités dans la pièce spartiate qui servait à la fois de bureau et de réserve.

– Vous avez dit au téléphone qu'il s'agissait de l'un de nos membres ? demanda Lindström en s'asseyant sur sa chaise de bureau usée.

– Oui, Ragnar Groth.

– Ragnar, oui. Un bon tireur. Il a gagné deux fois la médaille de bronze aux championnats nationaux.

Ubbe s'approcha d'une étagère surchargée, prit un vieux classeur et l'ouvrit. Il le feuilleta un moment avant de trouver ce qu'il cherchait.

– Il est membre du club depuis 1992. Pourquoi vous intéressez-vous à lui ?

Billy ignora sa question.

– Est-ce qu'il garde ses armes au club ?

– Non, chez lui. Comme la plupart des membres. Qu'est-ce qu'il a fait ?

À nouveau, la question de Lindström fut ignorée. Cette fois, Vanja intervint dans l'interrogatoire.

– Savez-vous quel type d'arme il possède ?

– Oui, il en a plusieurs. Des armes de compétition et de chasse. Est-ce que cela a quelque chose à voir avec ce garçon qui est mort ?

Cet homme était têtu. Sebastian en avait déjà assez de cette discussion et s'éclipsa du bureau. Ils n'étaient pas obligés d'être trois pour ignorer les questions de Lindström. Billy suivit brièvement Sebastian du regard tandis que Vanja poursuivait son interrogatoire.

– Savez-vous s'il possède un calibre 22 ?

– Oui, il a un Brno CZ 453 Varmint.

Au moins, Lindström avait cessé de poser des questions et se consacrait aux réponses. C'était un début. Vanja nota le modèle sur son bloc.

– Comment vous dites ? Un Bruno… ?

– Un Brno CZ. C'est un fusil de chasse. Une arme excellente. Et vous, qu'est-ce que vous avez ? SIG Sauer P225 ? Glok 17 ?

Vanja leva les yeux vers Lindström. C'était sûrement son dada de répondre à chaque question par une autre question. Cette fois, elle pouvait exceptionnellement lui fournir une réponse.

– SIG Sauer. Est-ce la seule arme à laquelle Ragnar Groth avait accès ?

– D'après ce que je sais, oui. Pourquoi est-ce que vous me demandez ça ? Est-ce que le jeune a été tué par balle ?

Au bout de l'interminable couloir, Sebastian déboucha dans une salle de repos équipée d'une machine à café et d'un grand réfrigérateur, ainsi que de deux imposantes vitrines bourrées de coupes et de médailles. Devant elles, des tables portant des traces de brûlures entourées de quelques chaises. Elles dataient sûrement de l'époque où les tireurs n'avaient pas encore besoin d'aller à l'extérieur pour fumer. Sebastian entra dans la pièce. À l'une des tables, une jeune fille d'environ treize ans était assise seule devant une cannette de coca et un petit pain à la cannelle. Elle fixa Sebastian d'un air nonchalant. Sebastian lui fit un signe de tête. Il s'approcha du meuble contenant les coupes dorées. Il était fasciné de voir à quel point toutes les disciplines tenaient tant à honorer leurs vainqueurs avec d'immenses trophées. Comme si les sportifs avaient une confiance en eux misérable et qu'au fond d'eux-mêmes, ils étaient conscients de l'inutilité de leurs efforts.

Des portraits de tireurs, des photos de groupe et des articles encadrés tapissaient les murs. C'était un club-house classique. Sebastian jeta un regard furtif aux clichés. Ils représentaient surtout des hommes les jambes écartées devant leur fusil en train de sourire fièrement à l'appareil. Leur mimique avait aux yeux de Sebastian quelque chose de ridiculement artificiel. Était-ce si génial de tenir un fusil et une coupe dans les mains ? Il sentit le regard de la jeune fille dans son dos et se retourna vers elle. Son visage était toujours aussi peu expressif. Puis elle ouvrit la bouche.

– Qu'est-ce que vous faites ?

– Je travaille.

– Mais à quoi ?

Sebastian lui jeta un bref regard.

– Je suis psychologue à la police. Et toi ?

– J'ai entraînement.

– On a le droit de pratiquer ce sport à ton âge ?

La jeune fille rit.

– On ne se tire pas dessus.

– Ah, pas encore.

L'adolescente haussa les épaules.

– En tout cas, c'est mieux que de courir derrière un putain de ballon. Est-ce que vous aimez être psychologue à la police ?

– Bof. Je préférerais tirer sur des choses. Comme toi.

L'ado le regarda en silence et se concentra de nouveau sur son petit pain à la cannelle. La conversation était manifestement terminée. Sebastian contemplait toujours le mur. Soudain, ses yeux restèrent fixés sur la photo des six heureux gagnants d'une immense coupe. Un petit écriteau doré au-dessus du cadre indiquait « Bronze 1999 ». Sebastian observa la photo plus attentivement. Surtout l'un des six hommes. Il se tenait à gauche de la photo et avait l'air particulièrement heureux. Un large sourire, beaucoup de dents. Résolu, Sebastian décrocha la photo et s'en alla.

*

Avant de quitter la rue Rotevägen, Ursula avait vu son hypothèse confirmée, à savoir que l'incendie de la maison de Peter Westin était d'origine criminelle. Il ne faisait aucun doute que le feu avait pris dans la chambre à coucher. Le mur derrière le lit et le plancher indiquaient une propagation explosive. Quand les flammes s'étaient élevées, elles avaient vite gagné le toit et avaient été attisées par l'arrivée d'air lors de l'explosion de la fenêtre. Autour du lit, il avait d'abord été impossible de trouver la cause de cette propagation rapide. En y regardant de plus près, ils avaient ensuite découvert des traces d'alcool à brûler. Incendie et meurtre. La cause réelle de la mort était toujours inconnue, mais Sundstedt avait tout de même réussi à dégager le corps enseveli sous les gravats, ce qui avait pris plusieurs heures car il avait d'abord fallu stabiliser le plancher par en dessous. Ursula avait veillé à ce que le corps de la victime soit immédiatement placé dans un sac mortuaire et l'avait conduit elle-même à l'institut médico-légal.

Là-bas, quelques personnes avaient froncé les sourcils en la voyant arriver, mais cela lui était égal. Ursula avait décidé d'être toujours aux premières loges à partir de maintenant. Sinon, cette affaire pourrait tourner au cauchemar pour la Crim'. Une comparaison des empreintes dentaires avait dissipé tous les doutes : il s'agissait bien du cadavre de Peter Westin. Ursula était donc convaincue d'avoir désormais affaire à un double meurtrier. Elle savait aussi que quelqu'un capable de tuer deux fois pouvait recommencer. À chaque meurtre, cela lui paraîtrait plus facile.

Elle appela Torkel.

*

Billy et Vanja n'avaient pas appris grand-chose d'Ubbe Lindström. Au fil de la discussion, il s'était montré de plus en plus sur la défensive. Mais ils avaient réussi à lui arracher le plus important : le principal possédait un fusil dont le calibre correspondait à l'arme du crime. Lindström n'avait cessé d'essayer de leur soutirer la raison de leur intérêt pour l'un des membres les plus fidèles et les plus doués du club de tir. Moins il recevait de réponses, plus il restait sur la réserve. Vanja supposait que Ragnar Groth et lui étaient plus que des camarades sportifs. Elle craignait donc que, à peine disparus au coin de la rue, Ubbe Lindström n'appelât son ami et ne lui parlât de leur visite.

– J'espère que vous savez que vous devez renouveler votre permis de port d'arme tous les cinq ans. Si je m'aperçois que cette conversation n'est pas restée entre nous...

Vanja laissa sa phrase en suspens.

– Comment ça ? demanda le président en colère. Vous me menacez ?

Billy lui sourit.

– Elle voulait seulement dire que cette conversation devait rester entre nous. N'est-ce pas ?

Le visage d'Ubbe s'assombrit, mais il hocha la tête d'un air irrité. Au moins, ils avaient essayé, et il était prévenu. Une seconde plus tard, Sebastian fit irruption dans le bureau.

– Encore une chose, dit-il en mettant la photographie sous le nez d'Ubbe. Qui est-ce, là ? Tout à gauche ?

Ubbe se pencha sur la photo. Billy et Vanja eurent à peine le temps de jeter un coup d'œil à l'homme au large sourire.

– C'est Frank. Frank Clevén.

Billy et Vanja le reconnurent aussitôt. Sa photo était déjà accrochée au tableau du commissariat. Certes sans le sourire, mais il ne faisait aucun doute que c'était bien cet homme, Frank Clevén, qui avait réservé une chambre vendredi dernier dans un motel miteux.

– Il est également membre du club ?

– Il l'était. Il a déménagé après les championnats nationaux. Je crois qu'il habite à Örebro maintenant. Ou à Eskilstuna. Il est impliqué dans l'affaire ?

– Personne n'est impliqué nulle part. Pensez à votre permis de port d'arme, lui rappela Vanja avant de quitter le bureau, accompagnée de ses deux collègues. Tous trois coururent plus vite que d'habitude vers la voiture. Cette journée s'annonçait sous de meilleurs auspices.

31

Frank Clevén habitait dans la rue Lärkvägen à Eskilstuna. Billy ne parvint à joindre personne à ces coordonnées et, d'après les Renseignements, Frank ne possédait pas de téléphone portable. Après quelques recherches, Billy finit tout de même par trouver l'adresse de son employeur : l'entreprise en bâtiment H&R. Il y travaillait comme ingénieur et disposait d'une ligne téléphonique professionnelle. Billy l'appela. Frank fut étonné d'apprendre que la police le recherchait. Mais Billy précisa qu'il ne s'agissait que de petites questions qu'ils aimeraient venir lui poser d'ici une demi-heure, sur son lieu de travail. Il accepta.

Vanja et Sebastian avaient déjà parcouru la moitié du chemin en direction d'Eskilstuna quand ils reçurent l'appel de Billy, resté au commissariat. Ce dernier leur lut ce que contenaient les archives de la police sur Frank Clevén. Pas grand-chose. Cinquante-deux ans, marié, trois enfants, né à Västervik, déménagement à Västerås durant son adolescence, service militaire dans le régiment d'artillerie n° 3 à Gotland, propriétaire depuis fin 1981 d'un permis de port d'arme, pas de casier judiciaire, pas de dettes. Rien d'inhabituel. Mais il leur donna son adresse.

Ils tournèrent juste avant Eskilstuna où un nouveau centre commercial devait être érigé. Pour l'instant, rien ne permettait d'imaginer qu'un temple de la consommation allait naître à cet endroit quelques mois plus tard. Seules de rares poutres affleuraient du sol, là où allaient bientôt se dresser les murs. À l'arrière-plan, des ouvriers s'affairaient sur une grande machine jaune. Sebastian et Vanja se dirigèrent vers les préfabriqués installés tout près du chantier. Ils rencontrèrent un homme qui était visiblement une sorte de contremaître.

– Nous cherchons Frank Clevén.

L'homme leur désigna l'une des baraques du milieu.

– En tout cas, la dernière fois que je l'ai vu, il était là.

Vanja et Sebastian le remercièrent et passèrent leur chemin.

Frank Clevén faisait partie de ces gens qui étaient plus beaux en vrai qu'en photo. Son visage était fin malgré sa peau marquée par le travail en plein air. Des yeux vifs qui regardaient Vanja et Sebastian, tel un cow-boy Marlboro. Il leur tendit la main, mais le sourire aimable de la photo d'identité resta invisible. Clevén proposa de les recevoir dans son petit bureau, dans une autre baraque, où ils pourraient parler tranquillement. Vanja et Sebastian l'y suivirent, et Vanja crut voir le poids sur ses épaules s'alourdir à chaque pas qu'il faisait sur le gravier craquelant. Ils étaient sur la bonne piste, elle le sentait.

Clevén ouvrit la porte et les invita à entrer. La lumière grise tombait à travers les fenêtres, et il y régnait une odeur prégnante de solvant. Une machine à café allumée meublait un couloir qui reliait deux petites pièces. Le bureau de Clevén était le premier. Un bureau impersonnel jonché de plans et quelques chaises constituaient le seul aménagement de la pièce. La décoration murale se résumait à des traces d'adhésif et à un calendrier gratuit de l'année précédente. Clevén regarda les policiers qui restèrent debout bien qu'il les ait invités à s'asseoir. Il fit de même.

– J'ai très peu de temps, il va falloir aller assez vite.

Clevén essayait de parler d'une voix calme, mais il n'y parvenait pas. Sebastian observa la sueur perler sur la lèvre supérieure de l'ingénieur, malgré la température assez basse qui régnait dans la pièce.

– Nous avons tout le temps du monde, c'est de vous que dépendra la rapidité de notre entretien, répondit Sebastian pour indiquer clairement que ce n'était pas Clevén qui posait les conditions.

– Je ne sais même pas pourquoi vous êtes là. Votre collègue m'a seulement dit que vous vouliez me parler.

– Commencez par vous asseoir, ma collègue va tout vous expliquer.

Au bout de quelques secondes de silence, il décida de se montrer coopératif. Il s'assit tout au bord de la chaise comme sur des charbons ardents et regarda Vanja.

– Je n'ai dormi dans aucun motel vendredi dernier. Qui dit ça ?

– Nous.

Vanja se tut. Normalement, la personne interrogée se mettait à parler toute seule une fois confrontée aux faits. L'homme aurait dû comprendre qu'ils ne seraient pas venus jusqu'à Eskilstuna s'ils n'étaient pas sûrs de leur fait. Avouer ou nier, c'étaient les réactions habituelles. Et il y en avait une troisième : le silence. Ce fut celle que choisit Clevén. Il laissa son regard voguer entre Vanja et Sebastian sans dire un mot. Vanja soupira et se pencha en avant.

– Qui avez-vous rencontré là-bas ? Qu'avez-vous fait ?

– Je vous ai dit que je n'y étais pas. Il les regardait d'un air presque suppliant. Vous devez faire erreur.

Vanja consulta ses papiers, marmonna quelque chose entre ses dents et fit traîner la situation en longueur. Sebastian ne quitta pas Clevén des yeux. L'homme passa sa langue sur ses lèvres comme si elles étaient trop sèches. Il avait le front en sueur alors qu'il ne faisait toujours pas chaud dans la pièce.

– Vous n'êtes pas Frank Clevén, numéro de sécurité sociale 580518 ? demanda Vanja d'un ton neutre.

– Si.

– Et vous n'avez pas payé sept cents couronnes pour une chambre d'hôtel avec votre carte de crédit vendredi dernier ?

Clevén pâlit.

– Elle a été volée. Ma carte a été volée.

– Volée ? Est-ce que vous avez déclaré le vol ? Quand ça ?

Il se tut, son cerveau paraissait tourner à plein régime. Une goutte de sueur coula le long de sa joue pâle comme un linge.

– Je n'ai pas déclaré le vol.

– Avez-vous fait opposition sur votre carte ?

– Il se peut que j'aie oublié, je ne sais pas.

– Allons, vous pensez vraiment que nous allons croire que votre carte a été volée ?

Pas de réponse. Vanja sentit qu'il était temps de mettre Frank Clevén au parfum sur la gravité de la situation.

– Nous enquêtons sur un meurtre. Ce qui veut dire que toutes vos déclarations seront systématiquement vérifiées. Je vous le demande encore une fois. Étiez-vous, oui ou non, dans ce motel à Västerås vendredi dernier ?

Clevén paraissait choqué.

– Un meurtre ?

– Oui.

– Mais je n'ai tué personne !

– Qu'avez-vous fait alors ?

– Rien. Je n'ai rien fait.

– Vous étiez à Västerås la nuit du meurtre, et vous le niez. Cela paraît plutôt suspect.

Clevén sursauta, tout son corps se souleva de la chaise. Il avait du mal à regarder dans les yeux les deux personnes qui se trouvaient devant lui. Sebastian se leva brusquement.

– Oublions tout ça. Je vais aller chez vous et demander à votre femme si elle sait quelque chose. Tu restes avec lui, Vanja ?

Vanja hocha la tête et dévisagea Clevén. Il fixait Sebastian tandis que celui-ci s'approchait lentement de la porte.

– Elle ne sait rien, dit-il entre ses dents.

– Sûrement pas, mais elle pourra me dire si vous étiez à la maison ce soir-là ou non. Les femmes sont souvent très observatrices dans ce domaine.

Avec son plus grand sourire, Sebastian montra à quel point il se réjouissait à l'idée d'aller voir la femme de Clevén pour lui poser la question. Quand il eut presque atteint la porte, Clevén le retint.

– D'accord, j'étais bien au motel.

– Tiens donc ?

– Mais ma femme n'est pas au courant.

– Vous l'avez déjà dit. Avec qui aviez-vous rendez-vous ? Nous avons toute la journée. Nous pouvons aussi appeler une voiture de police et vous emmener au poste menotté. À vous de voir. Mais vous devez savoir une chose : nous finirons par découvrir la vérité.

– Je ne peux pas dire qui. Ce serait déjà assez grave pour moi si quelqu'un venait à l'apprendre, alors pour lui...

– Pour lui ?

Frank se tut et hocha la tête, mort de honte. Soudain, Sebastian comprit.

Le club de tir.

Le regard honteux de Frank.

Cette pourriture de lycée Palmlövska.

– Vous avez vu Ragnar Groth ?

Frank confirma d'un signe de tête. Les yeux fixés au sol. Son monde venait de s'écrouler.

Dans la voiture, Sebastian et Vanja étaient littéralement euphoriques.

Frank Clevén et Ragnar Groth entretenaient une liaison depuis plusieurs années. Ils s'étaient connus au club de tir quatorze ans auparavant. Leur amour avait d'abord été hésitant, mais au bout de quelque temps, il était devenu total. Destructeur. Clevén avait même déménagé de Västerås pour mettre fin à cette liaison qui lui faisait tant honte. Il était marié et avait trois enfants. Il n'était pas homosexuel. Mais il n'avait pas pu arrêter. Le plaisir, le sexe, la honte : tout cela était une drogue pour lui.

Alors cela avait continué. Ils n'avaient pas cessé de se voir. C'était toujours Groth qui avait pris l'initiative de leurs rencontres, mais Clevén n'avait jamais refusé. Il se languissait de ces rendez-vous. Le motel et ses chambres miteuses devinrent leur oasis d'amour. Clevén réservait et payait. Il avait dû inventer des excuses pour apaiser la méfiance de sa femme. Il était donc plus simple de ne pas rester absent toute la nuit. Mieux valait rentrer tard que pas du tout. Oui, ils s'étaient vus ce vendredi-là. Vers quatre heures. Groth avait été presque insatiable si bien que Clevén n'avait quitté l'hôtel que vers dix heures. Groth était parti environ une demi-heure avant lui.

Peu après neuf heures et demie.

L'heure à laquelle Roger était supposé être passé devant le bâtiment.

32

Tous les deux sentaient que quelque chose planait dans l'air, et ils s'en réjouissaient. C'était exactement ce que l'on ressentait quand on avait réussi une percée, que l'enquête reprenait de plus belle et que l'on pouvait presque entrevoir la fin. Pendant des jours, toutes les pistes avaient mené à une impasse. Mais le rendez-vous au motel de Ragnar Groth avait livré des pièces du puzzle qui paraissaient coller parfaitement ensemble.

– Le principal d'une école privée à la morale et aux valeurs chrétiennes est donc homosexuel.

Torkel regarda ses collègues. Il décelait une nouvelle énergie dans leurs yeux.

– Je pense qu'on peut partir du principe que Groth était prêt à aller très loin pour défendre la réputation de son école.

– Mais tuer quelqu'un, ce n'est pas seulement aller loin, mais extrêmement loin, objecta Ursula.

– Ce n'était pas prévu non plus que quelqu'un meure, intervint Sebastian en se penchant sur la corbeille de fruits, avant de prendre une poire et de la croquer à pleines dents.

– Pourtant, on est bien d'accord sur le fait que celui qui est responsable de la mort de Roger Eriksson l'est aussi de celle de Westin, non ? demanda Ursula. Personne ne va croire que le deuxième meurtre est le fruit du hasard !

– Non, mais… chrmpf….

Il n'était pas aisé de comprendre le charabia qui se perdait dans la poire à demi croquée. Sebastian prit quelques secondes pour finir de mastiquer. Puis il recommença depuis le début.

– Je suis toujours convaincu que le meurtre de Roger n'était pas prémédité. Mais notre homme est quelqu'un qui fait très consciemment et systématiquement tout pour s'en sortir sans se faire prendre.

– Donc, le meurtre de Roger est un accident, et le meurtrier est prêt à tuer pour que personne n'apprenne que c'était lui ?

– Oui.

– Comment peut-il supporter cette contradiction ? demanda Billy. Dans sa tête, je veux dire.

– Il se croit sûrement très important, mais pas forcément par égoïsme. Il doit penser qu'une ou plusieurs personnes souffriraient de le voir atterrir en prison. Il a peut-être un travail qu'il croit être le seul capable de mener à bien, ou il estime qu'il est chargé d'une mission qu'il doit accomplir à tout prix.

– Est-ce que le principal du lycée Palmlövska remplit ces critères ? demanda Vanja.

Sebastian haussa les épaules. Ses deux courtes rencontres avec Ragnar Groth ne suffisaient pas à le blanchir ni à le condamner. En tout cas, son engagement pour son école l'avait au moins une fois incité à ne pas déposer plainte pour des faits commis au sein de son établissement. Était-il prêt à aller encore plus loin ? Certainement. Aussi loin que possible ? Cela restait à prouver. Sebastian était perplexe.

– C'est possible.

– Est-ce que Ragnar Groth était au courant que Roger allait voir Westin ? demanda Ursula qui s'acharnait évidemment sur la piste Westin.

– Sûrement, dit Billy en cherchant l'approbation de ses collègues. Westin avait été engagé par l'école, et évoquait sûrement ses patients avec le principal. Il fallait bien qu'il facture ses honoraires.

– C'est ce que nous allons chercher à découvrir.

Torkel interrompit la conversation avant qu'un excès d'enthousiasme ne les pousse à répondre à des questions qui ne se posaient pas encore.

Dans cette phase de l'enquête, la volonté d'avoir une vue d'ensemble était grande. Mais il fallait se retenir et faire la distinction entre ce qu'ils savaient, ce qui était probable et ce qu'ils ignoraient.

– Sebastian et Vanja ont formulé une hypothèse. Nous allons dans un premier temps les écouter et essayer de trouver ce qui ne résiste pas à l'épreuve des faits ou aux indices dont on dispose. D'accord ?

Tous approuvèrent. Torkel se tourna vers Sebastian qui fit signe à Vanja de commencer. Vanja hocha la tête, jeta un œil à ses papiers et se lança :

– Voilà, nous avons imaginé ceci...

... Roger marche vers le motel. Après sa rencontre malheureuse avec Leo Lundin, il est désespéré et en colère. Le visage en sang et vexé par l'humiliation qu'il a subie, il essuie ses larmes avec la manche de sa veste. Il tourne dans le parking du motel pour rencontrer quelqu'un avec qui il a rendez-vous. Soudain, il s'arrête. Un mouvement dans une chambre attire son attention. Il lève les yeux et aperçoit le principal de son école. Ragnar Groth est en train de sortir quand une main le retient. Un homme que Roger ne connaît pas apparaît sur le seuil et embrasse Groth sur la bouche. D'abord, il proteste, mais quand Roger se cache derrière une voiture, il observe le directeur céder et répondre au baiser. Ensuite, la porte de la chambre se referme, et Ragnar Groth descend les marches.

– Si Roger avait réellement l'intention de rejoindre quelqu'un au motel, c'est à ce moment qu'il a changé ses plans.

Vanja regarda Sebastian se lever de sa chaise et faire les cent pas tout en prenant la parole.

– Roger sort de sa cachette...

...et quand Ragnar Groth arrive à sa voiture, Roger se tient devant lui et l'accueille avec un sourire arrogant. Il confronte Groth à ce qu'il vient d'observer. Le principal nie, mais Roger insiste. S'il ne s'était rien passé, il n'aurait donc rien contre le fait qu'il le raconte ? Roger voit son interlocuteur se creuser les méninges à la recherche d'une solution et jubile. Après la bagarre avec Leo, il a pour une fois l'impression d'être celui qui a le pouvoir. Voir Ragnar en sueur, voir quelqu'un d'autre souffrir, pour changer. Roger lui explique qu'il pourrait évidemment

garder pour lui la petite aventure amoureuse du principal, mais que cela ne serait pas donné. Il lui demande de payer pour son silence. Une grosse somme. Groth refuse. Roger hausse les épaules : alors la nouvelle serait sur Facebook dans un quart d'heure. Ragnar se rend compte qu'il est sur le point de tout perdre. Roger tourne les talons et veut s'en aller. Le parking est vide et mal éclairé. Quand Roger a le dos tourné, il a sous-estimé ce que le principal était prêt à défendre. Ragnar l'assomme, et Roger perd connaissance.

– Il n'a pas plu beaucoup. Nous devrions aller sur le parking du motel pour vérifier s'il y a des indices.

Ursula hocha la tête et nota quelque chose sur le bloc qui se trouvait devant elle. Certes, il n'y avait eu que de rares averses depuis qu'ils avaient découvert Roger, mais croire qu'on allait retrouver des traces ADN sur un parking aussi fréquenté où un meurtre avait peut-être été commis plus d'une semaine auparavant relevait de l'utopie. Mais elle irait y faire un tour. Peut-être que le gamin ou le principal avaient tout de même laissé quelque chose.

Sebastian regarda Vanja qui jeta un bref coup d'œil à ses papiers avant de reprendre la parole. Torkel se tut. Pas seulement parce que l'hypothèse qui lui avait été présentée paraissait coller, mais aussi parce que Sebastian avait laissé Vanja tirer une partie des conclusions. En temps normal, personne n'était autorisé à faire de l'ombre à Sebastian. Il n'aimait pas partager. Vanja avait marqué des points.

– Ragnar porte Roger dans la voiture…

Il n'avait pas l'intention de le tuer, mais n'avait tout simplement pas pu le laisser partir comme ça. Il n'avait pas le droit de tout raconter, ni de tout détruire. Ils devaient trouver une solution acceptable pour tous les deux. En parler comme des adultes responsables. Ragnar roule sans but, nerveux et en sueur, le garçon inconscient à côté de lui. Il se creuse la tête pour savoir ce qu'il dira lorsqu'il reviendra à lui. Quand Roger reprend conscience, Ragnar tente de se sortir de ce cauchemar. Mais il n'a pas le temps de prononcer un seul mot pour le calmer et le raisonner. Roger se jette sur lui et lui assène un coup après l'autre. Ragnar freine brusquement, la voiture fait un tête-à-queue et se déporte sur le bas-côté. La tentative de Ragnar pour calmer le garçon échoue. *Non seulement le monde entier va apprendre qu'il s'envoie en l'air avec des hommes, mais Roger hurle qu'il va aussi porter plainte pour agression et kidnapping. Le principal ne parvient pas à réagir assez rapidement, car Roger a déjà ouvert la porte et titube au-dehors. En colère, le garçon longe la route peu éclairée et tente de s'orienter. Où est-il ? Où ce fou l'a-t-il emmené ? L'adrénaline qui pulse dans ses veines l'empêche d'éprouver la moindre peur. Devant lui, les phares de la voiture jettent de longues ombres. Ragnar descend de la voiture, hurle son nom, mais n'obtient pour toute réponse qu'un doigt d'honneur. Ragnar est de plus en plus désespéré. Il voit sa vie s'effondrer comme un château de cartes. Il doit retenir le garçon. Sans réfléchir, il fait le tour de la voiture et sort son fusil d'entraînement. Il le met à l'épaule, vise l'adolescent et tire. Roger tombe.*

Il ne se passe pas une seconde avant que Ragnar ne réalise ce qu'il vient de faire. Choqué, il regarde autour de lui. Personne dans les parages. Personne n'a rien vu ni entendu. Il est donc toujours possible de s'en sortir. De survivre.

Ragnar se précipite sur le garçon et réalise deux choses en voyant le sang s'écouler de l'impact de la balle :

– le garçon est mort ;

– la présence de la balle revient à laisser une empreinte digitale.

Il s'empare de Roger et le traîne dans les buissons. Puis il va chercher un couteau dans sa voiture, se place par-dessus le garçon et dévoile la blessure. Comme en pilotage automatique, Ragnar dépèce le cœur et retire la balle. Presque avec étonnement, il regarde le petit bout de métal qui a causé tant de dégâts. Cela fait, il perçoit enfin le corps sur lequel il se penche. La balle n'est plus là, certes, mais on peut voir qu'il s'agit d'une blessure par balle. Le mieux serait de maquiller le tout en agression à l'arme blanche. Son instinct de survie a désormais pris le dessus, et Ragnar commence à s'acharner comme un forcené sur le corps de Roger.

– Ensuite, il soulève le cadavre, le jette dans le coffre et se rend à Listakärr où il l'immerge. On connaît la suite…

Sebastian et Vanja avaient terminé leur récit. C'était l'exposition vivante d'un possible déroulement des faits. Sans doute un peu brodé de pensées et de sentiments impossibles à imputer avec certitude à la victime et au tueur, mais en dehors de cela, la description était vraisemblable. Il regarda son équipe, retira ses lunettes et les replia.

– Rendons donc une petite visite à Ragnar Groth.

33

– Non, non, non ! ça ne s'est absolument pas passé comme ça !

Ragnar Groth secoua la tête, et se pencha en avant avec un geste défensif. Ce mouvement diffusa un léger effluve de Hugo Boss en direction de Vanja. Le même après-rasage que Jonathan, pensa brièvement Vanja, sûrement le seul point commun entre les deux hommes. Elle venait de présenter sa théorie sur la nuit du meurtre, selon laquelle Groth aurait croisé Roger devant le motel et que la dispute aurait dérapé.

– Comment est-ce que ça s'est passé alors ?

– Il ne s'est rien passé du tout ! Je n'ai pas rencontré Roger ce soir-là ! Je vous l'ai pourtant déjà dit.

En effet, il l'avait déjà dit depuis plus d'une heure quand ils étaient passés le chercher à l'école. Il paraissait fatigué et énervé quand Vanja et Billy avaient fait irruption dans son bureau pour l'emmener au commissariat. La fatigue s'était envolée en une seconde quand ils avaient expliqué la raison de leur visite, et avait fait place à une incompréhension vexée. Ils ne croyaient pas sérieusement qu'il était impliqué dans ce tragique incident ? Si, ils le croyaient. Groth demanda si cela voulait dire qu'il était mis en examen, si c'était bien ainsi que l'on disait, mais Vanja lui assura qu'il s'agissait d'une simple conversation. Là-dessus, Groth insista pour que l'entretien ait lieu dans son bureau comme les deux fois précédentes, mais Vanja était restée inflexible. Groth mit une éternité à accomplir toutes les formalités lui permettant de quitter son bureau durant quelques heures. Le principal avait tenu à ce que cela ne ressemblât en aucun cas à une arrestation. Vanja le rassura : ils allaient partir sans menottes ni policiers en uniforme, et il pourrait s'asseoir sur le siège passager dans la voiture.

En sortant, ils rencontrèrent un collègue qui demanda à Groth où il allait. On avait besoin de son aide au commissariat pour identifier des jeunes sur des caméras de surveillance, avait rétorqué Vanja à la place du principal. Il la remercia quand ils passèrent sous la fresque de Jésus qui ornait la façade.

Plus tard, dans l'une des trois salles d'interrogatoire, Groth avait successivement refusé du café, de l'eau, des bonbons à la menthe et l'assistance d'un avocat. Torkel s'était présenté, et ils s'étaient assis tous les trois : Vanja et Torkel d'un côté, Groth de l'autre. Il avait nettoyé la surface de la table aussi bien qu'il avait pu avant d'y poser ses mains.

– Qu'est-ce que c'est ? demanda-t-il en désignant le kit auditif de Vanja.

– Ça ?

Vanja montra le bouton micro à Groth. Il comprit.

– C'est relié à qui ?

Vanja décida de ne pas répondre et plaça son oreillette sans rien dire. Groth s'était retourné et regardait l'immense miroir qui couvrait le mur.

– Est-ce que Bergman est là-derrière ?

Il ne put cacher sa réticence. Une fois encore, Vanja s'abstint de répondre. Mais le principal avait raison. Dans la pièce contiguë, Sebastian observait l'interrogatoire et pouvait intervenir par le biais de Vanja. Ils étaient rapidement convenus qu'il valait mieux qu'il ne soit pas dans la pièce. Il serait déjà assez difficile de faire parler Groth, tellement maître de lui ; inutile d'en rajouter avec la présence de Sebastian, qui ne cessait de le provoquer.

Vanja avait posé le dictaphone sur la table, prononcé le nom des personnes présentes ainsi que l'heure et la date, puis expliqué comment, à l'aide des caméras de surveillance, ils en étaient arrivés à la théorie selon laquelle Ragnar Groth avait rencontré Roger devant le motel. Le principal avait écouté sans sourciller. Ce ne fut que lorsque Vanja aborda la question du motel qu'il se mit à secouer la tête, croisa les bras et s'adossa à sa chaise avec un geste de recul vis-à-vis de Vanja et de ce qu'elle disait. De toute la situation. Il nia en bloc.

– Vous dites donc que vous n'avez pas croisé Roger vendredi dernier, reprit Vanja. Mais vous étiez bien au motel à cette heure-là ?

Dans la pièce voisine, Sebastian hochait machinalement la tête. Ils pouvaient prouver que Groth était bien à cet endroit à l'heure dite, et l'homme en paraissait énormément embarrassé. Tellement qu'il ne répondit même pas à la question de Vanja. Mais elle ne lâcha évidemment pas prise.

– C'était une question purement rhétorique : nous savons que vous étiez dans ce motel à neuf heures et demie.

– Mais je n'y ai pas rencontré Roger.

– Demande-lui de te parler de Frank, dit Sebastian dans le micro.

Ce dernier observa Vanja prêter l'oreille et jeter un bref coup d'œil au miroir. Sebastian hocha la tête pour confirmer ses dires, comme si elle avait pu le voir.

Vanja se pencha vers lui.

– Parlez-nous de Frank Clevén.

Groth ne répondit pas tout de suite. Il essayait de gagner du temps en tirant sur les manches de sa chemise pour qu'elles dépassent d'exactement deux virgule cinq centimètres de sa veste. Puis il se renversa sur sa chaise et jeta un regard décontracté à Vanja et Torkel.

– C'est un vieil ami du club de tir. Nous nous voyons de temps en temps.

– Pour faire quoi ? intervint Torkel.

– Pour parler du bon vieux temps, répondit Groth. Comme vous le savez peut-être, nous avons gagné la médaille de bronze aux championnats de Suède. Parfois, nous buvons un verre de vin ; parfois, nous jouons aux cartes.

– Et pourquoi ne pas vous rencontrer chez vous ?

– La plupart du temps, nous nous voyons quand Frank est en déplacement. Le motel est sur sa route : c'est plus pratique.

– Nous savons que vous rencontrez Frank Clevén au motel, car vous entretenez une liaison avec lui.

Groth se tourna vers Vanja et la toisa. On aurait dit que l'idée même l'écœurait.

– Et comment pouvez-vous le savoir ? rétorqua-t-il.

– C'est Frank Clevén qui nous l'a dit.

– Alors il ment.

– Il est marié et a trois enfants. Quelle raison aurait-il de prétendre aller à Västerås pour faire l'amour avec un homme ?

– Aucune idée, demandez-le-lui.

– Pourtant, je pensais que vous étiez bons amis ?

– Je le croyais aussi, mais avec ce que vous me dites, je commence à avoir des doutes.

– Nous pouvons prouver que vous étiez bien au motel.

– Mais j'étais bien là. J'ai vu Frank. Je ne le nie pas. Toutefois, je tiens à souligner que nous n'avons pas eu de rapports sexuels et que je n'ai pas rencontré Roger Eriksson ce soir-là.

Vanja et Torkel échangèrent un bref regard. Ragnar Groth était rusé. Il admettait ce qu'ils pouvaient prouver et niait tout le reste. L'avaient-ils convoqué trop tôt ? En réalité, ils n'avaient qu'un faisceau d'indices. Des rencontres secrètes, une appartenance au même club de tir, une position qui valait la peine d'être défendue. Avaient-ils besoin de plus ?

Dans la pièce voisine, Sebastian eut la même pensée. Ils savaient que Groth était un homme visiblement instable psychiquement, ne serait-ce que par ses gestes maniaques et incontrôlés. Au fil des années, il avait probablement développé un solide système d'autodéfense contre ses actions jugées immorales. Sebastian l'imaginait pesant sans cesse le pour et le contre. Et quand il avait pris une décision, il adaptait la réalité à celle-ci – sa décision devenait la vérité. Il ne considérait sûrement même pas comme un mensonge de prétendre ne pas avoir eu de rapports sexuels avec Frank Clevén dans cette chambre de motel.

Il y croyait lui-même. Seules des preuves photographiques le feraient certainement avouer. Des preuves qu'ils n'avaient pas.

– Et Peter Westin ?

Vanja avait abordé une nouvelle piste.

– Qu'est-ce qu'il vient faire là-dedans ?

– Vous le connaissez ?

– L'école a un accord avec son cabinet, oui. Pourquoi me demandez-vous cela ?

– Savez-vous où il habite ?

– Non, nous n'avons aucun contact en privé. Groth sembla soudain avoir une idée et se pencha en avant sur sa chaise. Vous voulez insinuer que j'aurais une liaison avec lui ?

– C'est le cas ?

– Non.

– Où étiez-vous ce matin à quatre heures ?

– J'étais chez moi, et je dormais. J'ai pour habitude de faire une petite sieste à cette heure-là. Pourquoi cette question ?

Voilà qu'il devenait sarcastique. Dans la pièce voisine, Sebastian soupira. Groth avait repris confiance. Il avait compris qu'ils n'avaient pas assez d'éléments contre lui. Ils n'en tireraient plus rien. Dans la salle d'interrogatoire, Torkel tenta toutefois de sauver les meubles.

– Nous aurions besoin de jeter un coup d'œil à vos armes.

– Pourquoi donc ?

Groth paraissait sincèrement étonné. Vanja jura intérieurement. Ils avaient réussi à garder l'information secrète. Mis à part son meurtrier, personne ne savait que Roger était mort par balle. Cela les aurait aidés qu'il ne parût pas si surpris.

– Pourquoi pas ?

– C'est juste que je ne vois pas pour quelle raison. Le jeune n'a pas été tué par balle pourtant ?

Le principal jeta un regard interrogateur à Vanja et Torkel. Aucun d'entre eux n'avait l'intention de confirmer ni de démentir.

– Refusez-vous de nous montrer vos armes ?

– Pas du tout. Faites comme bon vous semble.

– Nous aimerions également jeter un œil à votre appartement.

– J'habite dans une villa.

– Dans ce cas, nous aimerions jeter un coup d'œil à votre villa.

– Vous n'avez pas besoin d'un mandat pour cela ?

– Si, il nous faut parler au procureur pour l'avoir, à moins que l'occupant du logement ne nous donne son autorisation.

Vanja avait compris qu'ils ne pouvaient plus compter sur la coopération du principal ; elle choisit alors d'employer une menace déguisée en bienveillance.

– Il faut un certain délai administratif pour obtenir une commission rogatoire. Et plus le nombre d'agents ayant eu ce document entre les mains sera grand, plus le risque est élevé de voir l'information filtrer auprès de la presse.

Groth les regarda. Elle remarqua qu'il avait rapidement compris la fausse sympathie et la menace implicite.

– Bien sûr. Fouillez tout ce que vous voulez. Plus vite vous aurez la certitude que je n'ai pas tué Roger, mieux ce sera.

Vanja avait l'impression que le principal Groth venait de se montrer coopératif pour la dernière fois.

– Avez-vous un téléphone portable ?

– Oui. Vous voulez le voir ?

– Oui, s'il vous plaît.

– Il est dans le tiroir du haut de mon bureau. Est-ce que vous allez chez moi tout de suite ?

– Oui, bientôt.

Ragnar Groth se leva. Vanja et Torkel se figèrent, mais il ne fit que mettre la main dans sa poche pour en sortir un petit porte-clés. Trois clés. Il les posa sur la table et les poussa lentement vers Vanja.

– La clé de mon armoire à fusils est accrochée dans le placard à balais, à droite. Je vous demande encore une fois de faire preuve de discrétion. J'ose espérer que vous allez vous passer du gyrophare et des uniformes. Je suis un homme respecté dans mon quartier.

– Nous ferons notre possible.

– Oui, je l'espère.

Il se rassit. S'adossa aussi confortablement que possible au dossier de sa chaise et croisa à nouveau les bras. Vanja et Torkel échangèrent un regard. Ensuite, Vanja jeta un rapide coup d'œil au miroir. Sebastian porta le micro à sa bouche.

– Nous n'irons pas plus loin aujourd'hui.

Vanja hocha la tête, lut l'heure et éteignit le dictaphone. Elle regarda Torkel et comprit que tous deux pensaient la même chose.

Ils avaient convoqué Groth bien trop tôt.

34

En fait de villa, Ragnar Groth habitait une petite maison dont le garage était accolé à celui du voisin. Deviner quelle demeure lui appartenait dans la rue n'était pas difficile : la sienne était la plus propre.

Le sable laissé par les chasse-neige était soigneusement balayé pile jusqu'à la limite de la propriété. Dans le garage, tout était impeccable. Lorsque Billy et Ursula s'approchèrent de la maison, ils remarquèrent que pas une seule feuille d'arbre de l'année précédente n'était restée sur le sentier du jardin et que le gazon était parfaitement tondu. Arrivée sur le perron, Ursula passa un doigt sur la tôle du rebord de la fenêtre à côté de la porte d'entrée, et le montra à Billy : pas la moindre saleté.

– Il doit passer son temps à faire le ménage, fit Ursula tandis que Billy mettait la clé dans la serrure, ouvrait la porte et entrait.

La maison était assez petite, environ quatre-vingt-dix mètres carrés. Ils s'engagèrent dans un couloir exigu débouchant sur un escalier qui menait au premier étage, précédé de deux portes et de deux arches. Billy alluma la lumière. Après avoir échangé un regard, ils enlevèrent leurs chaussures. D'habitude, ils ne le faisaient pas lors d'une perquisition, mais marcher en chaussures dans cette maison leur paraissait presque une insulte. Ils les posèrent sur le tapis du couloir, alors qu'il y aurait eu de la place sous le portemanteau de l'entrée où se trouvait déjà une paire de chaussures. Astiquées, pas un seul brin d'herbe ni morceau de terre. La maison sentait le propre. Pas le produit de nettoyage, plutôt le désinfectant. Ursula pensa à une maison neuve que Mikael et elle avaient visitée quelques années auparavant : elle avait la même odeur, impersonnelle et vide.

Ursula et Billy avancèrent dans le couloir, et chacun ouvrit une porte. Derrière celle de droite se cachait un cagibi, tandis que la porte de gauche donnait sur une salle de bains. Une brève inspection leur fit comprendre que ces deux pièces étaient aussi propres et soignées que toute la vie du principal Groth. Cette impression se confirma dans le reste du rez-de-chaussée. L'arche de droite menait au petit salon aménagé avec beaucoup de goût. Derrière un canapé, des fauteuils et une table basse assortis s'élevait une étagère à moitié remplie de livres et de disques. Jazz et classique. Au milieu de l'étagère trônait un tourne-disque dépourvu du moindre grain de poussière. Groth n'avait pas de télévision.

L'arche de gauche donnait sur une cuisine étincelante de propreté. Des couteaux bien alignés sur une barre aimantée. Une bouilloire sur le plan de travail. Une salière et un poivrier sur la table. Sinon, toutes les surfaces étaient nettes et dégagées.

Ils montèrent ensemble l'escalier qui débouchait sur un petit palier carré avec trois portes donnant sur une deuxième salle de bains, une chambre et un bureau. Derrière la lourde table en chêne, les armes de Ragnar étaient rangées dans une armoire sécurisée. Billy se tourna vers Ursula :

– En bas ou en haut ?

– Ça m'est égal. Tu préfères quoi ?

– Je peux commencer en bas. Comme ça, tu t'occuperas des armes.

– OK, et celui qui a fini en premier se chargera du garage et de la voiture, d'accord ?

– D'accord.

Billy descendit les escaliers. Ursula disparut dans le bureau.

*

Quand Vanja prit son père dans ses bras, elle sentit immédiatement la différence. Avant-après. Il avait perdu du poids, mais ce n'était pas tout. Ces derniers mois, leurs gestes d'affection étaient toujours mêlés d'une certaine angoisse face à la fugacité de la vie, d'une douceur désespérée, sachant que chacun pouvait être le dernier. Depuis l'annonce des résultats positifs, ces gestes prenaient un autre sens. La médecine avait prolongé leur voyage commun, et avait sauvé leur famille de l'abîme de la dépression qui la guettait. Valdemar lui sourit. Cela faisait longtemps que ses yeux bleu-vert n'avaient plus été aussi vifs, même s'ils brillaient à présent de larmes de joie.

– Tu m'as tellement manqué.

– Toi aussi, papa.

Valdemar lui passa la main sur la joue.

– C'est bizarre, j'ai l'impression de tout redécouvrir pour la première fois.

– Je comprends très bien.

Elle fit quelques pas en arrière. Vanja n'avait pas envie de pleurer comme une madeleine dans l'entrée d'un hôtel. Elle désigna la porte vitrée. Dehors, la nuit tombait déjà.

– Viens, on va se promener un peu. Tu me montreras la ville.

– Moi ? Cela fait une éternité que je ne suis plus venu ici.

– Tu y as quand même habité pendant un certain temps, non ?

Valdemar éclata de rire, prit sa fille par le bras et sortit avec elle à travers le tourniquet.

– Ça fait mille ans, j'avais vingt-cinq ans et venais de commencer mon premier boulot à l'ASEA.

– Mais tu la connais sûrement mieux que moi. À part l'hôtel, le commissariat et les scènes de crimes, je n'ai pas vu grand-chose.

Ils entamèrent leur promenade en parlant de l'époque lointaine où Valdemar venait de passer son bac au lycée technique et était arrivé à Västerås, jeune et motivé. Tous les deux savourèrent cette conversation insouciante qui, pour une fois, était vraiment du simple bavardage et non pas une tentative de faire diversion de ce qui les avait travaillés vingt-quatre heures sur vingt-quatre.

Peu à peu, le ciel s'assombrit, et une légère bruine arrosa les rues. Ils ne le remarquèrent guère, marchant côte à côte au bord de l'eau. Ce ne fut qu'au bout d'une demi-heure de pluie, quand les gouttes devinrent de plus en plus grosses, que Valdemar eut envie de s'abriter quelque part. Vanja proposa de retourner à l'hôtel pour manger.

– As-tu le temps ?

– Je vais le prendre tout simplement.

– Je ne veux pas que tu aies des problèmes à cause de moi.

– Mais non, je t'assure. L'enquête supportera mon absence pendant une heure.

Valdemar se contenta de cette réponse. Il prit de nouveau le bras de sa fille, et ils accélérèrent doucement en rentrant à l'hôtel.

Vanja commanda un coca light et un verre de vin, pendant que son père étudiait la carte au bar de l'hôtel. Vanja l'observa en cachette. Elle l'aimait vraiment. Elle aimait aussi sa mère, bien sûr, mais avec elle, c'était toujours un peu plus compliqué, elles se disputaient davantage. Avec Valdemar, c'était plus calme. Il savait s'adapter. Bien évidemment, il était parfois critique, mais seulement quand elle se sentait en confiance. Jamais envers ce qui concernait les relations amoureuses ou son talent.

Il lui faisait confiance, et cela lui donnait un sentiment de bien-être. En fait, elle aurait bien aimé boire un verre de vin aussi, mais elle allait sans doute devoir travailler encore ce soir ou au moins se mettre à jour. Il valait donc mieux garder l'esprit clair.

Valdemar leva les yeux de la carte.

– Maman te passe le bonjour. Elle avait prévu de venir.

– Pourquoi ne l'a-t-elle pas fait ?

– Elle avait du travail.

Vanja hocha la tête. Bien sûr. Ce n'était pas la première fois.

– Tu la serreras bien fort de ma part.

La serveuse apporta les boissons. Ils commandèrent. Vanja choisit un cheeseburger au chili, Valdemar une soupe de poisson à l'aïoli avec du pain d'ail. Puis la serveuse prit les cartes et s'en alla, et ils trinquèrent en silence. Elle était donc avec son père, à mille lieues de l'affaire et des challenges du quotidien, quand elle entendit une voix plutôt malvenue dans ce moment d'intimité.

– Vanja ?

Elle tourna la tête vers la voix en espérant s'être trompée. Mais non, hélas ! Sebastian Bergman se dirigeait droit vers elle, le manteau complètement trempé.

– Salut, est-ce que tu sais comment s'est passée la perquisition chez Groth ?

Vanja lui asséna un regard lui faisant comprendre qu'il dérangeait.

– Non. Qu'est-ce que tu fais ici ? Je croyais que tu possédais une maison où tu logeais ?

– Je viens de dîner et m'apprêtais à faire un saut au commissariat. Et puis, je me suis dit que je pouvais passer ici pour voir si Billy et Ursula avaient découvert quelque chose. Tu n'as pas de nouvelles ?

– Non, je ne travaille pas, là.

Sebastian tourna la tête vers Valdemar qui se taisait. Vanja comprit qu'il fallait agir vite, avant que son père n'ait le temps de se présenter, voire d'inviter Sebastian à leur tenir compagnie.

– Il faut juste que je mange un morceau. Vas-y, toi, je te rejoindrai après. On se verra au commissariat.

Aucune personne normale n'aurait pu ignorer la distance dans sa voix, mais lorsqu'elle vit Sebastian tendre la main à Valdemar en souriant, elle se rendit compte de ce qu'elle avait oublié : Sebastian n'était pas une personne normale.

– Bonjour, je m'appelle Sebastian Bergman, je suis un collègue de Vanja.

Valdemar accueillit gentiment Sebastian en se levant à moitié de sa chaise et en lui serrant la main.

– Bonjour. Je suis Valdemar, le père de Vanja.

Vanja était de plus en plus furieuse. Elle savait parfaitement à quel point son père s'intéressait à son travail, et elle devinait qu'ils n'en resteraient pas à ce bref échange. Et ce fut ce qui se produisit. Valdemar scruta Sebastian avec curiosité.

– Vanja m'a beaucoup parlé de ses collègues, mais pas de vous, si je ne m'abuse.

– On m'a juste fait venir pour cette enquête. Je suis psychologue, pas policier.

Sebastian vit l'expression de Valdemar changer lorsqu'il mentionna son champ de travail. Comme s'il fouillait dans sa mémoire.

– Bergman… Vous ne seriez pas par hasard le Sebastian Bergman qui a écrit ce livre sur le tueur en série Hinde ?

Sebastian hocha la tête.

– Plusieurs livres même. Oui, c'est bien moi.

Valdemar se tourna vers Vanja. Il parut presque excité.

– Tu m'as offert ce livre il y a quelques années, tu t'en souviens ?

– Oui.

Valdemar désigna la place libre en face de Vanja.

– Vous ne voulez pas vous asseoir ?

– Papa, je suis sûre que Sebastian a autre chose à faire. Nous enquêtons dans une affaire très complexe en ce moment.

Sebastian jeta un regard à Vanja. Est-ce qu'il lisait du désespoir dans ses yeux ? En tout cas, il était clair comme de l'eau de roche qu'elle ne voulait pas qu'il reste.

– Mais non, je ne suis pas pressé.

Sebastian déboutonna puis ôta son manteau mouillé et le posa par-dessus le dossier du fauteuil avant de prendre place. Tout en assénant un sourire ouvertement moqueur à Vanja. Il savourait la situation. Elle le savait, ce qui la rendit plus furieuse encore.

– Je ne savais pas que tu avais lu un de mes livres, lui dit Sebastian, une fois attablé. Tu n'en as jamais parlé.

– Sans doute parce que je n'en ai pas eu l'occasion.

– Elle a adoré votre livre ! ajouta Valdemar sans se rendre compte que le regard de sa fille s'assombrissait à chaque mot qu'il prononçait.

Elle m'a plus ou moins forcé à le lire. Je crois qu'il a été l'un des facteurs qui l'ont déterminée à entrer dans la police.

– Ah bon ? C'est un plaisir de l'entendre ! Sebastian se renversa sur son siège, il jubilait. Je n'arrive pas à croire que je l'aie tellement influencée.

Fin de la partie. Sebastian la regarda en ricanant. Elle n'aurait plus jamais le dernier mot, plus jamais. Son père bien-aimé venait de s'en charger.

35

Mikael appela Ursula de la gare et lui demanda si elle passerait le chercher ou s'il devait prendre un taxi pour la rejoindre à l'hôtel. Ursula jura intérieurement. Elle n'avait évidemment pas complètement oublié qu'il devait arriver, mais elle n'y avait pas pensé une seule fois ces dernières heures. Elle jeta un œil à sa montre. La journée avait été particulièrement longue, et elle n'était pas près d'être finie. Dans la chambre à coucher de Groth, elle était sur le point de se consacrer à l'armoire bien ordonnée et à ses habits bien repassés, pour une fois pas empilés à trois centimètres d'écart comme tout le reste. Elle avait d'abord voulu demander à son mari de l'attendre une petite heure. Elle était de mauvaise humeur. Le manque de preuves concrètes lui tapait sur le système. Elle avait commencé par les armes, mais avait immédiatement constaté que celles-ci ne les avanceraient à rien. Bien sûr, on voyait qu'elles avaient servi récemment, mais Groth pratiquait le tir de compétition. Sans la balle dans le cœur de la victime, cette information était inutile. La fouille du bureau n'avait pas donné davantage de résultats. Rien de spécial dans les tiroirs du secrétaire près de la fenêtre ni sur l'étagère. Peut-être trouveraient-ils quelque chose dans l'ordinateur, mais ce serait Billy qui s'en occuperait. La salle de bains avait également été décevante : même pas un cheveu dans la bonde du lavabo.

Et maintenant, elle avait Mikael au bout du fil qui l'attendait. Après tout, c'était elle qui lui avait demandé de venir. C'était l'heure du dîner. Elle devait de toute façon manger un bout. Ursula abandonna, descendit l'escalier et passa la tête dans la cuisine où Billy fouillait les placards et les tiroirs.

– J'y vais, je reviens dans une heure ou deux.

Billy lui jeta un regard surpris.

– OK.

– Je peux prendre la voiture ?

– Où tu vas ?

– Je dois aller… dîner.

Billy ne comprenait toujours pas : il ne se rappelait pas la dernière fois qu'Ursula avait jugé bon de quitter son travail pour aller dîner. Pour lui, c'était une machine à ingurgiter des sandwiches ratatinés qu'elle allait chercher dans des stations-service.

– Qu'est-ce qui se passe ?

– Mikael est en ville.

Billy hocha la tête d'un air aussi compréhensif que possible bien que toute cette histoire lui paraisse de plus en plus bizarre. Mikael, l'homme que Billy avait vu une seule fois, à peine dix minutes, quand il était passé chercher Ursula à une fête de Noël, venait à Västerås pour dîner avec elle.

Quelque chose devait être arrivé. Ursula quitta la maison et gagna la voiture à pas stressés. En ouvrant la portière, elle se rendit compte qu'elle avait complètement oublié la raison pour laquelle elle lui avait demandé de venir. Il était totalement innocent. En fait, c'était déjà assez horrible qu'elle l'utilise ainsi. Il supposait certainement qu'elle l'avait appelé parce qu'il lui manquait et non parce qu'elle voulait se servir de sa présence pour humilier Torkel.

Elle devait s'efforcer d'être particulièrement gentille avec lui pour ne pas punir la mauvaise personne.

Ursula s'installa au volant et sortit son téléphone portable. En faisant route vers le centre-ville, elle passa deux coups de fil : l'un au commissariat pour vérifier que Torkel y était encore, et l'autre à Mikael pour fixer leur rendez-vous. Elle ralentit son allure pour s'assurer qu'elle arriverait bien après lui. Puis elle alluma la radio et l'écouta un moment pour se changer les idées. L'heure de la vengeance allait bientôt sonner.

*

– Salut Torkel.

Torkel se retourna. Il reconnut immédiatement l'homme aux cheveux gris qui venait de prendre place dans l'un des canapés verts du hall. Torkel lui fit un signe de tête et prit sur lui pour esquisser un sourire.

– Mikael, c'est un plaisir de te voir. Ursula m'a dit que tu venais.

– Elle est là ?

– Je ne crois pas, mais je peux aller vérifier.

– Non, pas la peine, elle sait que je l'attends ici.

Torkel hocha de nouveau la tête. Mikael avait l'air en forme. Ses cheveux noirs grisonnaient sur les tempes, mais cela lui allait bien. Ils avaient à peu près le même âge ; pourtant, Torkel ne put s'empêcher de se sentir plus vieux et plus usé. Lui-même n'avait pas très bien vieilli, et on ne remarquait absolument pas que Mikael avait eu un temps des problèmes avec l'alcool. Au contraire, il paraissait plus sportif et en meilleure santé que jamais.

Ce doit être dans les gènes, pensa Torkel tout en se demandant s'il ne devait pas lui aussi s'inscrire dans une salle de sport. Les autres restèrent un moment debout. Torkel ne voulait en aucun cas paraître impoli, mais en même temps, il n'avait strictement aucune idée de ce qu'il aurait pu lui dire. Comme il ne lui portait aucun intérêt sincère, il choisit le numéro habituel.

– Un café ? Tu veux un café ?

Mikael hocha la tête. Torkel s'approcha de l'entrée des bureaux, introduisit sa carte et tint la porte vitrée à Mikael. Ils traversèrent l'open-space et gagnèrent la salle de pause.

– J'ai lu des articles sur le meurtre. L'affaire a l'air complexe.

– Oui, on peut le dire.

Torkel continua son chemin en silence. Mikael et lui s'étaient rarement croisés durant toutes ces années. Surtout au début, quand Ursula venait d'intégrer la Crim'. À l'époque, Torkel les avait invités à dîner chez Monica et lui. Deux ou trois fois peut-être. À l'époque, Ursula et lui n'étaient encore que des collègues qui se voyaient de temps en temps en dehors du travail. Avant le début de leur liaison. Depuis combien de temps cela durait-il ? Quatre ans ? Cinq, si l'on comptait cette soirée à Copenhague. Celle-là, il l'avait toutefois considérée comme une malheureuse incartade qu'il avait regretté d'avoir commis. Quelque chose qui ne devait jamais se reproduire. C'était avant.

Aujourd'hui, tout était différent. Les remords et la culpabilité avaient été remplacés par des règles non officielles : seulement au travail, pas à la maison. Pas de projets d'avenir. C'était ce dernier point qui donnait le plus de fil à retordre à Torkel. Allongé nu à côté d'elle, Torkel ne parvenait pas à se résoudre à ne jamais sortir de l'anonymat des chambres d'hôtels. Mais les rares fois où il avait franchi la limite et avait rompu leur accord, son regard s'était fait dur, et il avait dû renoncer à leurs rendez-vous durant plusieurs semaines. Torkel avait retenu la leçon. Pas de projets d'avenir : le prix à payer était trop lourd.

Il se tenait à présent dans la salle de pause et observait le café noir couler dans le gobelet. Mikael était assis à la table voisine et sirotait son cappuccino.

Ils avaient déjà assez parlé de l'affaire aux yeux de Torkel, si bien qu'il ne lui restait plus qu'une solution.

La pluie et le beau temps.

Voilà, le printemps était là.

Et le travail, comment ça allait ?

Comme d'habitude, toujours les mêmes emmerdements.

Et Bella ?

Bien, merci, elle allait terminer ses études de droit l'année prochaine.

Est-ce que Mikael faisait encore du foot ?

Non, à cause de son genou, un problème au ménisque.

Torkel n'arrivait pas à se sortir de la tête qu'il avait partagé le lit de sa femme à peine vingt-quatre heures plus tôt. Il était mal à l'aise.

Pourquoi Ursula avait-elle donné rendez-vous à son mari précisément ici ? Torkel en devinait la raison, et en obtint la confirmation la seconde suivante quand Ursula apparut derrière eux.

– Bonjour, chéri. Désolée pour le retard.

Ursula passa devant Torkel sans lui accorder le moindre regard et embrassa tendrement Mikael. Puis elle se tourna vers lui et lui adressa un bref clin d'œil ironique.

– Alors, tu as le temps de faire une pause-café ?

Torkel s'apprêtait à répondre quand Mikael vola à son secours.

– J'attendais en bas à la réception, Torkel a seulement été poli.

– En fait, on est tellement débordés qu'on a engagé du personnel supplémentaire, pas vrai, Torkel ?

Et voilà. La présence de Mikael était la punition de Torkel. Peut-être pas la punition la plus raffinée qui fût, mais elle produisait l'effet recherché. Torkel ne répondit rien. Cela n'avait pas de sens de répondre à la provocation. Quand Ursula était de cette humeur, on ne pouvait que perdre.

Torkel s'excusa tout en veillant à serrer la main à Mikael comme il se devait avant de prendre congé. Il pouvait quand même faire preuve d'un peu de fierté. Il détestait avoir à partir la queue entre les jambes.

Ursula quitta la salle de pause au bras de Mikael.

– Je ne connais pas particulièrement les restaurants de la ville, mais Billy dit qu'il y a un grec plutôt correct pas loin.

– Ça me paraît bien.

Après avoir fait quelques pas en silence, Mikael s'arrêta.

– Pourquoi est-ce que je suis là, en fait ?

Ursula lui jeta un regard ahuri.

– Comment ça ?

– Je me suis bien exprimé. Pourquoi est-ce que je suis là ? Qu'est-ce que tu attends de moi ?

– Rien. Je pensais juste que puisque je ne suis qu'à une heure de Stockholm, on pourrait…

Mikael la dévisagea. Il ne paraissait pas très convaincu.

– Tu as déjà travaillé dans des villes plus proches de Stockholm que Västerås, et tu ne m'as jamais appelé.

Ursula soupira intérieurement, mais n'en laissa rien paraître.

– Eh bien, justement. On ne se voit pas assez. Je voulais que ça change. Viens maintenant.

Elle le prit par le bras et le tira doucement avec elle. En se pelotonnant contre lui, elle se maudit d'avoir eu cette idée qu'elle trouvait si brillante hier encore. Que voulait-elle ? Rendre Torkel jaloux ? L'humilier ? Démontrer son indépendance ?

Peu importait, la présence de Mikael avait déjà rempli sa fonction. Torkel avait été terriblement gêné par la situation. Il n'avait jamais eu l'air si penaud que tout à l'heure, quand elle s'était éclipsée sans un mot.

La question qu'elle se posait maintenant était : que faire de son mari ?

Après avoir passé une bonne heure avec Mikael, Ursula avait été obligée de retourner chez Ragnar Groth. Finalement, le repas avait été plutôt agréable. Plus agréable qu'elle ne l'aurait pensé, même si Mikael avait demandé à plusieurs reprises la raison de sa présence. Il avait l'air d'avoir du mal à croire qu'elle voulait simplement le voir, et ce n'était pas étonnant.

Leur relation avait connu une phase difficile pendant plusieurs années, et c'était un miracle qu'elle ait tenu. Mais cette épreuve les avait soudés. C'était vrai qu'une relation était mise à mal lorsqu'on découvrait les pires défauts de son partenaire. Et ils avaient tous les deux leurs faiblesses, surtout en tant que parents. En ce qui concernait Bella, c'était comme s'il existait une toute petite carapace très fine qui empêchait Ursula d'être vraiment proche de sa fille et qui la poussait trop souvent à faire passer son travail avant sa famille. Parfois, Ursula était dévorée par la culpabilité quand elle réalisait que les analyses techniques et les cadavres avaient la priorité sur sa fille. Elle l'imputait à sa propre enfance et à ses parents. Et à son cerveau qui donnait plus d'importance à la logique qu'aux sentiments. Mais cela ne changeait rien au fait que la carapace était toujours là, et avec elle son lot de culpabilité. Elle avait toujours l'impression qu'elle aurait dû être plus présente. Surtout à l'époque où Mikael avait replongé dans l'alcool. Pendant ces années, Bella avait trouvé refuge auprès de ses grands-parents.

Malgré ses faiblesses, Ursula ne cessait d'admirer Mikael. Sa dépendance n'avait jamais eu de conséquences financières graves, ni remis en cause leur sécurité matérielle. Quand il allait vraiment mal, il se retirait comme un animal blessé. Il était le premier à être déçu quand il replongeait. Sa vie n'était qu'un long combat contre son propre échec.

Et c'était sûrement là que résidait la clé de l'énigme : Ursula l'aimait car il n'abandonnait jamais. Malgré toutes les déceptions, toutes les erreurs et les désillusions, il continuait de se battre. Plus fermement qu'elle, et plus fort. Pour elle. Pour Bella. Pour la famille. Et Ursula était loyale envers ceux qui se battaient pour elle. D'une loyauté inébranlable. Ce n'était absolument pas romantique, ni la relation parfaite dont rêvent les petites filles. Mais elle avait toujours placé la loyauté au-dessus de l'amour. On a toujours besoin de quelqu'un qui vous soutient. Et on s'accroche à ceux qui le font. Ils l'ont mérité. Et ce qui manque dans une relation, il faut le chercher ailleurs.

Torkel n'était pas son premier amant, même s'il était sans doute persuadé du contraire. Non, il y a en avait eu d'autres. Dès le début, elle avait complété Mikael par d'autres hommes. D'abord, elle avait essayé d'avoir mauvaise conscience, mais elle n'y était pas arrivée. Pourtant, Dieu sait qu'elle avait essayé. Ses aventures extraconjugales étaient la condition qui la faisait rester. Elle avait autant besoin de la complexité de ses sentiments pour Mikael que de la proximité physique sans engagement avec Torkel. Ursula avait l'impression d'être une pile qui avait besoin d'un pôle positif et d'un pôle négatif pour fonctionner. Sinon, elle se sentait vide.

Elle exigeait toutefois une chose de leur part à tous les deux : la loyauté.

Et sur ce plan, Torkel avait commis une grosse erreur. Pour elle, c'était une raison suffisante pour convoquer les deux pôles et provoquer un court-circuit. C'était une décision puérile, irréfléchie et prise sous le coup de l'émotion. Mais cela avait marché.

Et le dîner avait été agréable.

Elle avait quitté Mikael devant le restaurant et promis de le rejoindre à l'hôtel le plus rapidement possible tout en le prévenant que cela pourrait prendre du temps. Mikael avait dit qu'il avait apporté un livre, et qu'il serait donc occupé. Elle n'avait pas à s'en inquiéter.

*

Après sa rencontre avec Mikael, la soirée de Torkel continua sa spirale infernale. Billy l'appela en revenant de chez Groth, et lui annonça qu'ils n'avaient rien trouvé : pas de sang sur ses habits, pas de chaussures pleines de boue, aucun indice évoquant la présence de Roger dans la maison. Pas de pneus Pirelli sur la voiture, ni aucune trace de sang à l'intérieur. Pas de bidons remplis de produit inflammable, pas de vêtements sentant la fumée. Rien qui puisse le relier aux meurtres de Roger et Peter Westin. Rien, absolument rien.

Billy allait encore une fois analyser l'ordinateur du principal, mais Torkel ne devait pas trop compter là-dessus.

Torkel raccrocha et soupira. Assis à la table, il détailla le mur tapissé de documents sans que rien de nouveau ne lui vienne à l'esprit. Bien sûr, ils pouvaient garder Groth en garde à vue, mais Torkel ne voyait rien qui vînt appuyer leurs soupçons à son encontre. Aucun procureur au monde n'accepterait de lancer un mandat d'arrêt au regard de l'état actuel des preuves. Peu importait donc qu'ils le libèrent aujourd'hui ou demain. Il s'apprêtait à se lever quand Vanja le surprit en faisant irruption dans la pièce. Il ne s'attendait plus à la voir aujourd'hui. Elle lui avait dit avoir des affaires personnelles à régler.

– Bon sang, pourquoi est-ce que tu as engagé Sebastian ?

Ses yeux brillaient de rage. Torkel la regarda d'un air las.

– Je crois l'avoir suffisamment expliqué.

– C'était une décision idiote.

– Il s'est passé quelque chose ?

– Non, il ne s'est rien passé. Mais il doit partir. Il dérange.

Le téléphone de Torkel sonna. Il jeta un œil à l'écran : le commissaire divisionnaire. Torkel s'excusa et répondit. Lors de leur court échange, Torkel apprit que des reporters de l'*Expressen* avaient fait le lien entre Peter Westin et le lycée Palmlövska et donc Roger Eriksson. L'information était déjà sur le Net.

Le commissaire divisionnaire apprit que Torkel avait l'intention de relâcher Ragnar Groth et pourquoi.

Torkel fut informé que le commissaire divisionnaire n'était pas satisfait, l'affaire devait être résolue au plus vite. Il répondit qu'ils faisaient de leur mieux.

Et Torkel se vit répliquer qu'il était prié de donner une conférence de presse avant de clore sa journée de travail.

Le commissaire divisionnaire raccrocha, ce qui ne mit néanmoins pas fin à ses soucis : il le comprit en voyant le regard de Vanja.

– On relâche Groth ?

– Oui.

– Mais pourquoi ?

– Tu as entendu ce que je viens de dire au téléphone ?

– Oui.

– Bon alors ?

Vanja resta interdite durant quelques secondes comme pour digérer l'information. Elle parvint rapidement à une conclusion.

– Je déteste cette affaire. Je déteste cette putain de ville.

Elle tourna les talons et se dirigea vers la porte, l'ouvrit, puis s'arrêta sur le seuil et se retourna vers Torkel.

– Et je déteste Sebastian Bergman.

Vanja quitta la pièce et referma la porte derrière elle. Torkel la vit traverser à pas rapides l'open-space désert, puis disparaître. Las, il prit sa veste accrochée au dossier de la chaise. Sa décision d'engager Sebastian Bergman lui avait maintenant été suffisamment reprochée.

Une demi-heure plus tard, les papiers concernant la libération de Ragnar Groth étaient remplis. Il avait réitéré sa demande de discrétion et demandé à être ramené chez lui en voiture banalisée ou en taxi. Et à sortir par la porte de derrière. Il ne voulait pas devenir la proie des journalistes massés devant le bâtiment. Il fut impossible de trouver une voiture banalisée à cette heure-là : Torkel appela donc un taxi. En partant, Groth réaffirma son espoir de ne jamais avoir à revenir. Un espoir réciproque, du propre aveu de Torkel. Il resta immobile jusqu'à ce que les feux arrière du taxi aient disparu dans la nuit. Réfléchit quelques minutes pour se préparer à ce qui allait venir. Au discours à tenir aux journalistes sans mauvaise conscience.

Mais rien ne lui vint. Il allait être obligé de sortir et d'affronter leurs questions.

S'il y avait une chose que Torkel détestait dans son travail, c'était l'importance croissante des relations avec la presse. Bien sûr, il comprenait le besoin d'information du public, mais il doutait de plus en plus que ce fût la motivation première des journalistes. Aujourd'hui, il était plus question de gagner des lecteurs, et rien ne se vendait mieux que le sexe et la violence. On préférait donc distiller la peur plutôt que l'information, on préférait condamner plutôt que blanchir, et l'on décidait bien trop vite qu'il était de l'intérêt général de dévoiler l'identité du suspect. Avec nom et photo. Bien avant le procès.

Et la presse diffusait sans cesse ce message d'angoisse sous-jacent : tu n'es pas à l'abri. Cela peut arriver à n'importe qui. C'aurait pu être ton propre enfant.

C'était avec cela que Torkel avait le plus de mal à composer. La presse simplifiait des données complexes, se délectait des tragédies et faisait naître la terreur et la méfiance dans l'esprit des gens. Enferme-toi. Ne sors pas la nuit. Ne parle à personne en chemin. Ce qu'ils vendaient en réalité, c'était de la peur.

*

Quand Ursula revint à l'hôtel deux heures plus tard, elle était d'une humeur massacrante. Et cela n'allait pas s'améliorer. Quand elle était retournée à la villa de Groth après le dîner, Billy avait déjà pratiquement terminé. Ils s'étaient installés dans la cuisine où il l'avait informée des résultats de la fouille. Ce fut rapide : rien, absolument rien. Ursula avait soupiré. Au début, elle avait été tentée d'apprécier le goût pour l'ordre de Groth, mais maintenant qu'elle n'avait rien trouvé, elle se disait que cette maniaquerie était plutôt un handicap pour l'enquête.

Groth n'entreprendrait jamais rien d'irréfléchi ni de spontané. Jamais il n'oublierait de dissimuler une trace compromettante, ni ne laisserait d'indice important derrière lui. S'il avait quelque chose à cacher, il ferait en sorte que cela reste enfoui pour toujours.

Rien, absolument rien.

Ils n'avaient mis la main sur aucun film porno ; pas de photos compromettantes, pas de lettres d'amour, ni de liens suspects sur son ordinateur, rien qui confirmât une liaison avec Frank Clevén ou un autre homme, et les SMS envoyés à Roger ne l'avaient pas été de son portable. Ils n'avaient même pas trouvé de lettre de rappel pour une quelconque facture. Ragnar Groth était trop parfait pour être honnête.

Billy partageait la frustration d'Ursula et avait démonté l'ordinateur pour l'emmener au bureau et l'analyser une troisième fois, avec de meilleurs programmes.

Il n'y avait tout simplement rien de personnel chez Groth. Aucun indice sur un quelconque lien affectif ou amical. Aucune photo de lui ni d'aucun proche, parent ou ami, pas de courrier, pas de cartes de vœux ni d'invitations mises de côté. Le plus personnel qu'ils aient trouvé était ses diplômes : parfaits, évidemment. Billy et Ursula étaient toujours convaincus que la vie intime du principal – s'il en avait une – devait se trouver ailleurs.

Ils décidèrent que Billy prendrait la voiture pour faire son rapport à Torkel. Ursula resta pour vérifier une dernière fois l'étage. Elle voulait absolument s'assurer qu'elle n'avait rien laissé au hasard à cause de l'arrivée de Mikael. Elle ne trouva rien, absolument rien.

Elle rentra à l'hôtel en taxi et monta directement dans sa chambre. Mikael était assis devant la télé et regardait Eurosport. À la seconde où Ursula pénétra dans la pièce, elle remarqua que quelque chose n'allait pas. Mikael se leva un peu trop vite et lui sourit un peu trop chaleureusement. Sans un mot, Ursula s'approcha du minibar et l'ouvrit : vide, à part deux bouteilles d'eau minérale et une cannette de soda. Elle découvrit les petites bouteilles taboues dans la corbeille à papier. Il n'avait même pas essayé de les cacher. C'était trop peu pour le rendre ivre, mais pour lui, trop peu, c'était déjà trop. Beaucoup trop.

Ursula le regarda et bouillonnait. Mais d'un autre côté, qu'est-ce qu'elle s'était imaginé ? Il y avait une raison pour laquelle les pôles positif et négatif restaient chacun à un bout de la pile.

Et ne devaient jamais se rencontrer...

*

Haraldsson était soûl, et cela n'arrivait pas souvent. Normalement, il était plutôt mesuré dans sa consommation d'alcool, mais au grand étonnement de Jenny, il avait ouvert une bouteille de vin et l'avait vidée en l'espace de deux heures. Elle lui avait demandé ce qui s'était passé, mais il avait seulement vaguement marmonné quelque chose à propos de son travail. Qu'aurait-il pu dire d'autre ? Jenny ignorait tout de ses mensonges à Hanser. Tout comme son expédition nocturne devant l'immeuble d'Axel Johansson et ses suites. Elle ne savait rien et ne devait rien savoir.

Elle le prendrait pour un idiot, et elle aurait raison. Il était affalé sur le canapé et zappait au hasard. Sans le son, pour ne pas réveiller Jenny. Bien sûr, ils avaient fait l'amour. Mais il avait été ailleurs en le faisant. Et bien sûr, cela n'avait eu aucune importance. Elle dormait à présent.

Il avait besoin d'un plan. Hanser l'avait encore bien enfoncé, mais il allait se relever. Il allait leur montrer qu'on ne pouvait pas se débarrasser de Thomas Haraldsson aussi facilement. Quand il arriverait au bureau demain matin, il prendrait sa revanche et le leur montrerait. Montrerait à Hanser. Le leur montrerait à tous. La seule chose qui lui manquait, c'était un plan.

La probabilité pour qu'il soit celui qui mettrait la main sur le meurtrier de Roger Eriksson se réduisait de jour en jour. Pour l'instant, elle équivalait à celle de gagner au Loto. Sans avoir acheté de ticket. Hanser avait fait en sorte qu'il ne puisse plus se mêler de l'enquête. Mais Axel Johansson était toujours une possibilité. D'après les informations de Haraldsson, la Crim' avait appréhendé un autre suspect.

Le principal de l'école du gamin. Pour autant qu'il le sache, Johansson n'était pas mis hors de cause, mais il n'avait plus la priorité.

Haraldsson s'en voulait de ne pas avoir emmené chez lui les documents concernant Johansson. Il se maudit également de ne pas être sobre, sinon il aurait pu se rendre immédiatement au commissariat pour les récupérer. Prendre le taxi était cher et compliqué, et de plus, il ne voulait pas courir le risque qu'un collègue le voie ivre. Il devrait aller chercher le dossier le lendemain, quand il aurait un plan.

Haraldsson savait que la Crim' avait parlé à l'ex de Johansson. Il devait savoir ce qu'elle avait dit. Aller lui-même l'interroger ou l'appeler était hors de question. S'il le faisait et que cela revenait aux oreilles de Hanser, cela ne ferait qu'aggraver son cas. Hanser lui avait clairement signifié qu'elle le poursuivrait pour obstruction à l'enquête s'il s'avisait ne serait-ce qu'une seule fois de se mêler de l'affaire Eriksson. Une menace. Une manière de montrer son pouvoir et de lui retourner le cerveau. Pour une fois qu'il commettait une erreur, elle ne le loupait pas. Pauvre conne !

Haraldsson prit une profonde inspiration. Concentration. Il ne devait pas gaspiller son temps et son énergie à s'énerver à cause de Hanser. Il devait échafauder un plan. Un plan qui la mettrait au tapis et lui montrerait une bonne fois pour toutes qui était le meilleur flic.

Contacter l'ex-copine de Johansson était exclu, mais même si Haraldsson était définitivement écarté de l'enquête, d'autres pouvaient l'aider.

Haraldsson sortit son téléphone et chercha un numéro dans son répertoire. Bien qu'il fût presque minuit, l'autre décrocha dès la deuxième sonnerie.

Radjan Micic.

C'était l'avantage de travailler depuis longtemps quelque part, on se faisait des amis. Des amis à qui l'on pouvait de temps en temps demander un service, et vice versa.

Cela n'avait rien de condamnable ni d'illégal, juste un petit coup de main pour une tâche quotidienne. Écrire un rapport pour un collègue devant aller récupérer ses gosses chez la nourrice. Faire un petit détour le vendredi après-midi pour acheter une bouteille de vin au Systembolaget. Aider, remplacer. Des petits services qui facilitaient la

340

vie à tout le monde et qui faisaient que l'on pouvait s'attendre à être aidé en retour en cas de besoin.

Après que Hanser se fut engagée à retrouver Johansson, elle avait confié cette mission à Radjan. Il avait donc accès à toutes les informations concernant l'ex-concierge. La conversation ne dura que deux minutes. Radjan travaillait depuis presque aussi longtemps que Haraldsson à la police de Västerås. Il comprit immédiatement. Bien sûr qu'il allait l'aider et imprimer le rapport d'interrogatoire de l'ex-petite amie. Il serait sur son bureau le lendemain matin. On pouvait vraiment compter sur Radjan.

Quand Haraldsson posa le téléphone à côté de lui sur le canapé, il découvrit Jenny à moitié endormie dans l'encadrement de la porte.

– À qui tu téléphonais ?

– À Radjan.

– À cette heure-ci ?

– Oui.

Jenny prit place sur le canapé à côté de lui et étira les jambes.

– Qu'est-ce que tu fais ?

– Je regarde la télé.

– Et qu'est-ce que tu regardes ?

– Rien de spécial.

Jenny lui caressa les cheveux et posa sa tête sur son épaule.

– Il s'est passé quelque chose. Raconte.

Haraldsson ferma les yeux. La tête lui tournait un peu. Il aurait tellement aimé pouvoir raconter, parler du travail, de Hanser. Sérieusement, pas seulement en médisant et en tournant tout ça en ridicule. Il aurait vraiment aimé pouvoir lui dire à quel point il avait peur de voir sa vie lui glisser entre les doigts. Lui dire qu'il ne savait pas où il serait dans dix ans. Ni qui il était. Ce qu'il faisait. Qu'il s'inquiétait pour l'avenir. Qu'il avait peur de ne jamais avoir d'enfants. Est-ce que leur relation y résisterait ? Est-ce que Jenny le quitterait ? Il voulait lui dire qu'il l'aimait. Il le faisait beaucoup trop rarement. Il y avait tant de choses qu'il aurait aimé lui raconter, mais il ne savait pas trop comment.

Alors il se contenta de secouer la tête et se renversa dans le canapé en fermant les yeux, profitant de la main qui le massait.

– Allez, viens te coucher.

Jenny se pencha et l'embrassa sur la joue. Haraldsson sentit à quel point il était fatigué. Fatigué et alcoolisé.

Ils se couchèrent et se blottirent l'un contre l'autre. Jenny le serra fort dans ses bras. Il sentit sa respiration calme dans son cou. C'était une intimité comme il ne l'avait plus ressentie depuis longtemps. Le sexe, c'était devenu quotidien, mais l'intimité... Tandis que le sommeil le gagnait lentement, il réalisa à quel point elle lui avait manqué.

Juste avant de s'endormir, il lui vint une dernière pensée très claire. Les coupables prennent la fuite. Il y avait une conclusion à tirer de cela. Un schéma. Il était là, mais son cerveau embrumé par l'alcool ne pouvait pas le distinguer clairement. Thomas Haraldsson sombra dans un lourd sommeil sans rêves.

*

Peu après minuit, Torkel parvint enfin à conclure la conférence de presse. Il n'avait répondu à aucune question précise concernant le lien entre les deux meurtres. Il avait complètement ignoré la question d'un journaliste qui voulait savoir si un membre du personnel de l'école avait été interrogé. Toutefois, il espérait avoir donné l'impression que l'enquête avançait et que sa résolution n'était qu'une question de temps.

Il rentrait maintenant à pied à l'hôtel pour se dégourdir les jambes. Il espérait que la cuisine ne serait pas déjà fermée, car il avait une faim de loup et comptait emporter un plateau-repas dans sa chambre. Une fois arrivé, il constata qu'il n'était pas le seul à avoir eu une journée détestable. Mikael était assis au bar devant un verre. Mauvais signe. Torkel avait décidé de se faufiler derrière lui, ni vu ni connu, quand Mikael l'aperçut.

– Torkel !

Torkel s'arrêta et lui fit un signe de main réservé.

– Salut Mikael.

– Allez, viens boire un coup avec moi !

– Non merci, j'ai encore du travail.

Torkel tenta de l'expédier avec le sourire, faisant preuve d'une totale absence d'intérêt sans paraître impoli. En vain, car Mikael descendit de sa chaise de bar et s'approcha de lui en s'efforçant de marcher droit. Mon Dieu, il est vraiment bourré, pensa Torkel tandis que Mikael le rejoignait. Il s'approcha bien trop près, si bien que Torkel put sentir son haleine, un mélange de whisky et d'alcool plus doux. Mikael se tenait non seulement trop près de lui, mais il parlait aussi trop fort.

– Bon sang, j'ai fait une énorme connerie !

– Je vois ça.

– Tu ne peux pas aller lui parler ?

– Je ne crois pas que ça marcherait. Vous devriez régler ça entre vous...

– Mais elle t'aime bien. Elle t'écoutera...

– Mikael, je crois que tu devrais remonter et aller te coucher.

– On pourrait quand même prendre un verre, juste un.

Torkel secoua la tête tout en se creusant les méninges pour savoir comment se sortir d'une telle situation. Il se sentait déjà assez minable, et la seule pensée de mieux connaître cet homme l'angoissait. Tout d'un coup, il comprit à quel point les règles d'Ursula étaient importantes. Seulement au travail, jamais à la maison. Ceci était pire qu'à la maison. Mais c'était elle qui avait violé les règles. Elle avait fait venir son mari, qui lui demandait maintenant son soutien et cherchait une épaule sur laquelle pleurer.

– Merde, quelle énorme connerie ! Je l'aime, tu comprends, mais elle est tellement compliquée. Toi qui travailles avec elle, tu dois le savoir, non ?

Torkel décida d'agir. Il allait le reconduire jusqu'à la chambre d'Ursula. C'était la seule chose à faire. Il prit Mikael par le bras et l'emmena doucement mais fermement loin du bar.

– Viens, je te raccompagne en haut.

Mikael le suivit docilement. L'ascenseur était déjà au rez-de-chaussée, si bien qu'ils évitèrent de s'attarder sous les regards de la jeune réceptionniste. Torkel appuya sur le bouton du quatrième étage. Mikael allait-il s'étonner qu'il connût le numéro de chambre d'Ursula ? se demanda-t-il un instant, mais cette angoisse se dissipa immédiatement. Bien sûr que l'on connaissait le numéro de chambre de ses collègues. Mikael le dévisagea.

– Tu es vraiment sympa. Ursula ne dit que du bien de toi.

– Content de l'apprendre.

– C'était tellement bizarre quand elle m'a appelé. Tu sais, quand Ursula est au boulot, elle est au boulot. Elle a ses propres règles. Quand elle travaille, elle n'appelle pas. Ça a toujours été comme ça. Et ça ne m'a jamais posé de problème.

Mikael poussa un profond soupir. Torkel se tut.

– Et hier, elle m'appelle et me dit de venir. Le plus vite possible. Tu vois ?

C'était l'un des trajets d'ascenseur les plus longs que Torkel ait jamais faits. Ils n'étaient qu'au deuxième étage. Il aurait peut-être mieux valu laisser Mikael au bar et filer à l'anglaise.

– On a eu des moments difficiles, tu sais. Alors j'ai commencé à me dire qu'elle voulait peut-être m'annoncer que c'était fini. Qu'elle avait pris sa décision, tu vois. Pour quelle autre raison est-ce qu'elle m'aurait fait venir sinon ? Ça n'est jamais arrivé avant.

– Mikael, je ne sais pas. Il vaudrait mieux que tu parles de tout ça avec Ursula.

– Parce qu'elle est comme ça. Elle décide les choses en une seconde, et il faut que tout se passe immédiatement. À ton avis, qu'est-ce que j'aurais dû penser ?

– Je ne peux pas imaginer qu'elle envisage de se séparer de toi.

Enfin arrivés au quatrième. Torkel ouvrit précipitamment la porte vitrée et sortit. Mikael resta dans l'ascenseur.

– Peut-être que je me trompe, mais j'y ai pensé. Elle n'a rien dit. Elle a dîné avec moi, et puis elle m'a laissé tout seul dans la chambre. Je lui ai demandé pourquoi elle m'avait fait venir, mais elle a seulement dit qu'elle voulait me voir. Mais ce n'est pas vrai.

– Allez, viens.

Mikael eut du mal à sortir de l'ascenseur. Ensemble, ils longèrent le couloir.

– Alors, j'ai pris une bouteille dans le minibar. J'étais nerveux. J'étais sûr qu'elle voulait me quitter.

Torkel ne répondit pas. Qu'aurait-il dû dire ? Les phrases de Mikael se répétaient comme une boucle sans fin. Dès qu'ils furent arrivés devant la porte, Torkel toqua.

– Je ne crois pas qu'elle soit là. Elle est partie. Elle n'aime pas me voir dans cet état. Mais j'ai ma carte.

Mikael plongea la main dans sa poche et mit une éternité à en sortir une carte blanche qu'il tendit à Torkel. Quand Torkel jeta un regard d'une milliseconde à Mikael, il vit que celui-ci avait les larmes aux yeux.

– Pourquoi me ferait-elle venir sinon ?

– Je ne sais pas, je n'en sais rien du tout.

Il ouvrit la porte. La chambre avait une odeur particulière, un mélange de schnaps et d'Ursula. Une combinaison qu'il n'avait jamais vécue auparavant. Ils entrèrent, et Mikael se laissa tomber dans un fauteuil au coin de la pièce, penaud.

– Putain, j'ai fait une connerie.

Torkel observa le pauvre bougre dans le fauteuil et eut pitié de lui. Mikael était innocent, Ursula et lui étaient les coupables. Torkel aurait bien aimé s'en aller, mais il n'y parvint pas. Pendant un instant, il envisagea de tout lui raconter.

Lui révéler la raison pour laquelle Mikael s'était retrouvé seul et complètement soûl dans le fauteuil d'une chambre d'hôtel à Västerås.

Lui dire que c'était sa faute à lui, et que c'était lui qui avait mérité une punition, et non Mikael.

Soudain, Ursula apparut dans l'encadrement de la porte. Elle ne dit rien. Elle avait probablement le même sentiment que Torkel. Elle aurait aimé lui dire une foule de choses, mais ce n'était pas le bon moment : le silence était la seule solution.

Torkel lui fit un signe de tête et s'en alla.

*

Sans savoir que Torkel avait quitté le bâtiment depuis déjà plus d'une heure, Billy était assis, les pieds sur le bureau, dans la petite pièce où il avait pour ainsi dire habité ces derniers jours passés à scruter les bandes de vidéosurveillance. Il croquait un morceau de gâteau au chocolat pour faire remonter sa glycémie. Épuisé par cette longue journée, il ferma les yeux et resta un instant assis à écouter les bruits du bureau vide et sombre. Hormis les vibrations du climatiseur, on n'entendait que le nouveau logiciel de Stellar Phoenix Data Recovery se battre avec le disque dur de Ragnar Groth. Le programme cherchait des données effacées, et le bourdonnement courroucé du disque dur indiquait qu'il travaillait toujours.

Billy savait qu'il y avait quelque chose quelque part : il fallait seulement chercher au bon endroit. Billy s'étira. L'analyse du disque dur serait *a priori* terminée une vingtaine de minutes plus tard. Un laps de temps trop court pour commencer une nouvelle tâche, mais trop long pour rester assis. Il fit le tour de la pièce pour activer sa circulation sanguine et pensa pendant une seconde aller chercher une autre friandise au chocolat dans la machine du rez-de-chaussée. Mais il résista : sa consommation de sucre était déjà bien trop élevée. Son regard tomba sur une image fixe de la dernière séquence montrant Roger en vie. Le garçon avait le dos légèrement tourné et se dirigeait vers le motel. Du moins c'était ce qu'ils croyaient encore ce matin, mais Billy n'en était plus aussi sûr. Il prit le clavier et fit défiler les images lentement. L'une après l'autre. À cette vitesse, il vit les derniers pas de l'adolescent. La dernière chose à disparaître était son pied droit chaussé d'une basket. Puis l'image était vide, à part l'aile arrière d'une voiture derrière laquelle Roger avait disparu, à peine visible dans un coin de l'écran.

Billy eut une idée. Il était toujours parti du principe que Roger avait continué son chemin. C'est pourquoi il l'avait cherché sur d'autres enregistrements. Mais il se pouvait qu'il ait rencontré quelqu'un et qu'il ait fait demi-tour. Ce n'était pas impossible. Et c'était une meilleure idée que de continuer à attendre en ingurgitant des gâteaux. Il fit défiler les images en accéléré. Au bout de treize minutes, il vit que la voiture derrière laquelle Roger avait disparu démarrait pour laisser derrière elle une rue déserte. Il continua d'avancer, en vain : Roger ne réapparaissait pas.

Billy se renversa dans sa chaise et eut soudain une idée. Cette voiture ! Cette voiture qui démarrait treize minutes après que Roger l'avait dépassée, quand était-elle arrivée ? Pendant tout ce temps, il avait commis l'erreur de considérer cette voiture en stationnement comme un objet de décoration, mais quelqu'un avait démarré cette voiture treize minutes plus tard.

Maintenant que Billy reconsidérait les faits d'un regard neuf, il comprit que d'autres scénarios se dessinaient. La voiture ne stationnait peut-être pas simplement là, et elle n'était peut-être pas vide. Il était possible que celui qui s'était garé là six minutes avant l'arrivée de Roger soit resté assis à l'intérieur pendant tout ce temps. Billy ne distinguait qu'une partie de l'aile arrière droite et ne pouvait absolument pas voir si quelqu'un était monté ou descendu. Il revint en arrière et laissa les images de Roger défiler. Il essaya d'imaginer qu'il les voyait pour la première fois. Sans préjugés.

Roger apparaissait dans l'image par la droite, faisait quelques pas tout droit, puis traversait la rue. Billy arrêta l'image. Revint en arrière au ralenti. Là ! Roger tournait la tête vers la gauche. Comme si une chose avait attiré son attention. Puis il traversait la rue. Billy laissa défiler le film encore une fois. D'un point de vue objectif, on ne pouvait interpréter ces images que selon une hypothèse : Roger était passé derrière la voiture pour s'installer du côté passager.

Billy prit une profonde inspiration. Pas de conclusions hâtives. Il devait tout contrôler et se concentrer sur les images de la voiture. On aurait dit une Volvo. Bleu foncé ou noire. Pas un break, mais une berline. Pas un modèle récent, plutôt d'entre 2002 et 2006. Il allait devoir mener de plus amples recherches, mais c'était sans conteste une berline Volvo à quatre portes. Billy passa image après image et se concentra exclusivement sur la voiture. Cinquante-six secondes et six images après la disparition de Roger, Billy découvrit quelque chose qu'il n'avait pas vu auparavant : une brève secousse de la voiture comme si quelqu'un venait de claquer la portière passager. Ce n'était pas net, et peut-être se trompait-il. Mais on pouvait facilement le vérifier.

Billy importa la séquence dans un programme avec stabilisateur d'image. Il pouvait être sûr que la caméra fixe n'avait pas bougé et que les mouvements perçus provenaient exclusivement de l'image. Billy marqua rapidement quelques points de mouvement sur le bord de l'aile de la voiture juste au-dessus du pneu arrière. À la seconde 00.57.06, les points bougeaient assurément de quelques millimètres pour se stabiliser de nouveau au point de départ. Quelqu'un avait ouvert la portière et l'avait refermée avec énergie. Le changement de hauteur des points indiquait que la voiture était ensuite plus lourde. Quelqu'un y était monté. Sûrement Roger.

Billy regarda sa montre. Presque minuit et demi. Il n'était jamais trop tard pour appeler Torkel. Ce dernier se plaindrait plutôt du fait qu'il ne l'ait pas appelé. Il sortit son téléphone et appuya sur une touche de raccourci. En attendant que son chef décroche, il continua à observer l'image sur l'écran. Ce nouveau scénario expliquerait beaucoup de choses.

Roger n'apparaissait pas sur les autres caméras, car il n'avait pas continué son chemin. Il se trouvait dans une Volvo noire. Et faisait sûrement route vers la mort.

36

Lena Eriksson était assise sur la même chaise que Billy à peine sept heures auparavant, et jetait des regards étonnés autour d'elle. Beaucoup de personnes étaient rassemblées dans la pièce. Lena les avait déjà toutes vues au cours de l'enquête, sauf le jeune policier en train de s'affairer sur le clavier devant les deux grands écrans éteints.

La présence de tous ces policiers ne pouvait avoir qu'une seule signification : il s'était passé quelque chose d'important.

Elle l'avait senti quand ils avaient sonné à sa porte, et ce sentiment n'avait cessé de s'amplifier. Il était six heures quarante-cinq quand, après un long coup de sonnette, elle avait enfin pu s'extirper du lit et ouvrir la porte, encore à moitié endormie. La jeune femme qui était venue chez elle quelques jours auparavant s'était de nouveau présentée et avait d'une phrase brève nerveusement expliqué la raison de leur présence.

Ils avaient besoin de son aide.

Toutes ces circonstances – l'heure matinale, le ton sec de la jeune femme, la précipitation avec laquelle elle avait voulu emmener Lena – balayèrent en un instant les jours d'angoisse et d'insomnie. Lena sentit instantanément un immense stress parcourir tout son corps.

Elles foncèrent en silence à travers le matin gris et brumeux, et se garèrent dans le parking souterrain du commissariat. Puis elles montèrent quelques marches jusqu'à une lourde porte en métal. La jeune femme parcourut les longs couloirs d'un pas rapide. En chemin, elles croisèrent des policiers en uniforme dont le service était manifestement terminé. Ils riaient, et leur gaieté paraissait déplacée. Tout alla si vite que Lena eut du mal à appréhender la situation. Il en resta une série d'images isolées : les rires dans les couloirs qui tourbillonnaient, et la femme policier qui n'arrêtait pas de marcher. Après le dernier tournant, elles semblèrent enfin arrivées à destination. Quelques personnes les attendaient déjà, qui saluèrent Lena, mais celle-ci n'écoutait pas vraiment. Elle pensait surtout qu'elle ne réussirait jamais à retrouver la sortie toute seule. L'homme qui paraissait être le chef et avec qui elle avait parlé de Leo Lundin lui effleura l'épaule d'un geste aimable.

– Merci beaucoup d'être venue. Nous avons quelque chose à vous montrer.

Ils ouvrirent la porte de la petite pièce et la conduisirent à l'intérieur. Ce doit être comme ça, quand on est arrêté. Ils te saluent et te font entrer là-dedans. Ils te souhaitent la bienvenue, et puis ils t'accusent.

Elle prit une profonde inspiration. L'un des policiers tira une chaise et le plus jeune d'entre eux, un type assez grand, commença à tripoter le clavier posé devant lui.

– Il est essentiel que cette conversation reste entre nous, dit le plus âgé.

Le chef. Torsten, c'était bien son nom ? Lena accepta. Il reprit.

– Nous pensons que Roger a été emmené en voiture, et aimerions savoir si vous la reconnaissez.

– Est-ce qu'on la voit sur les images ?

– Malheureusement, pas grand-chose, pour être honnête presque pas. Vous êtes prête ?

Il appuya sur une touche et soudain, une rue asphaltée et vide apparut à l'écran. Une bande de gazon bordait la rue, et on apercevait dans un coin le reflet de quelque chose qui était probablement la lueur jaune d'un lampadaire.

– À quoi dois-je faire attention ? demanda Lena, déroutée.

– Là, dit le jeune homme en désignant le coin inférieur gauche de l'image.

L'aile arrière d'une voiture sombre. Comment était-elle censée reconnaître ça ?

– C'est une Volvo, continua le jeune. Un modèle datant d'entre 2002 et 2004. Une S60.

– Ça ne me dit rien.

Lena fixa l'image et vit la voiture mettre le clignotant et démarrer peu après.

– C'est tout ?

– Malheureusement, oui. Voulez-vous la voir encore une fois ?

Lena hocha la tête. Le jeune policier appuya sur des touches, et les images revinrent au début. Lena les fixa, tentant de toutes ses forces de distinguer quelque chose. Mais ce n'était qu'un bout de voiture en stationnement. Tendue, elle attendit qu'autre chose se passe, mais c'était toujours le même bout de rue, la même voiture. L'image s'arrêta, et Lena vit au regard interrogateur des policiers qu'ils attendaient qu'elle dise quelque chose. Elle les fixa.

– Non, je ne la connais pas.

Ils hochèrent la tête. Ils s'y étaient préparés.

– Connaissez-vous quelqu'un qui possède une Volvo foncée ?

– Peut-être. C'est un modèle assez courant, je suppose, mais je ne sais pas… Non, je ne vois pas.

– Avez-vous déjà vu Roger se faire déposer à la maison par une voiture comme celle-ci ?

– Non.

Silence.

Lena sentit la tension et l'espoir décliner chez les policiers : ils étaient déçus. Elle se tourna vers Vanja.

– D'où viennent ces images ?

– D'une caméra de surveillance.

– Mais où est-elle installée ?

– Nous ne pouvons malheureusement pas vous le dire.

Lena hocha la tête. Ils ne lui faisaient pas confiance. C'était pour ça qu'ils ne le lui disaient pas. Elle en eut la confirmation lorsque le chef reprit la parole.

– J'espère que vous comprenez que cela gênerait le travail des enquêteurs si quelque chose venait à être rendu public.

– Je ne dirai rien.

Lena se tourna à nouveau vers les écrans et l'image fixe de la rue.

– On voit Roger sur ces images ?

– Oui.

– Je peux le voir ?

Billy jeta un regard interrogateur à Torkel et obtint un hochement de tête en guise de réponse. Il appuya alors sur « Return » puis à nouveau sur « Play ». Au bout de quelques secondes, Roger apparut à l'écran par la droite. Lena se pencha. Elle n'osa même pas cligner des yeux de peur de rater quelque chose. Il était vivant. Il marchait. À pas rapides et légers. Il était en forme, il entretenait son corps et en était fier. À présent, il ne restait plus de lui qu'un cadavre déchiqueté dans un caisson en acier. Il tourna légèrement la tête, traversa la rue et disparut derrière une voiture, disparut de l'image, loin d'elle. Dans la pièce, tout le monde s'était tu. Le jeune policier s'approcha prudemment.

– Vous voulez le voir encore une fois ?

Lena secoua la tête et déglutit. Elle espérait que sa voix ne lui ferait pas faux bond.

– Non, ça va, merci.

Le chef s'approcha d'elle et lui posa une main sur l'épaule.

– Merci d'être venue. Nous allons immédiatement trouver une voiture pour vous raccompagner chez vous.

Sur ces mots, la réunion prit fin, et elle repartit à la suite de Vanja. Cette fois, elle n'était plus aussi pressée.

Lena avait changé d'état d'esprit. Son angoisse avait disparu pour faire place à la colère – elle avait eu une confirmation. Une S60, modèle 2002 à 2004. Elle savait qui conduisait une voiture comme celle-là.

Elles s'approchèrent d'un policier en uniforme assis à son bureau. Vanja lui dit quelque chose : le policier se leva et prit sa veste. Lena devina ce que la femme avait dit et intervint.

– Ce n'est pas nécessaire. Raccompagnez-moi seulement vers la sortie, j'ai quelque chose à régler en ville.

– Vous êtes sûre ? Il n'y a vraiment aucun problème.

– Certaine. Merci beaucoup.

Elle serra la main de Vanja. Le policier reposa sa veste et la mena dans le couloir jusqu'à la sortie.

Quelque chose à régler en ville, c'était un euphémisme. Elle avait une affaire à régler.

*

Vanja et les autres se réunirent dans la salle de conférences. Rien qu'à le regarder faire les cent pas les poings serrés, on voyait combien Torkel était frustré. Si elle n'avait pas été encore de si mauvaise humeur, elle aurait sûrement trouvé cela comique de le voir tourner ainsi autour de la table où étaient assis Sebastian et Billy. Vanja ouvrit la porte. Sebastian se tut à son arrivée. Elle évita son regard.

Sa colère n'était pas rationnelle. C'était Valdemar qui en avait trop dit. C'était lui qui avait gâché leur soirée en tête à tête en invitant Sebastian et en lui donnant l'occasion de triompher, lui accordant plus d'importance qu'il n'en avait en réalité. Elle avait le sentiment que Sebastian comptait tirer un maximum de profit de ces informations.

Non, elle en était même sûre et détestait cette idée.

Elle se posta à côté de la porte et croisa les bras. Torkel la regarda de ses yeux fatigués. Bordel, ils étaient tous épuisés et sur les nerfs. Tout n'était peut-être pas à imputer à l'effet Sebastian. C'était une affaire incroyablement compliquée.

Torkel fit comprendre à Sebastian par un hochement de tête qu'il devait continuer.

– Je viens de dire que s'il s'est garé aussi loin parce qu'il savait qu'il y avait une caméra de surveillance, il n'est pas seulement extrêmement rusé et calculateur, mais il joue avec nous. On peut donc s'attendre à ce que cela ne nous avance à rien de retrouver la voiture.

Vanja approuva malgré elle.

– Mais ce n'est pas sûr, répondit Billy. Qu'il ait su qu'il y avait une caméra, je veux dire. Elle ne couvre qu'une partie de la rue qui est un cul-de-sac. Il peut avoir tourné ici... Il se leva, s'approcha de la carte accrochée au mur et pointa son stylo pour montrer le trajet probable avant de terminer sa phrase : ... et fait demi-tour au lieu de tourner.

Torkel interrompit sa marche dans la pièce, et son regard s'arrêta sur Billy et la carte.

– Supposons qu'il ignorait la présence de la caméra... nous saurions de qui il s'agit s'il avait reculé d'à peine deux mètres ?

– Oui.

Torkel n'en croyait pas ses oreilles. Deux mètres ! N'étaient-ils qu'à deux mètres de pouvoir résoudre cette satanée affaire ?

– Pourquoi est-ce qu'on a tout le temps la poisse dans cette enquête ?

Billy haussa les épaules. Il s'était habitué à la mauvaise humeur de Torkel ces derniers jours. S'il s'était agi de quelque chose qu'il avait mal fait ou pas vu, sa réaction aurait été différente, mais ici, il ne s'agissait pas de lui, il en était convaincu.

Il était plus probable que la mauvaise humeur de Torkel eût un rapport avec Ursula. Celle-ci pénétra juste à ce moment-là dans la pièce avec une tasse de café et un sac du kiosque dans les mains.

– Comment va Mikael ?

Est-ce que Billy se faisait des idées, ou est-ce que sa voix était devenue plus douce ? Compatissante ?

– Il est rentré.

Billy jeta un regard étonné à Ursula. Loin de lui l'idée de s'en mêler, mais c'était tout de même intéressant.

– Il n'est pas arrivé hier ?

– Si.

– Alors, c'était une visite éclair ?

– Oui.

Torkel comprit au ton d'Ursula que ce seraient les seuls mots qu'elle lâcherait sur la visite de Mikael, à moins qu'elle n'abordât elle-même le sujet plus tard, ce qui était peu probable. Elle sortit un sandwich au fromage et un yaourt à boire de son sac et regarda autour d'elle.

– Qu'est-ce que j'ai raté ?

– Je te ferai un topo tout à l'heure. On reprend là où on s'est arrêté. Torkel fit un signe à Billy, puis retourna à sa place et à ses papiers.

– La prochaine nouvelle ne te rendra pas plus heureux. J'ai parcouru le registre des immatriculations : à Västerås, il y a deux cent seize Volvo noires, bleu foncé ou gris anthracite de ce type. Si l'on prend en compte les communes voisines d'Enköping, Sala et Eskilstuna et quelques autres, on arrive à près de cinq cents.

Torkel ne parvint pas à formuler de réponse, mais serra encore un peu plus les poings. Au lieu de cela, ce fut Sebastian qui s'adressa à Billy :

– Combien d'entre elles ont un lien avec Palmlövska ? Si l'on compare le registre avec la liste des parents et des employés ?

Billy dévisagea Sebastian.

– C'est impossible, il faut le faire manuellement. Et si on le fait, ça nous prendra beaucoup de temps.

– Alors, je suggère de commencer par là. Jusqu'ici, toutes les pistes ont mené à cette maudite école.

Billy trouvait que cette proposition tenait la route. Mais il ne fallait pas être expert comportementaliste pour comprendre que l'irritation générale au sein du groupe était liée à la présence de Sebastian. C'est pourquoi Billy se garda d'exprimer son avis sur la question avant Torkel. Mais ce dernier hocha également la tête.

– Bonne idée. Mais je veux qu'on revérifie toutes les images. Il faut retrouver cette putain de voiture !

En entendant cela, Billy soupira bruyamment.

– Je ne pourrai pas m'en charger seul.

– Pas de problème. Je vais parler à Hanser. En attendant, Sebastian t'aidera. Il peut bien faire un peu de vrai travail de police pour une fois.

Pendant une seconde, Sebastian envisagea de dire à Torkel d'aller se faire voir. Comparer des fichiers et faire défiler des vidéos était la dernière chose qu'il avait envie de faire. Mais avant que les mots aient franchi ses lèvres, il se raisonna. Maintenant qu'il avait tenu jusque-là, c'était hors de question. Pas avant que l'affaire soit résolue, ni avant qu'il ait obtenu son adresse. Se faire un ennemi de la seule personne susceptible de l'aider dans sa recherche d'Anna Eriksson eût été bête. La seule vraie raison pour laquelle il se trouvait là. Il adressa un regard inhabituellement bienveillant à Billy.

– Bien sûr, Billy. Dis-moi ce que je dois faire, et je m'en occupe.

– Tu t'y connais en informatique ?

Sebastian haussa les épaules. Torkel se remit à faire les cent pas dans la pièce. Il avait essayé de provoquer une joute verbale avec son vieil ami, d'une part pour se débarrasser de sa colère, et d'autre part pour montrer à Ursula qu'il ne rendait pas les choses si faciles à Sebastian. Mais même cela, il n'y arrivait pas.

– Alors, allons-y.

Furieux, Torkel s'éclipsa.

*

Lena n'était pas rentrée directement chez elle. La résolution qu'elle avait prise au commissariat s'était un peu effilochée à l'air frais. Que se passerait-il si elle s'était trompée ? Si c'était la mauvaise voiture ? Et pire encore, si elle avait raison ? Que devait-elle faire ?

Elle fit un détour par le nouveau centre commercial inauguré l'automne précédent. Sa construction avait duré plusieurs années et entre-temps, la plupart des habitants de Västerås avaient cru ne jamais le voir fini. Lena erra sans but sur le carrelage brillant et admira les grandes vitrines éclairées. Il était tôt, les magasins n'étaient pas encore ouverts, et elle était presque seule dans ce monument de Västerås. Dans les vitrines, on présentait déjà la nouvelle collection d'été. En tout cas, c'était ce que les panneaux publicitaires vantaient, mais Lena ne put constater de différence avec celle de l'année passée. De toute façon, rien de ce qui se trouvait dans ces vitrines ne ressemblerait sur elle à ce que portaient des mannequins maigres comme des clous.

En plus, elle avait d'autres problèmes à gérer. La petite voix qu'elle avait plus ou moins réussi à ignorer ces derniers jours était revenue. Plus forte que jamais.

C'est toi !
Tu le sais maintenant !
Tout est de ta faute !

Elle devait savoir si la petite voix avait raison, même s'il était horriblement douloureux et pénible d'envisager cette terrible hypothèse. Mais elle y était obligée, surtout maintenant que cela ne paraissait faire aucun doute. La voiture sur l'écran l'avait confirmé.

Au milieu de la galerie marchande, une jeune femme disposait des petits pains dans l'immense présentoir en verre du café. Une douce odeur de sucre, de vanille et de cannelle réveilla ses souvenirs d'une autre vie, loin de toutes ces pensées qui la torturaient. Lena ressentit le besoin de retrouver cette vie, même un court instant. Elle pouvait convaincre la jeune fille de lui vendre une petite viennoiserie, même si le café était encore fermé. Elle choisit un énorme roulé à la vanille recouvert d'une énorme quantité de sucre. La jeune fille plaça la viennoiserie dans une poche en papier et la lui tendit. Lena la remercia et fit quelques pas en direction de la sortie avant de déballer le gâteau. Il était encore mou et chaud. Elle prit goulûment une grosse bouchée et pendant un instant, son ancienne vie fut de retour. Quand le goût se déploya et qu'elle sentit que c'était beaucoup trop sucré, elle eut la nausée.

Comment pouvait-elle être ici ? Lèche-vitrine et pause-café ? Des images de Roger lui revinrent en mémoire : son premier rire, ses premiers pas, ses années d'école, ses anniversaires, ses parties de foot. Ses derniers mots.

– Je me tire…

Ses derniers pas derrière la voiture.

Lena jeta le roulé à la vanille à la poubelle et se mit en route. Elle avait déjà perdu trop de temps à éviter de regarder la vérité en face.

Portait-elle la responsabilité de ce terrible crime ? Ou pire que ça, était-elle coupable ? C'était ce que la voix ne cessait de répéter.

Lena courut à travers la ville. Son corps n'était pas habitué à ce tempo. Ses poumons travaillaient dur, et sa poitrine était comprimée. Mais elle ne ralentit pas. Décidée, elle se dirigea vers le lieu qu'elle détestait le plus au monde.

Le lieu qui avait signifié le début de la fin pour elle et pour Roger.

Le lieu qui était responsable de son sentiment d'être si complètement inutile.

Le lycée Palmlövska.

Derrière l'école, Lena trouva ce qu'elle cherchait. D'abord, elle avait longé le grand parking de devant, en vain. Puis, frustrée, elle avait fait le tour de l'école et avait fini par la trouver sur un parking plus petit, juste à côté de l'entrée de la cafétéria.

Elle était là, la Volvo bleue. Exactement comme elle l'avait craint.

La nausée et les larmes réapparurent, ainsi que les idées. Son Roger était monté dans cette voiture. Ce vendredi encore si récent et qui semblait cependant remonter à une éternité. Restait une chose à vérifier. Lena s'approcha de l'aile gauche et s'accroupit. Elle ne savait pas si les policiers l'avaient remarqué, en tout cas elle n'avait rien dit à ce sujet, mais quand la voiture avait mis son clignotant, on pouvait facilement voir que le feu arrière droit était rafistolé au scotch.

Lena l'avait vu. Roger avait rapporté une lettre de l'école quelques semaines auparavant. Une déclaration sèche et accusatrice disant que les feux arrière de la voiture avaient été vandalisés et provisoirement réparés, mais que l'on attendait que les responsables se fassent connaître et assument leurs responsabilités. Elle ne savait pas comment cela s'était terminé. Elle passa son doigt sur la large bande de scotch. Comme si elle espérait que le temps restât suspendu et qu'il n'arrivât plus jamais rien. Jamais.

Mais ce ne serait pas le cas. Ce n'était que le début, elle le savait. Elle se leva, fit quelques pas autour de la voiture, et toucha avec précaution le métal froid. Peut-être qu'il l'avait touchée là, ou bien là.

Elle continua de tâtonner en essayant d'imaginer où il avait pu poser ses mains. Sur l'une des portières, c'était sûr.

Certainement celle de l'avant. Elle la palpa, froide, fermée. Lena se pencha et jeta un coup d'œil à l'intérieur. Des housses unies sombres. Rien par terre. Quelques pièces dans un petit compartiment entre les deux sièges. Sinon rien.

Lena se redressa et remarqua, à son grand étonnement, que son angoisse s'était comme envolée. Le pire était déjà arrivé. Sa culpabilité était confirmée.

Le doute, balayé.

À présent, elle ne sentait plus qu'un immense vide. Le froid se répandit dans tout son corps. Comme si, enfin, elle ne faisait plus qu'un avec cette voix intérieure glacée.

C'était sa faute. Rien dans son corps ne résistait plus à ce constat – plus la moindre chaleur.

Une partie d'elle-même était morte en même temps que Roger.

L'autre mourait maintenant.

Elle sortit son portable et composa un numéro. Au bout de quelques sonneries, une voix d'homme répondit. Elle entendit sa propre voix, aussi glacée que son corps.

– J'étais à la police aujourd'hui, et j'ai vu quelque chose. Votre voiture. Je sais que c'est vous.

37

Cia Edlund avait sa chienne depuis peu. En fait, elle n'avait jamais été une amie des bêtes. Mais pour son anniversaire, il y avait de cela deux ans, Adolfo était arrivé avec ce magnifique chiot au pelage bouclé. Une femelle, un croisement entre un cocker et un épagneul. Une vraie *lady*, avait annoncé Adolfo avec un grand sourire et les yeux brillants. Cia n'aurait jamais pu refuser, surtout parce qu'Adolfo avait immédiatement promis de l'aider en voyant ses hésitations.

– Ce n'est pas seulement ta chienne. On va s'en occuper ensemble, je te le promets. Ce sera notre petit bébé...

Mais il en fut tout autrement. Six mois plus tard, quand l'éclat dans les yeux d'Adolfo avait disparu et que ses visites s'étaient espacées, elle avait su qu'elle seule aurait la responsabilité de l'animal. Bien que la chienne portât le prénom de la grand-mère d'Adolfo, Lucia Almira, une dame chilienne que Cia n'avait jamais rencontrée. Ils avaient toujours prévu de rendre visite à la grand-mère dès qu'ils en auraient les moyens.

Mais cela non plus n'arriva pas. Cia partageait donc désormais son lit avec une créature qui portait le nom d'une grand-mère chilienne qu'elle ne rencontrerait jamais.

Bientôt, l'organisation posa problème. Cia était infirmière, travaillait beaucoup et avait des horaires irréguliers. Promener le chien fut bientôt une torture. Cela se réduisait le plus souvent à un petit tour de pâté de maisons. Selon son emploi du temps, Cia y arrivait parfois seulement au milieu de la nuit et l'après-midi suivant. Mais aujourd'hui, elle avait une journée de libre et voulait faire une longue promenade qui lui ferait autant de bien qu'à Almira. Elles prirent le sentier qui longeait le terrain de foot et qui menait jusque dans la forêt et ses chemins de promenade éclairés.

Quand elles eurent atteint le terrain de foot, Cia lâcha la chienne qui courut vers la forêt d'épineux en aboyant de joie. De temps à autre, elle apercevait la petite queue dépasser des buissons touffus. Cia sourit. Pour une fois, elle avait la sensation d'être un bon maître.

Almira revint à toute allure. Elle ne restait jamais bien longtemps toute seule, et voulait toujours savoir exactement où se trouvait sa maîtresse. Après s'en être assurée d'un coup d'œil, Almira repartit en courant et revint quelques minutes plus tard. Quand Cia vit la chienne ressortir des buissons, elle fronça les sourcils et se figea. Cela ressemblait à du sang, mais l'animal était toujours d'excellente humeur, ce ne pouvait donc pas être le sien. Cia évita les tentatives d'approche excitées de sa chienne et la remit en laisse.

– Qu'est-ce que tu as trouvé ? Montre-moi !

*

Après quinze minutes à peine, Sebastian se lassa de fixer un écran et de chercher des Volvo de couleur sombre. L'entreprise lui paraissait totalement inutile. Billy avait tenté de lui expliquer comment procéder. Comme on savait quand la voiture avait démarré, on pouvait à peu près calculer bla-bla-bla dans quelle direction bla-bla-bla. Sebastian avait décroché. Il louchait à présent vers Billy, assis à quelques mètres de lui avec une liste d'adresses récoltée au secrétariat du lycée Palmlövska. Son collègue n'avait aucunement l'air de s'ennuyer, bien au contraire : il paraissait concentré et déterminé. Il jeta un regard à Sebastian, immobile devant son écran.

– Quelque chose ne marche pas ?

– Non, non, tout va pour le mieux. Et chez toi ?

Billy lui sourit.

– Je viens de commencer. Ne t'arrête pas ! Crois-moi, il y a beaucoup de caméras.

Billy se replongea dans ses listes. Sebastian se tourna vers l'écran et soupira. Cette situation lui rappelait une période de sa vie trente ans en arrière, quand il était l'assistant du professeur Erlander et que ce dernier lui avait demandé d'éplucher des milliers de questionnaires. À l'époque, il avait payé quelques étudiants pour faire son travail et était allé au bistrot pendant ce temps. Cette fois, il ne pouvait pas s'en tirer aussi facilement.

– Tu as réussi à trouver quelque chose sur le nom que je t'ai donné, Anna Eriksson ?

– Malheureusement, non. Comme tu le sais, il y a eu beaucoup d'autres choses à faire depuis, mais je vais m'en occuper.

– Ce n'est pas pressé, c'était juste par curiosité.

Sebastian remarqua qu'il lui adressait un regard encourageant. Il pouvait tout aussi bien jouer le jeu, le moment n'était pas encore venu de montrer son vrai visage. Sebastian cliqua sur la touche F5 exactement comme Billy le lui avait montré, et continua d'observer les rues pâles et monotones de Västerås en bayant aux corneilles. Un appel le sauva de cet ennui mortel.

*

Ils arrivèrent sur le terrain de football dans deux voitures : Vanja et Ursula dans l'une, Torkel et Sebastian dans l'autre. Torkel se sentait retomber en enfance, à jouer « les filles contre les garçons ». Il n'avait pas montré la moindre familiarité quand il avait informé Ursula des résultats de l'heure précédente, mais elle l'avait ignoré en descendant dans le garage souterrain et s'était dirigée sans un mot vers sa propre voiture.

Deux véhicules de police étaient déjà sur place. Un policier en uniforme les accueillit, apparemment soulagé de leur arrivée.

– On a trouvé du sang. Beaucoup de sang.

– Qui a fait la découverte ?

– Une femme du nom de Cia Edlund qui promenait son chien. Elle attend là-bas.

Ils traversèrent le terrain de foot et suivirent leur collègue dans la forêt. À quelques pas s'étendait un plan incliné derrière lequel on était invisible aux yeux des gens se tenant sur le terrain, remarqua Vanja.

Le chemin tournait à gauche et débouchait sur une petite clairière. Là, deux personnes les attendaient ; un policier qui installait un périmètre de sécurité et une femme d'environ vingt-cinq ans avec son chien.

– C'est la jeune femme qui a fait la découverte. On ne lui a posé pratiquement aucune question, comme vous nous l'aviez demandé.

Le policier désigna un endroit situé à quelques pas.

– Vous pouvez le voir d'ici.

Ursula s'immobilisa et fit signe aux autres de rester là où ils se trouvaient. Elle vit devant elle l'herbe jaune et aplatie de l'année précédente sous laquelle pointaient des touffes plus courtes d'herbe nouvelle, verte, comme des touches de vert dans un océan jaune pâle entrecoupé de taches de couleur rouille. Au centre des petites taches se trouvait une grosse flaque de ce qui ressemblait à du sang.

– On dirait une boucherie, laissa échapper le policier qui avait fixé le ruban de sécurité.

– Oui, ça l'a d'ailleurs sûrement été, répondit froidement Ursula en s'accroupissant devant la flaque.

La plus grande partie du sang avait séché, mais quelques renfoncements dans le sol, ressemblant à des traces de pas, étaient remplis d'une substance encore rouge et gélatineuse. Était-ce le fruit de son imagination, ou l'air était-il chargé d'une odeur de fer ?

– J'aimerais en faire une analyse rapide afin d'éviter de perdre notre temps pour un simple chevreuil. Cela ne prendra que quelques minutes.

Elle ouvrit sa sacoche blanche et s'attela à la tâche. Torkel et Sebastian s'approchèrent de la propriétaire du chien. La femme leur accorda un regard fatigué, comme si elle attendait depuis une éternité de pouvoir raconter son histoire.

– C'est Almira qui l'a trouvé. Je crois qu'elle en a bu un peu.

*

Quand Lena pénétra dans son appartement et referma la porte derrière elle, la tension la rattrapa. N'ayant plus la force de faire un pas de plus, elle s'effondra sur le plancher du couloir. Dehors, parmi les gens, il était plus facile de faire bonne figure. On pouvait s'efforcer de regarder ailleurs et de marcher droit. De jouer un rôle. À la maison, c'était plus dur, presque impossible. Assise par terre au milieu des paires de chaussures et des sacs en plastique. Son regard tomba sur une vieille photo de Roger, qu'elle avait accrochée là il y avait une éternité. Elle était dans le premier courrier qu'elle avait reçu de l'école, en classe de CP. Sur cette photo, Roger portait un polo bleu et souriait à l'objectif, découvrant ainsi ses incisives manquantes. Il y avait longtemps qu'elle n'avait plus regardé cette photo. Elle l'avait accrochée au mur quand ils avaient emménagé dans cet appartement, mais un peu trop près du portemanteau, si bien que la photo était souvent cachée derrière les vestes et les vêtements d'hiver. Quand Roger fut plus âgé, ses vestes devinrent de plus en plus grandes et pendant longtemps, elle n'avait plus pensé à cette photo. C'était un sentiment étrange de la redécouvrir, cachée et oubliée durant de longues années entre des vêtements. Maintenant, il n'y aurait jamais plus de nouvelle veste pour la dissimuler. Il resterait là à lui sourire le restant de ses jours. Sans rien dire, sans vieillir. Avec un regard plein de vie.

On sonna à la porte. Lena ne s'en soucia pas. Cet instant était plus important.

Mais elle avait oublié de fermer la porte à clé, ce qu'elle remarqua seulement quand quelqu'un ouvrit la porte. Elle le regarda : le plus étrange dans cette situation n'était pas qu'il se retrouvait soudain devant elle dans l'appartement. Non, ce qui lui donna des frissons dans le dos, c'était que ses yeux, qui venaient de se poser sur le visage souriant de son fils, regardaient à présent le meurtrier du garçon.

*

Haraldsson était en retard. Cela ne lui ressemblait pas. Il imputa la situation au vin et à Jenny. Le vin l'avait fait dormir profondément et rêver moins que d'habitude. Il avait mis le réveil, mais l'avait éteint dans un demi-sommeil dès la première sonnerie. Il ne se rappelait même plus l'avoir entendu sonner. Il s'était donc levé peu après neuf heures et demie. Il avait d'abord voulu sauter dans ses vêtements et foncer au travail, mais la matinée avait continué au ralenti et lorsqu'il eut enfin pris sa douche, son petit-déjeuner et qu'il eut mis ses vêtements, une heure s'était écoulée. Il avait décidé de courir jusqu'au commissariat, et arriva sur place à onze heures précises.

Radjan avait rendu le service demandé. Lorsqu'il s'assit à son bureau, sa tasse de café à la main, un seul dossier s'y trouvait. Il l'ouvrit avec impatience et en sortit trois feuilles. Il se renversa dans son fauteuil, sa tasse de café dans une main, et les feuilles dans l'autre. Concentré, il commença à lire.

Au bout de quarante-cinq minutes, il avait achevé de parcourir l'interrogatoire de Linda Beckman pour la troisième fois. Il mit le dossier de côté, et tapa le nom d'Axel Johansson dans son ordinateur. Il en sortit une liste assez considérable. Le bon Johansson avait souvent déménagé et avait apparemment eu affaire à la police dans chaque ville où il était passé. Haraldsson cliqua sur tous les rapports archivés. Umeå, Sollefteå, Gävle, Helsingborg et d'autres petits délits à Västerås : troubles à l'ordre public, vol, harcèlement sexuel… Haraldsson tressaillit. Il y avait eu aussi une plainte pour harcèlement sexuel à Sollefteå. Axel n'avait jamais été condamné, car les poursuites avaient été abandonnées faute de preuves. Haraldsson consulta les rapports plus anciens. Axel Johansson avait également été interrogé en tant que témoin dans une affaire de viol à Umeå onze ans plus tôt, car il avait été invité à une fête lors de laquelle une jeune fille sortie fumer dans le jardin avait été brutalement violée. Tous les convives avaient été interrogés, mais personne n'avait été arrêté. Le viol n'avait jamais été élucidé.

L'idée qui lui avait traversé l'esprit la veille s'imposa de nouveau à lui : seuls les coupables s'enfuient.

Il se renversa dans son siège et laissa cette idée s'imprégner un moment. Puis il reprit le dossier que Radjan avait photocopié pour lui. Une brève remarque lui avait mis la puce à l'oreille : Axel Johansson aimait dominer pendant l'acte sexuel. Seuls les coupables s'enfuient. Mais vu la vitesse avec laquelle Haraldsson se rapprochait du banc de touche, il pouvait bien prendre un petit risque de plus. Il se redressa à nouveau et pianota sur son clavier. D'abord, il vérifia les dates auxquelles Axel Johansson avait habité à Umeå, puis il chercha les crimes non élucidés à la même période. Il y en avait beaucoup. Il exclut ensuite tous les crimes non sexuels. Il y en avait toujours beaucoup, mais un peu moins. Haraldsson restreignit encore sa recherche. D'abord, seulement les viols. Encore un nombre effrayant. Puis les viols dont les victimes étaient tombées dans un guet-apens. Beaucoup moins. Normalement, il s'agissait d'un crime rarissime, car dans la plupart des affaires de viol, les victimes connaissaient leur agresseur, ne fût-ce que depuis quelques heures. Pendant la période où Johansson avait habité Umeå, cinq viols de ce type avaient été commis. Dont trois qui suivaient le même schéma.

Des femmes seules dans des lieux isolés. Isolés, mais pas complètement déserts, car il y avait des gens dans les parages. Les femmes se croyaient manifestement en sécurité en sachant que des gens habitaient alentour. Elles osaient aller au bout du jardin pour fumer une cigarette, car elles percevaient toujours le bruit de la fête. Elles prenaient un raccourci par le parc, car elles entendaient la conversation à l'arrêt de bus derrière les buissons. Mais cette prétendue sécurité n'était qu'une illusion. Lors des trois agressions identiques, l'homme s'était approché par derrière et avait plaqué la femme au sol. Puis il avait pressé son visage par terre pour l'empêcher de crier et l'avait pénétrée. Le criminel, un homme de stature robuste, était à chaque fois allé au bout de l'acte. Puis il avait disparu sans se faire prendre. Il s'était sûrement mêlé à la foule toute proche, ou était retourné se promener dans la rue comme si de rien n'était.

Les femmes ne l'avaient pas vu. Il n'y avait pas de description ni de témoins.

Haraldsson réitéra la procédure, cette fois pour Sollefteå. Il chercha d'abord à quelles dates Axel Johansson y avait habité, puis la liste des crimes sexuels non élucidés. Il y avait deux plaintes pour viol, pratiquement identiques à celles d'Umeå. Des lieux à l'écart, mais pas complètement isolés. L'attaque par derrière. La tête pressée au sol. Pas de description, pas de témoins. Haraldsson s'adossa et prit une profonde inspiration. Tout cela était gros, il le sentait. Il aurait doublement, voire triplement, sa revanche. Axel Johansson était un violeur en série peut-être encore plus dangereux que le fameux Hagamann, un criminel sexuel tristement célèbre pour avoir semé la panique à Umeå quelques années auparavant.

Et Haraldsson avait démasqué Johansson. Il entendait déjà l'hommage prononcé par le commissaire divisionnaire à son intention.

Pardon à Roger Eriksson et à ce psychologue, mais c'était une grosse affaire. Une affaire sur laquelle on pouvait bâtir une carrière même après être tombé au plus bas. Les mains tremblantes, Haraldsson poursuivit ses recherches. Gävle. Une plainte pour viol y avait été déposée durant la période relativement courte où Johansson y avait habité. Même mode opératoire.

Rien durant les années qu'Axel avait passées à Helsingborg.

Haraldsson marqua une pause. C'était comme s'il était parti faire un jogging, avait atteint une vitesse hallucinante, puis opéré un freinage brutal. Il sentit la déception l'envahir. Bien sûr, il aurait dû se réjouir qu'aucune autre femme n'ait eu à subir de viol aussi terrible, mais sa théorie était anéantie alors qu'il était pourtant si près du but. Haraldsson vérifia encore une fois les données, et obtint le même résultat désespérant. Axel Johansson avait vécu plus de deux ans à Helsingborg, mais aucun des viols signalés durant cette période ne correspondait aux schémas précédents. Haraldsson se renversa contre le dossier de sa chaise et vida sa tasse. Le café était froid à présent. Il ruminait. Cela ne voulait pas forcément dire quelque chose. Peut-être que ces délits n'avaient tout simplement pas été signalés. Tous les crimes sexuels ne faisaient pas automatiquement l'objet d'une plainte, bien au contraire. La plupart des viols commis par des inconnus sûrement, mais ce n'était pas certain.

En fait, il n'avait pas besoin de Helsingborg. Dans presque toutes les autres affaires, des prélèvements ADN avaient été effectués. Mais c'était tout de même agaçant. Il manquait une pièce au puzzle. Comme une page de coloriage avec les nombres où un ou deux chiffres avaient été oubliés. On pouvait voir ce que représentait l'image, mais on ne pouvait pas s'empêcher de regarder les chiffres oubliés et d'être énervé. De plus, Haraldsson était sûr qu'Axel Johansson ne s'était pas arrêté. Pas pendant plus de deux ans. Pas après avoir commencé et être resté libre si longtemps.

Haraldsson se leva et se rendit dans la salle de pause pour remplir sa tasse de café. Il se sentait encore un peu mou et endormi en arrivant au commissariat, sûrement la gueule de bois, mais ce sentiment avait très vite fait place à un picotement d'excitation. Il devait résoudre le mystère Helsingborg.

De retour à son bureau, il passa en revue les archives de Västerås. Il savait quoi chercher. Et il trouva effectivement deux viols qui correspondaient au mode opératoire d'Axel Johansson.

Il ne restait plus que Helsingborg. Il avait maintenant une image et savait ce qu'elle représentait, il ne restait plus qu'à trouver la couleur des derniers chiffres. Jenny et lui avaient séjourné à Helsingborg une fois, à la fin des années 1990, avant la construction du pont d'Oresund. Des vacances en Scanie avec une excursion au Danemark grâce aux ferries qui assuraient encore l'aller-retour. Aussi loin que Haraldsson se souvînt, le trajet ne prenait que dix minutes. Dix minutes, pour gagner une autre ville, un autre pays. Dix minutes. Il chercha le numéro de la police de Helsingør, au Danemark. Il expliqua la raison de son appel : on le mit en relation avec quelqu'un qui lui donna un autre numéro, puis la communication fut coupée. Il composa à nouveau le numéro, et tomba sur une femme prénommée Charlotte qui fut en mesure de l'aider. Le danois de Haraldsson étant plutôt limité, au bout de quelques minutes de questions et de répétitions, ils se mirent d'accord pour parler anglais.

Il connaissait la période, le mode opératoire : la recherche devrait aller très vite. Et ce fut le cas : la police de Helsingør avait enregistré des plaintes pour des viols de ce type durant ce laps de temps. Haraldsson dut se retenir pour ne pas bondir de joie. L'affaire était d'envergure internationale.

Et résolue.

Il ne restait plus qu'à débusquer Axel Johansson. Mais il allait d'abord faire un rapport à Hanser.

38

Hanser leva à peine les yeux de son travail quand Haraldsson vint toquer à la porte et pénétra dans son bureau.

– Comment va ton pied ?

– Bien, merci.

Haraldsson n'avait pas l'intention de jouer à ce petit jeu ni de se laisser provoquer ou intimider. Il lui laisserait avoir le dessus quelques secondes encore. Mais bientôt, elle serait obligée d'admettre qu'il était un bon policier, malgré sa petite bévue. Et un bien meilleur policier qu'elle.

– Tu avais dit que je devais me tenir à l'écart de l'enquête Roger Eriksson.

– Exactement, et j'espère que tu l'as fait.

– En fait, non.

Haraldsson pesait ses mots. Il savourait chaque seconde et ne voulait pas tout déballer d'un coup. Il comptait admirer la transformation de l'expression de Hanser, de la fausse méfiance à l'admiration involontaire.

– Je me suis intéressé de plus près à Axel Johansson.

Hanser ne réagit pas et continua de feuilleter la paperasse étalée devant elle. Haraldsson fit un pas en avant et baissa la voix pour donner plus d'intensité à ses paroles.

– J'ai eu tout à coup le sentiment que quelque chose clochait avec lui. Indépendamment du lien avec Roger Eriksson. Un sentiment… qu'on pourrait aussi qualifier d'intuition.

– Mmh.

– Et il s'est avéré que j'avais raison. C'est un violeur, un violeur en série.

Hanser lui jeta un regard qui ne trahissait qu'une totale indifférence.

– Ah bon ?

Elle ne le croyait pas, ne voulait tout simplement pas le croire. Mais elle allait devoir changer d'avis. Haraldsson s'avança vers son bureau et lui soumit un aperçu du travail de la journée : lieux, dates, déménagements, victimes.

– J'ai trouvé un lien qui permet de supposer qu'il a commis des viols à Umeå, Sollefteå, Gävle, Helsingborg et Västerås ces douze dernières années.

Hanser jeta un bref coup d'œil à la liste et se mit à dévisager Haraldsson.

– Tu te moques de moi ?

– Quoi ? Non, bien sûr, il faudrait d'abord faire des tests ADN, mais je sais que j'ai raison.

– Tout le commissariat sait déjà que tu as raison.

– Quoi ? Comment ça ? Je ne sais pas encore où est Johansson, mais...

– Moi, je le sais, l'interrompit Hanser.

Haraldsson se figea. Il était de nouveau pris au dépourvu. À quoi faisait-elle allusion ?

– Ah oui ?

– Axel Johansson est ici. Ton collègue Radjan l'a arrêté ce matin.

Haraldsson entendait ce qu'elle disait, mais il fut dans l'incapacité de recevoir l'information. Il resta bouche bée.

*

Ursula avait décidé d'oublier le fiasco relationnel de la veille et de se concentrer sur ce qu'elle maîtrisait vraiment : l'examen des lieux du crime. Un simple test lui avait permis de confirmer son hypothèse. Il ne faisait aucun doute qu'ils avaient trouvé du sang humain, ce qui la stimulait d'autant plus. À présent, elle déambulait pour se faire une idée de la situation. Elle prit son temps. Il fallait d'abord avoir une vue d'ensemble avant de se consacrer aux détails, d'analyser les différents indices et de reconstituer le déroulement probable des événements. Elle sentit le regard de Torkel sur sa nuque, mais resta indifférente. Au contraire, elle savait qu'il était impressionné. C'était son instant à elle, pas le sien. Les autres la regardaient aller et venir lentement derrière le cordon de sécurité, avec précaution, pour ne détruire aucun indice. Au bout de dix longues minutes, elle revint vers eux. Elle était prête.

— Le volume de sang n'indique pas grand-chose. Il s'est infiltré dans le sol, les corneilles et autres animaux y ont sûrement picoré, mais il est d'origine humaine, et il y en a beaucoup. Et regardez là.

Elle alla à l'autre bout du périmètre et désigna le sol meuble. Vanja, comme d'habitude la plus motivée, fit quelques pas en avant et s'accroupit pour voir ce que montrait Ursula.

— Des traces de pneus.

— Selon toute vraisemblance, du modèle Pirelli P7, je reconnais la bande en zigzag au milieu. Une voiture était ici. Elle est arrivée par le chemin forestier et est repartie par là.

Ursula pointa les traces dans l'herbe qui menaient à un petit chemin très fréquenté. Elle adressa aux autres un sourire triomphant.

— Je dirais que nous avons trouvé la scène du crime. Le laboratoire devra encore confirmer qu'il s'agit bien du sang de Roger, mais il n'y a sans doute pas beaucoup d'autres personnes à Västerås qui ont perdu plusieurs litres de sang la semaine dernière. Elle marqua une pause et regarda par-delà la clairière. Mais il n'a pas été tué ici.

— Tu as pourtant dit que nous avions trouvé la scène du crime, objecta Torkel.

— Oui, c'est effectivement la scène du crime. Mais pas le lieu où il a été assassiné. Il a été traîné jusqu'ici. Suivez-moi !

Ursula prit la tête du convoi et ramena les trois autres en direction du terrain de football, devant le périmètre de sécurité.

– Faites bien attention à rester au bord du chemin, s'il vous plaît. Il est déjà assez gênant qu'on soit passés par là tout à l'heure.

Ils continuèrent de la suivre en silence, et virent bientôt ce qu'Ursula avait découvert : des traces de sang bien visibles dans l'herbe jaune pâle. Torkel fit signe au policier en uniforme :

– Il faut élargir le périmètre.

Ursula ne s'en soucia pas et continua, passa devant les buissons et les fourrés, gravit la butte et descendit sur le terrain de football.

– Quelqu'un l'a traîné par ici. Depuis là-bas.

Ursula désigna le terrain et, en faisant un effort, ils distinguèrent des traces dans le gravier montrant que quelque chose avait été traîné le long du terrain. Des empreintes qui ne pouvaient appartenir qu'à deux talons. Ils restèrent interdits. Ils étaient conscients de n'avoir jamais été aussi proches de la vérité. C'était presque magique à quel point Ursula pouvait changer la perception d'un lieu ordinaire et ennuyeux par sa vision des choses. Une minuscule tache quasiment invisible était une tache de sang, des branches cassées étaient les traces laissées par un cadavre.

Torkel prit son téléphone et appela Hanser. Il devait demander du renfort, un large terrain devait être minutieusement fouillé. Juste au moment où Hanser répondit, ils arrivèrent à l'endroit où les traces presque invisibles se transformaient en une tache sombre et ronde qui ne pouvait signifier qu'une seule chose : ils étaient arrivés à l'endroit où un garçon de seize ans avait trouvé la mort. Le début de la fin.

Torkel remarqua subitement qu'il s'était instinctivement mis à chuchoter en indiquant à Hanser où ils se trouvaient.

Sebastian regarda autour de lui. Ils avaient fait une découverte importante. Ils n'avaient plus seulement quelques pistes isolées, mais la possibilité de reconstituer la chronologie complète des événements. Ils devaient maintenant passer à l'étape suivante. Analyser des échantillons de sang et des traces de frottement était une chose, il fallait désormais interpréter leur signification pour remonter peu à peu au tueur. Le lieu du crime était l'un des éléments les plus importants dans un meurtre. Ils en savaient maintenant beaucoup sur le dernier voyage de Roger. Mais que disait ce lieu sur le meurtrier ?

– Bizarre de tuer quelqu'un au milieu d'un terrain de foot, dit Sebastian au bout d'un moment.

Ursula hocha la tête.

– Surtout avec le voisinage, dit Ursula en pointant les trois hauts immeubles gris perchés sur une butte et qui surplombaient le terrain de foot.

– Ma théorie selon laquelle le meurtre n'était pas prémédité se confirme, alors.

Sebastian fit quelques pas en direction de la flaque sombre. Il brûlait d'impatience d'évoquer les différents scénarios possibles.

– Roger est tué ici. Alors qu'il gît sur le sol, le meurtrier réalise qu'il va être obligé d'extraire la balle. Il choisit un lieu plus protégé pour le faire.

Les autres hochèrent la tête.

– De plus, on sait maintenant que Roger était de dos quand on lui a tiré dessus, non ? Il ne nous reste donc que deux possibilités : soit Roger était conscient du danger et s'est mis à courir, soit il ne s'attendait pas du tout à être assassiné.

– Je crois qu'il était conscient du danger, dit Ursula d'un ton résolu. C'est clair. Il prenait la fuite.

– Je suis de ton avis, approuva Vanja.

– Et qu'est-ce qui vous fait dire ça ? demanda Torkel.

– Regarde le lieu du crime, expliqua Ursula. On est loin du bout du terrain. Si je me sentais menacée, je courrais vers la forêt. Surtout si quelqu'un pointait une arme sur moi.

Torkel se retourna. Ursula avait raison. Le terrain de football était comme un rectangle : sur une largeur se trouvaient un club-house et un parking. L'une des longueurs était délimitée par un long grillage derrière lequel s'étendait un champ ; sur la longueur d'en face se trouvaient les immeubles, et derrière la dernière largeur : la forêt. La forêt était bel et bien le lieu qui paraissait le plus sûr en cas de fuite. On pouvait sûrement supposer que les immeubles étaient un refuge tout aussi sûr, mais ils étaient perchés sur une butte et ressemblaient plus à une forteresse imprenable qu'à une bonne cachette. De plus, la montée ralentissait la course.

Sebastian, qui était resté immobile à observer le paysage, leva prudemment la main.

– J'ai une autre théorie.

– Quelle surprise ! chuchota Vanja d'un ton exagérément dramatique.

Sebastian fit comme s'il n'avait rien entendu.

– Je ne suis pas d'accord avec vous. Si Roger avait été conscient du danger, il aurait sûrement couru vers la forêt. Mais je ne vois pas trop comment il aurait pu le deviner.

Sebastian marqua une pause. Il avait toute l'attention des autres.

– Nous partons du principe que Roger est arrivé ici en voiture. Le parking est là-bas.

Sebastian désigna le bord opposé du terrain avec le club-house et le parking sur lequel des voitures de police stationnaient. À ce moment-là, quelques véhicules en civil arrivèrent et se garèrent. Plusieurs personnes en descendirent et furent aussitôt arrêtées par les policiers. Les journalistes étaient là.

– Roger aurait fait tout ce chemin avec quelqu'un qui portait un fusil à la main ? continua Sebastian.

– Mais il y avait des traces de pneus dans la forêt aussi, intervint Ursula.

– C'est possible, mais peu probable, rétorqua Sebastian en secouant la tête.

– C'est un endroit clôturé et sécurisé. Pourquoi quelqu'un devrait-il s'y rendre et y garer sa voiture s'il n'avait pas l'intention de tuer Roger ? On est pourtant bien d'accord que ce n'était pas le cas ?

Les autres approuvèrent de la tête. Sebastian fit un mouvement du bras avant de se lancer.

– Regardez ce lieu. Il est plutôt isolé. Un lieu idéal pour déposer quelqu'un sans être remarqué et non loin de chez Roger.

– Oui, c'est vrai. Je crois qu'il habite juste derrière la butte. Vanja désigna les hauts immeubles. Un kilomètre et demi peut-être.

– C'est un bon raccourci, n'est-ce pas ? demanda Sebastian.

Les autres acquiescèrent. Torkel le regarda et se gratta la joue en remarquant qu'il avait oublié de se raser ce matin.

– Quelle est ta théorie alors ? Roger a été déposé par une voiture et... après ?

Tous les regards étaient fixés sur Sebastian, exactement comme il l'adorait.

– Lisa a dit que Roger avait rendez-vous avec quelqu'un...

Le conducteur qui allait bientôt devenir un tueur attend dans la voiture et klaxonne quand il voit Roger marcher sur le trottoir de l'autre côté de la rue. Roger traverse la rue et après un dialogue à travers la vitre baissée, monte dans la Volvo qui démarre aussitôt. Pendant qu'ils errent dans le quartier, Roger et le conducteur discutent. Ils n'arrivent pas à se mettre d'accord. Le conducteur tourne sur le parking près du terrain de football, et Roger descend. Le garçon a sûrement mal compris la situation, ou se croit sûr de son fait. Peut-être aussi qu'il se sent mal à l'aise et se dépêche de traverser le terrain pour rentrer chez lui. Peu importe ce qu'il ressent, il ne devine pas ce qui se trame derrière son dos. Le conducteur évalue la situation. Il ne voit pas de solution, ou plutôt : il n'en voit qu'une. Sur un coup de tête, il descend de la voiture, ouvre le coffre et en sort un fusil. Roger est en train de traverser le terrain de football sans se douter qu'il est devenu une cible. La distance n'est pas trop grande, surtout pour quelqu'un qui sait se servir d'une arme. Un chasseur ou un tireur amateur. Le conducteur appuie sur la détente. Roger s'effondre. Le conducteur court sur le gazon et traîne le corps dans la forêt. Il part chercher sa voiture, puis revient près du garçon pour extraire la balle, donne des coups de couteau au cadavre, l'embarque dans le coffre de la voiture et s'en débarrasse dans l'étang.

Sebastian se tut. De l'autre côté de la rue, quelques voitures passèrent, et dans la forêt, un oiseau se mit à chanter. Torkel poursuivit.

– Tu parles d'un tireur amateur. Tu crois vraiment toujours que ce pourrait être le principal ?

– C'est juste une théorie. Et maintenant, vous pouvez continuer à rechercher des indices sans moi.

Sebastian s'éloigna en direction des immeubles, sous le regard de Torkel.

– Où vas-tu ?

– Voir Lena Eriksson. Je veux savoir si Roger passait souvent par ce raccourci. S'il le faisait, cela confirmerait ma théorie et augmenterait les chances que quelqu'un l'ait vu, lui ou la voiture.

Les autres hochèrent la tête. Sebastian se figea et se tourna en faisant un geste d'invitation.

– Quelqu'un veut venir avec moi ?

Personne ne se proposa.

Sebastian trouva rapidement le petit sentier piétiné qui menait à la butte surplombée des hauts immeubles gris. Il déboucha rapidement sur un chemin piéton recouvert de macadam qui tournait plus loin entre les immeubles. Sebastian croyait se souvenir que ceux-ci avaient été construits à l'époque où il était élève à Palmlövska, mais il ne les avait jamais vus d'aussi près. Ils étaient situés du mauvais côté de la ville, et ses parents nourrissaient cette profonde aversion typique de la classe moyenne vis-à-vis des appartements locatifs. Les gens comme il faut avaient leur propre appartement. Derrière lui, d'autres voitures de police arrivèrent sur le terrain de football. Elles y resteraient long-temps, il le savait. Il était réservé en ce qui concernait le travail de la police technique. Il reconnaissait son importance, car il permettait de récolter des preuves irréfutables souvent décisives devant un tribunal, et qui aboutissaient à plus de condamnations que son propre domaine. Les preuves psychologiques, si tant est qu'on pût les qualifier ainsi, comportaient souvent plusieurs significations, pouvaient être remises en question, tournées et retournées, et surtout réfutées par des avocats spécialisés en droit pénal.

Plusieurs hypothèses et théories s'affrontaient sur les pulsions les plus sombres de l'homme, et elles étaient plus utiles dans les enquêtes préliminaires qu'à la lumière de la salle de tribunal. Mais pour Sebastian, la preuve n'avait jamais été la chose la plus importante, sa motivation n'était pas d'aboutir à une condamnation. Son but était de se glisser dans la peau du criminel pour prévoir ses prochains actes, et il y parvenait souvent.

Autrefois, cet aspect de son travail était tout ce qui occupait ses pensées et ses aspirations, et cela lui manquait, il s'en rendait compte à présent. Ces derniers jours, il avait eu la possibilité de connaître de nouveau cette sensation, même s'il ne tournait pas à plein régime. Sa concentration laissait à désirer. Pendant une seconde, il oublia presque le deuil et la douleur permanente qui l'accompagnaient. Il s'immobilisa et réfléchit à ce constat. Y avait-il une chance de renouer avec la détermination et la force de passer à autre chose ?

Bien sûr que non. À qui voulait-il faire croire cela ? Rien ne serait plus jamais comme avant, jamais. Son imagination ferait en sorte que ça le reste.

Sebastian ouvrit la porte d'entrée vitrée de l'immeuble où vivait Lena Eriksson. À Stockholm, les immeubles étaient toujours équipés d'un digicode ; ici, on entrait en poussant simplement la porte. Il ne se souvenait pas à quel étage habitait Lena. Le panneau dans le couloir lui indiqua que c'était au troisième. Il monta les marches, ses pas lourds résonnant dans la cage d'escalier d'un blanc sale. Quand il eut atteint le palier du troisième étage, il s'immobilisa. Curieux. La porte de l'appartement de Lena Eriksson n'était pas fermée. Il s'approcha et appuya sur la sonnette tout en poussant doucement la porte avec son pied.

– Il y a quelqu'un ?

Pas de réponse. La porte s'ouvrit doucement, découvrant la vue sur le couloir. Quelques chaussures étaient posées devant une commode marron à côté d'un prospectus publicitaire négligemment jeté par terre.

– Bonjour ! Il y a quelqu'un ?

Il pénétra dans l'appartement. À gauche, une porte donnait sur les toilettes et tout droit sur le salon Ikea. L'air empestait le tabac et la sueur. Les stores étaient baissés, et il faisait sombre.

Sebastian alla dans le salon et vit une chaise et une assiette en porcelaine cassée par terre. Il s'arrêta et sentit une appréhension monter en lui. Quelque chose était arrivé ici. Le silence de plomb dans l'appartement annonçait le malheur. Il se précipita dans la pièce suivante qui, d'après ses suppositions, devait être la cuisine. Ce fut là qu'il trouva Lena. Elle était allongée sur le linoléum, les jambes croisées. La table de la cuisine était renversée. Sebastian courut et se pencha sur elle. Il vit alors qu'elle avait saigné à l'arrière de la tête. Ses cheveux étaient complètement collés, et le sang avait formé une petite flaque nette sous la tête. Comme une auréole mortelle. Il tâta sa nuque blanche à la recherche d'un pouls, mais remarqua la froideur et se rendit à l'évidence : il était arrivé trop tard. Sebastian se releva et sortit son téléphone. Il s'apprêtait à appeler Torkel quand son portable vibra dans sa main. Il ne connaissait pas le numéro, mais décrocha tout de même.

– Oui ?

C'était Billy. Il avait l'air surexcité, et ne laissa même pas à Sebastian la possibilité d'expliquer sa découverte.

– Torkel t'a déjà appelé ?

– Non, mais…

– Imagine : l'école Palmlövska a une Volvo, dit rapidement Billy. Enfin, plus précisément la fondation qui gère l'école. Une S60 bleu foncé qui date de 2004. Et il y a mieux…

Sebastian fit quelques pas dans le salon pour s'éloigner du cadavre. La situation était bien trop absurde pour parler de modèles de Volvo avec Billy.

– Billy, écoute…

Mais Billy n'écouta pas. Au contraire. Il continua de parler, d'une voix rapide et exaltée.

– J'ai obtenu la liste des appels du téléphone depuis lequel les SMS ont été envoyés à Roger. Frank Clevén et Lena Eriksson ont été appelés par le même numéro. Tu comprends ce que ça veut dire ?

Sebastian inspira profondément et était sur le point d'interrompre Billy quand il aperçut quelque chose à travers la porte de la chambre de Roger. Quelque chose qui n'aurait pas dû s'y trouver. Il n'entendait presque plus ce que Billy lui disait et fit les derniers pas qui le séparaient de la chambre du garçon.

– On peut arrêter Groth, maintenant ! On le tient !

Sebastian ressentait littéralement le triomphe dans la voix de Billy.

– Ohé, Sebastian, tu m'entends ? On va pouvoir arrêter le principal !

– C'est inutile... Il est là.

Sebastian baissa son téléphone et fixa Ragnar Groth qui se balançait au bout du crochet du plafonnier.

39

Ils travaillèrent d'arrache-pied le reste de la journée pour être aussi rapides et efficaces que possible sans commettre d'erreur. Les événements nécessitaient toute leur concentration. Ils avaient attendu si longtemps cette avancée, et n'étaient maintenant plus qu'à un cheveu de la vérité. Absolument rien ne devait aller de travers – et c'était un sacré défi à relever. Ils avaient besoin de temps pour comparer les informations, analyser tous les indices et les prélèvements, mais ils avaient besoin des résultats au plus vite.

Torkel avait essayé de tenir la presse à l'écart aussi longtemps que possible. Ils n'auraient aucun avantage à rendre publiques des informations sur la scène du crime et les deux cadavres trouvés dans l'appartement. Mais comme toutes les enquêtes compliquées impliquant des personnalités publiques, le décès de Ragnar Groth fit rapidement l'objet de fuites. Les rumeurs les plus folles coururent. La presse locale en particulier paraissait avoir des sources bien informées au sein de la police, si bien qu'ils ne purent bientôt plus se permettre de garder pour eux les derniers détails de l'affaire. Torkel et Hanser organisèrent une conférence de presse commune pour pouvoir ensuite travailler en paix. Torkel, dont les propos étaient restés mesurés, avait décidé de promettre la résolution imminente de l'affaire après avoir fait un point avec Ursula et Hanser sur les derniers résultats.

Lorsqu'ils arrivèrent, la salle était déjà pleine à craquer, et Torkel ne perdit pas de temps en bavardages.

Deux autres personnes, un homme et une femme, étaient mortes.

La femme était une proche parente de l'adolescent assassiné, Roger Eriksson, et avait très probablement été tuée par l'homme que l'on avait également retrouvé mort chez elle.

Tout indiquait que cet homme, qui avait joué un rôle majeur dans l'enquête, s'était donné la mort après avoir assassiné la femme.

Torkel fut très clair sur un point : le jeune homme mis en détention provisoire quelques jours auparavant n'était pas suspecté. Il demeurait hors de cause. Torkel le répéta encore une fois avant de clore l'exposition des faits.

Ce fut comme si on avait tendu un verre de sirop à un essaim de guêpes. En un éclair, les mains se levèrent, les questions fusèrent. Ils se mirent tous à parler en même temps sans se soucier de ce que disaient les autres et exigeaient des réponses. Torkel put néanmoins distinguer quelques questions. C'étaient toujours les mêmes, de toute façon.

Les rumeurs selon lesquelles il s'agissait du principal du lycée Palmlövska étaient-elles fondées ?

Était-il l'un des deux cadavres ?

La femme était-elle la mère de Roger ?

Torkel remarqua tout à coup la bataille à laquelle se livraient les deux parties dans la pièce exiguë et surchauffée : d'un côté, les journalistes, qui étaient en principe aussi bien informés que ceux à qui ils posaient les questions ; de l'autre, la police, dont la mission consistait uniquement à donner la confirmation officielle de ce qu'ils savaient déjà. Les uns connaissaient les réponses, et les autres, les questions.

Ce n'était pas toujours ainsi, mais il y avait belle lurette que Torkel n'avait plus connu d'affaires où aucune information n'avait filtré. Et jamais aussi vite.

Torkel répondit aussi évasivement que possible et ne cessa de rappeler le stade précoce de l'enquête. Il était habitué à contourner les questions des journalistes. C'était sûrement pour cela qu'il n'était pas très apprécié de ces derniers. Hanser, en revanche, eut plus de mal à résister. Torkel le comprenait. C'était sa ville, sa carrière, et l'attrait d'avoir la presse de son côté plutôt que contre elle l'avait emporté.

– Je peux seulement dire qu'une partie des indices oriente l'enquête vers l'établissement scolaire, commença-t-elle avant que Torkel ne les remercie en leurs noms et ne l'entraîne vers la sortie. Il avait remarqué qu'elle était gênée, mais Hanser tenta de se justifier :

– Ils le savaient déjà de toute façon.

– Là n'est pas la question. *Nous* décidons de ce que nous disons aux journalistes, et pas l'inverse : c'est la base. Maintenant, ils vont faire tout un cirque à l'école.

Et c'était exactement ce que Torkel souhaitait éviter : que le lycée devienne une foire d'empoigne. La fouille de l'établissement était l'une des premières mesures que Torkel avait ordonnée, en accord avec Billy et Ursula, après la macabre découverte de Sebastian. De nombreuses affaires personnelles semblaient avoir mystérieusement disparu du domicile de Groth, sans parler d'éventuels indices. C'était le seul endroit connu auquel Groth avait un accès illimité. Torkel prit rapidement la décision d'y envoyer Ursula après avoir bouclé l'inspection des scènes de crimes. Mais elle ne devait pas s'y rendre seule, Sebastian l'accompagnerait.

Au grand étonnement de Torkel, Ursula n'émit pas la moindre protestation. La chance de résoudre l'affaire et d'emboîter les morceaux du puzzle était plus importante que son ego. Et Sebastian était le seul à bien connaître l'école. Ursula lui proposa même une place sur le siège passager.

Mais ils n'échangèrent pas un seul mot pendant le trajet.

Il y avait tout de même des limites.

*

Billy se sentait complètement déconnecté de l'enquête, car on l'avait laissé seul au bureau. Torkel lui avait demandé de retrouver la Volvo S60 bleu foncé. Elle n'était pas à l'école, Ursula et le secrétariat l'avaient confirmé. Billy envoya donc un avis de recherche à toutes les patrouilles et décida de se rendre à l'appartement de Lena Eriksson. Il avait fait ce qu'il pouvait et voulait maintenant se faire une idée de la nouvelle scène de crime. Quand il traversa le commissariat, le lieu paraissait encore plus désolé que d'habitude. Billy supposa que Torkel avait envoyé la plupart des agents sécuriser les scènes de crimes et l'école. Il y avait tout d'un coup tant d'endroits à fouiller : le terrain de football, l'appartement de Lena, le lycée et de nouveau l'appartement de Groth. Un éventail de possibilités difficile à maîtriser. Torkel était obligé de fixer des priorités pour décider quels lieux investiguer eux-mêmes et lesquels laisser à l'équipe technique de la police de Västerås. Billy ressentit des picotements dans le ventre en démarrant la voiture. Pour la première fois depuis longtemps, il avait le sentiment de toucher au but. Tout semblait tourner à leur avantage : pourvu que ça dure…

Alors que Billy venait de tourner dans la rue de Lena Eriksson, une patrouille l'informa que le véhicule recherché était stationné exactement devant l'immeuble où il se rendait. Une demi-minute plus tard, Billy se gara derrière la Volvo et appela Torkel pour l'informer de sa découverte. Ce dernier était déjà sur place avec Vanja, et venait de trouver les clés de la voiture dans la poche du principal.

Tout semblait effectivement tourner à leur avantage.

*

Ursula et Sebastian avaient passé une demi-heure à faire le tour de l'école et se tenaient à présent devant la porte grise et sale de la cave. Une porte dont ni le concierge ni la secrétaire qui les accompagnaient ne connaissaient l'existence. À l'époque où Sebastian fréquentait l'établissement, il y avait ici un débarras, mais aujourd'hui, plus personne ne savait avec certitude à quoi servait cette pièce. Les employés ne se montrèrent pas vraiment coopératifs. Tant le concierge que la secrétaire demandèrent à parler au principal avant de les aider à ouvrir la moindre porte. Sebastian les dévisagea tous deux en pensant à quel point le personnel était déjà prudent du temps de son père. Mais au fond, le mot prudent ne suffisait pas. Le respect voire la peur de l'autorité étaient des sentiments qui semblaient profondément ancrés dans les murs de l'école.

– Permettez-moi de m'exprimer ainsi. Je sais avec certitude que Ragnar Groth se fout complètement que vous ouvriez cette porte. Il n'a plus à s'en soucier.

Mais cela n'aida pas, bien au contraire.

Le concierge se redressa tout à coup, prétendant qu'il n'y avait pas de clé pour cette porte et qu'il ne l'avait jamais eue. La secrétaire fit un signe de tête approbateur. Quand Sebastian s'approcha d'eux, il crut percevoir une pointe de doute dans le regard du concierge. Le pouvoir de Ragnar Groth s'amenuisait, tous les deux le savaient, mais d'une certaine manière, cela semblait stimuler le concierge. Un dernier combat avant l'effondrement de l'institution que la plupart d'entre eux avaient toujours considérée comme supérieure. Sebastian regarda l'homme et comprit qu'il était désormais plus proche que jamais de détruire le rêve de son père. Après cette affaire, le lycée Palmlövska et sa réputation irréprochable n'en sortiraient pas indemnes.

Peu importait que le principal fût coupable ou non. Sebastian le savait, et peut-être aussi l'homme qui lui faisait face. Bien que le concierge ignorât encore tout du sort de Groth, les visites incessantes de la police avaient dû lui mettre la puce à l'oreille. La surface n'était plus si immaculée. Ils se dévisagèrent. Soudain, Sebastian n'était plus face au concierge, mais aux mensonges, à l'hypocrisie et à tout ce qu'incarnait son père. Il prit une profonde inspiration et fit encore un pas en avant pour, le cas échéant, lui arracher lui-même son trousseau de clés. On devait ouvrir cette porte. Mais Ursula, qui avait rarement vu Sebastian aussi prêt à en découdre, le retint.

– Allez, je vous en prie !

Elle écarta d'un geste les employés et regarda Sebastian.

– Nous sommes de la police, ne l'oublie pas. Comporte-toi correctement !

Puis elle passa devant lui sans un mot. Sebastian la suivit du regard. Pour une fois, aucune remarque sarcastique ne lui vint à l'esprit. Mais elle avait tort, il n'était pas policier. Il était là pour son propre compte, et pour personne d'autre. Il les aiderait avec grand plaisir à préparer la chute du lycée Palmlövska, mais ensuite, ce serait fini. Il poursuivrait sa route et chercherait une femme avec laquelle il avait couché il y avait très longtemps. Rien de plus.

Ursula revint en silence, tirant derrière elle une immense caisse à outils qu'elle posa et ouvrit. Puis elle se pencha et en sortit une perceuse. Trois minutes plus tard, les étincelles fusaient par-dessus sa tête tandis qu'elle perçait la serrure. Ils rassemblèrent ensuite leurs forces pour enfoncer la porte et risquèrent un œil dans la pièce. On aurait dit un bureau bien ordonné. Certes sans fenêtres, mais aux murs blancs, éclairé par une lumière agréable et doté d'un ordinateur. Quelques étagères élégantes et un fauteuil en cuir au milieu. Vu l'ordre méticuleux qui y régnait, Sebastian comprit immédiatement qu'ils avaient mis en plein dans le mille. Les meubles étaient placés symétriquement pour donner un équilibre spatial à la pièce, et la disposition précise des stylos sur le bureau était la marque de fabrique de Ragnar Groth. Sebastian et Ursula ne purent s'empêcher d'échanger un sourire. Le petit secret du principal, peu importait lequel, était découvert.

Ursula tendit une paire de gants blancs en latex à Sebastian qui avait l'impression de revoir une des salles d'interrogatoire du musée de la Stasi en Allemagne de l'Est, qu'il avait visité dans une vie antérieure, avec Lily. Chic et civilisé en apparence, mais sous la surface se cachaient des secrets et des événements qui collaient aux murs et qui ne devaient jamais être révélés. Ce sentiment fut renforcé par l'odeur qu'Ursula et lui avaient sentie en entrant : du citron vert dans un air sec et vicié.

Avec précaution, ils commencèrent à fouiller. Sebastian se chargea des armoires impeccables, Ursula du bureau. Au bout de quelques minutes à peine, Sebastian fit une première découverte, derrière une rangée de classeurs. Il tendit à Ursula une pile de DVD aux images colorées.

– *Real men, Hard Cocks.* Numéros deux et trois. Où a-t-il caché le premier opus ?

Ursula eut un rire sec.

– On vient à peine de commencer. Tu vas sûrement le trouver.

Sebastian passa en revue les DVD.

– *Bareback Mountain. Bears jacking and fucking.* Pas très varié, tout ça.

Il mit la pile de DVD de côté et continua à fouiller l'armoire.

– Regarde-moi ça !

Ursula s'approcha et regarda à l'intérieur. Derrière les dossiers, il avait découvert un carton contenant un téléphone portable Samsung. L'emballage paraissait flambant neuf.

40

La fouille de l'appartement de Lena Eriksson confirma la théorie de Vanja et de Torkel. Pour une raison inconnue, Groth, en venant la voir, avait cherché la confrontation avec elle. Ils s'étaient disputés. Les profondes blessures à l'arrière de sa tête révélaient qu'elle avait été poussée, ou qu'elle était tombée et s'était cognée si violemment contre le bord de la table qu'elle était morte des suites de ses blessures. Tout indiquait que Ragnar Groth s'était ensuite donné la mort. Sur le bureau de Roger, Vanja avait trouvé un mot d'adieu écrit sur la page d'un cahier d'écolier.

Pardonnez-moi, lisait-on au stylo à bille bleu. Après qu'Ursula eut terminé la première inspection de l'appartement et fut partie à l'école avec Sebastian, Torkel se chargea de répartir le reste du travail. Le plus gros défi était d'éviter les allées et venues dans l'appartement pour ne pas polluer la recherche d'indices. Apparemment, toute la police de Västerås s'était trouvée par hasard dans les parages pour jeter un coup d'œil. Torkel dut bientôt poster un agent en faction devant la cage d'escalier pour ne laisser passer que ceux qui avaient une raison valable de le faire.

Dans un premier temps, ils se concentrèrent sur les cadavres. Ils les photographièrent sous toutes les coutures afin de les envoyer au médecin légiste le plus vite possible. Dans le sac à main de Lena, Vanja trouva un téléphone qui apporta de nouvelles indications sur le déroulement des événements qui avaient conduit à la tragédie.

Deux heures après avoir vu les photos de la Volvo S60 bleu foncé et quitté le commissariat, Lena avait passé un appel. La conversation n'avait duré que vingt-cinq secondes – avec l'homme pendu dans la chambre de son fils et qui avait eu accès au véhicule. Tout indiquait que Lena avait probablement reconnu la voiture mais, pour une raison mystérieuse, ne leur avait rien dit. Restait à savoir pourquoi.

Pourquoi avait-elle décidé de contacter Groth elle-même ?

La première pensée de Vanja fut que Lena et le principal avaient des liens dont on ignorait encore la nature. Quand, une minute plus tard, Ursula téléphona pour annoncer que Sebastian et elle avaient trouvé une mine de preuves contre Groth, Vanja sut qu'elle était sur la bonne voie.

La trouvaille la plus incriminante était le téléphone à carte et son emballage dans l'armoire, dont la liste des appels ne contenait que trois numéros : ceux de Frank Clevén, de Roger, et de Lena Eriksson. C'était l'appareil duquel les SMS vindicatifs avaient été envoyés peu avant la mort de Roger. Vanja mit le haut-parleur sur son téléphone pour que Torkel puisse entendre les nouvelles. En outre, Sebastian et Ursula avaient trouvé la comptabilité de l'école et un nombre considérable de films pornos gays. Ils convinrent de se retrouver au commissariat l'heure suivante.

*

Billy arriva juste après les autres qui venaient de faire un point sur la situation. Dans la salle de conférences, il faisait plus chaud que d'habitude, comme si les événements avaient augmenté la température de l'air ambiant. Ursula lui fit un signe de tête quand il entra.

– Donc, comme je le disais, le lycée Palmlövska était un véritable sacerdoce pour Ragnar Groth. Il y faisait même la comptabilité. Regardez.

Ursula sortit quelques feuilles de papier et les fit passer.

– Nous cherchions un lien entre Groth et Lena Eriksson. La comptabilité montre trois postes inhabituels. Sous la rubrique « Dépenses personnelles », on trouve d'abord un retrait de deux mille couronnes, et le mois suivant deux retraits de cinq mille couronnes.

Ursula marqua une pause. Tous ceux présents dans la pièce devinèrent où elle voulait en venir, mais personne ne souffla mot ; elle poursuivit donc.

– J'ai appelé la banque. À peine un jour plus tard, Lena Eriksson a versé des sommes presque identiques sur son compte.

Ursula avait définitivement trouvé le lien entre les deux morts.

– Chantage ?

Torkel laissa planer la question dans la pièce.

– Pourquoi retirer douze mille couronnes et les lui donner, sinon ?

– Surtout si on considère que Ragnar a envoyé au même moment deux SMS à Roger pour lui demander d'arrêter « ça », ajouta Vanja en faisant un geste vers l'emballage flambant neuf.

– La question est de savoir ce qui était censé s'arrêter, dit Billy, qui avait le sentiment de devoir enfin apporter sa contribution à la conversation. Il y avait plusieurs possibilités.

– Nous savons que Groth était attiré par les garçons, dit Vanja en désignant les films pornos au milieu de la table. Peut-être que Lena en avait eu vent.

– Est-ce que tu paierais douze mille couronnes pour que personne ne sache que tu regardes des pornos homos sur ton ordinateur ?

Sebastian était sceptique, à raison. Le principal aurait pu tout simplement jeter les DVD. Lena devait avoir trouvé quelque chose de plus grave pour que le chantage fonctionne.

– Quoi alors ? demanda Vanja.

– Je pense à ce que Lisa t'a dit, que Roger avait des secrets...

Sebastian ne finit pas sa phrase. Vanja comprit immédiatement à quoi il faisait allusion. Excité, il se redressa sur sa chaise.

– ... et qu'il voyait quelqu'un. Ragnar Groth ?

Les autres regardèrent Vanja et Sebastian. Il y avait sûrement du vrai dans leur hypothèse. Ils avaient tous compris que le secret que cachait cette tragédie était grave, même une question de vie ou de mort pour Ragnar Groth. Une relation sexuelle avec un adolescent de seize ans entrait définitivement dans cette catégorie.

– Supposons que Lena l'ait découvert. Et qu'au lieu de l'accuser, elle décide d'utiliser ce qu'elle sait pour en tirer profit.

– Nous savons qu'elle avait besoin d'argent. N'a-t-elle pas également vendu son interview au plus offrant ?

Vanja jeta un regard interrogateur vers Torkel, qui s'approchait du tableau blanc. Il était en grande forme. L'irritation de ces derniers jours s'était soudain volatilisée, tout comme le désastre de sa vie privée.

– D'accord, laisse-nous reprendre cette théorie.

Il nota quelques points irréguliers et presque illisibles au tableau tout en parlant. Son écriture empirait proportionnellement à son enthousiasme.

– Un mois avant le meurtre de Roger, Ragnar Groth a commencé à verser de l'argent à Lena. Probablement pour l'empêcher de révéler quelque chose. Peut-être que son fils avait une liaison avec lui. Qu'est-ce qui peut nous y faire penser ? Essayons de creuser la question.

Il jeta un regard encourageant à ses collègues, curieux d'entendre leurs réponses. Vanja commença.

– On sait que Groth était homosexuel. Et qu'il a envoyé des SMS à Roger dans lesquels il le suppliait d'arrêter quelque chose. Lisa a raconté que Roger voyait quelqu'un en secret.

– OK, un instant, s'il te plaît.

Torkel n'arrivait pas à écrire assez vite. Vanja se tut. Quand elle vit quelque chose au tableau qui ressemblait à « rencontres » et « secrets », elle continua.

– On sait que Groth était au motel le soir où Roger se trouvait dans les environs et que Groth utilisait cet endroit pour ses rendez-vous galants. Et aussi que la Volvo de l'école a croisé Roger ce soir-là et qu'il est vraisemblablement monté à bord. Beaucoup de choses indiquent qu'elle a servi à l'emmener au terrain de football.

– Je peux dire quelques mots au sujet de la Volvo si vous voulez, intervint Billy.

Torkel hocha la tête.

– Absolument. Vas-y.

– On n'a malheureusement pu détecter aucune trace de sang, mais j'ai trouvé des empreintes de Roger, de Ragnar Groth et de deux autres personnes. Les empreintes de Roger étaient sur la portière passager et la boîte à gants. Et il y avait une bâche dans le coffre qui a pu être utilisée pour envelopper le corps. Ursula va l'examiner après la réunion pour y rechercher des traces de sang ou d'ADN. La Volvo possède le bon modèle de pneus, Pirelli P7.

Billy se leva et posa un livret usé sur la table.

– J'ai aussi trouvé un carnet de route. Un trajet y a été consigné le jeudi précédant la mort de Roger et le lundi suivant. Mais entre les deux, il manque dix-sept kilomètres.

– Quelqu'un a donc utilisé la voiture entre vendredi et lundi matin, et a roulé dix-sept kilomètres ? s'enquit Torkel tout en notant fiévreusement ce point au tableau.

– D'après le carnet, c'est bien ça. Pourtant, il ne serait pas difficile de noter ce trajet. Mais ces dix-sept kilomètres n'y figurent pas.

Sebastian jeta un regard à la carte fixée au mur à côté de Torkel.

– Mais de l'école au motel, puis du terrain de foot jusqu'à Listakärr et retour, il doit sûrement y avoir plus de dix-sept kilomètres, non ?

Billy hocha la tête.

– Oui, bien sûr, c'est vrai, mais comme je vous l'ai dit, on peut facilement manipuler un carnet de route. Je reste convaincu que la voiture a été utilisée.

– Bien, reprit Torkel. Ursula jettera à nouveau un œil à la voiture tout à l'heure. Mais il y a une chose que nous ne devons absolument pas oublier : la mort de Peter Westin. Le psychologue de l'école.

Torkel écrivit son nom au tableau.

– On sait que Roger est venu le voir plusieurs fois cette année. Si quelqu'un a appris l'existence d'une éventuelle liaison avec Groth, c'est lui. Peut-être même a-t-il confronté le principal à ce qu'il savait. Cela expliquerait sûrement pourquoi son agenda a disparu. Sinon, de quoi parle-t-on à un psychologue ?

– C'est ce que Sebastian pourra bientôt te dire, répondit Vanja en plaisantant.

Tous rirent, sauf Sebastian. Il les fixa longuement.

– Oui, mais tu as lu mon livre, donc tu devrais le savoir aussi.

Torkel regarda ses deux collègues en secouant la tête.

– Est-ce qu'on pourrait se limiter au sujet qui nous intéresse ? Bien, on peut donc supposer que Roger a parlé de sa relation secrète avec le principal au psychologue, si tel était le cas.

– Non, pas forcément, dit Sebastian. Je suis désolé, mais Roger voulait faire partie de cet univers, être accepté par ses camarades. Et pour cela, il avait besoin d'argent. Il a peut-être vendu ses faveurs sexuelles au principal. Mais ça, il ne l'aurait jamais avoué à Westin. Il n'aurait jamais été assez stupide pour renoncer à cette rente juteuse.

– Peut-être quelqu'un l'a-t-il mis sous pression ? suggéra Ursula.

– Je ne crois pas. Il est allé chez Lisa pour rencontrer quelqu'un d'autre.

– Peu importe la manière dont on l'envisage, j'ai du mal à croire que Westin ne soit pas mort à cause de ce qu'il savait sur Roger, poursuivit Ursula. Il n'y a tout simplement aucune autre raison possible, car son agenda est la seule chose qui ait disparu.

On frappa à la porte, et Hanser entra. Elle portait un élégant tailleur violet tout neuf. Torkel ne put s'empêcher de penser qu'elle avait acheté cette tenue pour le jour où l'affaire serait résolue. Pour faire bonne impression à la prochaine conférence de presse où elle serait sûrement encore plus difficile à réfréner.

– Je ne voulais pas déranger, dit-elle, j'ai seulement pensé que je pouvais peut-être m'asseoir avec vous ?

Torkel accepta et désigna une place libre en bout de table. Hanser s'assit avec précaution pour ne pas froisser son tailleur.

– On sait à présent que Ragnar Groth a versé de l'argent à Lena Eriksson. Sûrement du chantage parce que Roger était, de son plein gré ou non, l'amant de Groth.

Hanser plissa les yeux et se pencha d'un air intéressé.

– La voiture de fonction de l'école a le modèle de pneus qui correspond, et on a pu y relever les empreintes de Roger ainsi que celles du principal. De plus, on sait que le véhicule roulait en direction du motel ce soir-là. Jusqu'ici, on n'a pu trouver aucune trace de sang. On part toujours du principe que le meurtre n'était pas prémédité et que Groth et Roger se sont rendus ensemble au terrain de football. Là-bas, les choses ont dû mal tourner. Groth a tué Roger avant de réaliser qu'il allait devoir retirer la balle. Quand nous avons demandé à Lena Eriksson ce matin si elle reconnaissait la voiture, elle nous a menti. Mais de cette façon, elle a appris que Ragnar Groth était le meurtrier de son fils. Elle a donc décidé de le faire chanter de plus belle, mais la situation a dérapé.

Torkel s'arrêta devant Hanser et lui jeta un regard.

– Cela me paraît plausible.

– En tout cas, c'est un faisceau d'indices probants. Il nous reste malgré tout à trouver des preuves qui confirment nos soupçons.

Vanja et Billy approuvèrent. L'instant où une possibilité devenait une probabilité donnait toujours une sensation spéciale. Ils n'avaient plus qu'à trouver un moyen de prouver cette probabilité.

Soudain, Sebastian leva les mains et se lança dans un applaudissement isolé qui résonna avec ironie dans la petite pièce.

– Bravo ! Il vaut mieux que je n'évoque pas les quelques détails qui ne coïncident pas avec cette théorie née de votre imagination débordante, non ? Je ne voudrais pas casser l'ambiance.

Vanja fusilla Sebastian du regard.

– Ça ne te vient pas un peu tard ?

Sebastian lui offrit un regard exagérément aimable et désigna la pile de DVD sur la table.

– Des hommes. Des vrais. Ragnar Groth n'aimait pas les petits garçons ; il aimait les muscles et les grosses queues. Regardez Frank Clevén ! Un macho mûr, pas un blanc-bec de seize ans. Vous faites erreur en croyant que les homos n'ont pas de préférences. Pour vous, dès qu'il y a une queue, ils sont satisfaits.

Ursula se tourna vers lui.

– Mais certains hommes ne peuvent refuser quand on leur propose du sexe. Peu importent leurs préférences. Tu devrais le savoir mieux que moi, non ?

– Pour moi, ce n'est pas le sexe qui compte, mais la conquête. C'est complètement différent.

– Pouvons-nous, s'il vous plaît, revenir à nos moutons ? dit Torkel sur un ton suppliant. Et Sebastian, tu as raison, évidemment. Nous ne savons pas avec certitude si Groth et Roger entretenaient une relation intime.

– Il y a une chose qui me dérange dans cette histoire, continua Sebastian, c'est le suicide du principal.

– Qu'est-ce que tu veux dire ?

– Regarde notre meurtrier. Il n'a sûrement pas prévu de tuer Roger, mais quand c'est arrivé, il n'a reculé devant aucun moyen pour le maquiller. Il va même jusqu'à taillader le garçon pour extraire la balle.

Sebastian se leva et commença à faire les cent pas dans la pièce.

– Quand il s'est senti menacé par Peter Westin, il l'a refroidi immédiatement. Il a placé de faux indices chez Leo Lundin et s'est introduit dans le bureau de Westin. Il a toujours eu une conduite déterminée dans les situations d'extrême pression. Tout ça pour ne pas être découvert. Il est donc froid et calculateur, et n'irait sûrement pas se pendre dans une chambre d'enfant, et encore moins demander pardon. Il ne connaît pas de remords !

Après l'explication de Sebastian, le silence se fit. Les autres étaient partagés. L'autorité de Sebastian et son raisonnement anéantissaient une fois de plus leurs espoirs d'entrevoir la solution de l'énigme. Vanja fut la première à prendre la parole.

– OK, docteur Freud, juste une petite question : supposons que tu aies raison, que ce ne soit pas Groth qui ait commis le meurtre et qu'il ne se soit trouvé au motel que par hasard à ce moment-là. Sa voiture aussi était garée là par hasard alors que Roger passait par là. Groth était au volant, et Roger est monté dans sa voiture. Et là, quelqu'un d'autre l'aurait assassiné ? C'est ça, ta théorie ?

Elle se renversa sur sa chaise. Son regard était dur, mais il affichait aussi une lueur de triomphe. Sebastian s'arrêta et l'observa calmement.

– Non, ce n'est pas spécialement ma théorie, mais je dis que ça ne colle pas. Quelque chose nous a échappé.

Le téléphone de Torkel sonna. Il s'excusa et prit l'appel. Sebastian retourna à sa place et s'assit. Torkel écouta un moment le portable vissé à l'oreille avant de répondre. Il paraissait déterminé.

– Amenez-le ici ! Tout de suite.

Puis il se tourna vers Hanser.

– Tes techniciens viennent de faire une nouvelle découverte dans la maison de Groth. Ils ont trouvé l'agenda de Peter Westin dans le poêle.

Hanser s'adossa à sa chaise, le sourire aux lèvres. Ils avaient Ragnar Groth. Définitivement. Vanja ne put s'empêcher de se tourner de nouveau vers Sebastian.

– Et alors, ça colle comment avec son profil psychologique, Sebastian ?

Sebastian connaissait la réponse, mais n'avait plus envie de s'engager dans le débat.

Les autres avaient déjà tranché.

Sebastian quitta la salle.

Ceux qui étaient restés voulaient absolument clore l'affaire. Il le comprenait. C'était une enquête compliquée qui les avait épuisés. En surface, la solution paraissait parfaite. Mais Sebastian n'aimait pas les apparences. Il cherchait toujours à découvrir ce qui était caché, le vrai lien, la vraie réponse, le moment où tout ce qu'il savait formait un tout : quand l'action, les motivations et les conséquences disaient la même chose, racontaient la même histoire.

Et cela ne se passait jamais en surface.

Mais pourquoi s'en souciait-il, en fait ? Le raisonnement était imparable et, sur le plan personnel, il aurait dû être plus que satisfait. Le temple du savoir qu'avait bâti son père était sali, les dieux déchus. Palmlövska était rattrapé par la réalité et traîné dans la boue. Le soleil couchant brillait à travers les grandes fenêtres, et il fit quelques pas au milieu de la grande pièce fourmillant de policiers. Puis il regarda à travers la vitre pour voir Torkel et les autres dans la petite salle de conférences : ils rassemblaient leurs affaires.

La plupart des pages de l'agenda de Westin retrouvé dans la cheminée de Ragnar Groth étaient brûlées, détruisant ainsi des preuves importantes. La simple découverte de l'objet chez Groth avait suffi à convaincre Hanser. Pour Sebastian, par contre, cette preuve le rendait encore plus perplexe. Le Ragnar Groth qu'il avait rencontré ne se serait jamais permis une telle négligence. Cet homme ne laissait aucun stylo ni aucune feuille de papier au mauvais endroit. Tout cela ne collait pas.

Sebastian avait observé Ursula quand elle avait appris qu'ils avaient retrouvé l'agenda. Il la connaissait suffisamment pour voir qu'elle était du même avis que lui. Bien qu'ils se chamaillassent souvent sur des détails, ils cherchaient la même chose : la vérité. L'équilibre parfait. Et il avait effectivement lu le même doute dans son regard. Mais cette fois, elle n'avait pas été fidèle à elle-même. Elle avait manifestement délaissé son travail en s'autorisant un déjeuner avec Mikael pendant la perquisition de la villa. Elle n'avait pas eu le temps de fouiller cette partie du bâtiment et avait pensé que Billy s'en était chargé. Billy l'avait mal comprise et avait cru qu'elle-même l'avait déjà fait. Normalement, quelque chose d'aussi flagrant n'échappait pas à Ursula. Tous dans la pièce remarquèrent à quel point elle avait honte, et c'était à ce moment-là que Sebastian avait pris sa décision. Il en avait assez de tout cela. Il allait les laisser triompher. Même si le nom de Ragnar Groth devait être traîné dans la boue et que le vrai meurtrier restait libre.

Il s'était donc levé et était sorti de la salle. Une fois dans l'open-space, il observa une dernière fois le groupe à travers la vitre. Puis il enfila son manteau et s'en alla.

Il avait déjà presque quitté le commissariat quand il entendit une voix derrière lui. Billy. Ce dernier jetait des regards furtifs autour de lui et baissa la voix en arrivant près de Sebastian.

– J'avais encore un peu de temps hier.

– Ah, super pour toi.

– Je ne sais pas pourquoi tu en as besoin au juste, mais j'ai retrouvé l'adresse de la fameuse Anna Eriksson.

Sebastian regarda Billy. Il ne savait plus ce qu'il ressentait. Elle était tout à coup si proche. Comme sortie du néant. Trente ans plus tard. Une femme qu'il ne connaissait pas. Mais y était-il prêt ? Le voulait-il réellement ? Sûrement pas.

– Donc, en fait, ça n'a rien à voir avec notre affaire, hein ?

Billy le dévisagea d'un air interrogateur.

Sebastian n'avait plus aucune envie de mentir.

– Non, en effet.

– Alors, je n'ai pas le droit de te la donner, tu le sais.

Sebastian hocha la tête. Soudain, Billy se pencha vers lui et lui chuchota quelque chose.

– 12 rue Storskärsgatan, à Stockholm.

Puis il lui sourit et lui serra la main.

– En tout cas, ça a été un plaisir de travailler avec toi.

Sebastian hocha de nouveau la tête et ne put s'empêcher de rester lui-même. Surtout maintenant qu'il avait obtenu ce pour quoi il était venu.

– J'aurais espéré pouvoir dire la même chose.

Puis il s'en alla, résolu à ne plus jamais revenir. Jamais.

41

L'homme qui n'était pas un meurtrier arrivait à peine à rester assis sur sa chaise. À présent, la nouvelle était partout : sur Internet, à la télévision et à la radio. Le triomphe de la police paraissait parfait. Le paroxysme en fut un extrait de la dernière conférence de presse sur la chaîne nationale, montrant la commissaire de police en tailleur élégant, flanquée du chef de la Crim' qu'il avait déjà vu plusieurs fois à la télévision. La commissaire rayonnait. Son sourire était si large et éclatant que l'on aurait presque dit qu'elle montrait les dents.

L'homme resta fidèle à lui-même, sérieux et formel. La femme – un sous-titre indiquait à présent qu'elle s'appelait Kerstin Hanser – déclara que la police avait identifié un suspect. De plus amples détails seraient donnés à l'issue des analyses techniques, mais ils étaient si sûrs qu'ils pouvaient déjà en dire plus. Les décès tragiques de la matinée avaient conduit à la résolution de l'enquête. Le suspect était un homme d'une cinquantaine d'années domicilié à Västerås, et il s'était donné la mort. Ils ne révélaient pas son nom. Cependant, tout le monde dans la région savait de qui il s'agissait : le principal Ragnar Groth.

L'homme qui n'était pas un meurtrier le premier. La veille, il avait découvert la rumeur sur Internet. La page se nommait « Flashback » et était bourrée de ragots et de spéculations sur tout et tout le monde, mais étonnamment, il y avait également beaucoup d'informations véridiques. Dans un forum de discussion intitulé « Meurtre rituel à

Västerås », il trouva une contribution anonyme où l'auteur assurait que le principal du lycée Palmlövska avait été arrêté et interrogé.

L'homme qui n'était pas un meurtrier avait immédiatement appelé l'école et demandé à parler au principal. Mais on lui avait répondu que Ragnar Groth était en déplacement professionnel pour le reste de la journée.

Il s'était excusé auprès de son travail et s'était précipité vers sa voiture. Il avait retrouvé l'adresse du principal par les Renseignements et s'y était immédiatement rendu. Il avait garé la voiture à quelques encablures de la maison et s'était promené devant la bâtisse. C'était une voiture banalisée, mais il l'avait reconnue.

C'était la même voiture que celle qui se trouvait quelques jours plus tôt devant la maison de Leo Lundin.

Une chaleur envahit le corps de l'homme qui n'était pas un meurtrier. C'était comme s'il avait décroché le gros lot à la loterie et qu'il fût le seul à le savoir. C'était son lot, et il pouvait en faire ce qu'il voulait. Quand il arriva devant la maison, la porte s'ouvrit, et une femme sortit. Il continua son chemin pour ne pas se faire remarquer, mais la femme était complètement absorbée par ses pensées. Elle était en colère, il le vit à sa façon de claquer la portière de la voiture. Il s'éloigna, mais quand la voiture passa devant lui, il fit prudemment demi-tour.

Dix minutes pour aller chercher l'agenda chez lui, dix minutes pour revenir. Seulement un policier devant la maison de Ragnar Groth. Cela pouvait marcher.

Et cela avait marché.

42

Sebastian se tenait devant la maison de ses parents et l'observait. La soirée était fraîche, et il était habillé un peu trop légèrement, mais le froid insidieux ne le dérangeait pas. Il allait bien avec son humeur actuelle. Le moment était donc venu de faire ce pour quoi il était venu, mais que les événements des jours précédents l'avaient empêché de faire. Le lendemain, il partirait, s'en irait, disparaîtrait. De plus, il avait réussi à trouver l'adresse pour laquelle il s'était investi dans l'enquête.

12, rue Storskärsgatan. C'était là que pouvait se trouver la réponse – s'il voulait la connaître.

Debout devant la maison, il comprit que tous ces événements avaient eu quelque chose de positif. Les lettres et les possibilités qu'elles lui avaient ouvertes mais aussi l'enquête avec la Crim' lui avaient insufflé une énergie nouvelle. Ses journées avaient été remplies par autre chose que le mélange de culpabilité et de peur qui l'accompagnait depuis bien trop longtemps maintenant. Bien sûr, ces sentiments ne pouvaient pas disparaître d'un coup de baguette magique – le rêve était encore là, toutes les nuits, et l'odeur de Sabine le réveillait chaque matin. Mais l'intensité de cette perte ne le paralysait plus complètement. Il avait entrevu la possibilité d'une autre existence qui l'angoissait et l'attirait à la fois. Il trouvait une sorte de sécurité dans la vie qu'il connaissait depuis longtemps. Un destin qu'il avait en quelque sorte épousé et qui correspondait à son moi profond : il ne méritait pas d'être heureux, il était maudit.

Il en était convaincu depuis son plus jeune âge, et le tsunami était simplement venu en donner la confirmation. Il jeta un regard à la maison de Clara. Elle était sortie sur les marches et l'observait. Il l'ignora.

Mais peut-être se trouvait-il à un tournant de sa vie. Quelque chose s'était définitivement produit. Depuis sa nuit avec Beatrice, il n'avait couché avec aucune autre femme et n'y avait même pas pensé un seul instant. Cela devait vouloir dire quelque chose. Il regarda sa montre : dix-neuf heures vingt. L'agent immobilier aurait dû être là depuis longtemps. En fait, ils auraient dû se rencontrer à sept heures et signer rapidement le contrat pour qu'il puisse prendre le train de vingt heures trente pour Stockholm. C'était son plan. Pourquoi l'homme n'était-il pas encore arrivé ? Agacé, Sebastian pénétra dans la maison et alluma la lumière dans la cuisine. Puis il appela l'agent immobilier, un certain Peter Nylander qui, après plusieurs sonneries, s'excusa. Il était encore en train de procéder à des visites et ne pourrait venir que le lendemain.

Typique. Encore une nuit dans cette maudite baraque. Voilà pour ce qui était du tournant dans sa vie.

*

Torkel avait ôté sa veste et ses chaussures et s'était écroulé sur son lit, mort de fatigue. Il avait allumé la télévision pendant un court instant, puis l'avait éteinte dès que les images de la conférence de presse étaient apparues. Il ne détestait pas seulement se voir ; quelque chose le dérangeait dans toute cette affaire. Il entreprit de garder les yeux fermés pendant un moment, mais n'y parvint pas. Une insatisfaction latente ne voulait pas le quitter. Les indices étaient convaincants, mais il leur manquait des preuves matérielles irréfutables. Quelque chose qui confirmât définitivement qu'ils avaient raison. Surtout, il manquait des traces de sang. Même en se servant d'une bâche, le sang était une substance qu'un tueur pouvait difficilement éliminer totalement, une matière organique si complexe qu'une petite quantité suffisait déjà à fournir une preuve. Et Roger avait perdu énormément de sang.

Malheureusement, ils n'en avaient trouvé aucune trace dans la Volvo. Ursula pensait la même chose que lui, il le savait. Après leur réunion, elle avait passé plusieurs heures frustrantes à inspecter la voiture, en vain. Comme il la connaissait, elle était probablement encore en train de l'examiner. Avec l'agenda dissimulé dans le poêle de Ragnar Groth, ils avaient fait un grand pas. Jamais elle ne terminerait son travail sans avoir vérifié trois fois au préalable.

Et Hanser ? On ne pouvait plus l'arrêter, ni même la freiner. De plus, elle était parvenue à mettre le commissionnaire divisionnaire de son côté. Torkel et Hanser s'étaient donné rendez-vous une demi-heure avant la conférence de presse. Torkel l'avait suppliée d'attendre encore un peu, un jour de plus ou de moins ne changeait plus grand-chose. Mais il dut rapidement se rendre à l'évidence : les deux autres voulaient à tout prix rapporter la coupe à domicile. En fait, ils ressemblaient plus à des hommes politiques qu'à des policiers : c'était ce qu'il avait compris en tentant désespérément de les convaincre d'adopter une tactique plus prudente. Pour eux, la résolution de l'affaire était une nécessité pour une carrière sans faille. Pour Torkel, par contre, elle signifiait davantage : elle résidait dans la vérité. La solution était ce qui était dû à la victime et non ce qui déterminait sa carrière. Finalement, Hanser et le commissaire divisionnaire l'avaient tout simplement doublé. Il sentait qu'il aurait pu se battre avec plus de véhémence, mais il était fatigué et voulait tout simplement que l'affaire soit derrière lui. C'était évidemment une erreur, mais c'était tout simplement ainsi. En tout cas, ce n'était pas lui qui décidait, mais le commissaire divisionnaire. Ce n'était pas la première fois qu'il devait accepter une telle situation. Dans une organisation comme la police, il fallait s'y habituer. Sinon, on finissait comme Sebastian, et on devenait un insupportable marginal avec qui personne ne voulait travailler.

Dans l'espoir que le journal fût enfin terminé, Torkel tendit de nouveau la main vers la télécommande. Mais avant de rallumer la télé, il entendit soudain des coups hésitants à la porte. Il se leva et ouvrit. Ursula. Elle aussi paraissait fatiguée.

– Tu as trouvé quelque chose ?

Ursula secoua la tête.

– Il n'y a pas la moindre particule de sang dans cette voiture, même pas des protéines. Elles sont tout simplement inexistantes.

Ils restèrent un moment face à face. Aucun d'eux ne savait quoi dire.

– On rentre à la maison demain, alors ? finit-elle par demander.

– Oui, on dirait. Hanser a l'air de vouloir clore l'affaire toute seule, et elle est notre supérieure.

Ursula hocha la tête d'un air compréhensif et se retourna pour partir. Mais Torkel la retint.

– Tu es seulement venue pour me parler de la voiture ?

– En fait, non, souffla-t-elle en le regardant dans les yeux. Mais je crois que je vais en rester là. Je ne sais tout simplement pas quoi dire.

– En tout cas, Sebastian est parti.

– Je sais, je suis désolée.

– Mais j'ai comme l'impression que ce n'est pas seulement à cause de toi.

Elle le regarda, fit un pas vers lui et lui toucha la main.

– Je croyais que tu me connaissais. Je le croyais vraiment.

– Je crois que *maintenant*, je te connais.

– Non, je devrais sûrement être plus claire.

Torkel éclata de rire.

– Tu as été assez claire. Puis-je oser t'inviter à entrer ?

– Tu peux essayer en tout cas.

Elle lui sourit et pénétra dans la pièce. Il referma la porte derrière elle. Elle accrocha son sac et sa veste à la chaise, puis alla se doucher. Torkel enleva sa chemise et prépara le lit. C'est comme ça qu'elle voulait que ça se passe : elle allait sous la douche la première, puis c'était son tour. Ensuite, il se glissait avec elle dans le lit. C'étaient leur routine et leurs règles. Seulement au travail, jamais à la maison. Pas de projets. Et, pensa Torkel pour le futur, lui rester loyal, imperturbablement.

43

Sebastian n'arrivait pas à trouver le sommeil. Trop de choses lui trottaient dans la tête, trop d'événements s'étaient passés. D'abord, il avait pensé que c'était l'adresse à Stockholm qui le perturbait et l'empêchait de décrocher. Compréhensible : comment s'endormir, confronté à une chance si incroyable et en même temps à un tel risque ? Mais ce n'était pas seulement l'adresse. Il y avait d'autres choses. Une autre image. Beaucoup plus nette, et beaucoup plus actuelle. La vision d'un adolescent qui trouvait la mort sur un terrain de football. Un adolescent qu'il n'arrivait pas à cerner, il avait toujours eu cette impression. Il sentait que c'était là que résidait l'erreur fondamentale. Lui comme les autres s'étaient trop vite concentrés sur la périphérie au lieu de se focaliser sur l'essentiel : Axel Johansson, Ragnar Groth, Frank Clevén. Logique, car ils cherchaient un tueur.

Mais alors, ils avaient perdu de vue la victime. Roger Eriksson, le centre de la tragédie, demeurait un mystère.

Sebastian se leva et alla dans la cuisine. Dans le réfrigérateur, il y avait toujours quelques bouteilles de la station-service. Il en ouvrit une et s'assit à la table. Puis il chercha sa sacoche, en sortit du papier, un stylo et le dossier de l'affaire, qu'il avait conservé. Des documents et des chemises qu'il aurait sûrement dû retourner. Il avait oublié qu'il les avait gardés, et n'était pas du genre à revenir dans le seul but de rendre quelques photocopies. Au contraire, il gardait autant de matériel que possible. À l'époque où il travaillait encore, il avait toujours procédé ainsi, et il était content de ne pas avoir perdu cette habitude de ne jamais vider son sac. Malheureusement, le dossier ne contenait pas grand-chose sur Roger. Surtout des documents de ses deux écoles. Sebastian les mit de côté, ouvrit son bloc, attrapa son stylo et commença à mettre un peu d'ordre dans ses pensées. Tout en haut, il écrivit :

Changement d'école

Il arracha la page et la plaça dans le coin supérieur de la table. Autrefois, il aimait noter des mots clés sur des feuilles volantes pour laisser circuler ses pensées. Il s'agissait d'appréhender en détail le cheminement de la réflexion pour regarder dans quel sens la tourner et trouver ainsi le bon point de départ.

Pas d'amis

Le cercle amical limité de Roger posait un problème à la police. Il avait trop peu d'alliés, presque personne ne le connaissait. Lisa n'avait été sa petite copine qu'en apparence, et même Johan, son ami depuis la maternelle, s'était détaché de lui. Il était tout simplement seul. Et les hommes seuls étaient les plus difficiles à cerner.

Suivait une thérapie

Chez Peter Westin. Sûrement pour parler à quelqu'un, ce qui tendait à confirmer l'état de solitude auquel il était livré. Sûrement aussi parce qu'il avait quelque chose à analyser ou à digérer.

Besoin d'argent

Le trafic d'alcool et l'affaire Axel Johansson s'étaient révélés une fausse piste. Mais Roger semblait prêt à tout pour s'enrichir. Il en avait besoin pour s'intégrer, en particulier à sa nouvelle école, le si « vénérable » lycée Palmlövska.

La mère recevait de l'argent du principal.

Le rapport immoral à l'argent paraissait courant dans la famille. L'hypothèse du chantage était donc vraisemblable. Lena savait quelque chose, et Ragnar Groth était prêt à payer pour que rien ne s'ébruitât. Cela devait avoir un rapport avec la réputation de l'école, laquelle représentait toute sa vie. Roger était la seule chose qui reliait Lena à Groth, d'après ce que savait Sebastian. Conclusion :

Amant homosexuel ?

Mais il raya immédiatement cette note.

C'était cette thèse qui l'avait le plus dérangé dans tout le faisceau d'indices. Des théories pareilles devenaient trop prégnantes.

Au contraire, il fallait laisser libre cours à ses pensées, ne pas se limiter, mais observer les liens sans leur donner trop de signification. Souvent, la solution se trouvait dans les petits détails. Il le savait. Il écrivit donc :

Amant/Maîtresse secret(ète)

Mais cette piste était trop fragile. Une intuition que Vanja avait eue après avoir entendu les propos de Lisa et qu'elle considérait comme importante. Il partageait son avis, mais elle pouvait tout simplement avoir été un peu trop influencée par la note subjective du mot « secret ». Quelque chose que l'on cachait devait forcément avoir un rapport avec le sexe. Y avait-il un autre élément que le sentiment de Lisa qui venait confirmer cette théorie ? Oui. Il y en avait un. Il écrivit une autre ligne :

« Il ne parlait que de sexe. »

C'était ce que Johan avait dit à Vanja quand ils l'avaient interrogé sur le terrain de camping. Peut-être était-ce plus important que ce qu'il avait cru au départ. Johan avait déclaré qu'il ne voulait plus passer autant de temps avec Roger à cause de ça. Roger semblait donc avoir un intérêt prononcé pour la chose, insupportable pour Johan. Mais avec qui avait-il des rapports ? Pas avec Lisa. Qui alors ?

Le dernier appel

Cela irritait également Sebastian : le dernier appel téléphonique de Roger. Quand il avait essayé de joindre son ami Johan par téléphone, mais que ce dernier n'était pas là. Pourquoi ne l'avait-il pas appelé ensuite sur son portable ? Pendant un moment, ils étaient partis du principe qu'il n'en avait peut-être plus eu le temps. Maintenant qu'ils avaient reconstitué son dernier trajet, rien ne le confirmait. Au contraire. Après son coup de téléphone, Roger s'est promené un long moment à travers la ville avant de monter dans la voiture. Il n'avait donc pas manqué de temps. L'alternative la plus probable était sans

407

doute que ce qu'il avait à dire à Johan n'était peut-être pas si important.

Sebastian alla chercher une autre bouteille d'eau dans le réfrigérateur. Avait-il oublié quelque chose ? Sûrement. La fatigue commençait à le gagner, et il était frustré de ne pas mieux comprendre Roger. Il avait certainement omis un détail. Il feuilleta les documents de l'école, l'annuaire de l'établissement et ses derniers bulletins. Ne trouva rien de plus qu'une certaine amélioration de ses résultats. Surtout dans les matières enseignées par Beatrice. Elle était manifestement un bon professeur.

Sebastian se leva et sentit qu'il avait besoin d'un peu d'air frais pour clarifier ses idées. Il savait comment il fonctionnait. Parfois, il avait besoin d'un long moment avant de trouver l'idée qui permettait d'assembler les pièces du puzzle. Quelquefois, elle ne venait pas. Comme dans la plupart des processus, il n'y avait aucune garantie.

L'agent immobilier arriva vers huit heures et demie. Entre-temps, Sebastian avait bouclé sa valise et fait une autre promenade. Toujours rien. Ses pensées tournaient invariablement en rond. Peut-être le secret de Roger était-il tout simplement impossible à découvrir. En tout cas avec les éléments dont il disposait. L'agent immobilier arriva au volant d'une grosse Mercedes étincelante, arborant un large sourire un peu exagéré ainsi qu'un manteau élégant parfaitement coupé. Sebastian le détesta sur-le-champ. Il n'accepta même pas la main qu'il lui tendit.

– Alors, vous voulez vendre ?

– Je veux m'en aller d'ici au plus vite. Donnez-moi seulement le contrat, et je signe. Je vous l'ai déjà dit au téléphone, non ?

– Oui, mais nous devrions peut-être en parcourir les clauses ensemble ?

– Ce n'est pas nécessaire, vous touchez un pourcentage sur la vente, c'est bien ça ?

– Oui.

– Et plus vous vendez cher, plus vous gagnez d'argent, je me trompe ?

– Absolument pas.

– Vous avez donc intérêt à vendre le plus cher possible. Ça me suffit.

Sebastian fit un signe de tête à l'agent et prit son stylo pour signer en bas du contrat. Ce dernier le regarda d'un air un peu sceptique.

– Je devrais tout de même visiter la maison avant.

– Alors j'appelle quelqu'un d'autre. Vous voulez que je signe ou pas ?

L'agent hésita.

– Pour quelle raison avez-vous choisi notre agence ?

– Vous étiez le premier dans l'annuaire à avoir un répondeur où l'on pouvait laisser un message. C'est bon ? Permettez-moi de signer maintenant, s'il vous plaît.

L'agent eut un rire satisfait.

– Cela me fait plaisir ! Vous savez, tous ces répondeurs où l'on ne fait que débiter les horaires d'ouverture et où le client est prié de rappeler plus tard sont de plus en plus courants. Mais j'ai pensé que certains devaient appeler ailleurs. Futé, non ?

Sebastian supposa que sa question n'était que rhétorique. En tout cas, il n'avait aucunement l'intention de répondre.

– Je veux dire, il est quand même primordial d'être joignable pour les clients. Vous avez mon numéro dans la chemise, poursuivit l'homme sans attendre la réponse qu'il n'aurait pas obtenue de toute façon. Et vous pouvez m'appeler à n'importe quelle heure si vous avez encore des questions, le soir, le week-end, n'importe quand : c'est ma conception du travail.

Et comme pour prouver qu'il était bien joignable à tout moment, son portable l'interrompit. Sebastian jeta un regard fatigué à l'homme qu'il aurait préféré ne jamais avoir appelé.

– Salut, chérie, oui, tu me déranges un peu là… mais oui.

L'agent s'éloigna de quelques pas pour pouvoir parler en privé.

– Chérie, tu vas y arriver. Je te le promets. Je dois te laisser. Bisous.

L'agent raccrocha et revint vers Sebastian avec un sourire gêné.

– Excusez-moi, c'était ma petite amie. Elle a un entretien d'embauche aujourd'hui, et elle est toujours tellement nerveuse avant.

Sebastian fixa l'homme qui se tenait devant lui et sur qui il en savait déjà beaucoup trop. Il fouilla rapidement dans son esprit à la recherche d'une phrase qu'il aurait pu lui jeter à la tête pour enfin le faire taire. De préférence quelque chose de bien corsé pour lui couper la chique. Et ce fut là qu'elles le surprirent.

Les pensées.

Le lien.

Qui appelait-on ?

44

Vasilios Koukovinos trouvait cette course plutôt étrange. Il était venu chercher l'homme avec son sac de voyage devant sa maison. L'homme avait parlé vite. D'abord, il lui avait demandé de l'emmener au lycée Palmlövska, puis de continuer directement, sans s'arrêter. Il ne voulait même pas descendre une seconde, mais continuer, le plus vite possible.

Arrivé à l'école, il demanda à Vasilios de remettre le compteur à zéro, de tourner et de prendre le chemin le plus rapide jusqu'au motel bordant la E18. L'homme sortit une carte pour lui montrer où il se trouvait, mais Vasilios connaissait Västerås comme sa poche et partit immédiatement. Ils firent le reste du trajet en silence, mais quand Vasilios jetait de temps à autre un coup d'œil au rétroviseur, il voyait que l'homme était si excité qu'il avait du mal à rester en place.

Quand ils s'approchèrent du motel, l'homme changea d'avis. Il lui donna le nom d'une rue située dans les environs. Spränggränd. Il voulait y aller. Mais ce ne fut pas tout. Il demanda à Vasilios de s'engager dans l'impasse, de faire marche arrière et de se garer. Après l'avoir fait, Vasilios regarda le compteur, qui indiquait six kilomètres. Le client lui tendit sa carte de crédit et lui demanda de l'attendre. Puis il descendit et courut vers le motel. Vasilios coupa le moteur et sortit également du véhicule pour fumer une cigarette. Il secoua la tête. Si l'homme avait vraiment voulu aller au motel, il aurait dû le lui demander directement.

Il avait à peine tiré quelque taffes que l'homme était déjà revenu, l'air stressé, presque pâle. Dans la main, il tenait ce qui ressemblait à l'annuaire d'une école. Le chauffeur de taxi reconnut l'image sur la couverture. C'était l'école des fils de bourges. Palmlövska.

Vasilios remonta dans la voiture. L'homme voulait à présent être emmené au terrain de foot, puis revenir à l'école.

Pendant ce temps, il avait les yeux rivés sur le compteur.

C'était vraiment une course étrange.

Une course étrange de dix-sept kilomètres exactement.

Sebastian aurait dû le comprendre tout de suite. Qui, sinon lui ? Il avait été le mieux placé pour le voir. Le changement, la force qui émanait d'elle. Elle fascinait. On voulait la revoir à tout prix.

Exactement comme Roger.

Roger avait besoin de quelqu'un qui fût là pour lui, pour le soutenir après son changement d'école. Quelqu'un qu'il pouvait appeler quand il était nerveux, quand il se faisait maltraiter. Quelqu'un à aimer. Quand Roger avait appelé ce soir-là, ce n'était pas à Johan qu'il avait voulu parler. C'était à Beatrice.

Quand Sebastian avait couru au motel, c'était plutôt une décision spontanée. Une idée qu'il avait eue quand le taxi s'était garé : le motel jouait un rôle plus important que ce qu'ils avaient imaginé. Roger n'y était pas allé par hasard. Il s'y était rendu plusieurs fois. Mais pas avec Ragnar Groth. Quand Sebastian avait montré l'annuaire de l'école à la dame de la réception, il en avait eu la confirmation.

Oh oui, elle était venue. Et même souvent.

Elle n'était pas seulement une « évolutive ». Elle était bien plus que cela.

45

Vanja et Torkel étaient assis dans la salle d'interrogatoire. Beatrice Strand venait de prendre place en face d'eux. Elle portait le même chemisier vert foncé et la même jupe longue que la première fois, quand Vanja et Sebastian l'avaient rencontrée à l'école. Aujourd'hui, en revanche, elle paraissait fatiguée, et pâle comme un linge. Ses taches de rousseur se démarquaient encore plus sur la peau blanche de son visage. Peut-être était-ce seulement le fruit de son imagination, mais Sebastian, qui se trouvait dans la pièce voisine, crut même remarquer que ses cheveux roux avaient perdu de leur éclat. Beatrice pressait un mouchoir dans sa main, mais ne fit aucun effort pour essuyer les larmes qui coulaient lentement le long de ses joues.

– Bien sûr, j'aurais dû tout vous dire.

– Effectivement, cela nous aurait facilité le travail.

Vanja parlait d'un ton sec et cassant, presque accusateur. Beatrice la regarda comme si elle venait de réaliser quelque chose d'effrayant.

– Est-ce qu'ils seraient encore en vie ? Lena et Ragnar ? Si je l'avais dit ?

Le silence se fit autour de la table. Torkel comprit que Vanja était sur le point de répondre par l'affirmative et posa doucement sa main sur son bras. Vanja se retint.

– Parlez-nous plutôt de vous et de Roger.

Beatrice prit une inspiration et retint son souffle comme pour se préparer à l'épreuve à venir.

– Je comprends que vous trouviez cela complètement déplacé. Je suis mariée et il avait à peine seize ans, mais il était très mûr pour son âge et… c'est arrivé.

– Et comment cela a-t-il commencé ?

– Quelques mois après son arrivée à l'école, il avait besoin de quelqu'un, car il n'avait pas beaucoup de soutien à la maison. Et moi… j'avais terriblement besoin de me sentir utile. Aimée. Vous me trouvez sûrement horrible ?

– Il avait seize ans et était dépendant de vous, non ?

Vanja avait encore inutilement adopté un ton dur et impitoyable.

Gênée, Beatrice baissa les yeux. Elle avait posé ses mains sur la table et triturait nerveusement son mouchoir. Si Vanja ne se calmait pas rapidement, ils allaient perdre Beatrice. Elle craquerait, et ils n'en tireraient plus rien. De nouveau, Torkel posa sa main sur l'avant-bras de Vanja. Sebastian parla dans l'oreillette.

– Demande-lui pourquoi elle avait besoin de se sentir aimée. Elle est mariée.

Vanja loucha vers le miroir avec un regard qui semblait demander ce que cela avait à voir avec l'affaire. Sebastian appuya à nouveau sur le bouton.

– Ne la casse pas. Demande-le-lui. Je crois qu'elle a envie d'en parler.

Vanja haussa les épaules et concentra de nouveau son attention sur Beatrice.

– Comment décririez-vous votre mariage ?

– Il est…

Beatrice releva les yeux. Hésita. Chercha le bon mot pour décrire sa situation familiale, son foyer. Elle finit par le trouver.

– Sans amour.

– Et pourquoi ?

– Je ne sais pas si vous savez qu'Ulf et moi avons divorcé il y a six ans. Nous nous sommes remariés il y a un an et demi.

– Pourquoi avez-vous divorcé ?

– J'avais une liaison avec un autre homme.

— Vous avez été infidèle ?

Beatrice hocha la tête, puis baissa les yeux. Il était facile de deviner quelle opinion avait à son sujet la femme plus jeune assise en face d'elle. On le percevait au ton de sa voix, on le lisait dans son regard. Beatrice ne lui en voulait pas. Maintenant qu'elle en parlait dans cette pièce nue, les faits lui paraissaient également hautement immoraux. Mais quand elle trouvait l'amour et se laissait emporter, elle ne pouvait pas résister. Elle avait toujours su que c'était une mauvaise chose. À tous points de vue.

Mais comment rejeter cet amour qu'elle désirait par-dessus tout et qu'elle ne recevait nulle part ailleurs ?

— Et Ulf vous a quittée ?

— Oui, Johan et moi. En fait, il a tout simplement passé la porte, et il est parti. Cela a duré un an avant qu'on puisse se reparler.

— Mais il vous a pardonné aujourd'hui ?

— Non. Ulf est revenu pour Johan. Notre séparation a sévèrement touché notre fils. Johan était déboussolé et en colère. Il habitait avec moi, mais à ses yeux, j'étais responsable de la destruction de la famille. C'était une guerre ouverte. On ne trouvait pas de solution. La plupart des enfants supportent la séparation de leurs parents. Parfois cela dure longtemps, parfois moins, mais au bout du compte, ils finissent toujours par aller mieux. Pas Johan. Le fait qu'il voie Ulf plus souvent ou habite chez lui une semaine sur deux ne changeait rien. Réunir la famille était devenue une idée fixe qui le rendait malade, dépressif. Pendant un moment, il a même eu des pensées suicidaires. Il a commencé une thérapie, mais cela ne s'est pas arrangé. Tout tournait autour de la famille. Ensemble tous les trois, comme avant.

— Ulf est donc revenu.

— Pour Johan. Je lui en suis reconnaissante, mais Ulf et moi... nous ne sommes plus un couple.

Dans la pièce contiguë, Sebastian hocha la tête. Son instinct ne l'avait donc pas trompé : c'était bien Beatrice qui l'avait séduit, et non l'inverse. Mais sa situation était encore pire que ce qu'il avait imaginé. Quel enfer elle avait dû traverser ! Quelle torture de vivre

jour après jour avec un homme qui la rejetait et lui montrait clairement qu'il ne voulait rien avoir à faire avec elle. Et son fils, qui l'avait
rendue responsable de tous les malheurs de la famille. Beatrice était
complètement isolée. Pas étonnant qu'elle prenne l'amour là où il se
présentait.

– Comment Lena Eriksson a-t-elle appris votre liaison ? demanda
Torkel.

Beatrice avait cessé de pleurer. Cela lui avait fait du bien de tout
raconter. Elle avait même l'impression que la jeune femme la regardait avec plus de compassion. Bien sûr, elle ne cautionnerait jamais
son comportement, mais elle pouvait éventuellement en comprendre
les causes.

– Je ne sais pas. Elle a soudain été au courant, c'est tout. Mais au
lieu d'essayer de faire cesser notre relation, elle a fait chanter Ragnar
et l'école. C'est comme ça qu'il l'a appris.

– Et il a payé ?

– Je crois, oui. La réputation de l'école était essentielle à ses yeux.
Je pouvais encore enseigner jusqu'à la fin du semestre. Comme le
concierge avait déjà été licencié à peine quelques semaines auparavant,
il n'aurait pas été bien vu qu'une autre personne s'en allât. Mais Groth
a bien sûr exigé que je mette fin à ma relation avec Roger.

– Et vous l'avez fait ?

– Oui, du moins, j'ai essayé. Mais Roger refusait d'admettre que
cela ne pût continuer.

– À quand cela remonte-t-il ?

– Un mois peut-être.

– Mais vous l'avez revu, ce vendredi-là ?

Beatrice acquiesça et inspira à nouveau. Son visage avait repris des
couleurs. Son comportement était sûrement répréhensible et les personnes présentes la condamnaient à raison, mais cela faisait du bien
d'en parler.

– Il m'a appelée vendredi soir pour qu'on se voie une dernière fois.
Il a dit qu'on devait s'expliquer.

– Et vous avez accepté ?

– Oui, on s'est donné rendez-vous quelque part, et je l'y ai attendu. À la maison, j'ai dit que j'allais me promener.

Sebastian, circonspect, hocha la tête derrière la vitrine. Il avait cogité pendant tout ce temps pour savoir pourquoi Roger n'avait pas appelé Johan sur son portable. Alors que c'était tout simplement Beatrice qui avait menti. L'appel était pour elle, et non pour Johan, qui était bien à la maison. Beatrice but une gorgée d'eau et poursuivit :

– J'ai emprunté la voiture de l'école, et j'y suis allée. Il était désespéré en arrivant, et il saignait du nez après avoir été tabassé.

– Par Leo Lundin.

– Oui. On a discuté, et j'ai essayé de lui expliquer pourquoi il fallait mettre fin à notre relation. Ensuite, je l'ai conduit jusqu'au terrain de foot. Roger ne voulait toujours pas accepter cette séparation. Il pleurait et me suppliait. Il se sentait abandonné.

– Que s'est-il passé ensuite ?

– Il est descendu de la voiture, désespéré et en colère. La dernière fois que je l'ai vu, il traversait le terrain de foot.

– Vous ne l'avez pas suivi ?

– Non. Je suis retournée à l'école pour y garer la voiture.

Le silence se fit dans la pièce. Un silence que Beatrice interpréta immédiatement comme de l'incrédulité. Ils croyaient qu'elle mentait. De nouveau, les larmes lui montèrent aux yeux.

– Je n'ai rien à voir avec sa mort. Vous devez me croire. Je l'aimais. Vous pouvez penser ce que vous voulez, mais c'est la vérité.

Beatrice sanglota et cacha son visage dans ses mains. Vanja et Torkel échangèrent un regard. Torkel fit un signe en direction de la porte, et ils se levèrent tous les deux. Torkel dit qu'ils allaient revenir tout de suite, mais Beatrice parut ne pas les entendre.

Ils venaient d'ouvrir la porte quand Beatrice posa une question.

– Sebastian est là ?

Torkel et Vanja se regardèrent, interloqués.

– Sebastian Bergman ?

Beatrice hocha la tête, en pleurs.

– Pourquoi ?

Vanja tenta de se rappeler si Sebastian et Beatrice s'étaient déjà rencontrés. La première fois à l'école bien sûr, et la deuxième quand ils étaient passés chez elle pour demander l'adresse du camping d'Ulf et de Johan, mais il ne s'agissait que de courts instants.

– Je voudrais lui parler.

– Nous allons voir ce que nous pouvons faire.

– S'il vous plaît. Je crois qu'il veut me voir également.

Torkel tint la porte à Vanja, et tous les deux sortirent dans le couloir. Une seconde plus tard, Sebastian sortit de la pièce voisine. Il en vint directement aux faits.

– Je pense qu'elle n'a rien à voir avec les meurtres.

– Et qu'est-ce qui te fait croire ça ? demanda Torkel alors qu'ils longeaient le couloir. C'est toi qui nous as appris qu'elle conduisait la voiture et qu'elle avait une liaison avec Roger.

– Je sais, mais je crois que j'ai tiré des conclusions hâtives. Je suis parti du principe que celui qui conduisait la voiture était le meurtrier. Mais ce n'est pas elle.

– Tu n'en sais rien.

– Si. Rien dans ses propos ni dans son attitude n'indique qu'elle ment.

– Ça ne suffit pas à l'exclure définitivement de la liste des suspects.

– Les résultats de la fouille de la voiture confirment les déclarations de Beatrice sur le déroulement de la soirée. Voilà pourquoi nous n'avons trouvé aucune trace de sang dans la Volvo.

Vanja se tourna vers Torkel.

– Pour une fois, je suis d'accord avec Sebastian.

Torkel hocha la tête. Il était du même avis. Beatrice paraissait sincère. Hélas ! les pensées de Vanja semblaient aller dans la même direction. Elle ne put cacher sa fatigue et sa déception.

– Ce qui veut dire qu'il doit y avoir une voiture souillée quelque part. Est-ce qu'on est encore revenu à la case départ ?

– Pas forcément, dit Sebastian.

Ils le regardèrent.

– Quand il y a tromperie, il y a un trompé. Que sait-on sur le mari ?

46

Haraldsson était sous le choc. On ne pouvait décrire son état autrement. Son plan, sa revanche, tout avait été réduit à néant.

Il était à présent assis devant une tasse de café tiède dans la salle de pause et tentait de récapituler comment cela avait pu tourner aussi mal. Apparemment, il en avait raconté plus qu'il ne l'avait cru à Radjan. Il avait sûrement dit que seuls les coupables fuyaient et qu'Axel Johansson avait probablement plus sur la conscience que le marché noir. Même si cela n'avait pas obligatoirement de rapport avec Roger Eriksson et Peter Westin, il devait y avoir quelque chose.

L'alcool lui avait délié la langue.

Radjan n'avait pas seulement photocopié le document : il l'avait regardé d'un œil nouveau et était tombé exactement sur ce qui clochait chez Axel Johansson. Radjan Micic n'était pas un mauvais policier. Il n'avait pas mis longtemps à parvenir aux mêmes conclusions que Haraldsson quelques heures plus tard. Bien sûr, d'autres policiers à Gävle, Sollefteå et même ses collègues du commissariat avaient établi le parallèle entre les différents viols, et deviné qu'il s'agissait dans plusieurs cas du même violeur, mais sans un nom auquel comparer ces informations, cela ne pouvait pas aboutir à grand-chose.

Haraldsson connaissait le nom et l'avait donné à Radjan. Radjan avait manifestement plus de contacts en ville que Haraldsson, c'était ce qu'il comprenait à présent. Apparemment, Radjan et son collègue Elovsson avaient obtenu une adresse un quart d'heure après avoir quitté le commissariat. À dix heures et demie, ils avaient arrêté Axel Johansson. À peu près à l'heure à laquelle Haraldsson s'était mis en route pour le commissariat. Quand il fut évident qu'ils allaient faire des analyses ADN, Axel avait avoué sans difficultés. Et même plus encore que les plaintes enregistrées. Il nia cependant être impliqué dans les meurtres de Roger Eriksson et Peter Westin, et avait même un alibi qui paraissait solide. La matinée avait toutefois été fructueuse pour la police de Västerås : quinze affaires de viols avaient été élucidées.

Par Micic et Elovsson.

Des rumeurs couraient selon lesquelles le commissaire divisionnaire allait leur rendre une petite visite le jour même. Haraldsson sentit ses yeux brûler et les frotta. Il tenta de toutes ses forces de retenir ses larmes. Derrière ses paupières fermées, les couleurs dansaient au milieu des lumières clignotantes. Il voulait s'y enfoncer, s'éloigner de la réalité. Se camoufler pour toujours derrière ses paupières. Tout à coup, des pas s'approchèrent et s'arrêtèrent à côté de lui.

– Viens, dit Hanser en se retournant.

Haraldsson obéit sur-le-champ.

*

Ils étaient de nouveau réunis tous les cinq dans la salle de conférences. Billy et Ursula avaient passé la matinée à accrocher tout le déroulement de l'enquête au mur. Une lourdeur paralysante flottait dans la pièce.

Pendant un moment, ils avaient cru, ou plutôt avaient tenté de se persuader qu'ils avaient résolu l'affaire. Ils avaient l'impression d'avoir fini une course de fond et apprenaient qu'ils avaient encore dix kilomètres à parcourir. Et ils n'en avaient plus la force.

– Ulf Strand a divorcé de sa femme il y a six ans, et ils se sont remariés il y a un an et demi, dit Billy qui avait cherché toutes les informations possibles sur le mari de Beatrice.

Vanja soupira. Sebastian lui jeta un regard et comprit que ce soupir n'avait rien à voir avec l'ennui ou le désintérêt. Il n'exprimait pas directement de sympathie pour Ulf Strand, mais tout de même une certaine compréhension pour le sacrifice qui avait manifestement mené à une vie gâchée.

– Il y a deux plaintes enregistrées contre lui, continua Billy. Pour menaces et agression. Les deux remontent à 2004 et ont été déposées par un certain Birger Franzén qui voyait Beatrice à l'époque.

– C'est l'amant ?

Au moment où elle entendit sa voix, Vanja comprit que sa question était totalement inutile et qu'elle l'avait posée par simple curiosité. Elle savait aussi qu'elle n'obtiendrait pas de réponse. Et ce fut le cas.

– Je ne sais pas. Il est seulement écrit qu'ils étaient en couple au moment de la plainte, mais qu'ils habitaient séparément.

– Et quelles ont été les suites ? demanda Torkel avec impatience.

– La première a conduit à une amende, et la deuxième à une peine avec sursis et une interdiction de s'approcher du domicile. Le domicile de Franzén bien sûr, pas celui de Beatrice et de Johan, expliqua Billy.

– Il est donc du genre jaloux.

Sebastian se renversa sur sa chaise. Cela aurait pu l'avoir mis en colère que sa femme entamât une liaison avec un copain de son fils.

Torkel regarda Billy.

– Continue.

– Il a un permis de port d'arme.

– Il a des armes ?

– Un Unique T66 Match.

– Calibre 22, intervint Ursula.

– Autre chose encore ?

– Non, c'est tout. Il est administrateur systèmes dans un cabinet de recrutement, et possède une Renault Mégane de 2008.

Torkel se leva.

– Bon, on va rendre une petite visite à Ulf Strand.

Vanja, Sebastian et Ursula bondirent de leur chaise. Billy resta assis. Si les autres revenaient avec Ulf, ils allaient avoir besoin de toutes les informations possibles. Et c'était son boulot de s'en occuper.

Les quatre autres quittaient la salle quand on frappa à la porte. Une seconde plus tard, Hanser passa sa tête dans l'embrasure.

– Vous avez une minute à me consacrer ?

Elle entra sans attendre la réponse.

– En fait, nous partions.

Torkel ne parvint pas à cacher totalement l'irritation dans sa voix. Hanser le remarqua, mais décida de ne pas en faire grand cas.

– Il y a du nouveau dans l'affaire Eriksson ?

– Nous allons arrêter Ulf Strand, le mari de Beatrice.

– Ah, j'arrive juste à temps alors. Je viens de parler au commissaire divisionnaire…

Torkel l'interrompit.

– Oui, il a de quoi être satisfait, j'ai entendu parler d'Axel Johansson, félicitations.

Torkel désigna la porte, un geste signifiant qu'ils pouvaient continuer à parler en marchant, mais Hanser s'arrêta.

– Merci. Oui, il est satisfait, mais il pourrait l'être encore plus.

Torkel connaissait bien ce genre de situation et savait où elle voulait en venir.

– Hier, nous avons annoncé à grand fracas que l'affaire était résolue, dit Hanser.

– Ce n'est pas ma faute. Hier, beaucoup de choses indiquaient que c'était Ragnar Groth, mais à y regarder de plus près, l'argumentation ne tient pas. Ça arrive.

– Le commissaire divisionnaire est un peu irrité que vous ayez arrêté Beatrice Strand sans nous en informer. Il espère qu'un membre de la police de Västerås sera présent lors de la prochaine arrestation.

– Je ne suis pas obligé de l'informer de tous nos faits et gestes.

Le ton de Torkel se faisait de plus en plus sec. Il n'aimait pas que l'on discutât ses compétences, et il n'avait pas non plus l'intention de prendre des précautions stupides juste parce que le commissaire divisionnaire était mal luné après un échec de communication.

– S'il veut critiquer mon travail, pourquoi ne vient-il pas me le dire lui-même ?

Hanser haussa les épaules.

– Il m'a envoyée pour le faire.

Torkel comprit qu'il s'en prenait à un simple messager, et que Hanser n'y pouvait rien. Il se reprit et pesa le pour et le contre dans sa tête.

– OK, c'est bon, on va emmener quelqu'un.

– Le problème, c'est qu'il y a eu des débordements dans une manifestation, et un grave accident est survenu sur la E18. Nous manquons donc de personnel.

– Si tu veux que j'attende, c'est hors de question. Il y a des limites.

– Non, vous n'avez pas besoin d'attendre, je voulais juste vous expliquer pourquoi vous devez emmener celui que vous devez emmener.

Torkel crut lire un brin de pitié sur le visage de Hanser avant qu'elle ne fasse un signe de tête en direction de l'open-space. Torkel jeta un regard par la vitre. Il se retourna vers elle avec la tête de quelqu'un à qui l'on vient de faire une mauvaise plaisanterie.

– Tu te fiches de moi ?

Dehors, Haraldsson s'appuya sur un bureau et renversa un verre à stylos avec tout son contenu.

Les véhicules civils se garèrent à vingt mètres de la maison jaune, et ils en descendirent tous les cinq. Haraldsson était assis seul à l'arrière de la voiture de Vanja et Torkel. Après avoir quitté le commissariat, il avait essayé de bavarder un peu, mais il avait très vite réalisé que personne n'était intéressé par ce qu'il avait à dire, à la suite de quoi il s'était tu.

À présent, ils traversaient la rue, Haraldsson, Vanja et Torkel devançant Ursula et Sebastian de quelques pas. Le quartier était calme et plongé dans le soleil de l'après-midi. Au loin résonnait le moteur d'une tondeuse. Sebastian ne savait pas grand-chose sur le jardinage, mais le mois d'avril n'était-il pas un peu tôt pour tondre ? C'était sûrement un fanatique.

Le groupe s'approcha de l'allée menant à la maison des Strand. Quand ils étaient passés prendre Beatrice au lycée, elle avait dit qu'Ulf avait l'habitude d'être à la maison quand Johan revenait de l'école. À l'agence de recrutement, ils lui avaient expliqué qu'il était déjà parti, ce qui était apparemment vrai puisque la Renault familiale était soigneusement garée dans l'allée.

Vanja s'avança vers la voiture et s'accroupit devant le pneu arrière. Ses yeux brillaient quand elle se tourna vers les autres.

– Pirelli.

Ursula s'était précipitée à côté de Vanja et s'accroupit à côté d'elle. Elle sortit son appareil photo et photographia les pneus.

– P7. Cela correspond exactement.

Ursula sortit un petit couteau de son sac et gratta un peu de boue et de saleté incrustée dans le pneu. Vanja se releva et contourna Ursula pour gagner le coffre. Elle appuya sur le bouton en jetant un regard interrogateur à Torkel qui hocha la tête d'un air encourageant. Vanja l'ouvrit. Torkel la rejoignit, et ils jetèrent un œil dans le coffre presque vide. Le revêtement était noir et sans l'équipement adéquat, il était presque impossible de distinguer s'il y avait des traces de sang. Une bâche était déroulée au fond. Toute neuve. En dessous, deux grands casiers avec couvercles qui abritaient sans doute la roue de secours, le triangle, les fusibles et d'autres choses sans intérêt. Par contre, les couvercles posés au-dessus étaient tout sauf inintéressants. Ils étaient couverts d'un paillasson à bords gris. Au milieu s'étalait une grande tache rouge sombre. Torkel et Vanja avaient vu assez souvent du sang séché pour savoir immédiatement ce que c'était. De plus, l'odeur confirmait sans aucun doute possible leur impression. Ils fermèrent précipitamment le coffre.

Vu la concentration avec laquelle ils avaient regardé à l'intérieur, Sebastian devina qu'ils avaient dû avoir découvert quelque chose. Quelque chose de décisif.

Ils avaient enfin trouvé. Sebastian se retourna rapidement vers la maison. Il crut percevoir du coin de l'œil du mouvement à l'étage supérieur. Il l'observa attentivement : rien, tout était calme.

– Sebastian…

C'était Torkel qui l'appelait. Sebastian jeta un dernier regard à la fenêtre supérieure avant de concentrer son attention sur Torkel.

L'homme qui n'était pas un meurtrier les avait vus arriver dans l'allée et s'arrêter. Il l'avait toujours su. La voiture était son talon d'Achille.

Le lendemain de ce funeste vendredi, il avait envisagé de l'emmener à la casse, mais il s'était ensuite ravisé. Comment l'expliquer ? Pourquoi vouloir détruire une voiture en parfait état ? Il aurait immédiatement attiré les soupçons. Au lieu de cela, il avait fait ce qu'il pouvait. Lavé et récuré, posé une nouvelle bâche dans le coffre, et mis une annonce sur Internet pour la vendre. Deux personnes intéressées étaient venues la voir, mais aucune n'avait décidé de l'acheter. Il avait commandé deux nouveaux couvercles pour les casiers, qui auraient dû arriver la semaine suivante.

Trop tard.

La police était là, et examinait sa voiture. Deux femmes étaient age-nouillées à côté de la roue arrière. Avait-il laissé des traces de pneus ? Sûrement. L'homme qui n'était pas un meurtrier jura intérieurement. Il aurait sûrement pu l'éviter. Il était facile de changer des roues. Mais maintenant ?

Trop tard.

Il ne restait plus qu'une chose à faire : sortir et avouer. Accepter sa peine. Ils le comprendraient peut-être. Comprendraient, mais ne lui pardonneraient pas.

Ils ne lui pardonneraient jamais.

Personne ne lui pardonnerait. Le pardon supposait non seulement un aveu mais aussi des regrets, et il n'en éprouvait toujours aucun.

Il avait fait son devoir.

Aussi longtemps que possible.

Mais à présent, c'était fini.

— Soyez prudents, il est peut-être armé.

Torkel avait rassemblé tout le monde autour de lui et donnait ses ordres presque en chuchotant pour l'intervention à venir.

— Longez les murs. Vanja, tu prends par derrière.

Tous hochèrent la tête d'un air grave. Vanja sortit son arme, puis disparut légèrement courbée derrière la maison.

– Ursula, tu surveilles le côté de la maison au cas où il voudrait passer par la fenêtre et s'enfuir par le jardin des voisins. Sebastian, tu restes en retrait.

Sebastian n'eut aucun mal à suivre les indications de Torkel. Cette partie du travail de police ne l'intéressait pas le moins du monde. Il savait que les autres attendaient ce moment avec impatience depuis qu'ils avaient entendu parler pour la première fois d'un ado de seize ans nommé Roger Eriksson, mais l'arrestation en elle-même n'intéressait pas Sebastian.

Pour lui, c'était le chemin qui comptait, pas l'objectif.

Torkel se tourna vers Haraldsson.

– On va sonner tous les deux. J'aimerais que vous restiez à côté de moi, arme baissée. Il ne faut pas l'effrayer, vous comprenez ?

Haraldsson hocha la tête. L'adrénaline pulsait dans ses veines. C'était du sérieux. Il allait arrêter le meurtrier de Roger Eriksson, pas lui-même, mais quand même.

Il était sur les lieux, il faisait partie de l'équipe. Il sentit un frisson dans le ventre en se dirigeant vers la porte avec Torkel. Haraldsson jeta un bref regard à Torkel, comprit que l'ordre de baisser sa garde n'était plus de mise et braqua son pistolet lui aussi. Lentement, la porte s'ouvrit.

– Je sors, entendit-on s'échapper de la maison.

– Lentement ! Et les mains en l'air !

Torkel resta posté à quatre ou cinq mètres de la porte. Haraldsson fit de même. Ils virent apparaître un pied dans l'ouverture. Puis la porte s'ouvrit plus largement. Ulf Strand sortit les mains en l'air.

– J'imagine que c'est moi que vous cherchez.

– Restez où vous êtes !

Ulf obéit. Il observa calmement les policiers s'approcher, revolver à la main. Ursula et Vanja arrivèrent de l'arrière de la maison, elles aussi arme au poing.

– Retournez-vous !

Ulf obtempéra et fixa le couloir poussiéreux, flegmatique. Torkel fit signe à Haraldsson de s'arrêter pendant que lui-même s'approchait d'Ulf.

– À genoux !

Ulf s'exécuta. Les gros cailloux de l'escalier se plantèrent aussitôt dans ses genoux. Torkel posa une main sur la nuque du suspect tout en le fouillant de l'autre.

– C'est moi. Je l'ai tué.

Torkel termina la fouille et aida Ulf à se relever. Les autres policiers replacèrent leur arme dans leur holster.

– C'est moi. C'est moi qui l'ai tué, répéta Ulf en regardant Torkel dans les yeux.

– Mains dans le dos, s'il vous plaît.

Ulf regarda Torkel d'un air suppliant.

– Vous croyez que vous pourriez m'épargner ces choses-là ? J'aimerais bien tout simplement m'en aller d'ici pour que Johan ne soit pas forcé de me voir en… criminel.

– Johan est à la maison ?

– Oui, il est en haut dans sa chambre.

Même si le garçon n'avait ni vu ni entendu ce qui s'était passé, il allait bien sortir de sa chambre. Et il ne devait pas trouver la maison vide. Il aurait besoin de quelqu'un à qui parler. Torkel appela Vanja.

– Tu restes avec le gamin.

– OK.

Torkel revint vers Ulf.

– On y va alors.

Ulf tourna la tête et cria dans la maison par-dessus son épaule.

– Johan, je pars avec la police un moment. Maman va bientôt revenir !

Pas de réponse. Torkel prit le père de famille par le bras. Haraldsson lui mit les menottes et lui saisit l'autre bras, puis ils se dirigèrent vers la voiture. Quand ils passèrent devant Sebastian, celui-ci se joignit à eux.

– Depuis combien de temps le savez-vous ?

427

Ulf cligna des yeux dans le soleil de l'après-midi quand il jeta un regard étonné à Sebastian.

– Depuis combien de temps je sais quoi ?

– Que votre femme avait une liaison avec Roger Eriksson ?

Sebastian vit les yeux d'Ulf Strand s'écarquiller d'étonnement. Une expression de surprise et d'incrédulité apparut sur son visage. Ulf baissa les yeux jusqu'à ce qu'il retrouve le contrôle de lui-même.

– Euh… un bon moment…

Sebastian hésita, se figea. Il comprit ce qu'il venait de voir. Un homme abasourdi de surprise. Un homme qui ignorait tout des activités de sa femme avec le meilleur ami de son fils. Soudain, Sebastian se tourna vers les autres.

– Quelque chose cloche.

Torkel s'arrêta, ainsi que Haraldsson et Ulf. Ce dernier fixait toujours ses pieds.

– Qu'est-ce que tu dis ?

– Il n'est pas au courant !

Torkel s'approcha rapidement de Sebastian.

– Quoi ? De quoi tu parles ?

– Ce n'est pas lui.

Avant même que quiconque ait pu réagir, on entendit un coup de feu et un cri. Sebastian se tourna vers Ulf. Haraldsson porta la main à sa poitrine et s'effondra dans l'allée.

– Sortez vos armes !

Ursula se jeta par terre et traîna Haraldsson, sévèrement touché, derrière la Renault. En sécurité. Torkel réagit tout aussi vite, tirant Ulf Strand vers le côté et le suivant tête baissée en dehors de la ligne de tir. En l'espace de quelques secondes, ils avaient évacué l'allée. Des secondes durant lesquelles Sebastian jeta un coup d'œil derrière lui. De la fenêtre de l'étage qu'il avait déjà observée tout à l'heure sortait maintenant le canon d'un fusil. Derrière lui, un visage juvénile.

– Sebastian !

Torkel cria. Pendant quelques secondes, Sebastian vit les autres réagir instinctivement : des années d'entraînement leur avaient appris à se mettre rapidement à l'abri. Lui-même était encore figé dans l'allée, complètement exposé. Il releva la tête vers la fenêtre et observa le canon pivoter vers la gauche. Dans sa direction. Il se décida enfin à courir vers la porte d'entrée. Quand il eut atteint le perron, il entendit une balle faire exploser une dalle derrière lui. Il accéléra. Quelqu'un apparut devant lui sur le seuil de la porte : c'était Vanja, arme au poing.

– Qu'est-ce qui se passe ici ?

Sebastian était maintenant pratiquement sûr qu'il était trop près de la maison pour risquer d'être touché, mais il n'avait tout de même pas l'intention de rester planté là à faire un rapport à Vanja sur les événements. Il se faufila dans le couloir, en sécurité. Vanja le suivit en un éclair.

– Sebastian ! Qu'est-ce qui se passe ?

Sebastian haletait, son cœur battait la chamade, son pouls martelait contre ses tempes. Pas à cause de la fatigue, mais parce qu'il avait épuisé sa ration annuelle d'adrénaline en quinze secondes.

– Il est là-haut, dit Sebastian hors d'haleine, avec un fusil.

– Qui ?

– Johan. Il a touché Haraldsson.

Soudain, ils entendirent des pas à l'étage. Vanja se tourna rapidement et pointa son pistolet sur les escaliers. Mais personne ne vint. Le silence se fit à nouveau.

– Tu es sûr ?

– Je l'ai vu.

– Pourquoi tirerait-il sur Haraldsson ?

Sebastian haussa les épaules et, les mains tremblantes, sortit son téléphone portable de sa poche. Il composa un numéro. Occupé. Il supposa que Torkel appelait des renforts, des renforts armés.

Sebastian essaya de mettre de l'ordre dans ses pensées. Que savait-il ? À l'étage, il y avait un adolescent qui venait de tirer sur un policier. Un garçon psychiquement instable ou qui, du moins, l'avait été autrefois, à en croire sa mère. Il avait sûrement agi sous le coup de l'émotion quand il les avait vus emmener son père. Peut-être aussi était-il impliqué dans le meurtre de Roger Eriksson et avait-il l'impression de voir son monde s'écrouler.

Sebastian gagna les escaliers. Vanja le retint en posant sa main sur sa poitrine.

– Où vas-tu ?

– En haut. Je dois lui parler.

– Non, ne fais pas ça. Les renforts vont arriver.

Sebastian prit une profonde inspiration.

– Il a seize ans. Il a peur. Il est enfermé dans sa chambre. S'il voit débouler une unité spéciale et sent qu'il n'y a pas d'issue, il va diriger son arme contre lui. Je ne veux pas avoir ça sur la conscience. Et toi ?

Vanja croisa son regard. Ils restèrent un instant sans rien dire. Sebastian vit Vanja peser le pour et le contre. Confronter raison et sentiments.

Sebastian réfléchit à la manière de la convaincre de ne pas monter avec lui. Ce serait dur, mais il était obligé de faire quelque chose. Il était convaincu que Johan allait se donner la mort si personne ne rétablissait rapidement le contact avec lui. Et cela ne devait pas arriver. À son grand soulagement, Vanja hocha la tête et fit un pas de côté. Sebastian passa devant elle.

– Appelle Torkel, et dis-lui que je monte voir le gamin. Qu'ils m'attendent !

Vanja accepta. Sebastian prit une dernière inspiration, s'agrippa à la rambarde de l'escalier et posa son pied sur la première marche.

– Merci.

Sebastian entama lentement l'ascension des marches.

Elles débouchaient sur un petit couloir où il fallait prendre à gauche pour arriver à l'étage. Il y avait quatre portes : deux sur la droite, une sur la gauche et une au fond. Des posters encadrés, des photos et des dessins d'enfants tapissaient les murs pêle-mêle. Par terre s'étendait un long tapis rouge plus étroit de quelques centimètres que le couloir.

Sebastian observa les portes fermées et réfléchit. La porte d'entrée était du même côté que la chambre de Johan. S'il considérait la position des escaliers, cela voulait dire que la porte fermée au bout du couloir était celle de la chambre de Johan. Sebastian s'en approcha à pas feutrés.

– Johan… ?

Silence. Sebastian se colla contre le mur de droite pour éviter de se trouver juste devant la porte. Il ignorait si une balle de Unique T66 Match pouvait traverser une porte, mais il n'avait pas non plus envie de le savoir.

– Johan, c'est Sebastian. Tu te souviens de moi ?

– Cassez-vous ! entendit-il à travers la porte.

Sebastian respira. Un contact. Un premier pas essentiel. Il fallait maintenant franchir les étapes suivantes. Il devait entrer dans cette pièce.

– J'aimerais te parler, tu me laisses entrer ?

Pas de réponse.

– Je pense que ça serait bien si on parlait un peu. Je ne suis pas policier, tu te rappelles ? Je suis psychologue.

Dans le silence qui suivit sa phrase, Sebastian entendit des sirènes s'approcher. Il jura intérieurement. Bon sang, mais qu'est-ce qu'ils fichaient là-dehors ? Cela ne ferait que rendre le gamin encore plus nerveux. Sebastian devait entrer dans cette chambre, et tout de suite.

Il changea de côté et s'appuya sur la gauche de la porte. Doucement, il posa la main sur la poignée. Elle était froide. Sebastian s'aperçut tout d'un coup à quel point il suait. Il passa sa main sur son front.

– J'aimerais seulement parler, rien d'autre. Je te le promets.

Pas de réponse. Les sirènes approchaient. Ils devaient être dans la rue à présent. Sebastian éleva la voix.

– Tu m'entends ?

– Vous ne pouvez pas tout simplement vous casser ?

La voix de Johan paraissait plus résignée que menaçante, étranglée même. Pleurait-il ? Était-il sur le point de craquer ? Sebastian inspira à nouveau.

– Je vais ouvrir la porte maintenant.

Il appuya sur la poignée. Pas de réaction perceptible à l'intérieur. Sebastian l'ouvrit d'abord d'un centimètre et la laissa ainsi.

– Je vais maintenant ouvrir complètement et entrer. D'accord ?

Toujours le silence. Il fit glisser son index dans l'interstice et ouvrit encore plus grand la porte, tout en restant à l'abri contre le mur. Il ferma un instant les yeux pour se concentrer.

Puis il fit un pas en avant et se plaça dans l'encadrement de la porte, les mains bien visibles.

Johan était assis par terre sous la fenêtre, le fusil dans les mains. Il se tourna vers Sebastian avec une expression de surprise totale. Troublé, sous le choc. Et donc dangereux. Sebastian resta immobile sur le seuil. Il porta un regard plein de chaleur sur Johan. Son visage était pâle et brillant de sueur. Ses yeux rougis et gonflés étaient soulignés de profonds cercles noirs. Probablement le manque de sommeil. Peu importait ce qui s'était passé, peu importait ce qu'avait fait Johan : cela l'avait tourmenté. Jusqu'ici, où il n'y avait plus d'issue possible. Le plus grand danger était la pression. Que le mur étroit qui le rattachait encore à la réalité s'effondrât. Sebastian pouvait voir à quel point le gamin était tendu. Sa mâchoire travaillait sous ses joues pâles. Soudain, Johan parut avoir perdu tout intérêt pour Sebastian, et il reporta son attention sur la fenêtre et sur ce qui se passait devant la porte d'entrée.

Depuis son poste sur le seuil de la porte, Sebastian vit arriver une ambulance et deux voitures de patrouille. Une grande agitation. Il vit également Torkel parler avec un homme armé qui devait appartenir à l'unité d'intervention spéciale. Johan épaula le fusil et le pointa sur Sebastian.

– Dites-leur de s'en aller.

– Je ne peux pas.

– Ils doivent me foutre la paix.

– Ils ne s'en iront pas. Tu as tiré sur un policier.

Johan cligna des yeux, fatigué, et une larme coula le long de sa joue. Sebastian se risqua à faire un pas à l'intérieur. Johan tressaillit et leva son fusil, Sebastian s'arrêta immédiatement. Il mit les mains devant lui dans un geste défensif et apaisant à la fois. Le regard de Johan vacilla : c'était de mauvais augure.

– J'aimerais juste m'asseoir ici.

Sebastian fit quelques pas de côté, glissa dos au mur et s'assit par terre à côté de la porte ouverte. Sans le quitter des yeux, Johan baissa son arme.

– Tu veux me raconter ce qui s'est passé ?

Johan secoua la tête, se retourna et observa à nouveau les événements dans la rue.

– Est-ce qu'ils vont venir me chercher ?

– Pas tant que je suis là.

Doucement, Sebastian allongea les jambes par terre.

– Et j'ai tout mon temps.

Johan hocha la tête. Sebastian crut remarquer que les épaules du garçon s'étaient affaissées. Se détendait-il un peu ? Cela en avait tout l'air. Mais la tête de Johan bougeait encore par à-coups, comme celle d'un oiseau qui tentait de suivre les activités qui se déroulaient sous ses fenêtres. Le fusil était de nouveau pointé sur Sebastian.

– On essaye tous de protéger ceux que l'on aime. C'est naturel. Et j'ai compris que tu aimais vraiment ton père.

Toujours pas de réaction du garçon. Il était peut-être trop concentré sur ce qui se passait à l'extérieur pour entendre ce qu'il lui disait. Ou bien, il n'écoutait pas. Sebastian se tut. Ils restèrent assis. À travers la fenêtre ouverte, Sebastian entendit une civière rouler sur le sol et les portes de l'ambulance se refermer juste après. Haraldsson était pris en charge. Des voix étouffées, des pas. Une voiture démarra et partit. La tondeuse à gazon tournait toujours quelque part, là où la vie était encore compréhensible et concevable.

– J'ai moi aussi essayé de protéger ceux que j'aimais. Mais je n'ai pas réussi.

Peut-être était-ce le ton de Sebastian, ou l'arrêt de presque toute activité à l'extérieur qui ne nécessitait plus son attention. En tout cas, Johan se tourna vers Sebastian.

– Que s'est-il passé ?

– Ma femme et ma fille sont mortes.

– Comment ?

– Elles se sont noyées. Pendant le tsunami, tu t'en souviens ?

Johan acquiesça. Sebastian ne le quittait pas des yeux.

– Je ferais tout ce qui est en mon pouvoir pour qu'elles reviennent, pour qu'on soit de nouveau une famille.

Comme Sebastian l'avait espéré, ces mots éveillèrent quelque chose chez l'adolescent. La famille, le vide qu'elle laissait quand elle n'existait plus. Beatrice avait parlé du souhait de Johan, celui qui l'avait rendu malade. La famille, l'image de la perfection. Sebastian commença à deviner jusqu'où Johan était prêt à aller pour que personne ne détruise cette image.

Johan se tut. Sebastian était dans une position inconfortable. Avec prudence, il remonta les genoux et appuya ses mains dessus. Johan ne réagit pas à ce mouvement. Ils restèrent donc un moment face à face en silence.

Johan mordillait sa lèvre inférieure, l'air absent. Il regarda par la fenêtre, mais son regard était fixe, comme si plus rien ne l'intéressait au-dehors.

– Je ne voulais pas tuer Roger.

Sebastian eut du mal à comprendre ce qu'il disait. Johan marmonnait. Sebastian ferma les yeux une seconde. C'était donc ça. Il l'avait deviné quand il avait compris qu'Ulf n'avait pas de mobile, mais il n'avait pas voulu le croire. La tragédie était déjà assez violente.

– J'en ai parlé à Lena, la mère de Roger, pour qu'elle arrête tout. Mais rien ne s'est passé, ça a tout simplement continué.

– Entre ta mère et Roger ?

Johan regarda encore à travers la fenêtre. Les yeux toujours fixés sur un point à l'extérieur, au loin, ailleurs.

– Maman voyait déjà quelqu'un avant. Vous le savez ?

– Oui. Birger Franzén.

– À l'époque, papa a disparu du jour au lendemain.

Sebastian attendit, mais il ne continua pas. Comme si Johan voulait que Sebastian continuât l'histoire.

– Tu avais peur qu'il disparaisse à nouveau.

– Et il l'aurait fait, c'est sûr. Cette fois, c'était encore pire.

Johan paraissait convaincu, et Sebastian ne pouvait pas le contredire, même s'il l'avait voulu. La différence d'âge. La relation entre un élève et son professeur. Le meilleur ami de son fils. Cette trahison était encore plus grave. Et plus impardonnable. Surtout pour un homme comme Ulf qui n'avait même pas encore commencé à lui pardonner son dernier écart.

– Et comment as-tu découvert leur liaison ?

– Je les ai vus s'embrasser une fois. Et je savais qu'il voyait quelqu'un. Il parlait beaucoup de… ce qu'ils faisaient. Mais je…

Johan ne termina pas sa phrase. En tout cas, pas à voix haute. Sebastian observa le garçon secouer la tête comme s'il continuait à parler dans sa tête, et il attendit.

Le processus était enclenché. Comme Johan s'était déjà largement ouvert, il n'allait pas se refermer comme ça. Il voulait raconter. Les secrets étaient lourds à porter. Et combinés à la culpabilité, ils pouvaient détruire une personne. Sebastian était sûr que l'adolescent était soulagé. Il remarquait déjà un changement physique. Ses épaules étaient plus relâchées, sa mâchoire moins serrée. Même son dos, droit comme un I tout à l'heure, paraissait plus détendu.

Sebastian continua donc d'attendre.

On aurait dit que Johan avait presque oublié que quelqu'un était assis avec lui dans la pièce, mais soudain, il recommença à parler. Comme si un film se déroulait dans sa tête et qu'il racontait ce qu'il voyait.

– Il a appelé à la maison. C'est maman qui a décroché, papa était encore au travail. Maman a prétendu vouloir aller se promener, dit Johan, plein de mépris. Je savais où ils allaient et ce qu'ils faisaient.

Les mots se bousculaient à présent, son regard était encore fixé sur un point, au loin, que Johan était le seul à voir. Comme s'il y était quand…

Il se cache dans la forêt bordant le terrain de football pour les attendre. Il sait où elle a l'habitude de le déposer. Roger le lui a raconté une fois avant que Johan découvre tout. Il voit à présent la Volvo S60 de l'école s'approcher du parking. Elle s'arrête, mais personne ne descend. Il n'ose même pas imaginer ce qu'ils sont probablement en train de faire à l'intérieur. Il s'est assis, le bout de son pied touche le fusil qu'il a rapporté de la maison et qui est posé devant lui. Au bout d'un moment, il voit une lumière s'allumer dans la voiture et quelqu'un en descendre. C'est Roger. Johan croit l'entendre crier quelque chose, mais il ne comprend pas ce qu'il dit. Roger traverse le terrain à pas rapides et s'approche de lui.

Johan se lève et prend le fusil. Roger est en train de rejoindre le chemin qui le ramène à la maison quand Johan l'appelle. Roger s'arrête. Le cherche du regard dans la forêt. Johan s'avance, voit Roger secouer la tête en le voyant. Mécontent. Mais pas effrayé. Seulement comme si Johan lui posait un problème dont il n'avait absolument pas besoin en ce moment. Johan s'approche de lui. On dirait que Roger a pleuré. Voit-il le fusil pendouiller le long de la jambe droite de Johan ? Si oui, il n'en laisse rien paraître. Il demande à Johan ce qu'il veut. Il veut que Roger ne vienne plus jamais chez eux. Il veut que Roger se tienne éloigné de lui et de sa famille. Il lève son arme pour donner plus de poids à ses mots. Mais Roger ne réagit absolument pas comme Johan l'avait prévu. Il se met à crier.

Que de toute façon, c'était de la merde.

Que toute sa vie n'avait aucun sens.

Que Johan n'était qu'un putain d'idiot.

Qu'il ne manquait plus que lui.

Il pleure. Et il s'en va. Loin de Johan. Mais il n'en a pas le droit. Pas maintenant. Pas comme ça. Il n'a pas promis que les choses allaient changer. Il n'a pas promis de tout arrêter. Il n'a rien promis. Roger ne semblait pas avoir compris à quel point c'était important pour Johan. Il doit le lui faire comprendre. Mais pour cela, il faut d'abord l'arrêter. Il crie à Roger de s'arrêter. Le voit continuer à marcher. Crie de nouveau. Roger lui montre son majeur par-dessus son épaule.

Johan tire.

– Je voulais seulement qu'il m'écoute.

Johan regarda Sebastian. Ses joues brillaient de sueur, il avait épuisé toute son énergie. Ses mains n'avaient plus aucune patience ni aucune énergie pour tenir l'arme, qui glissa à terre.

– Je voulais seulement qu'il m'écoute.

Johan fut secoué par de violents sanglots, se recroquevilla, posa son front sur ses jambes. Lentement, Sebastian rampa vers le pauvre enfant en détresse. Avec précaution, il retira le fusil et le mit de côté. Puis il passa son bras autour de Johan et lui donna la seule chose qu'il était capable de donner à ce moment-là.

Du temps et de la proximité.

47

Nerveuse et impatiente, Vanja attendait dans le couloir. Une demi-heure s'était déjà écoulée depuis que Sebastian avait monté les escaliers. Elle l'avait entendu parler avec Johan à travers la porte, mais après qu'il fut rentré dans la chambre, elle n'avait pu percevoir que des murmures étouffés et des craquements quand quelqu'un bougeait. Elle espérait que ce soit bon signe. Pas de cris. Pas de voix excitées. Et surtout, plus de coups de feu.

Haraldsson était en route vers l'hôpital, ou déjà arrivé. La balle l'avait traversé juste en dessous de la clavicule. Il avait perdu beaucoup de sang et devait être opéré, mais d'après les premiers examens, ses jours n'étaient pas en danger.

Vanja était restée en contact téléphonique permanent avec Torkel. Six voitures de police étaient sur place, douze policiers armés jusqu'aux dents et en gilet pare-balles avaient encerclé la maison, mais Torkel les avait fait patienter dehors. Toute la rue avait été bouclée par des agents en uniforme. Au coin de rue suivant, quelques badauds et des journalistes s'étaient rassemblés et tentaient de s'approcher. Vanja regarda encore sa montre. Que se passait-il là-haut au juste ? Elle espérait instamment ne pas avoir à regretter sa décision d'avoir laissé Sebastian avec le garçon.

Puis elle entendit des pas. Vanja sortit son arme et se posta, les jambes écartées, au pied de l'escalier. Elle était parée à toute éventualité.

Sebastian et Johan descendirent les escaliers côte à côte. Sebastian avait passé un bras autour des épaules du garçon qui paraissait beaucoup plus jeune que ses seize ans. On aurait dit que Sebastian le portait pour descendre les marches. Vanja rangea son arme et contacta Torkel.

Quand Johan fut placé dans la cellule psychologique d'urgence où Beatrice l'attendait déjà, Sebastian tourna le dos à l'agitation de la rue et retourna à l'intérieur. Mélancolique, il poussa de côté quelques tas de vêtements et se laissa retomber sur le canapé. Il posa ses pieds sur la table basse et ferma les yeux. Quand il était encore en activité, il n'avait jamais laissé les criminels et leurs victimes envahir sa conscience. À ses yeux, ils n'étaient que des outils, des problèmes à résoudre ou des obstacles à franchir. Au bout du compte, ils existaient pour lui permettre de mettre ses compétences à l'épreuve et flatter son ego.

Quand ils avaient rempli leur rôle, il les oubliait et continuait. L'arrestation et les suites juridiques ne l'intéressaient en rien. Pourquoi alors ne pouvait-il pas cesser de penser aux Strand ? Un jeune criminel, une famille détruite. Certes, c'était tragique, mais ce n'était pas la première fois qu'il en faisait l'expérience. Et il n'avait pas l'intention de continuer à porter cela avec lui.

Il en avait fini avec l'affaire, et avec Västerås. Il était tout à fait conscient de ce dont il avait besoin pour détourner son attention des Strand pendant un moment.

Du sexe. Il lui fallait du sexe. Il devait coucher avec une femme, vendre enfin cette maison et retourner à Stockholm. C'était son plan.

Devait-il se rendre au 12, rue Storskärsgatan ? Essayer de prendre contact avec son fils ou sa fille ? À en juger par son humeur actuelle, il ne valait mieux pas, mais il ne voulait pas prendre de décision définitive avant d'aller mieux.

Après le sexe, après la conclusion de la vente, après Västerås.

Sebastian sentit le coussin s'enfoncer un peu quand quelqu'un prit place à côté de lui. Il ouvrit les yeux. Vanja s'était assise à l'autre bout du canapé. Le dos droit, les mains sur les genoux. Sur ses gardes. L'exact contraire de Sebastian qui s'était étalé de tout son long. Comme pour montrer le plus grand écart possible entre eux.

– Qu'est-ce qu'il a dit ?

– Johan ?

– Oui.

– Qu'il avait tué Roger.

– Et il a dit pourquoi ?

– Il avait peur que son père ne le quitte à nouveau. C'était un accident.

Sceptique, Vanja fronça les sourcils.

– Vingt-deux coups de couteau et un corps immergé dans un étang, ça ne ressemble pas vraiment à un accident, non ?

– Son père l'a aidé. Interrogez-le. Westin n'a certainement pas été exécuté par le gamin.

Vanja parut satisfaite. Elle se leva et alla dans le couloir. Elle s'arrêta sur le seuil de la porte et se retourna vers Sebastian. Il lui jeta un regard interrogateur.

– Tu as couché avec elle, hein ?

– Pardon ?

– Avec la mère, Beatrice Strand. Tu as couché avec elle.

Cette fois, elle ne formulait même plus sa phrase à l'interrogative, Sebastian ne répondit donc pas. Il n'en avait pas besoin : le silence demeurait la meilleure des confirmations.

Avait-il perçu une pointe de déception dans le regard de sa future ex-collègue ?

– Quand tu es monté voir le gamin parce que tu craignais qu'il ne se fasse du mal, je croyais encore que tu n'étais pas complètement pourri.

Sebastian savait quel tour allait prendre cette conversation. Il l'avait déjà entendue, dans d'autres situations, dans la bouche d'autres femmes, avec d'autres mots. Et la même conclusion.

– Apparemment, je me suis trompée.

Vanja le laissa seul. Il la regarda partir et resta dans le silence. Qu'aurait-il dû dire ? Elle avait raison.

*

440

Ulf Strand était assis sur la même chaise que sa femme quelques heures auparavant. Il paraissait très calme. Poli, presque complaisant. La première chose qu'il fit quand Vanja et Torkel arrivèrent et s'installèrent dans la salle d'interrogatoire fut de demander des nouvelles de son fils. Quand il fut rassuré d'apprendre que celui-ci était entre de bonnes mains et que Beatrice était avec lui, il s'enquit de l'état de santé de Haraldsson. Vanja et Torkel lui apprirent qu'il avait été opéré et qu'il était maintenant hors de danger. Ils enclenchèrent le magnétophone et prièrent Ulf de tout raconter depuis le début.

– Ce soir-là, Johan m'a appelé au bureau, complètement affolé, disant que quelque chose d'horrible était arrivé sur le terrain de foot.

– Alors vous y êtes allé ?

– Oui.

– Et que s'est-il passé quand vous êtes arrivé ?

Ulf se redressa sur sa chaise.

– Roger était mort. Johan était complètement paniqué. J'ai donc essayé de le calmer comme je le pouvais, et je l'ai mis dans la voiture.

Vanja remarqua que sa voix ne trahissait pas la moindre émotion. Comme s'il faisait un speech devant des collègues ou des clients. Il avait l'habitude de communiquer et d'employer le ton adéquat à la situation.

– Ensuite, je me suis occupé de Roger.

– Comment ça, « occupé » ? demanda Torkel.

– Je l'ai traîné dans la forêt pour que personne ne le voie. J'ai réalisé qu'on pouvait remonter jusqu'à nous grâce à la balle : j'étais donc obligé de la faire disparaître.

– Et comment avez-vous fait ?

– Je suis retourné à la voiture, et je suis allé chercher un couteau.

Ulf s'arrêta et déglutit. Pas étonnant, pensa Sebastian dans la pièce contiguë. Jusqu'à ce point de son récit, Ulf n'avait encore fait de mal à personne. C'était maintenant que cela devenait plus difficile.

Dans la salle d'interrogatoire, Ulf demanda un verre d'eau. Torkel alla le lui chercher. L'homme avala quelques gorgées. Il reposa le verre et s'essuya la bouche du revers de la main.

– Donc vous êtes allé chercher un couteau dans la voiture. Et ensuite ?

Vanja tentait de faire avancer la conversation.

La voix d'Ulf avait perdu de sa force quand il répondit.

– J'y suis retourné, et je m'en suis servi pour retirer la balle.

Vanja ouvrit le dossier posé devant elle. Elle feuilleta quelques clichés grand format du cadavre mutilé de l'adolescent, semblant chercher quelque chose. Un pur show, pensa Sebastian. Elle avait tout pour mener cet interrogatoire sans avoir à chercher des documents ou des rapports. Elle voulait seulement donner à Ulf un aperçu de la sauvagerie de son acte. Vanja fit comme si elle avait trouvé le papier qu'elle cherchait.

– Roger avait vingt-deux coups de couteau sur tout le corps quand nous l'avons retrouvé.

Ulf lutta pour essayer de détourner les yeux des images insoutenables qui s'étalaient maintenant sur la table. Le syndrome de Gaffer typique des accidents de voiture : ne pas vouloir voir, mais ne pas pouvoir s'empêcher de regarder.

– Oui, j'ai pensé faire en sorte que cela ressemble à un meurtre par arme blanche. Quelque chose de rituel, l'acte d'un fou, quoi. Ulf parvint à détourner les yeux des photos. Il regardait à présent Vanja droit dans les yeux. En fait, je voulais seulement dissimuler le fait qu'il avait été tué par balle.

– D'accord, et après lui avoir donné les vingt-deux coups de couteau et lui avoir découpé le cœur, vous avez fait quoi ?

– J'ai ramené Johan à la maison.

– Où était Beatrice à ce moment-là ?

– Je ne sais pas, en tout cas pas à la maison. Johan était sûrement sous le choc, car il a dormi pendant le trajet jusqu'à la maison. Je l'ai monté dans sa chambre et l'ai couché.

Ulf se tut et revint en pensée à ce moment. Soudain, il réalisa que c'était sûrement le dernier acte normal qu'il avait fait. Un père qui met son fils au lit. Tout ce qui s'était passé ensuite n'était qu'un long combat. Pour tenir, se serrer les coudes.

– Continuez.

– Je suis revenu à la clairière, et j'ai embarqué le corps. Je voulais l'emmener à un endroit qu'un jeune de seize ans ne pouvait atteindre. Pour être sûr que les soupçons ne se portent pas sur Johan.

Sebastian se redressa sur sa chaise. Il appuya sur le bouton micro de son casque. À travers la vitre, il vit Vanja prêter l'oreille.

– Il ne savait pas que Roger et Beatrice couchaient ensemble. Pourquoi croyait-il que Johan avait tué son ami ?

Vanja hocha la tête. Bonne question. Elle porta à nouveau son attention sur Ulf.

– Il y a une chose que je ne comprends pas. Si vous ne saviez rien de la liaison entre votre femme et Roger, pour quelle raison croyiez-vous que votre fils avait tué son ami ?

– Il n'y avait pas de raison. C'était un accident. Un jeu qui avait mal tourné. Ils étaient dehors et s'entraînaient à tirer, et ils n'avaient pas été assez prudents. C'est ce que Johan m'a raconté.

Ulf promena soudain son regard de Vanja à Torkel comme s'il avait cru que ce mensonge était la plus grande faute de son fils à ce jour. Comme s'il avait soudain réalisé que Johan n'était pas innocent. Qu'il ne s'agissait pas d'un accident. En tout cas, pas seulement.

– Que va-t-il arriver à Johan ?

Cette fois, sa voix trahissait une réelle préoccupation.

– Il a plus de quinze ans, il est donc pénalement responsable, expliqua calmement Torkel.

– Et que cela signifie-t-il ?

– Qu'il y aura un procès.

– Parlez-nous de Peter Westin.

Vanja changea de sujet dans le but de pouvoir enfin conclure l'audition.

– Il est psychologue.

– Nous le savons. Nous aimerions savoir pourquoi il est mort. À votre avis, que lui a dit Roger de si inquiétant pour qu'il dût mourir ?

Ulf les regarda d'un air dérouté.

– Roger ?

– Oui, Peter Westin était le psychologue de Roger. Vous n'étiez pas au courant ?

– Non. C'est le psychologue de Johan depuis plusieurs années. Johan était très perturbé après... tout ça. Roger ? Il allait voir Westin ? Je ne sais pas ce que Johan lui a dit. Je le lui ai demandé, mais il ne s'en souvenait pas vraiment. J'ai seulement compris qu'il n'avait pas dû lui faire d'aveux, car la police n'était pas venue, mais il avait sûrement parlé de certaines choses qui auraient pu faire comprendre à Westin ce qui s'était passé. Je ne voulais prendre aucun risque.

Vanja rassembla les photographies qu'elle avait étalées et referma le dossier. Ils avaient tout ce dont ils avaient besoin. À présent, la décision appartenait au tribunal. Johan s'en sortirait sûrement avec une peine allégée. Ulf par contre... la famille Strand ne serait pas réunie avant bien longtemps.

Vanja tendait la main pour éteindre le magnétophone quand Torkel la retint. Il restait encore une question à éclaircir et qui le turlupinait depuis qu'il avait compris les tenants et les aboutissants de l'affaire.

– Et pourquoi n'avez-vous pas appelé la police ? Votre fils vous a dit qu'il s'agissait d'un accident, et qu'il avait tiré par inadvertance sur son ami. Pourquoi n'avez-vous pas appelé la police tout simplement ?

Ulf croisa le regard de Torkel. Si ce dernier avait des enfants, il le comprendrait.

– Johan ne le voulait pas. Il était paralysé par la peur. Je ne pouvais pas le décevoir. Je l'avais déjà fait une fois. Quand j'ai abandonné ma famille. Cette fois, j'étais obligé de l'aider.

– Quatre personnes sont mortes, vous atterrissez en prison, et il est probablement traumatisé pour le restant de ses jours. Vous trouvez que vous l'avez aidé ?

– J'ai échoué. J'admets que j'ai échoué. Mais j'ai fait tout ce qui était en mon pouvoir. La seule chose que j'ai voulu faire, c'est être un bon père.

– Un bon père ?

Les doutes dans la voix de Torkel se heurtèrent à un regard exprimant une profonde conviction.

– J'ai été absent pendant plusieurs années, les plus importantes de sa vie. Mais je crois qu'il n'est jamais trop tard pour être un bon père.

Ulf Strand fut emmené. Il devait être présenté le soir même au juge d'instruction. Leur travail était pratiquement terminé. Sebastian resta assis dans la pièce voisine à observer Vanja et Torkel réunir leurs affaires. De bonne humeur, ils parlaient de leur retour imminent chez eux. Vanja espérait prendre le train pour Stockholm dans la soirée au cas où Billy n'y descendrait pas en voiture. Torkel resterait encore un jour ou deux à Västerås, Ursula également : Torkel rassemblerait tous les détails de l'enquête avant de transmettre le dossier à la justice, Ursula procéderait à la fouille de la maison des Strand et s'assurerait qu'aucun indice n'avait été oublié. Avant que la porte du couloir ne se referme derrière eux, Sebastian entendit Torkel émettre l'espoir qu'ils dîneraient encore une fois ensemble avant le départ de Vanja.

Leurs voix et leurs mouvements rayonnaient de légèreté. Le soulagement de savoir que le bien avait triomphé. Mission accomplie. Il était temps de repartir dans le soleil couchant sur quelques notes joyeuses.

Sebastian n'avait aucune envie de chanter ni de faire la fête. Même pas envie de faire l'amour.

Il ne pensait qu'à deux choses : le 12 de la rue Storskärsgatan et la voix d'Ulf.

« Il n'est jamais trop tard pour être un bon père. »

Bizarrement, Sebastian avait compris qu'au fond, il avait déjà pris sa décision. Pas consciemment, mais au plus profond de lui-même, il était sûr qu'il n'allait pas contacter Anna Eriksson une fois rentré à Stockholm. Et il était satisfait de cette décision.

Que cela apporterait-il, et où cela mènerait-il ?

Anna ne serait jamais Lily, et son enfant ne serait jamais Sabine. Et c'étaient elles qui lui manquaient et qu'il voulait absolument revoir. Seulement elles, Lily et Sabine.

Mais contre son gré, les mots d'Ulf avaient résonné en lui. Pas ce qu'il avait dit, mais la manière dont il l'avait dit.

Cette conviction naturelle. Comme s'il s'agissait d'un fait indiscutable. Une vérité universelle.

« Il n'est jamais trop tard pour être un bon père. »

Sebastian avait un fils ou une fille. Il avait très probablement un enfant toujours vivant. Quelque part se promenait un être humain qui était à moitié lui-même. Le sien.

« Il n'est jamais trop tard pour être un bon père. »

Ces quelques mots simples le confrontaient à des questions difficiles. Devait-il vraiment laisser un enfant lui glisser entre les doigts encore une fois ? Le pouvait-il ? Le voulait-il ?

Sebastian était de plus en plus tenté d'y répondre par la négative.

*

Le train ramenant Sebastian à Stockholm partirait dans une bonne heure. Presque trois jours s'étaient écoulés depuis qu'il était sorti de l'hôtel de police et était retourné dans la maison de ses parents, avec les paroles d'Ulf dans la tête. Il n'avait pas rappelé Torkel et Ursula alors qu'il savait qu'ils étaient également restés quelques jours de plus. Il ignorait s'ils étaient encore sur place. L'affaire était classée, et personne ne semblait avoir envie de garder contact avec lui en dehors du travail. Cela arrangeait plutôt Sebastian. Il avait obtenu ce qu'il cherchait.

La veille, l'agent immobilier était revenu, et ils avaient réglé les derniers détails de la vente. Dans la soirée, Sebastian avait ressorti le numéro de téléphone de la femme du train. Une rencontre qui paraissait avoir eu lieu il y a une éternité. Quand il l'avait appelée, il avait d'abord hésité. Il s'était excusé, invoquant une surcharge de travail avec cette affaire de meurtre d'un adolescent dont elle avait sans doute entendu parler. Le garçon du lycée Palmlövska. Comme prévu, il avait éveillé sa curiosité, et elle avait accepté un rendez-vous pour le lendemain.

Il avait eu lieu la veille. Ils avaient terminé la soirée chez lui, et il n'avait pu s'en débarrasser que le lendemain matin. Elle voulait le revoir, il ne lui promit rien. S'il ne se manifestait pas, ce serait elle qui le ferait, avait-elle annoncé en riant. Il avait répondu qu'il ne pourrait pas lui échapper vu qu'elle savait où il habitait. Trois heures plus tard, Sebastian avait pris tout ce qui l'intéressait dans la maison et avait refermé la porte derrière lui pour toujours.

Il se trouvait maintenant dans un lieu où il pensait ne jamais revenir. En fait, il s'était même juré de ne plus y mettre les pieds. De ne plus rendre visite à cet homme. Et voilà qu'ils y étaient tous les deux, au cimetière. Il était devant la tombe de ses parents.

Les fleurs de l'enterrement avaient fané. La tombe paraissait à l'abandon. Sebastian se demanda pourquoi personne n'avait enlevé les bouquets desséchés et les couronnes renversées et à moitié mangées par les chevreuils. Devait-il signer des formulaires ou quelque document du genre pour que le personnel du cimetière entretienne la tombe ? En tout cas, il n'avait aucune intention de le faire. Même s'il vivait à Västerås, il ne le ferait pas. C'était absolument inconcevable.

Un soleil levant ou couchant était gravé sur la tombe de granit rouge, derrière deux grands pins. L'inscription sur la tombe indiquait : « Famille Bergman », et en dessous le nom de son père : « Ture Bergman ». Le nom d'Esther n'avait pas encore été ajouté, la terre devait d'abord se tasser avant que l'on puisse transporter la stèle pour la faire graver. Sebastian avait entendu quelque part que cela prenait six mois.

Ture était mort en 1988. Sa mère avait vécu seule pendant vingt-deux ans. Sebastian se surprit à se demander si elle avait déjà envisagé de lui rendre visite. De lui tendre la main de la réconciliation. Et si elle l'avait fait, l'aurait-il acceptée ?

Sûrement pas.

Sebastian était assis à quelques mètres de la tombe mal entretenue. Indécis. Autour de lui, tout était silencieux, le soleil lui réchauffait le dos à travers son manteau. Un oiseau gazouillait dans l'un des bouleaux plantés entre les tombes. Un homme et une femme passèrent à vélo. Elle rit. Un rire pétillant qui montait jusqu'au ciel et qui lui parut déplacé. Qu'était-il venu faire ici en réalité ? Il ne parvenait pas à se forcer à approcher de la tombe. Il y avait tout de même une tragique ironie dans le fait que la dernière demeure d'une femme si ordonnée tout au long de sa vie ressemblât à un tas de compost.

Sebastian fit les quelques pas qui le séparaient de la tombe et s'agenouilla près d'elle. Il commença maladroitement à retirer les fleurs fanées.

– Tu ne t'attendais pas à ce que je vienne te voir, n'est-ce pas, maman ?

Le ton de sa propre voix l'étonnait et le troublait à la fois. Il n'aurait jamais pensé qu'il serait un jour accroupi à nettoyer une tombe en parlant à sa mère décédée. Que lui était-il arrivé ?

Cela avait un rapport avec ces chiffres.

1988. Vingt-deux ans toute seule. Aux anniversaires, à Noël, pendant les vacances. Même si elle avait des amis, elle devait être la plupart du temps seule dans sa grande maison. Beaucoup de temps pour réfléchir à ce qui s'était passé. Sa fierté avait été plus forte que le manque, la peur d'être rejetée plus grande que son besoin d'amour.

Mère d'un fils dont elle n'avait jamais de nouvelles. Pendant quelques courtes années, grand-mère d'une petite-fille qu'elle n'avait jamais vue. Sebastian cessa de tirer maladroitement sur les plantes et se leva. Il fouilla dans son sac à la recherche de son portefeuille et sortit la photo de Sabine et de Lily qu'il avait trouvée sur le piano dans le salon.

– J'ai fait en sorte que tu ne puisses jamais les voir.

Sa main droite se crispa autour de son portefeuille. Il sentait qu'il était au bord des larmes. Le deuil. Aucunement pour son père ni pour sa mère, même s'il était un peu triste en pensant à la banalité de leur conflit en comparaison des conséquences abyssales qu'il avait eues. Il ne pleurait même pas à cause de Sabine et de Lily, mais à cause de lui-même. À cause de ce qu'il venait de réaliser.

– Tu te souviens encore de ce que tu m'as dit la dernière fois qu'on s'est vus ? Tu m'as dit que Dieu m'avait abandonné. Il aurait retiré sa main protectrice de ma tête.

Sebastian regarda la photo de sa femme et de sa fille décédées, sur une tombe inachevée dans une ville où plus personne ne le connaissait, ni ne se demandait ce qu'il devenait. Une vérité qu'on aurait pu appliquer à n'importe quelle autre ville. Sebastian s'essuya les yeux du revers de sa main gauche.

– Tu avais raison.

*

12, rue Storskärsgatan.

Il avait fini par arriver devant l'immeuble au style fonctionnaliste. Sebastian ne connaissait rien à l'architecture et n'avait aucunement la curiosité d'en savoir davantage dans ce domaine, mais il savait que les immeubles de Gärdet, le quartier ouest de la ville, appartenaient à ce courant architectural du début du siècle.

Et il savait qu'Anna Eriksson habitait dans l'immeuble devant lequel il se tenait à présent. La mère de son enfant. Il l'espérait.

Cela faisait bientôt une semaine que Sebastian se trouvait à Stockholm. Depuis, il était passé tous les jours devant le numéro 12 de la rue Storskärsgatan. Parfois même plusieurs fois par jour. Jusqu'ici pourtant, il n'avait pas osé entrer. Le plus près qu'il avait été de la maison, c'était quand il avait regardé par la fenêtre de la porte d'entrée et jeté un œil sur le tableau des noms des occupants de l'immeuble. Anna Eriksson habitait au troisième étage.

Devait-il franchir le pas ?

Depuis son arrivée, Sebastian avait sérieusement soupesé la question. À Västerås, elle lui avait paru beaucoup plus abstraite. Comme une éventualité. Il avait pu énumérer le pour et le contre. Prendre une décision. Revenir dessus. Changer encore une fois d'avis. Sans aucune conséquence.

À présent, il était là. La décision qu'il prendrait serait irrévocable. S'en aller. Ou pas.

Se faire connaître. Ou pas.

Il ne cessait de changer d'avis. Parfois plusieurs fois par jour. Les arguments étaient les mêmes que ceux qu'il avait déjà égrenés à Västerås. Il n'avait mené aucune nouvelle réflexion, n'aboutissait à aucune nouvelle conclusion. Parfois, il arrivait qu'il ne vînt pas dans la rue Storskärsgatan.

D'autres fois, alors qu'il ne pensait même pas à s'approcher de l'immeuble, il pouvait rester planté des heures devant la porte d'entrée du numéro 12. Comme s'il était manœuvré par des forces mystérieuses. Mais jusqu'ici, il ne s'était pas risqué à entrer, pas encore.

Aujourd'hui, le moment était venu, il le sentait. Il avait réussi à venir directement jusqu'ici sans dévier de son chemin. Après avoir quitté son appartement de la rue Grev Magnigatan, il avait suivi la rue Storgatan, puis tourné dans Narvavägen pour se diriger vers le quartier de Karlaplan, était passé devant le centre commercial Fältöversten, avait traversé la rue Valhallvägen, et il était arrivé.

Une promenade d'à peine un quart d'heure. Si Anna Eriksson habitait déjà ici quand son enfant était petit, ils s'étaient peut-être croisés dans le Fältöversten. Peut-être que son enfant et sa mère avaient fait la queue derrière lui au rayon charcuterie du supermarché. Ces pensées occupaient l'esprit de Sebastian tandis qu'il fixait le numéro 12.

Le crépuscule tombait doucement. C'était une magnifique journée de printemps à Stockholm, qui annonçait presque l'été.

Aujourd'hui, il irait la voir et lui parler.

Il s'était décidé.

Il traversa la rue et s'approcha de la porte d'entrée. Juste au moment où il réfléchissait à la façon dont il devait pénétrer dans le bâtiment, une femme d'environ trente-cinq ans sortit de l'ascenseur et poussa la porte d'entrée. Il l'interpréta comme le signe qu'il allait rencontrer Anna Eriksson le jour même.

Sebastian s'avança quand la femme fut sur le trottoir et rattrapa la porte juste avant qu'elle ne se referme.

– Bonjour, merci, quelle chance !

La jeune femme ne daigna pas lui adresser un regard. Sebastian pénétra dans le hall, et la porte se referma derrière lui dans un clic sourd. Il consulta de nouveau le tableau des habitants bien qu'il sût exactement ce qui y était affiché. Troisième étage. Il se demanda un moment s'il devait prendre l'ascenseur qui montait au milieu de l'escalier dans un grillage noir. Il décida de ne pas le faire. Il avait besoin de tout son temps. Il sentait son cœur battre de plus en plus vite et ses mains devenir moites. Il était nerveux, et cela n'arrivait pas souvent.

Lentement, il monta les premières marches.

Au troisième étage, il y avait deux portes. Sur l'une, il lut le nom d'Eriksson et un autre nom. Il prit quelques secondes pour empoigner son courage à deux mains, ferma les yeux et inspira deux fois profondément. Puis il s'avança et sonna. Pas de réaction. Sebastian était presque soulagé. Personne à la maison. Il avait essayé, mais personne ne lui avait ouvert. Il s'était donc trompé : il ne verrait pas Anna Eriksson. En tout cas, pas aujourd'hui. Sebastian s'apprêtait à faire demi-tour et à descendre les escaliers quand il entendit des pas dans l'appartement. Une seconde plus tard, la porte était ouverte.

Une femme de quelques années de moins que lui le regarda d'un air interrogateur. Elle avait des cheveux bruns qui tombaient sur ses épaules et des yeux bleus. Des pommettes saillantes. Des lèvres fines. Sebastian ne la reconnut pas. Il n'avait absolument aucun souvenir d'avoir couché avec cette femme qui s'essuyait les mains avec un torchon rouge à carreaux.

– Bonjour, êtes-vous…

Sebastian perdit le fil. Ne savait pas par où commencer, car mille pensées traversaient son esprit. La femme resta immobile, interdite.

– Anna Eriksson ? parvint à sortir Sebastian.

La femme hocha la tête.

– Je m'appelle Sebasti…

– Je sais qui tu es, l'interrompit la femme.

Sebastian resta pétrifié.

– Vraiment ?

– Oui. Que fais-tu ici ?

Sebastian resta coi. Il s'était passé plusieurs fois le film de cette rencontre dans la tête depuis qu'il avait trouvé les lettres. Mais il ne s'était pas attendu à ça. Il n'avait jamais imaginé que leur première rencontre puisse se dérouler ainsi. Il avait cru qu'elle serait choquée, voire un peu chancelante. Ou en tout cas surprise en voyant un fantôme de trente ans devant sa porte. Il aurait au moins pensé devoir sortir sa carte d'identité pour prouver sa bonne foi. Son imagination n'avait pas du tout fabriqué l'image de cette femme qui se tenait devant lui, glissant son torchon dans sa ceinture et le regardant avec un air de défi.

– Je…

Sebastian s'interrompit. Cela aussi, il se l'était imaginé pourtant. Il n'avait qu'à s'y raccrocher. Il pouvait commencer par le début.

– Ma mère est décédée, et quand j'ai débarrassé la maison, j'ai trouvé quelques lettres.

La femme resta muette, mais hocha la tête. Apparemment, elle savait de quelles lettres il s'agissait.

– Dans ces lettres, tu écrivais que tu étais enceinte de moi. Je suis seulement venu pour voir si c'était vrai et ce qui s'est passé depuis.

– Entre.

La femme s'écarta pour le laisser passer, et Sebastian s'engagea dans le couloir relativement exigu. Anna referma la porte derrière elle, et il se pencha pour retirer ses chaussures.

– Ce n'est pas nécessaire. Tu ne vas pas rester longtemps.

Sebastian se redressa, dans l'expectative.

– Je voulais seulement que tu ne restes pas dans l'escalier. On entend tout.

Anna se plaça devant lui dans l'étroit couloir et croisa les bras.

– C'est vrai. J'étais enceinte, et je t'ai cherché, mais je ne t'ai jamais retrouvé. Et pour être honnête, il y a bien longtemps que j'ai arrêté de te chercher.

– Je comprends que tu sois en colère, mais…

– Je ne suis pas en colère.

– Je n'ai jamais reçu ces lettres. Je n'étais au courant de rien.

Ils restèrent face à face en silence. Pendant un instant, Sebastian se demanda ce qu'il se serait passé s'il avait été au courant à l'époque. Serait-il revenu vers Anna Eriksson pour devenir père de famille ? À quoi aurait ressemblé sa vie avec cette femme ? Bien sûr, c'était idiot, rien que d'y penser. Cela n'avait aucun sens de spéculer sur le passé ou un autre présent. De plus, il ne serait jamais revenu vers elle, même s'il avait reçu les lettres. Pas à l'époque. Pas l'ancien Sebastian.

– Je t'ai vu il y a, euh… environ quinze ans, dit posément Anna. Quand tu as aidé à faire arrêter ce tueur en série.

– Hinde. 1996.

– En tout cas, je t'ai vu à l'époque. À la télé. Si j'avais toujours voulu te contacter, je t'aurais sûrement trouvé à ce moment-là.

Sebastian mit une seconde à avaler ces paroles.

– Mais… est-ce que j'ai un enfant ?

– Non. Moi, j'ai une fille. Mon mari a une fille. Toi, tu n'en as pas. En tout cas, pas ici et pas avec moi.

– Alors elle ne sait pas que…

– Que tu es son père ? compléta Anna. Non. Mon mari sait bien sûr qu'il n'est pas son père biologique, mais pas elle, et si tu le lui racontes, tu détruiras tout.

Sebastian hocha la tête et regarda par terre. En fait, il n'était pas surpris. C'était l'un des scénarios qu'il avait envisagés : le fait que l'enfant ne sache rien. Ne se doute de rien et ait un autre père. Et le fait qu'il détruirait une famille intacte. Cela s'était déjà produit plusieurs fois quand il avait couché avec des femmes mariées et n'avait pas fait preuve de la plus grande discrétion, mais là, c'était autre chose.

– Sebastian.

Il releva la tête. Anna n'avait plus les bras croisés et l'observait à présent avec un regard qui exigeait toute son attention.

– Tu détruirais vraiment tout. Elle nous aime. Elle aime son père. Si elle apprenait que nous lui avons menti pendant toutes ces années… Je crois que nous n'y survivrions pas.

– Mais vu qu'elle est ma fille, je pourrais…

Une maigre dernière tentative. Condamnée à l'échec.

– Elle ne l'est pas. Peut-être qu'elle l'a été un jour. Pendant un moment. Elle aurait pu l'être si tu m'avais contactée. Mais aujourd'hui, elle ne l'est pas.

Sebastian hocha la tête. Il comprenait sa logique. À quoi bon insister ? Il pouvait pratiquement lire dans les pensées d'Anna.

– Qu'est-ce que tu espérais ? Un complet étranger qui apparaît soudain en prétendant être son père ? Qu'est-ce que ça pourrait apporter à part une catastrophe ?

Sebastian fit signe qu'il avait compris et se dirigea vers la porte.

– J'y vais alors.

Quand il atteignit la poignée de la porte, Anna posa une main sur son avant-bras. Il se tourna vers elle.

– Je connais ma fille. Tu n'obtiendrais qu'une chose : elle te haïrait, et notre famille serait détruite.

Sebastian hocha la tête. Il avait compris.

Il quitta cet appartement et cette vie parallèle qui aurait pu être la sienne. Anna referma la porte derrière lui, et il resta immobile dans l'escalier.

Voilà. C'était fait.

Il avait une fille que jamais il ne verrait ni ne rencontrerait. Toute la tension qui s'était accumulée s'envola d'un coup, et une grande fatigue s'abattit soudain sur lui. Si grande que ses jambes peinaient à le soutenir. Sebastian s'avança en vacillant vers l'escalier qui menait à l'étage supérieur, s'assit et regarda un point fixe devant lui. Il était littéralement vidé.

Au loin, il entendit le bruit sourd de la porte d'entrée qui se refermait, trois étages plus bas. Il se demanda comment il allait faire pour rentrer chez lui. Ce n'était pas loin, mais à ce moment-là, le chemin lui parut interminable. Il lui fallut quelques secondes pour réaliser que l'ascenseur s'était mis en mouvement juste à côté de lui. Il se leva. S'il s'arrêtait à cet étage, il le prendrait pour descendre. Il eut de la chance, l'ascenseur s'arrêta au troisième étage. Sebastian n'avait pas la moindre envie de rencontrer qui que ce fût, encore moins de rendre un sourire de politesse en retenant la porte grillagée. Tandis que la personne dans l'ascenseur écartait la grille, Sebastian remonta l'escalier de quelques pas.

Elle sortit de la cabine, et Sebastian jeta un coup d'œil pour l'apercevoir.

Il connaissait cette silhouette. Il la connaissait même très bien.

– Salut, maman, c'est moi, entendit-il dire Vanja.

Elle laissa la porte ouverte tout en retirant ses chaussures dans le couloir, et Sebastian vit Anna la fermer derrière elle.

Il s'en souvenait maintenant. Le nom sur la porte. Il s'était tant concentré sur le nom de famille d'Anna qu'il n'avait même pas enregistré celui de son mari.

Lithner. Vanja Lithner.

Rien au monde n'aurait pu le préparer à une telle nouvelle. Rien.

Sebastian sentit ses jambes céder sous son poids, et il fut obligé de s'asseoir.

Un long moment s'écoula avant qu'il ne se relève.

Dépôt légal : novembre 2013
Achevé d'imprimer au Canada